龙毓骞论文选集

U0235822

黄河水利出版社

图书在版编目(CIP)数据

龙毓骞论文选集 / 龙毓骞著. —郑州:黄河水利出版社,2006.10

ISBN 7-80734-128-9

Ⅰ.龙… Ⅱ.龙… Ⅲ.水利工程-文集 Ⅳ.TV-53

中国版本图书馆 CIP 数据核字(2006)第 105077 号

组稿编辑 岳德军 13838122133 dejunyue@163.com

出 版 社:黄河水利出版社

地址:河南省郑州市金水路 11 号 邮政编码:450003

发行单位:黄河水利出版社

发行部电话:0371-66026940 传真:0371-66022620

E-mail:hhslcbs@126.com

承印单位:黄河水利委员会印刷厂

开本:787 mm×1 092 mm 1/16

印张:23.75

字数:545 千字 印数:1—1 000

版次:2006 年 10 月第 1 版 印次:2006 年 10 月第 1 次印刷

书号:ISBN 7-80734-128-9/TV·477 定价:55.00 元

序

黄河是世界上输沙量最多的河流，黄河的多沙、易淤、善变是历史上下游频繁决口和复杂难治的根源，其症结就是泥沙。自1946年人民治理黄河以来，一大批专家投身到泥沙的科研中来，为确保黄河下游岁岁安澜做出了突出的贡献，这其中包括一些放弃国外优裕生活和工作条件的学者，龙毓骞同志就是其中杰出的代表。

龙毓骞同志1944年毕业于原中央大学土木工程系。1947～1949年留学美国衣阿华大学并以优异成绩获得硕士学位，又在加利福尼亚大学师从世界著名的水利专家汉斯·爱因斯坦教授学习河流泥沙，掌握了最新的水利科技知识。新中国成立的消息传到美国后，龙毓骞同志与其他热血青年一道，马上起程回国。他放弃在大城市工作的机会，主动要求到水利工作的最前线去。他参加了官厅水库工程建设，进行过水库水文泥沙实验研究。1966年调到黄河水利委员会后，先后在三门峡水库实验总站、黄委水文处、黄委水科所工作，并于1983～1985年担任黄委总工程师。从技术领导岗位上退下来后，他甘当铺路石，为科研做了大量基础性的工作，如组织编制了黄河一些水文站实测输沙资料数据库、三门峡水库运用研究有关资料数据库及下游河道断面资料数据库等。尤其难得的是，他把宝贵的经验无私地传授给身边的年轻人，为黄河泥沙科研培养了一批既熟练掌握计算机和外语，又精通河流泥沙研究的复合型人才，其中有些已成长为黄河科研的技术骨干。

龙毓骞同志的泥沙研究范围广泛，并在水库泥沙淤积和异重流的测验，水库水面蒸发、水温、汛情、波浪及塌岸等水库水文实验，黄河流域水沙变化，全沙输沙能力及下游河道冲淤量分析评价，光电颗分仪的研制，光电法泥沙颗粒分析等多方面研究中取得突出成就。鉴于他的勤奋和杰出贡献，1979年被国务院授予“全国劳动模范”称号，1984年被水利电力部授予“特等劳动模范”称号，1985年被全国总工会授予“全国优秀科技工作者”称号并颁发“五一劳动奖章”。

在人民治理黄河60年之际，黄委的一些科技人员将龙毓骞同志多年撰写的文章加以整理，选择其中的主要部分结集出版，这是一件十分有意义的工作。该书的不少研究成果在今天仍然具有重要的学习和参考价值。我相信，该书的出版，不仅有助于青年学者了解60年泥沙研究的发展过程，增加对从事黄河科研工作重要性的认识并增强荣誉感，而且会对黄河科研工作起到积极的推动和指导作用。

李国英

2006年10月17日

前　言

多年来，我撰写的论文，包括与其他同志合作撰写的论文，共计70余篇。本书选入了一些有代表性的论文，共29篇。20世纪50、60年代，我负责或参加编写的一些报告，多以单位名义提出，除个别论文外，其余均未收录。文选中的论文内容大体上可分为四个方面：关于水库淤积及异重流问题的论述，关于泥沙测验问题的见解，关于黄河输沙能力问题的讨论，以及有关黄河治理问题的一些意见等。此外，参加国际会议或进行国际交流的论文共36篇，其名称已列入国际交流论文目录，其中大部分论文的内容在本论文选的文章中已有所反映，除少数几篇外，其余未再选入。

通过对多泥沙河流水库的大量测验研究，以及学习他人的研究成果，使我对水库上下游河道的冲淤现象有了较清晰的认识。但是，从河床演变的角度来分析研究库区水流泥沙的运动规律和减少水库淤积，我认为还有大量的工作可做。野外的泥沙测验是认识河流自然规律的主要手段。但是，受自然及人为因素的影响，测验资料还不可避免地存在系统误差和随机误差。如何根据水流泥沙运动的特点并利用科学技术的发展来改进现行测验方法和工具，减少系统误差，提高所收集资料的准确度，使之能适应河流治理开发的要求，是需要我们思考和研究的一个问题。河流输沙能力是研究河流泥沙问题的一个最基本问题，我和其他同志试图利用野外实测资料来研究这一问题，提出了一些看法。为进一步深化我们的认识，还需要继续进行这方面的工作。黄河治理要求正确处理泥沙问题，而正确处理泥沙问题又与水资源开发利用密切相关。以水养河、以河输水、以水输沙，已成为人们的共识。如何在全流域节约和控制用水，如何进一步减少进入河道的泥沙并利用工程进行调节等，将是今后一项具有挑战性的任务。这些也是我从事多年工作的一些体会。编辑本文选的目的也是希望为后人提供一些继续工作的参考。

本文选出版前曾将有关论文选编成电子文档供使用参考。电子版除论文外还收入了少数资料，这些都是编辑过的数据库的一部分，为免于散失特将其主要部分收集在电子版内，这些集中的数据也仅供参考使用。因数量较多，此次编印的论文选中未将其全部纳入。文选中收集的论文，除最近几年的论文外，都是根据原报告重新编排的，其中附图也是重新扫描或从原报告的图中读出其趋势再重绘而得。

此次论文选的出版得到黄委薛松贵总工程师、刘晓燕副总工程师及梁国亭、张原锋、焦恩泽、缪凤举等教授级高级工程师的大力支持与协助，特在此表示感谢。

值论文集出版之际，我还想说明的是：本人之所以能对我们伟大的祖国做出一点微薄贡献，主要是得到老伴游素萍同志无微不至的关怀与对全部家庭生活的精心料理，使我能一心一意地投入工作。回顾一生，在业务上得到挚友钱宁的引导和同事们的无私帮助，特别是一些年轻同志在计算机和新技术的应用方面曾给我许多帮助，这些也是我取得一些成绩的重要因素。

龙毓骞

2006年8月于郑州

目　录

官厅水库泥沙测验工作

1 基本情况

官厅水库以上流域面积约为47 000km^2,坝址多年平均流量为 43.2m^3/s,年平均径流量为 13.6 亿 m^3,年平均输沙总量为7 000万 t。最大洪峰流量达4 000m^3/s;最大含沙量约 400kg/m^3。洪水主要来源于暴雨,上游多年平均降雨量 300～400mm,而 7、8 月的雨量约占全年的 53%,因此洪水多发生在 7、8 两月,其输沙量占全年总量的 80%,汛期泥沙粒径较细而枯水时期较粗,以 1954 年为例,汛期小于 0.01～0.02mm 的泥沙一般占全部泥沙的 40%～60%,而非汛期一般均在 20%以下。

官厅水库以上永定河分为两大支流,其中约有 70%的水量及 80%的沙量来自桑干河流域,其余来自洋河流域,组成水库的另一分支为妫水河,其含沙量很小。水位较高时,妫水河河谷为水库主要蓄水区域。

官厅水库是综合利用水库。最高水位时总库容为 22.7 亿 m^3。1953 年遇有记录以来第二大洪水,水库已起到拦洪作用。1955 年 8 月起开始蓄水,年底开始发电。水库拦河坝顶高程为 485m,河床以上最大高度为 45m。输水道进口装置了 1.75m×1.75m 闸门 8 座,分两层排列。下层底部高程为 444m,上层底部高程为 456m。全部开放时最大泄量可达 560m^3/s。水电厂进口底部高程 460m,最大泄量约为 110m^3/s。

工程完工后,自 1953 年起组织了下列几项水库泥沙测验工作:

(1)在进出库河道上设立水文站,用水文测验方法求得水位、流量、含沙量的过程。

(2)每年施测回水区域内地形及断面,并进行淤积泥沙的取样工作。

(3)在水库内设置若干固定断面,施测流速及含沙量的分布,观察水流现象并取一部分沙样进行颗粒分析,施测时采取了固定垂线观测与横断面观测两种方法。

此外,还开展水库塌岸及水面蒸发观测,并逐步进行区间径流及其他项目的观测。准备通过水量平衡方法以求得水库区各项水文特征。

本文简略地介绍了泥沙测验的主要成果,着重对蓄水以后的淤积量及其分布等作了一些说明,并叙述异重流的一些实测现象。

2 水库淤积数据及其分布

根据官厅水库工程规划,在设计水库时预留 9 亿 m^3 作为堆沙库容,3 亿 m^3 作为蓄水库容,10.7 亿 m^3 作为防洪库容,并计划在上游修建石匣里水库,拦滞一部分泥沙,在流域内推行水土保持工作以减少泥沙来量。

作者:官厅水库水文实验站(龙毓骞)。本文原刊载于《泥沙研究》1956 年第 2 期,曾译成俄文在全苏联第 3 届水文会议上发表。

进库河道的水文要素变化过程可以1956～1957年过程线来表示,从进出水库河道的水文测验,可以计算每年淤积泥沙的重量,初步整理结果见表1。

表1 水库不同时期淤积量统计

时段			1953年 6.21～12.31	1954年 1.1～12.31	1955年 1.1～12.31	1956年 1.1～12.31	1957年 1.1～9.31
运用情况			拦洪	拦洪、短期蓄水、汛期前泄空	短期蓄水、汛期前泄空,7月以后逐渐蓄水	蓄水	蓄水
进库	水量	百万 m^3	1 308.0	2 387.0	1 424.0	2 041.8	1 457.1
	悬移质输沙量	百万 t	113.6	144.4	29.8	83.4	50.7
出库	水量	百万 m^3	1 347.0	2 593.0	992.0	1 857.0	1 727.8
	悬移质输沙量	百万 t	63.2	72.7	7.6	10.0	1.4
淤积量	数量	百万 t	50.4	71.7	22.2	73.4	49.3
	占总进库量百分数	%	44.4	49.8	74.6	88.0	97.2
累计总淤积量		百万 t	50.4	122	144	218	267

淤积泥沙数量占总进库泥沙量的百分比逐年增长主要与水库运用条件有关。即使在蓄水运用时,由于洪水期间水库中形成了潜流型异重流,只要开放底孔闸门仍有一部分泥沙排出水库。如以同一时段资料计算洪水时期1953～1955年出库沙量一般占进库沙量15%～38%。1956年总计为22.3%,1957年为20%多。在拦洪运用时,由于水库经常泄空造成水力冲刷,促使大量泥沙排出水库,以1953～1955年资料统计约占总进库量的22.9%。

曾用地形测量方法求得逐年各高程相应的水库容积,从而求出淤积体积。每年取表层淤积泥沙样品测定其容重,并按淤积分布分区平均,以淤积量加权计算,求得加权平均容重见表2。

表2 水库不同年份平均容重

时段	淤积体积 (百万 m^3)	表层淤积泥沙加权平均容量 (t/m^3)
1953.7～1954.3	28.3	1.40
1954.3～1955.3	51.7	1.35
1955.3～1955.5	22.4	1.08
1955.10～1956.10	86.8	1.10
1956.10～1957.10	46.3*	暂缺

注:*系根据断面成果初步估计而得。

可见在水库正式进入蓄水运用以后,淤积泥沙的容重由于经常淹没而大大减小。当然,泥沙的固结作用将使淤积容重逐渐增加,因为没有进行过深层取样工作,所以目前还无法说明容重随时间增加的情况。同时也由于我们还没有比较适用的取样工具,所以求出的容重是不准确的,只能作为大致的参考。

水库淤积泥沙的分布主要受水库运用方式及水库水位、水库地形、进库水文泥沙的特性,以及潜流型异重流作用等因素的影响。1953～1955 年 7 月拦洪运用时期水位变幅很大,水位较低时坝前即已发生淤积,随洪水拦蓄水位上涨,淤积亦向上游发展。水位降落时回水末端附近开始发生冲刷,一部分泥沙又被带入水库以内形成淤积。泄空以后淤积表面形成新的河槽,第二次洪水即沿新的河槽开始淤积。蓄水以后,水库水位变幅很小,在回水末端由粗粒泥沙造成的淤积逐渐形成三角洲,并逐年向上游、下游发展。坝址附近则由于异重流所挟带的泥沙到达坝前有时不能及时排走,也造成了永久淤积。1956 年以后的淤积情况可代表蓄水以后的典型淤积分布。由于妫水河年输沙量很小,所以我们重点观测了永定河的淤积情况。由于淤积发展的结果,在妫水河口已淤成淹没沙丘,河口以内一段河床形成倒坡。造成这一现象主要是由于 1955 年以前水库泄空以后永定河河流改道直接绕经妫水河口附近,而当时河口正处于回水末端的缘故。

应当指出的是,1956 年汛期后三角洲面上除表面有一些小的串沟以外,全部断面几乎趋向水平,而在 1957 年 6 月库水位降落以后又有较小洪水进入水库($100m^3/s$ 左右),因冲刷作用形成了新的河槽,如断面 1031 的情况。三角洲前坡部分,也就是形成异重流的潜没地点附近断面淤积最快。可以明显地看出,这一断面淤积的发展是随着主流位置的变化而变化的(如断面 1019 的情况)。在水库中部异重流一般比较稳定,虽然其主流一般是沿深槽前进,但断面其余部分也有异重流通过,因此在横向的淤积也是普遍发展的,但深槽部分淤积速率较其他部分为快(如断面 1010 的情况)。至于坝址附近,一方面由于库面逐渐狭窄,另一方面由于下闸门启闭的关系,异重流达到坝前以后,由于壅水而形成浑水水库。逐渐沉降固结,淤积表面比较平整,泥沙粒径很细,有絮凝现象,容重很小(如断面 1000 的情况)。这些情况说明了沿水库长度各区段受地形影响及异重流作用的淤积特征。

其次,从纵断面的发展可以看出,从 1956 年 10 月到 1957 年 5 月的枯水季节及凌汛期内所发生的淤积主要是在库首三角洲部分。这是由于这一季节中水位较高、凌汛时期含沙量较小、粒径较粗的缘故。汛期初库水位较低,洪水时期又发生了异重流,因此使三角洲向前发展较快。1957 年共向前推进了 3km。至坝址附近则由于 1956 年 10 月以后曾多次开闸排沙,以及由于泥沙沉降固结所以淤积表面曾一度降低,但由于 1957 年汛期异重流的作用,又造成了一些新的淤积。

淤积泥沙粒径沿库长的变化与前述纵断面的形态是相应的,即在三角洲面上粒径较粗容重较大,而在三角洲以下粒径较细容重较小,在三角洲前坡以下部分淤积泥沙中 90%以上都小于 0.05mm,换言之,绝大部分大于 0.05mm 粒径的泥沙都淤积在三角洲以上了,而在坝址附近甚至于大部分泥沙粒径都小于 0.02mm。这一点也说明了造成这两部分淤积的过程是不同的;三角洲面上水库回水末端部分是由于流速逐渐减小而造成的重力沉淀,而三角洲以下主要是异重流挟带泥沙的沿程淤积。

从取样的结果来看，三角洲面上颗粒组成比较复杂，有垂直分层的现象。取样时三角洲滩地面上有一薄层细粒径的泥沙。这可能是1956年汛期以后水位较高时因回水作用所造成新的淤积，以及在主流两侧的回流部分较多的细粒泥沙因流速减小而产生的淤积。这些表层细粒泥沙，虽然数量较少，但在暴露固结以后往往具有一定的抗冲性质，对三角洲上新河道的形成将起一定的作用。

水库的回水受到各种水力因素如洪水、冰凌等的影响将呈现不同的变化，其中最主要的是淤积的影响，根据已有的资料，在水库末端由于淤积的发展，水位抬高了约1.5m。图1举例说明回水线的变化，从中可以看出，由于淤积的发展使回水线抬高，但回水线的抬高又促使淤积向上发展，二者的作用将是互为因果的。

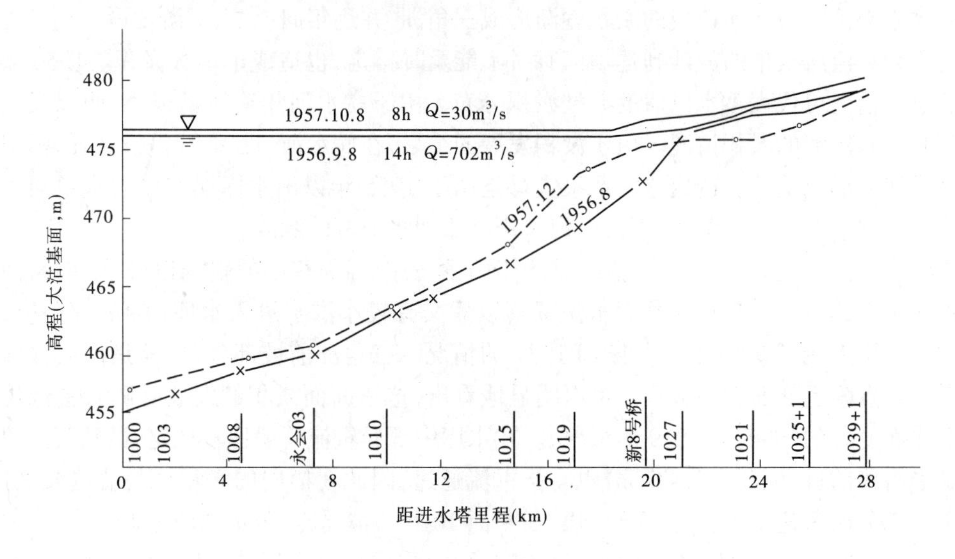

图1 水库回水曲线变化图

3 水库异重流

3.1 官厅水库潜流型异重流发生的现象及其特征

在洪水时期，进库的流量和含沙量很大，泥沙粒径组成较细，在水库入口处因流速减小，其中粗泥沙开始沉淀而较细泥沙仍继续下行，水流含沙量较大，造成密度的差异，因此能形成明显的潜流，沿库底和深槽部分前进。

发生潜流时，水库进库部分表面往往有明显的清浑分界线。在潜入点附近往往有大量漂浮物受逆流的顶托聚集不散。分界线两侧常有翻花现象，这些都是水流发生潜流型异重流的明显现象。

根据已有资料可知，一般情况下潜流型异重流平均流速为0.2～0.6m/s，最大流速可达1m/s左右，平均含沙量30～75kg/m^3，厚度0.6～3.0m。

水库所发生的潜流型异重流，实际上是一种底层的不稳定、不均匀的浑水流。与进库洪峰相应，异重流在水库中各断面也经历发生与消落的过程，同时在各个断面上异重流的厚度、流速也不相同。由于清水与浑水的密度差很小，所以有效重力的作用就特别小，而相对的说来惯性的作用就变得十分显著。

图 2 表示水库中某一垂线上流速、含沙量沿水深的分布。这种分布的型式与天然河道的分布有显著的差别。但是值得注意的是,在稳定后异重流的主体虽属于紊乱范畴,但其含沙量分布还有一明确的交界面,根据实测结果,上下层在 0.1m 以内含沙量就有很大的变化。

异重流通过各断面时受地形的影响流动的浑水面并不一定是水平的,而是顺着地形的趋势呈现高低不同,在凹岸浑水面较高;各断面上流速与含沙量的分布基本是相应的;最大流速多半发生在深槽部分,但有时也会出现在断面其他比较低凹的部分。图 3 的横断面分布说明了这一现象。

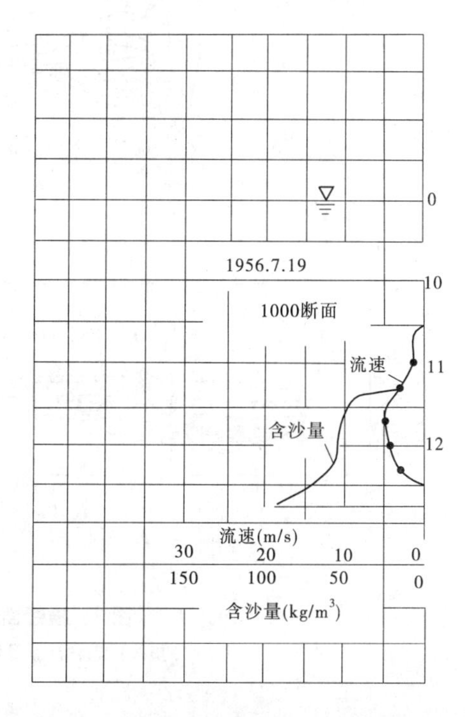

图 2 流速、含沙量沿水深的分布

由于惯性作用,潜流型异重流在行进过程中遇到障碍物时由于动量改变将会引起局部浑水面壅高现象。例如,当其通过旧桥墩时往往在桥墩前部形成明显的浑水水带。到达坝址以后由于水库闸门启闭的关系,可能出现几种不同情况。有时异重流可保持畅流状态通过闸门排走,有时在到达坝址后,异重流被阻,在坝前形成壅水。短期内浑水面上升较高,但很快就会形成平整的浑水水带。如图 4 所示,到达坝址以后由于水闸门启闭的关系,可能出现几种不同情况。有时异重流可保持畅流状态通过闸门排走,有时在到达坝址后,异重流被阻,在坝前形成壅水。短期内浑水面上升较高,但很快就会形成平整的浑水面。图 5 说明一次洪水期间浑水水库的形成与沉淀过程。

当异重流前峰已到达坝前,浑水水库形成以后,泥沙开始沉降,浑水层含沙浓度逐渐增加,继续到达坝前的异重流由于其含沙浓度较小,往往在原来的浑水水库表面流过形成所谓中层水流如图 6 所示,因为此时浑水面坡度较小,异重流的动量在到达坝之前已逐渐消弱,因此就不可能再有显著的爬高现象。

3.2 异重流的运动规律

异重流从开始到消弱的过程与进库洪峰的持续时间有关,不过在水库中部各断面上平均流速与含沙量随时间的变化远较入库以前洪水的变化为缓。以 1956 年 8 月初一次洪峰所发生的异重流为例(见图 7、图 8),从异重流主流中各水力泥沙因素沿程及时间的变化中可以看出,异重流的主体系由约 95% 以上小于 0.02mm 粒径的泥沙与清水的混合悬液组成。同时在各个断面异重流的各项水力因素的过程与进库洪水流量及输沙率的过程是相应的。因此,可以认为异重流的发生将与进库水流的细颗粒(0.02mm)含沙量及流量有密切的关系。

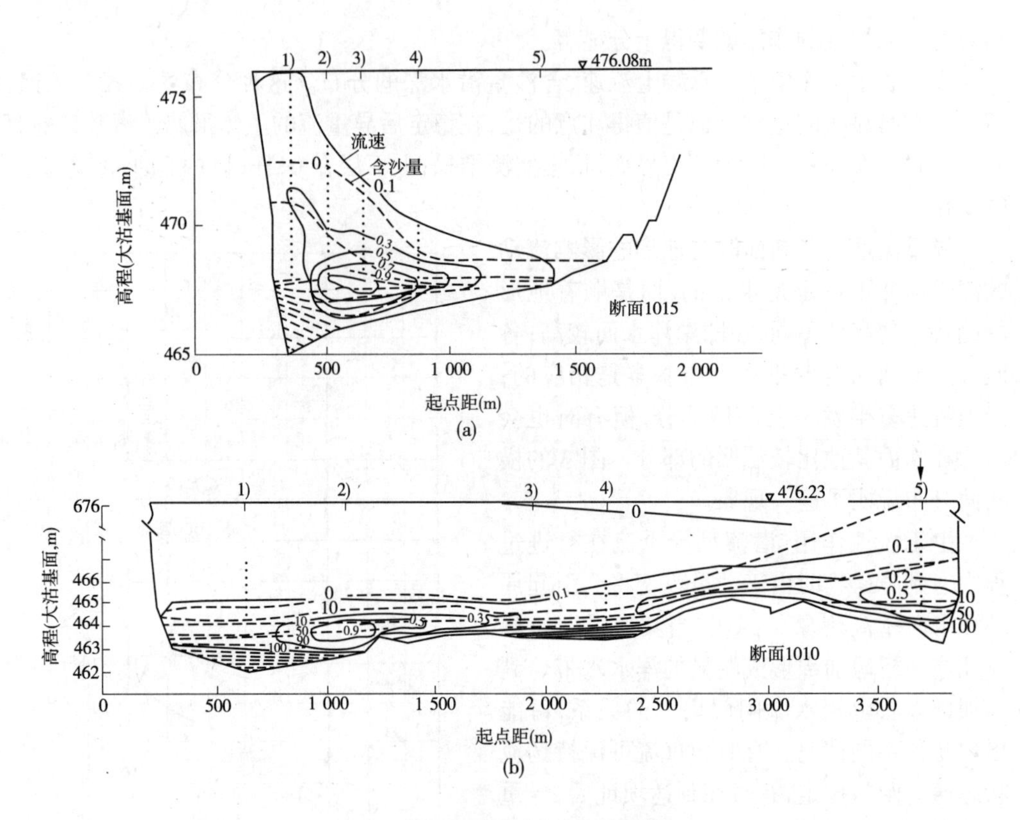

图 3　横断面流速、含沙量分布图

虚线代表含沙量等值线;实线代表流速等值线

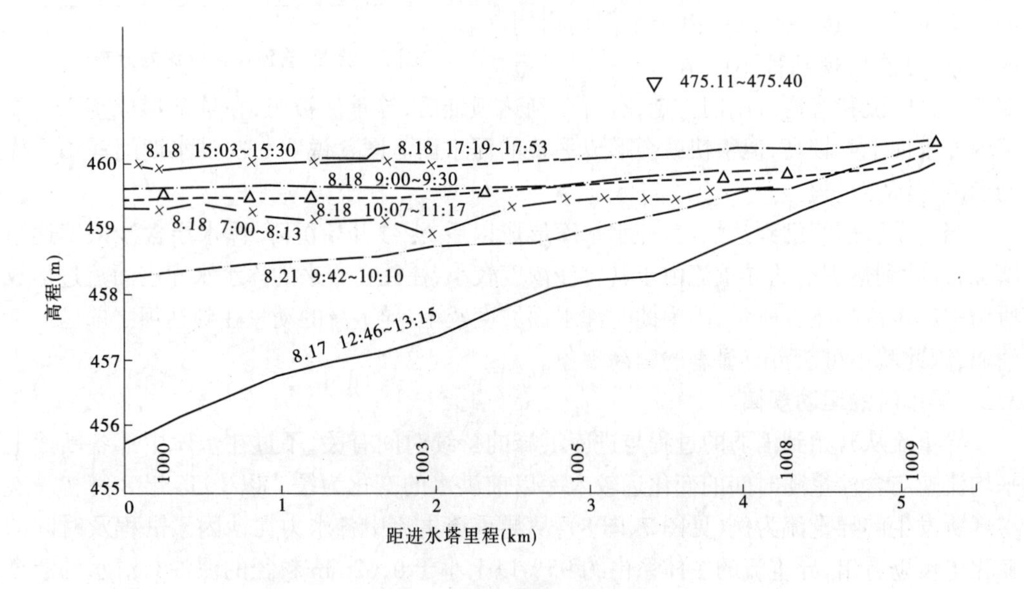

图 4　浑水水库演变过程

从异重流沿程变化可以看出异重流具有缓变不均匀的特性。坝前所形成的浑水水库实际上是一种壅水曲线的表现,所以除异重流前峰的暂时局部的壅高以外,坝前深水面上

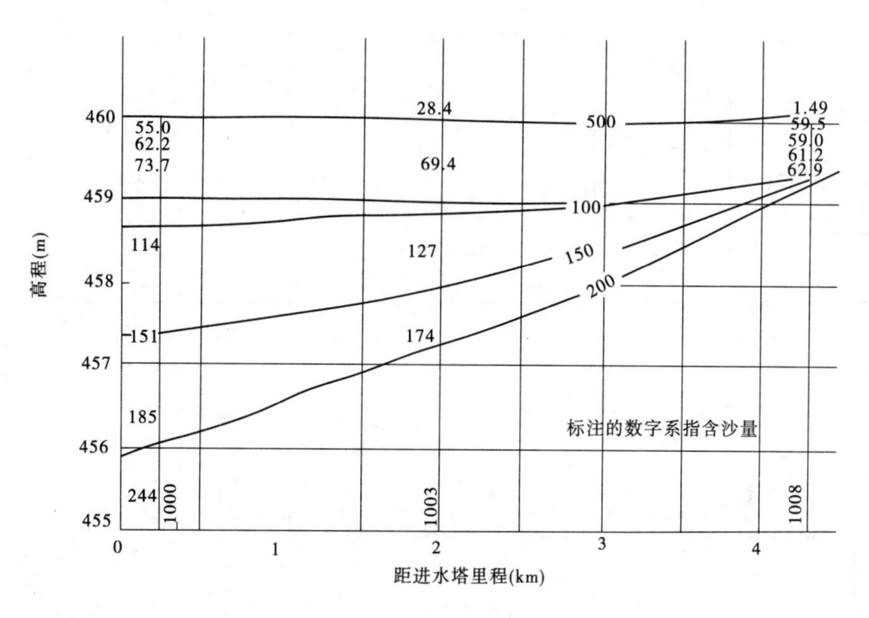

图 5　浑水水库等含沙量线

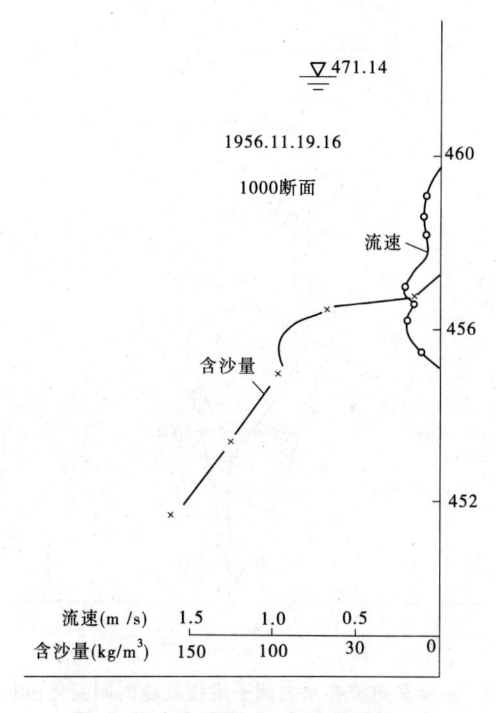

图 6　浑水水库流速、含沙量垂线分布

升的高度应是异重流流量与较低部分的水库高程容积关系的函数。

实际观测发现在较小流量时进库部分所发生的异重流有时并不能到达坝前而在中途沿程造成淤积。

接近均匀流态的异重流中各水力泥沙因素之间的关系可以用下列形式来表达

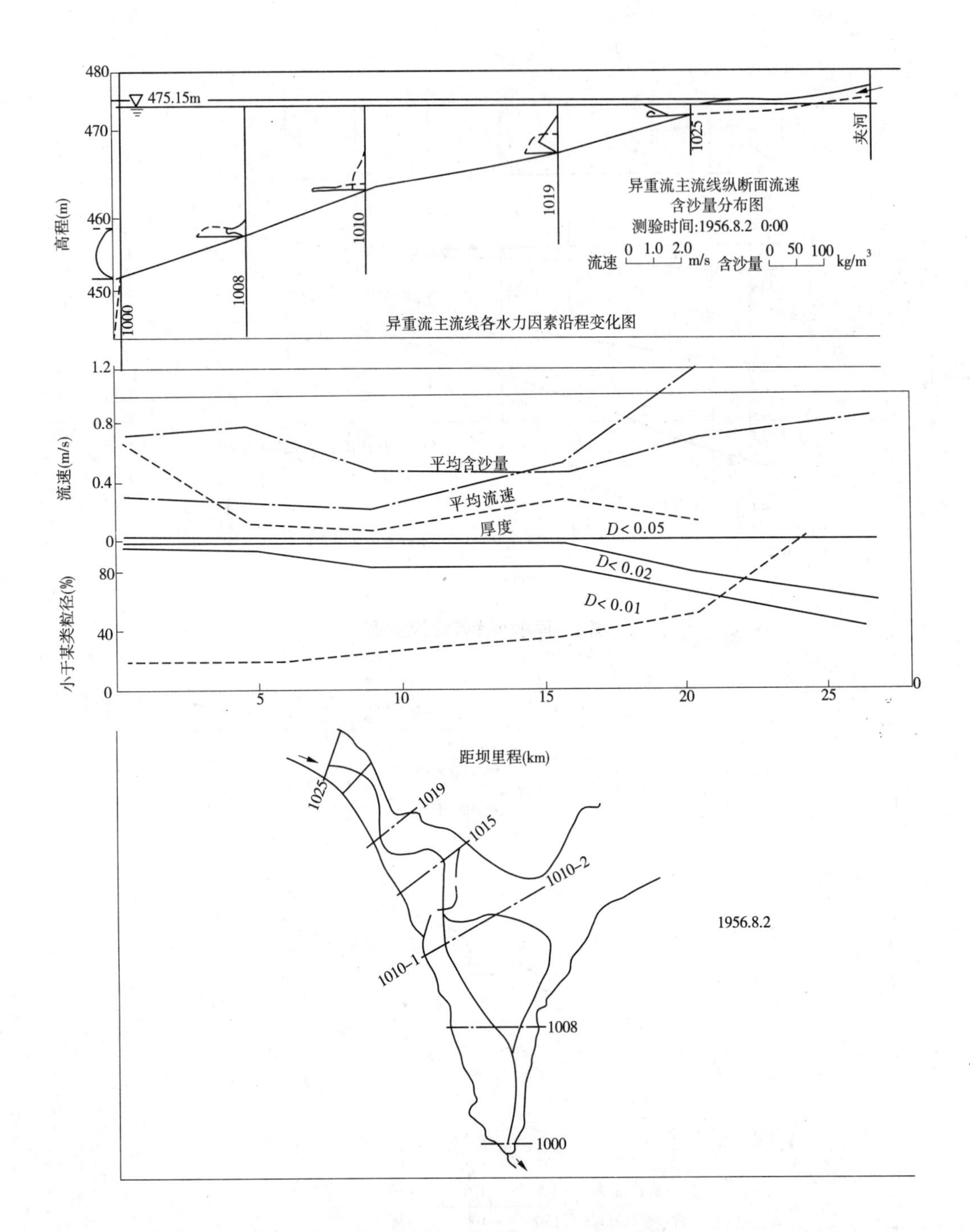

图 7　水库异重流各水力因子沿程及随时间变化过程图

$$v^2 = \frac{8g}{\lambda_t}\left(\frac{\gamma' - \gamma}{\gamma}\right) R \sin\beta$$

式中　v——异重流主体平均流速；

R——水力半径；

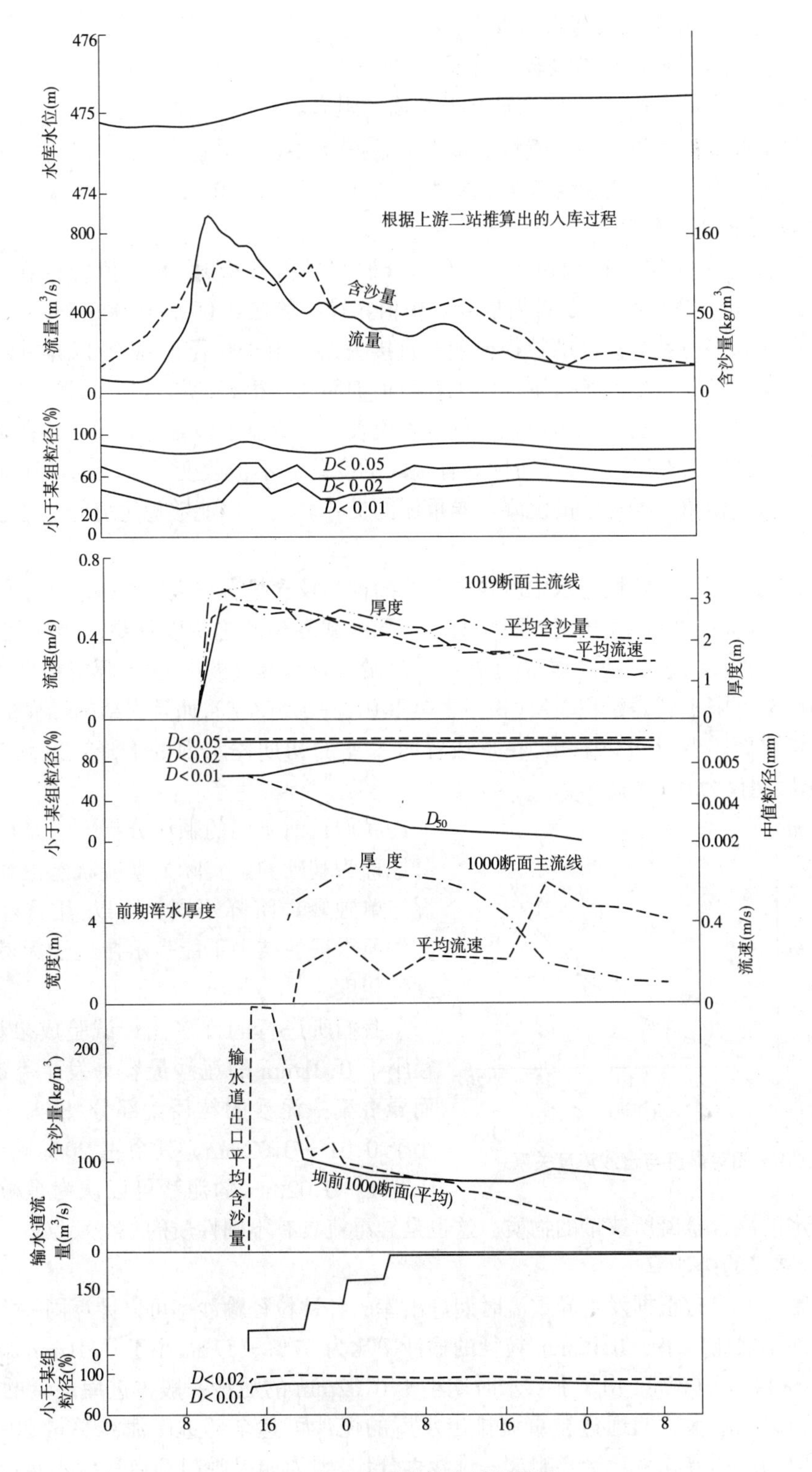

图 8　各水力因素综合过程线图

γ'、γ——异重流及清水的重率；

β——底坡倾角，当坡度较小时即为比降；

λ_t——总阻力系数，包含着底部及交面的阻力。

曾用实验资料验算证明天然情况基本上是符合这一规律的。

根据缓变不均匀流态所计算的总阻力系数 λ_t 平均约为0.025。

3.3 异重流的泥沙粒径

异重流的泥沙粒径很细而均匀，不加分散剂进行分析时，其中值粒径在0.008～0.015mm之间，加分散剂后(矽酸钠溶液)中值粒径一般在0.002～0.003 5mm。

异重流许多特性与泥沙的粒径很细有直接关系。由于粒径很细，所以异重流主体中上下含沙量均匀一致无显著差别。由于粒径很细而浓度很高，所以很容易发生絮凝作用，其在水中的沉降特性已不能由单独的沉速来代表。异重流中包含着大量细粒径是絮凝状态的泥沙，也使其物理性质如黏滞性等有很大的变化。不但改变了流动的性质而且也影响到其中所含较粗粒径泥沙的沉降。异重流的交界面之所以能够稳定可能也与这种特性有关。

细粒泥沙的絮凝特性与水中所含电解质的种类及含量有很大的关系。至于由于含沙量增加而引起的黏滞性变化则如图9所示。泥沙絮凝现象之所以重要，一方面固然是对异重流水力性质的影响，另一方面还在于一旦淤积以后容重极小，由实际资料大致判断一般流动层的下限也就是淤积表层(相当于容重0.3～0.5t/m^3)，而且固结的过程很缓慢。从坝前浑水面的变化可以看出，在形成浑水水库的初期浑水面的下降速度约为0.013m/h，而后期仅为0.002m/h。

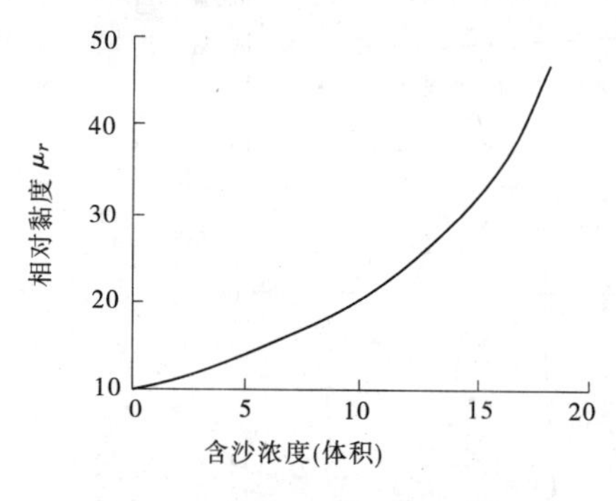

图9 相对黏度与含沙浓度关系

我们目前所用的颗粒分析方法是以泥沙沉降原理为基础的。实际上絮凝状态泥沙沉降情况与单独颗粒沉降不同。所以，用这样的分析方法所求得的结果不能表示接近于天然状态的泥沙粗度。

我们所进行的许多比较试验成果说明，粒径小于0.01mm的泥沙最容易发生絮凝作用。而异重流中泥沙的粒径大部分(80%～95%)，小于0.01～0.02mm。其余占20%～5%的大于0.1～0.02mm的泥沙可以认为是被由细粒泥沙与水的混合悬凝所挟带的物质。这也是异重流具有不同性质的一个特点。

3.4 异重流的排沙率

当闸门开启时根据发生异重流时期进出库的各种粒径输沙率可以计算同一类粒径进出库输沙率之比。小于0.02mm粒径的输沙率比为37%～57%，小于0.01mm粒径的输沙率比为44%～66%。由于在洪水时期小于0.02mm的泥沙一般占进库总量的40%～60%。因此在洪水时期通过异重流排出水库的泥沙可达全部进库泥沙总量20%以上。当然闸门的运用方式将直接影响这一排沙百分比，因为如果闸门开启程度不足以使异重流保持畅流状态排出水库，则在坝前必将造成永久淤积使排沙百分比减小。另外，必须指出的是，闸门开放后势必增加泄出的水量。当泄量超过排泄异重流的需要时势必排出一部分清水，而使出库含沙量降低，图 9 中的坝前一点与出库含沙过程线的比较可以说明这一问题。这一点说明了有效地利用底孔排泄异重流对减少水库淤积具有一定的意义，而最经济的底孔的操作运用方法又是一项值得观测研究的问题。

4 小结

根据官厅水库观测成果可以说明下列几个问题：

(1)水库淤积分布受水库运用情况、潜流型异重流作用、进库水文泥沙特性等因素的影响。特别是蓄水以后形成了三角洲，其淤积体积占整个淤积量的 50% 以上，侵占了有效蓄水库容，因此必须研究和预测三角洲的发展。

(2)潜流型异重流具有一般受重力作用水流的特征，具有一般水流相似的规律，官厅水库在洪水时期进库河道的水文泥沙特性适合于发生潜流型异重流，因此在运用水库时，应考虑充分利用异重流排沙以减少水库淤积。同时进行异重流的观测研究将对今后在多沙河道上新建水利枢纽的规划设计及运用提供资料。

由于各项测验和测量的精度较低，使用的仪器、测具也很简陋，因此现有测验资料还不能全面、精确地反映各种现象和问题，希望各方面同志能对我们目前所进行的各项观测工作提出批评和意见，以便进一步的改进，使观测资料能更好地为国民经济服务。

三门峡水库潼关河床高程变化的分析

潼关断面位于黄、渭河汇流河口下游附近，是库区开阔段进入峡谷段的入口处。潼关河床高程的升降变化，直接关系到渭河下游的水位，对关中地区渭河下游两岸工农业生产有较大的影响。同时，就一定意义上来说，潼关河床的升降也标志着潼关以上库区段的削洪滞沙能力及库区冲淤变化。以往在研究确定增建泄流规模和水库运用原则时，均以潼关高程的升降作为一项指标。目前三门峡水库增建工程已近完成，即将装机发电。因此，分析潼关河床高程变化是当前生产中的重要课题。

本文对建库前后潼关河床高程的变化进行了分析。目前这一阶段工作的重点，是摸清潼关高程变化的情况，分析各时期造成潼关高程变化的几种物理图形。以便弄清形成各种图形的边界条件，进而认识潼关高程升降的规律，为水库运用提供参考。

1 衡量潼关河床高程升降的指标

1.1 关于洪枯水同流量水位变化的比较

库区生产问题，从性质上来说大致可以分为两类。一是黄河干流及渭河下游地区的防洪及淹没问题；二是渭河下游的浸没盐碱化问题。对库区防洪问题而言，起决定性作用的是潼关断面过洪能力大小；而对库区浸没盐碱化问题而言，则主要是潼关河床的高低，或者说是枯（常）水位。在研究生产问题时采用不同的指标，才能较确切地反映潼关高程对它的影响。

为了比较上述两个指标，曾对建库前后潼关枯、洪水位变化进行了分析。建库前各年最大洪峰时各级流量的水位变化见表 1，建库后各年最大洪峰流量的水位升降变化统计见表 2。

表 1　建库前各年最大洪峰时各级流量的水位变化　　（单位：m）

流量（m^3/s）	年份			
	1935～1937	1937～1949	1949～1959	1935～1959
10 000	+0.10	+1.23	−0.07	+1.26
8 000	+0.06	+1.11	−0.17	+1.00
5 000	+0.20	+0.83	−0.14	+0.89
1 000	+0.23	+0.73	+0.23	+1.16

根据建库前后洪枯水同流量水位变化可以看出，从长时段而言，二者变化的趋势和幅度大体相似，有一定的代表性，而在短时段内二者变化趋势则不尽相同。这种现象正反映

作者：三门峡库区实验总站（王国士、龙毓骞）。本文系 1972 年总站一份研究报告。

了与潼关控制河段滩槽冲淤变化之间有密切的联系。

表 2　建库后历年最大洪峰流量水位升降值统计　　(单位:m)

年份	流量(m^3/s)			
	10 000	8 000	5 000	1 000
1959(起始水位)	325.50	324.94	324.13	323.10
1959	0	0	0	0
1960			+1.09	+0.40
1961		+2.14	+2.29	+2.05
1962		+2.71	+2.89	+2.68
1963		+2.39	+2.63	+2.40
1964.8	+4.00	+4.19	+4.53	+3.60
1964.10			+5.50	+4.90
1965			+5.17	+4.90
1966		+4.13	+4.63	+5.28
1967	+5.00	+5.18	+5.30	+5.22
1968			+5.97	+5.55
1969			+5.87	+5.60
1970		+6.07	+6.25	+5.40
1971	+5.30	+5.78	+5.62	+4.40
1972		+4.88	+5.07	+4.35

1.2　用不同方法反映潼关高程变化的代表性

在反映潼关河床高程冲淤变化上,习惯的有两种方法。一为潼关同流量水位(如前所述),二为潼关河底高程或同一高程下过水面积。前者反映为潼关断面过水能力,是代表潼关控制河段综合因素的;后者是代表潼关断面本身的冲淤变化的。因此,这两种方法所反映的潼关高程具有不同的意义,它们是互相补充的。

为了解潼关高程变化的全过程,我们根据水位流量关系的变化趋势,插补潼关断面流量1 000m^3/s 水位变化的全过程。另外,将各流量测次的实测断面面积,换算为 330m 作为标准高程下的面积。对1 000m^3/s 流量的水位过程与 330m 高程下面积过程进行比较,如图 1 所示。从历年总趋势来看,330m 面积的变化过程与1 000m^3/s 流量的水位变化过程基本上是相应的。从一个短时段的变化来看二者又并不是完全一致的。这种不一致反映着各时期断面上滩槽冲淤的特点。如当溯源冲刷发展的时期,面积的增大往往落后于 1 000m^3/s 的水位降低的幅度,它说明了先是冲深再是扩宽。另外二者不一致,还由于指标本身的局限性。例如,受壅水影响时同流量水位的变化就失去了代表性,而当在汛期洪峰期,330m 以下面积变化中,表现出洪峰冲刷、峰后回淤的特性,包含了局部冲淤影响在内,不一定代表控制河段的冲淤情况。

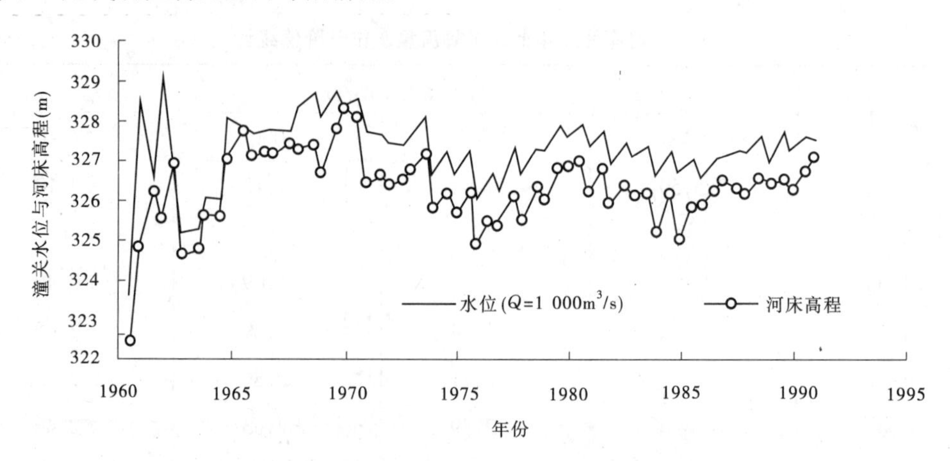

图 1　潼关水位($Q=1\ 000m^3/s$)与河床高程变化

历年潼关断面的水位流量关系曲线的斜率,受本断面的糙率、比降、宽度等因素变化的影响,虽不是完全一致的,但大体上是互相平行的。如果用1 000m^3/s流量水位的升降值来代表河床高程的升降,并以之来修正各年的水位—流量关系,各年的水位流量关系均可归纳到一根线上。这是与水文整编工作中导向原断面相类似的一种处理方法。这正说明了潼关断面同一流量下水位的升降,主要决定于河床高程的升降。反之,也说明了在畅流条件下,同流量(1 000m^3/s)水位升降,可以大致反映潼关河床的变化。

1.3　对采用指标的讨论

从上述分析可知,现在习惯上采用的不同方法所用的不同指标,都有一定的代表性,同时也都有一定的局限性。因此,在指标的采用上,应当是不同的生产问题用不同的指标。不同方法所反映的指标只能是互相配合、互相补充的;单独采用某一种都不能反映全貌。为了使分析工作简化,同时又使其有较全面的代表性,在以后的分析中,按习惯采用1 000m^3/s流量的水位,作为衡量潼关高程变化的主要指标(简称潼关高程),必要时辅以330m高程以下面积变化来说明潼关高程的变化。

2　建库前潼关高程变化的分析

潼关站自1929年开始有实测资料,1935年开始有流量资料,新中国成立前曾中断观测几年,资料残缺不全,缺乏严格考证。新中国成立后资料比较系统完整,资料精度也逐步提高。但受条件的限制,在建库以前所取得的资料,还不能详细反映潼关断面高程在每一时期的细致变化。因此,对建库前潼关高程的变化,只是进行了较为粗略的分析。

2.1　建库前潼关高程的变化情况

从潼关高程历年变化可以看出,自1929～1960年共32年中,潼关同流量水位升高值为2.25m,平均每年约上升0.07m,可以认为建库前潼关高程的变化是不大的,总的趋势是微淤的。现将建库前几个阶段同流量水位升降变化列于表3。

表 3　建库前几个阶段同流量水位升降变化

有实测资料		无实测资料	
年份	升降值(m)	年份	升降值(m)
1929～1930.11	+0.1	1930.11～1933	+0.80
1933～1942	−0.2	1942～1947.1	+1.10
1947.1～1947.7	−0.1	1947.7～1948.7	+0.05
1948.7～1960	+0.5		

注:1956 年 10 月水尺自北岸移到南岸,水位差 0.20m。因此,将升降值由 0.3m 改为 0.5m。

根据 1952～1958 年实测水位资料,黄河小北干流安昌(即北赵水位站)同流量(700 m^3/s),水位抬高了 1.10m,渭河华县站同流量(200m^3/s)水位抬高了 0.6～1.0m,潼关抬高了 0.6m,这说明潼关高程的上升与上游河床的上升是同步的。

从河流地貌上讲,黄河小北干流龙—潼段是一条堆积性河道,潼关处于宽浅游荡河段的出口,潼关以下河道逐步进入峡谷地段,到大禹渡以下,已属侵蚀性河道。潼关到大禹渡属过渡段,潼关又是过渡段的入口,因此建库前潼关高程微淤上升趋势,既是可能的,也是合理的。

2.2　建库前潼关高程变化的概略分析

建库前潼关下游是沙卵石及岩石河床,可以认为侵蚀基准面变化不大,影响潼关高程升降的重要因素是来水来沙条件和前期(淤积)河床边界条件。现分析如下。

2.2.1　来水来沙对潼关高程的影响

根据资料统计,凡是水大沙小年份潼关高程多是下降的趋势;反之,潼关高程则往往是上升的。在一年中,潼关高程的升降也表现为汛期冲刷、非汛期回淤,洪峰冲刷、峰后淤积。以上说明了水沙条件对潼关高程的影响。

另外,不同的水沙来源对潼关高程影响亦不同。曾统计了 1929 年以来资料,渭河(华县)年水量超过 100 亿 m^3 的共有 9 年,这 9 年潼关高程均稍有下降。再选择 1952 年与 1955 年对比见表 4。

表 4　1952 年与 1955 年数据对比

年份	潼关水量(亿 m^3)	华县水量(亿 m^3)	潼关沙量(亿 t)	Q_{max}(m^3/s)	S/Q	华县水量与潼关水量之比	同流量水位升降(m)
1952	373.5	106.3	7.14	6 000	0.016 2	0.284	−0.3
1955	514.3	90.42	13.6	6 000	0.016 2	0.176	+0.5

可见,当其他条件类似时,由于渭河来水比例不同,对潼关高程影响也不同。

以上表明渭河来水量较多,所占潼关水量比例较大时对潼关高程有冲刷作用。其原因可以归纳为:①渭河河床比降小于黄河干流的比降;②渭河洪水出现在 5、6 月及 9、10 月较多,而含沙量较小有利于冲刷河床;③渭河来水比例大时与黄河来水流路不同,引起潼关附近河势变化、中泓移位的结果，有利于扩宽河道，加大过水能力。

从1950～1959年汛期和非汛期来水来沙资料和同期潼关高程冲刷变化的资料进行分析（如图2所示），说明潼关上升幅度大小主要受上游来沙量（W_s）大小的影响，而潼关高程下降幅度则主要取决于上游的来水量（W）和流量（Q）的大小。

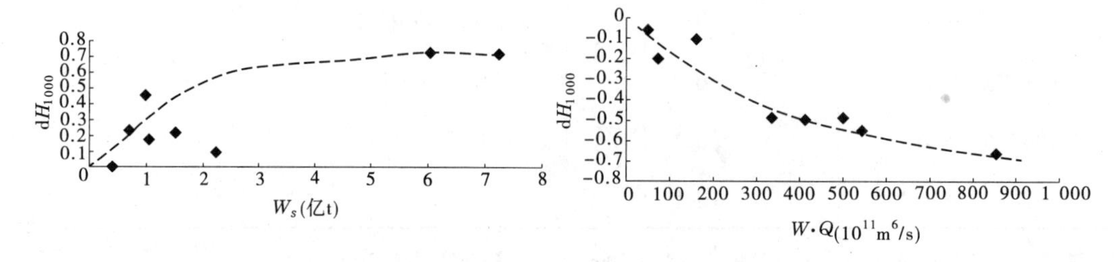

图2　1950～1959年来水来沙资料

2.2.2　潼关以上河段冲淤对潼关高程升降的影响

潼关高程升降与潼关以上河段的冲淤有直接的关系。据历年资料统计，1929～1960年，龙华河湫四站与陕县之间共淤积泥沙18.2亿t（由于建库前潼三河段是冲淤平衡的，则可认为这些淤积量均淤积在潼关以上黄河北干流及渭河下游），同期潼关同流量水位抬高了2.25m。于是点绘了自1950年起累积淤积量与潼关同1 000m^3/s水位的相关关系（如图3所示）。

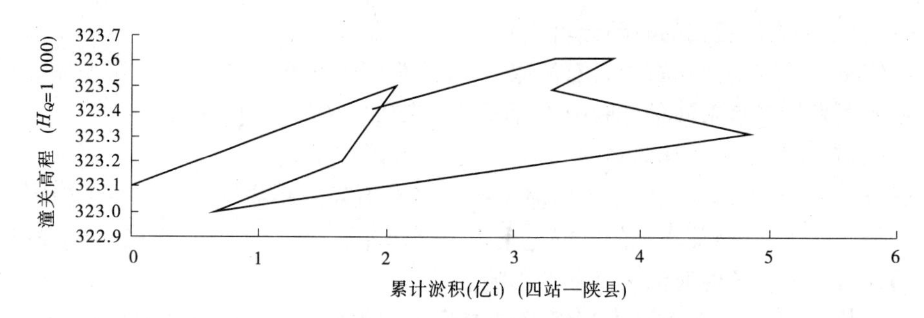

图3　建库前库区累计冲淤量与潼关高程

可以说明建库前潼关高程的抬高，从长时段来看与其上游的淤积量存在一定关系。

四站—潼关冲淤量与潼关高程升降关系绘于图4。图上表明，点群关系虽有些散乱，但是可以定性地说明：潼关高程升降是与潼关以上库区冲淤量成反比关系。即是说潼关以上汛期淤积，非汛期冲刷；而潼关高程则是汛期下降，非汛期回升。这种现象说明了潼关以上黄河北干流的削洪淤沙作用对潼关高程的影响。由于汛期洪水时潼关上游漫滩淤积，减少了来沙量，造成了潼关冲刷的有利条件。汛后则水小，河道归槽，北干流产生冲刷，增加了来沙量，有利于潼关的回淤。图4中点群分布的趋势还可看出，潼关高程上升所对应的冲刷量的斜率比潼关下降所对应的上游淤积量的斜率为大，即说明潼关以上河段冲刷，潼关高程回淤快，潼关以上河段淤积，潼关高程冲刷慢。

2.2.3　潼关高程变化还与潼关的前期河床条件有相应的关系

其表现形式为周期性的冲淤交替，即前期是淤积上升的，后期为冲刷，反之亦然。例

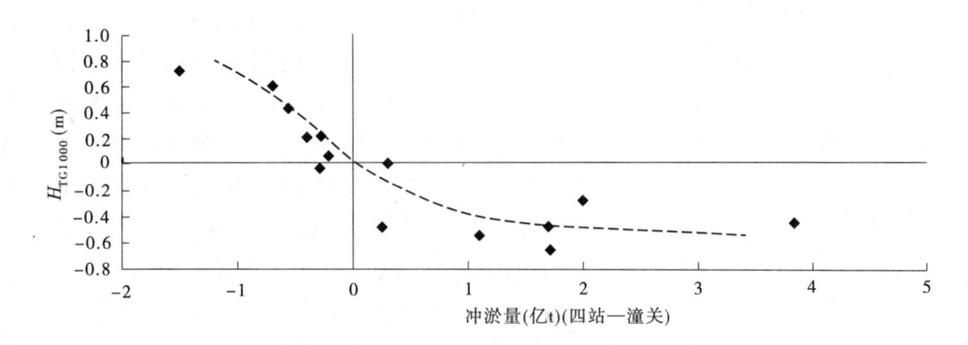

图 4　潼关以上冲淤量与潼关高程关系

如,1949 年丰水丰沙,潼关冲刷下降,1950 年为平水平沙,潼关高程是上升的;1953 年虽同样是平水平沙,而潼关高程则是下降的。1933 年潼关揭底冲刷下降 1.6m,尽管 1934 年(平水平沙)、1935(丰水平沙)水沙有利却都是回升的。这就说明了潼关河床高程的变化不仅与来水来沙有密切关系,而且也与前期淤积有一定的关系。

3　建库后潼关高程变化的分析

3.1　总述

建库以来,由于改变了侵蚀基准面,水库经历了不同方式的运用,遭遇了各种来水来沙,库区发生了剧烈的冲淤变化。截至 1972 年 10 月底,库区共淤积泥沙 54.3 亿 t,其中潼关以上 32.4 亿 t,潼关以下 23.9 亿 t。库区淤积的结果,使潼关高程(1 000m^3/s 的水位)共抬高了 4.16m。不同运用时期库区冲淤情况和潼关高程升降情况见表 5。

表 5　不同运用时期库区冲淤情况和潼关高程升降情况

时段(年·月·日)	运用情况及泄流条件	潼关 1 000m^3/s 水位升降值(m)	来沙量(亿 t)	冲淤量(亿 t)		
				全库区	潼关以上	潼关以下
1958.11.17~1960.9.14	自然调节梳齿(导流)过水	0	36.8	+1.50	+1.0	+0.5
1960.9.15~1962.3.19	蓄水运用 12 深孔人工控制	+2.60 关到 1962 年底	16.5	15.4	+2.70	+12.7
1962.3.20~1966.6.30	防洪排沙 12 深孔	1.63	58.4	24.5	+7.40	+17.1
1966.7.1~1970.6.30	初步改造 12 深孔+两洞四管	0.67	89.4	15.6	+17.9	−2.3
1970.7.1~1972.10.31	进一步改建 12 孔+2 洞 1~4 管+8 深孔	0.74	39.1	−2.70	+3.40	−6.1
1958.11.17~1972.10.31	总计	5.64	240.2	54.3	32.4	23.9

从历年潼关高程升降变化，潼关以下坫埼、太安二站同流量(流量1 000m^3/s)水位变化过程，潼三、潼太及潼关以上库区累积冲淤量变化过程及坝前水位与潼关上下河段水面比降的变化过程等可以看出，潼关高程在建库后大幅度地上升，主要集中在蓄水运用的1961年、丰水丰沙的1964年和1967年。它反映出水库运用方式和泄流条件对潼关高程升降的影响。同时表明潼关升降变化与其下游站水位、坝前基面的升降、潼关上下游的冲淤变化有密切关系。可以认为，潼关河床高程升降是潼关控制河段冲淤发展的结果，而引起控制河段冲淤变化的因素，在建库后不仅与来水来沙、河床边界条件有关，而且与水库运用和泄流条件的改变有关，它集中地反映在坝前水位(坝前侵蚀基面)的变化上。

应当指出，潼关河床高程变化过程是复杂的，造成冲淤升降的因素亦是较多的，并且经常是综合地起作用的。因此，为了揭示潼关高程变化的本质，还必须对潼关高程的每一次升降变化进行分析。

3.2 潼关高程升降的几种物理图形

冲积河流河床演变，就是河床的输水输沙能力与来水来沙不相适应这一矛盾对立统一斗争的结果。冲积河流具有自动调整的能力，在一定的来水来沙条件下，河床要调整它的断面形态和坡降，力求使输水输沙能力和来水来沙相适应。这是冲积河流的一个带普遍意义的规律。潼关高程的升降也应服从这一普遍规律。但是，由于黄河来水来沙的特点、潼关在库区地理位置的特点和水库的运用等又使潼关高程的升降变化具有一定的特殊性。为了弄清楚潼关高程升降的物理图形和边界条件，根据1959年以来各时期潼关高程升降变化情况，我们试将潼关高程上升图形按成因关系归纳为三个大类(七小类)。由于淤积(上升)和冲刷(下降)反映了河床变化矛盾的两个侧面，因此对于每一类型的上升图形有一种下降图形与之相对应。

进行这种分类的目的是为了突出主要矛盾，便于找出各时期潼关高程升降的主要原因。客观事物的发展是错综复杂的，各类图形之间的关系也应该是互相衔接的。我们将各时段的升降情况区别为各类图形是对自然变化过程的一种简化，然而，这种简化也正是想为寻求复杂的多变数之间的关系打下基础。

表6是几种升降图形的分类。

任何过程如果有多数矛盾存在的话，其中必定有一种是主要的，起主导的、决定的作用，其他则处于次要的和服从的地位。研究任何过程，如果是存在着两个以上矛盾的话，就要用全力找出它的主要矛盾。我们根据潼关高程升降情况，参照来水来沙条件，坝前壅水及下游站的同流量水位变化等，将潼关高程升降的全过程分为若干时段，然后按在每一时段中起决定性作用的原因分别归纳为上述图形，其分类统计如表7所示。

从表7中可以看出以下几点：

(1)潼关高程上升，主要是由于潼关断面受到壅水淤积(包括直接壅水淤积和淤积延伸)影响。其次是由于前期淤积影响所引起的比降调整的结果。这就进一步说明了建库后潼关高程大幅度的上升，主要是壅水淤积的结果。

(2)随着水库运用方式的改变和泄流规模的扩大，直接回水和间接淤积延伸，使潼关高程上升的机会逐步减少，而前期淤积影响的比降调整作用相对地逐步明显。

表 6 几种升降图形的分类

<table>
<tr><th colspan="3">上升</th><th colspan="3">下降</th></tr>
<tr><td rowspan="3">壅水淤积</td><td>直接回水</td><td>潼关断面直接受到坝前壅水影响时的淤积抬高</td><td rowspan="3">降水冲刷</td><td>降水过程中的冲刷</td><td>潼关断面在壅水位降低过程中随着水位降低而冲刷下降</td></tr>
<tr><td>淤积延伸</td><td>潼关断面未直接受到回水影响但由于下游受壅水淤积，淤积向上游延伸影响潼关</td><td>由壅水曲线变为降水线的冲刷</td><td>由于水位降低过程中由壅水曲线变为降水曲线引起的冲刷降低</td></tr>
<tr><td>比降调整</td><td>由于前期淤积影响在某一来水来沙条件下不相适应而发生的自下而上的比降调整</td><td>溯源冲刷</td><td>受到下游溯源冲刷的影响降低</td></tr>
<tr><td rowspan="2">来水来沙条件</td><td>沿程淤积</td><td>由于上游来水来沙条件而发生自上而下的比降调整</td><td rowspan="2">来水来沙条件</td><td>自上而下沿程冲刷</td><td>由于上游来水来沙条件而引起的自上而下的沿程冲刷</td></tr>
<tr><td>特殊水沙条件</td><td>特殊水沙条件引起的升降变化(如上游揭河底)</td><td>特殊水沙条件</td><td>特殊水沙条件引起的冲刷下降(包括揭河底)</td></tr>
<tr><td rowspan="2">局部影响</td><td>本断面特性</td><td>下降</td><td rowspan="2">局部影响</td><td>本断面特性</td><td>下降</td></tr>
<tr><td>冰期</td><td>潼关高程上升</td><td></td><td></td></tr>
</table>

(3)潼关高程下降是沿程冲刷与溯源冲刷共同作用的结果，从数值上来说沿程冲刷起到了主要的作用，说明了潼关高程的恢复降水冲刷是其必要条件，沿程冲刷是其充分条件，只有二者的结合才是恢复潼关高程既必要而又充分的条件。

(4)创造各时期潼关高程升降的各种原因都不是孤立的。前期的回水和淤积影响为比降调整作用建立了前提。而相对应地说前期的溯源冲刷又为充分发挥沿程冲刷作用创造了较好的条件。因此，几类图形之间的关系是互相联系、互相补充的。

以下将分别讨论造成潼关升降的几种主要图形。

3.2.1 壅水淤积

3.2.1.1 直接回水影响

建库以来，潼关断面曾 9 次受到坝前壅水的直接回水影响。较显著的是 1960～1961 年两次蓄水，潼关受影响历时 365 天，另外 1964 年两次回水影响历时共 37 天，其他各影响时期较短。

由于直接回水造成淤积，使潼关高程抬高，如表 7 所列数字，这是使潼关高程上升的一个主要原因。分析潼关的直接回水淤积图形，有两种情况，一是潼关受回水影响，潼关断面流速明显减小，泥沙大量淤积使潼关抬高；二是当蓄水位很高，潼关已处回水区内，而淤积三角洲在潼关以上，如当时上游水沙条件不足以形成异重流，三角洲前坡尚未能发展到潼关，表现在潼关河床不再升高，待蓄水位下降到一定程度后潼关受到回水，第二次淤积抬高。如 1964 年、1969 年防凌蓄水均出现过两次淤积现象。

表 7　潼关高程升降情况分类统计

序号	年份	水库运用	水沙条件	坝前水位(m)		库区淤积量(亿 t)		
				汛期平均	汛期最高	潼关以上	潼关以下	全库区
1	1960.9.15～1961.6.15	蓄水运用	枯水枯沙			−0.54	2.14	1.60
2	1961		丰水平沙	324.02	332.53	2.82	10.87	13.69
3	1962.1～6					−0.74	0.98	0.24
4						1.54	13.99	15.53
5	1962.7～12	防洪排沙	枯水枯沙	310.16	315.11	0.23	4.97	5.19
6	1963		平水丰沙	312.30	319.25	0.07	5.85	5.92
7	1964		丰水丰沙	320.24	325.90	7.04	7.67	14.71
8	1965		枯水枯沙	308.55	318.21	0.28	−3.42	−3.14
9	1966.1～6					1.14	−0.50	0.65
10						8.76	14.57	23.33
11	1966.7～12	初步改进	平水丰沙	311.35	319.52	7.22	0.50	7.72
12	1967		丰水丰沙	311.48	320.13	7.20	−0.70	6.50
13	1968		丰水平沙	311.35	318.91	0.67	−0.40	−0.27
14	1969		枯水平沙	302.83	311.39	2.85	−1.50	1.35
15	1970.1～6					−0.89	0.039	−0.86
16						17.05	−2.06	14.98
17	1970.7～12	进一步改建	丰水丰沙	299.54	313.31	4.07	−2.13	1.94
18	1971		枯水丰沙	299.94	312.84	−0.01	−2.30	−2.31
19	1972.1～10					−0.69	−1.07	−1.76
20								
21	总计					30.72	21.00	51.71
22								
23								

续表 7

序号	年份	淤积上升(m)							
		壅水淤积			水沙条件		局部影响		上升总数累计数
		直接壅水	淤积延伸	自下而上比降调整	自下而上比降调整	特殊水沙	断面特性	冰期	
1	1960.9.15～1961.6.15	3.06	0.27						3.33
2	1961	3.92	0.56						4.48
3	1962.1～6	0.25							0.25
4		7.23	0.83						8.06
5	1962.7～12			0.28			0.20		0.48
6	1963	0.12	0.45	1.06				0.27	1.90
7	1964	1.23	0.46		0.52	0.73	0.02	0.30	3.26
8	1965			0.40	0.02		0.26	0.40	1.08
9	1966.1～6								
10		1.35	0.91	1.74	0.54	0.73	0.48	0.97	6.72
11	1966.7～12			1.01		0.94	0.03	0.18	2.16
12	1967	0.10	0.51	0.58			0.05	0.16	1.40
13	1968	0.40	0.05	0.29	0.14		0.35	0.22	1.45
14	1969	0.25		0.40	0.67	0.05	0.44	0.38	2.19
15	1970.1～6		0.08			0.10	0.05		0.23
16		0.75	0.64	2.28	0.81	1.09	0.92	0.94	7.43
17	1970.7～12			2.04			0.07	0.17	2.28
18	1971				1.01	0.10	0.27	0.14	1.52
19	1972.1～10				1.01	0.10	0.34	0.31	3.80
20				2.04	1.01	0.10	0.34	0.31	3.80
21	总计	9.33	2.38	6.06	2.36	1.92	1.74	2.22	26.01
22		17.77	4.28	3.96	26.01				
23		26.01	26.01						

续表 7

序号	年份	淤积上升(m)								时段内升降总计
		降水冲刷			水沙条件		局部影响		下降总数累计数	
		降水过程冲刷	水面线改冲刷	溯源冲刷	自上而下沿程冲刷	特殊水沙	断面特性	冰期		
1	1960.9.15～1961.6.15									+3.33
2	1961	1.92			0.22				2.14	+2.34
3	1962.1～6	0.75		1.51	0.99		-0.07		3.32	-3.07
4		2.67		1.51	1.21		0.07		5.46	+2.60
5	1962.7～12			0.78	0.53				1.31	-0.83
6	1963		0.28		0.40		0.17		0.85	+1.05
7	1964	0.49	0.17		0.50		0.29		1.45	+1.81
8	1965		0.10		0.82		0.14		1.06	+0.02
9	1966.1～6		0.20		0.18		0.04		0.42	-0.42
10		0.49	0.75	0.78	2.43		0.64		5.09	+1.63
11	1966.7～12				1.70	0.18			1.88	+0.28
12	1967		0.12		0.64		0.04		0.80	+0.60
13	1968	0.25	1.22		0.22				1.69	-0.24
14	1969	0.44		0.20	0.60	0.24	0.08		1.56	+0.63
15	1970.1～6	0.10	0.20		0.53				0.83	-0.60
16		0.79	1.54	0.20	3.69	0.42	0.12		6.76	+0.67
17	1970.7～12		0.17	0.69		1.81	0.14		2.81	-0.53
18	1971		0.24	0.93	0.38		0.18		1.73	-0.21
19	1972.1～10		0.41	1.62	0.38	1.81	0.32		4.54	-0.74
20										
21	总计	3.95	2.70	4.11	7.71	2.23	1.15		21.85	4.16
22		10.76	11.09		21.85	4.16				
23		21.85	21.85	4.16						

潼关高程受直接壅水影响的抬高，其条件是回水和回水影响时期的淤积。我们曾对潼关、坫垮、太安等站受直接回水影响的资料进行分析，求得以下经验关系(如图5所示)：

$$\Delta H/H_0 = 0.094(-V/V_0)^{-1.3}$$

式中 ΔH——回水末端水位和响应坝前水位的差值，m；

H_0——壅水深度，指坝前水位和前期不淤库容(相当于 $V = 0.4$ 亿 m^3)的水位之间的差值；

V——蓄水前期库容(相当于受影响时坝前水位的库容)；

V_0——同蓄水前期库容之同水位原始库容。

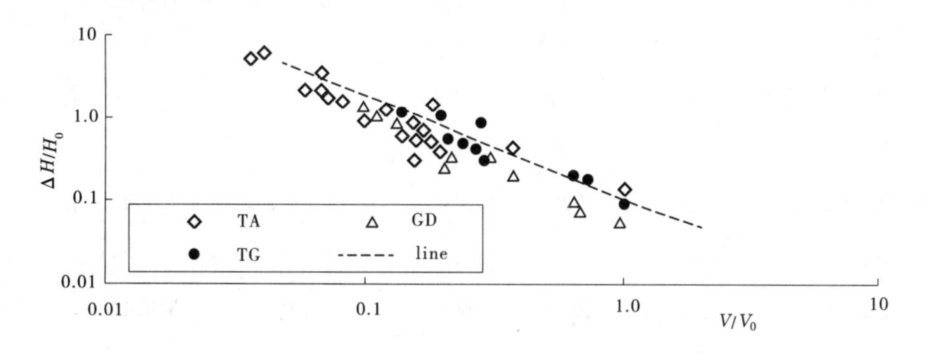

图5 回水影响经验关系

用上式作为判断回水末端的指标，并用本站受回水影响期间来沙量与同期因壅水淤积的抬高数(用1 000m^3/s 流量水位代表)建立相关关系，如图6所示。运用以上两关系可以求出在某一前期条件下，回水开始直接影响潼关的坝前水位。再按一定的来沙条件亦可大致求出潼关高程抬高数。

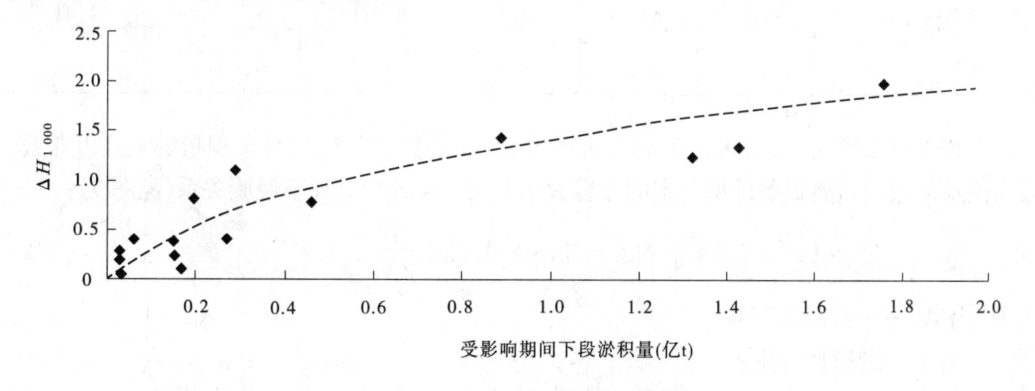

图6 来沙量与淤积量相关关系

3.2.1.2 壅水期的淤积延伸

潼关断面曾多次受到淤积延伸影响而抬高。这里所说的淤积延伸有两种情况：一是洪水时期，由于滞洪作用坝前水位有一个升降过程，在这一过程中淤积随水位上升而向上游延伸；二是坝前水位受控制而没有很大幅度的变化，上游不断来沙将使淤积向上游延伸。

曾对滞洪及较稳定蓄水期淤积末端延伸长度进行初步统计分析。利用洪峰前后各水位站同流量水位升降作为判别冲淤的一个指标，并利用上下游站同流量水位升降值插补出淤积末端的距离，用洪峰水面线与坝前最高滞洪水位水平线的交点作为 L_0，求出每次 $L_{淤}$ 与 L_0 的比值。

滞洪时期与 $L_{淤}/L_0$ 的比值统计见表 8，从表中可以看出，$L_{淤}/L_0$ 的变化幅度不大，自 1.41～1.58，平均为 1.5，它反映了在滞洪时期淤积末端位置与回水末端位置有密切的关系。

表 8　滞洪时期淤积延伸长度的统计

时段 （年·月·日）	历时 （d）	$L_{淤}$ （km）	L_0 （km）	最大洪峰流量 （m^3/s）	坝前最高水位 （m）	$L_{淤}/L_0$
1962.7.24～8.20	28	89.0	61.0	4 320	315.11	1.46
1963.9.18～10.9	22	110	76.5	5 500	319.22	1.44
1963.11.1～12.9	39	125	82.5	1 790	320.05	1.51
1965.7.22	7	83.3	56.2	5 400		1.48
1966.7.28～8.2	6	88.5	60.0	7 800	319.45	1.47
1966.9.13～9.26	14	92.0	64.5	6 070	319.13	1.43
1967.9.7～10.5	29	99.0	62.5	6 800	319.90	1.58
1968.7.8～7.31	24	66.5	45.0	4 610	315.70	1.48
1968.9.8～10.5	28	89.5	58.5	6 750	318.75	1.53
1970.8.3		53.9	38.3	8 400		1.41
1971.7.26		59.3	38.3			1.55

在稳定壅水期 $L_{淤}/L_0$ 的比值有较大的变幅，这个数值的变化与淤积量的大小及根据最高壅水位及前期淤积条件所确定的库容大小有关。据此建立如下经验关系(见图 7)：

$$L_{淤}/L_0 = 1.8 + 0.2\lg\left(\frac{\Delta W_s}{\gamma_s \overline{V}}\right)$$

式中　ΔW_s——时段淤积量；

γ_s——淤积物容重；

$\overline{V}$——相应时段最高水位的前期库容。

由以上关系可以估计出淤积延伸的末端，为了回答淤积范围内某断面的淤积抬高程度，曾利用水库处于全程淤积状态条件下的资料分析滞洪运用期水库的淤积分布。如以测量时段内最高水位作为分界点，以最高水位到淤积末端及最高水位到淤积下限的高程差分别作为 100%，以最高水位高程上下的淤积体积分别作为 100%，求得库区淤积体的相对分布图形，如图 8 所示。这一图形可以大体上反映滞洪条件下水库的淤积分布情况。最高水位点上下的淤积量可以根据同一资料所求得的关系予以分配。

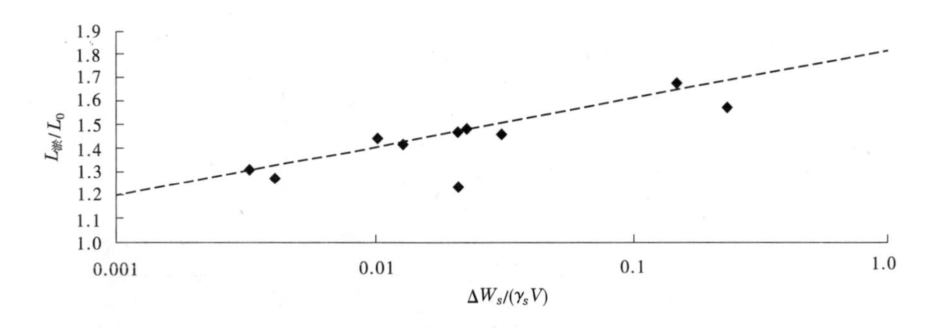

图 7　经验关系图

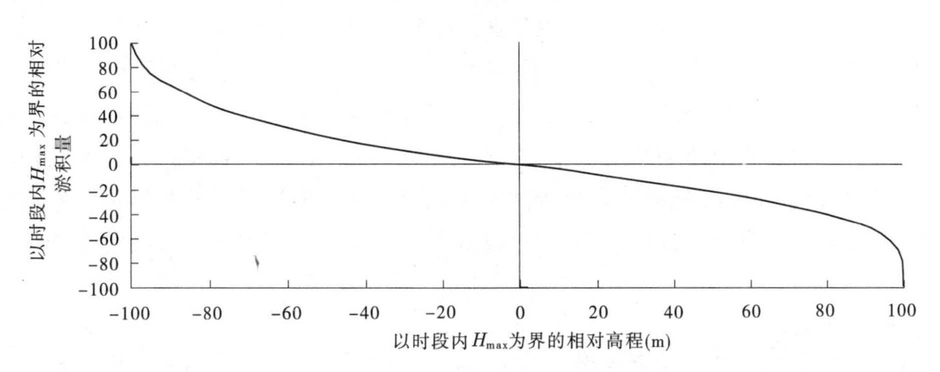

图 8　库区淤积体的相对分布图形

运用这一成果时需要预先确定淤积上下限。根据前述成果可以大致确定淤积末端(即上限)的位置。淤积下限可以采用前期库容为零时的高程。这样在已知前期剖面的条件下,可以用摆淤积的办法求出某断面的抬高数。

3.2.1.3　由于前期淤积影响而发生自下而上的比降调整

建库以来出现过多次壅水位远未影响潼关,而潼关还发生淤积上升的现象。在坝前壅水位一旦降低以后,由于前期壅水淤积不能随着降水冲刷冲走,而使潼坫段比降减小,不足以适应来自上游的水沙条件,因此发生淤积,淤积的结果又加大了比降,增加了输沙能力。这就是一种自下而上的比降调整。其图形是潼坫段比降由小增大,潼上段比降由大减小,来水来沙能通过潼关以上而不能通过潼关以下,造成潼关的淤积上升。潼关是和潼关以下河段淤积趋势连续的。

鉴于这种淤积上升图形主要是因为前期淤积比降与来水来沙不相适应,故利用该类资料点绘了 ρ/Q 与 J(潼)的关系(见图 9)。利用这一关系可有助于说明发生这种比降调整的边界条件。

3.2.1.4　对壅水淤积几种图形的讨论

直接回水淤积、壅水期的淤积延伸、前期淤积影响的比降调整三种淤积上升图形的实质就是下游控制水位或侵蚀基面的抬高破坏了天然河道的相对平衡,水流与河床相互作用,自动调整,达到新的平衡的几个阶段。第一阶段为直接回水淤积即在回水范围内的淤积。第二阶段为壅水期淤积延伸,即为壅水期淤积调整过程,其特点为一方面淤积向下游发展,另一方面向上游淤积延伸。对潼关高程上升来说,延伸与壅水期淤积量的大小有

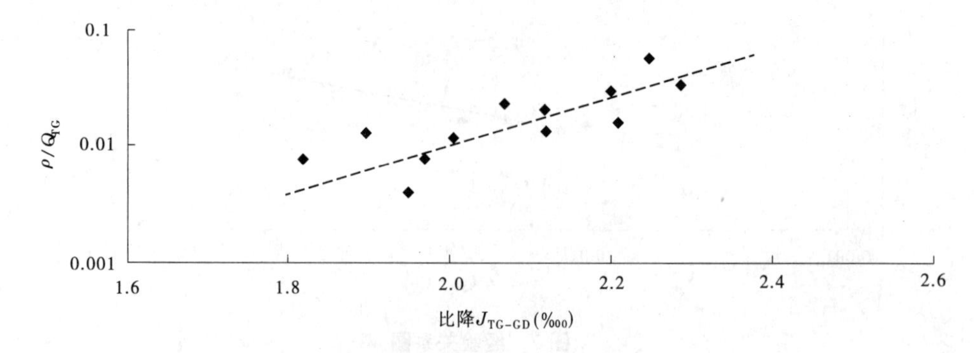

图 9　潼坫段 ρ/Q 与 J 关系

关。第三阶段为淤积调整的最后阶段,即重新建立相对平衡的阶段,与来水来沙条件有关。实际上三种图形在壅水淤积发展的过程中可以认为,直接回水影响是壅水淤积的起始图形;壅水期的淤积延伸则是壅水淤积的发展;自下而上的比降调整则是壅水淤积的终极图形。其中回水期的淤积延伸是直接回水和比降调整图形边界过渡和连接。壅水淤积的三种图形,是建库后潼关淤积抬高的主要原因,它的作用是和水库运用与泄流条件密切相关的。

3.2.2　降水冲刷

3.2.2.1　对应壅水淤积的降水冲刷

在潼关受到壅水影响后水位逐步降低过程中,河床也随之冲刷下降,这就是降水过程中的冲刷下降图形。产生这种冲刷图形的前提是潼关断面受壅水影响到恢复畅流的过渡。一般地说,壅水时淤积的泥沙,不仅粒径较细,更重要的是没有固结下来,只要有一定的坡降,就会随着水位降落恢复畅流而冲向下游,这种冲刷实质上也是一种自上而下的沿程冲刷,但是这种冲刷幅度较大,明显受到前期淤积和水位降落率的控制。图 10 是坝前水位在 320m 以上各降水过程中潼关冲刷下降关系。

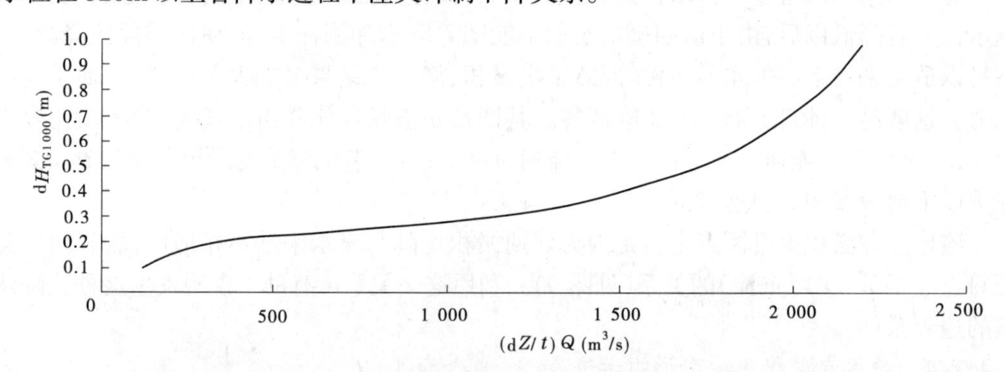

图 10　降水过程与潼关冲刷下降的响应关系

3.2.2.2　潼关断面脱离壅水以后或者潼关断面本身未受壅水影响,而当下游脱离壅水的降水过程中形成落水型水面线,引起自下而上的沿程冲刷

这类图形包含着两种概念。一是落水型水面线,其特征为水深自上而下递减,流速是递增的。与断面特性分析的一样,在同一流量作用下,河流在沿程向下的过程中发生冲刷

以自动调整其水深。从这一机理而言它与一般所说的沿程冲刷是相似的。另一个概念是当水面线出现节点(拐点)而节点(拐点)处局部水面比降很大,冲刷能力很强,随着时间的推移,冲刷逐步向上游发展,这与一般所谓溯源冲刷是一致的,前者是一种比降调整的作用,而后者往往是由于河床的冲刷下切落后于水位的降落所形成。

潼关以下库区多次形成明显的跌水、陡坡等溯源冲刷现象。发生这种现象时,在跌水、陡坡以上的河段就是一种落水型水面线。当溯源冲刷尚未发展到潼关的时期,潼关的冲刷下降就可能是属于这一类型。

3.2.2.3 溯源冲刷

指溯源冲刷直接发展到潼关,或溯源冲刷是否发展到潼关尚难以确定,但潼关高程的下降确系直接受到溯源冲刷影响。

水库在多年运用以来出现过几次明显的溯源冲刷。在一些河段由于前期淤积物组成很细,黏土含量很大,形成明显的跌水,如1962、1966、1969、1970、1971年等,对发生跌水现象的河段也曾进行过一些勘测调查。

综合以往调查的材料可以看出:

(1)形成溯源冲刷的边界条件之一是局部河段有很大的比降,这个比降可以由于某一河段下游水位降落很快,也可以由于坝前增建的位置较低,泄流工程投入运用降低了侵蚀基准面所引起,在这一比降下促使水位由缓流变为急流;其二是要使冲刷作用向上游发展必须有相当大的流量。发生跌水现象的胶泥质河床都是在落水时期才能冲开。

(2)局部河床地质条件如蓄水时异重流淤积,形成的胶泥层及塌岸物质等对形成跌水、陡坡等现象起了主要的作用,它的存在又限制了冲刷上溯的速度。

(3)在两岸抗冲性与河底抗冲性不同横向的河床组成也是不均匀的情况下,由于局部河势的摆动可以改变冲刷条件,使冲刷作用绕过原有的抗冲性河床而向上发展。

应当指出,以上三种冲刷下降图形都是由于下游降低控制水位或是局部侵蚀基面改变所引起的冲刷现象,如表7所列数字表明,它们是建库后潼关高程淤积上升后冲刷恢复的主要图形。即使遇上有利的水沙条件,发生沿程冲刷造成潼关高程下降,这种下降也只能是暂时的(例如每年汛期洪峰高水时期发生的上冲下淤现象,即属此类)。同时,单独的降水冲刷,只是具备了潼关高程下降的必要条件,要使其下降还必须提供足够的动能,还要有来水来沙条件的组合。据以往资料分析可知,完全属降水冲刷发展到潼关使其高程下降的机会是有限的,这种情况一方面是河床组成的抗冲作用的影响,另一方面是过去水库冲刷期都在汛后及汛前枯水时段,水量和流量都较小,往往是冲刷还未发展到潼关,即已进入汛期,水库又产生不同程度的壅水,迫使冲刷作用中止。因此,造成潼关高程直接下降的原因往往是沿程冲刷,这可以称之为潼关高程冲刷下降的充分条件。只有在降水冲刷(主要是溯源冲刷)的基础上,再遭遇了沿程冲刷的条件,这时潼关高程冲刷下降才具备了既必要而又充分的条件,潼关高程的下降才可能是稳定的。

为了证明潼关高程恢复下降所需具备的必要条件,我们统计了历年稳定冲刷时段的资料,绘制成冲刷水量(W)、冲刷流量(Q)、冲刷比降(J)和冲刷量(W_s)及冲淤量与距离的合轴相关图(图11)。从图中可以粗略地求得冲刷的边界条件。

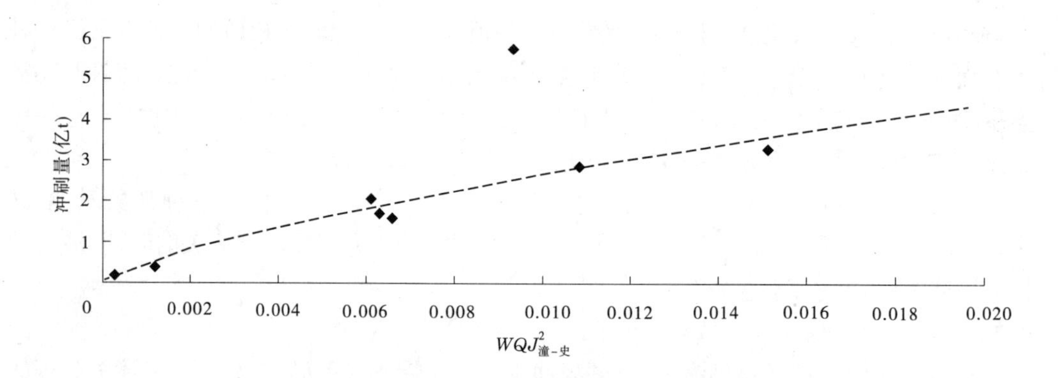

图 11 水量、流量、比降与冲刷量合轴相关图

3.2.3 由于上游来水来沙与河段前期条件不适应发生自上而下的比降调整

河段上游的来水来沙和河段输水输沙能力不相适应时，将通过泥沙的淤积和冲刷来改变输沙情况并增减河段输沙能力，使其达到来水来沙和输沙相平衡。这就是冲淤河流的自动调整作用，这种作用对潼关高程升降也有重大的影响。

3.2.3.1 自上而下的沿程淤积

当河段输沙比降小于上游来水来沙要求的比降，河段发生自上而下的沿程淤积。这时潼关上下河段均发生比降调整，使潼关—上源头段、潼关—坫埼段比降同步加大。潼关淤积上升与潼关以上淤积上升是同步的，但对潼关以下则不一定是同步(甚至是冲刷的)。这种比降调整的变化趋势，正与前期淤积影响下的自下而上的比降调整变化趋势相反(后者是潼坫段比降由大变小，淤积趋势与下游同步，上游则不同)。构成了潼关以上淤积向下游推进的淤积抬高和潼关以下淤积发展向上游翘的淤积抬高，二者间本质是不同的。

产生自上而下的沿程淤积使潼关高程抬高，可能是由于前期水库淤积发展到潼关以上，使潼上段比降变小(1966 年以后 $J_{潼-上}<J_{潼-坫}$)，遇某一水沙条件，潼关以上河段淤积向下发展的结果。也可能是由于上游来水来沙不利，发生自上而下大范围的沿程淤积的结果(如 1966 年 7 月份)，前者的抬高影响一般较稳定，也是主要的。

3.2.3.2 自上而下的沿程冲刷

造成潼关高程下降的，还有发生自上而下的沿程冲刷作用。它在潼关高程下降的数量上占主要地位，这种冲刷主要是由于河段比降为适应不同的来水来沙条件而进行调整的结果，也是和前述淤积图形相对应的。因为河段比降大于输送某一来水来沙所需要的比降，则河段通过冲刷调整使比降变小，与上段调整相连续，含沙量沿程递增。

这种冲刷图形最普遍的例子是每年汛后，潼关以上黄河北干流河段的沿程冲刷和汛期洪峰冲刷，造成这种冲刷的必要条件是来水来沙有利(尤其是需要有足够的水量)，充分条件是前期河床比降的大小。显然，没有足够的水来提供动能条件，是不可能发生冲刷的。同样，没有河床比降提供的有利条件相配合，冲刷的发展也是有限而不稳定的。如 1969、1970、1971 年汛期洪峰潼关附近上下河段都发生了冲刷，但因下段没有连续下降或因坝前水位升高减小了比降，下游发生淤积，使这种沿程冲刷的作用不能充分发展，冲刷后也不能保持稳定，这就是最明显的例子。因此，在讨论潼关高程由于自上而下比降调整的冲刷下降时，从成因上讲，固然来水来沙是其必要条件，但是不能忽视下游基准面或下段比降这一非常重要的前提。

3.2.3.3 $(\rho/Q)_{来}\sim J_{潼坫}$关系

为了摸清自上而下比降调整对潼关高程升降影响的边界条件，我们按照特性分类的资料，点绘了以潼坫段比降为中心，以(ρ/Q)扣掉上段冲淤沙量还原为$(\rho/Q)_{来}$（即把上段调整情况扣除不计），得到$(\rho/Q)_{来}\sim J_{潼坫}$关系（见图 12）。

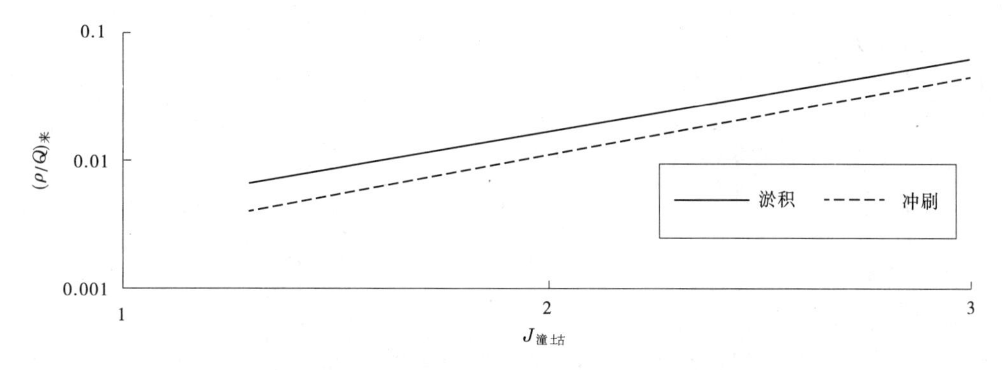

图 12 潼关－坫埼河段$(\rho/Q)_{来}\sim J$关系

从图 12 中可以看出，一定的水沙条件要求河段具备一定的比降；河段一定的比降，可以输送一定的水沙。淤积的点群在上部，冲刷的点群在下部，若取淤积的下限、冲刷的上限，绘出一个带状区来，这就应当是来水来沙条件和河段输沙比降平衡时的边界条件。用此关系可以估计潼关高程受这类图形冲淤的影响。

3.2.4 特殊水沙条件对潼关高程的影响

建库以来，曾多次出现来水来沙条件比较特殊的时段。在这些时段中，潼关断面上含沙量分布比较特殊，出现底层含沙量特大的现象。

特殊水沙条件分为两大类。一类是黄河北干流龙门及龙门以下河段发生揭河底冲刷现象的四次洪峰。这四次洪峰的有关资料统计如表 9 所示。可以看出，1964 年及 1966 年两次洪峰过程中，对潼关断面均造成了暂时的剧烈淤积，1969 年及 1970 年两次洪峰则造成了暂时的强烈冲刷。从资料统计来看，前两次潼坫段比降减小，最大流量与平均流量的比值较大；后两次潼坫段比降较大，流量比值较小，每次揭河底洪峰对断面上主流位置均有相应的摆动。这种剧烈冲淤是一种暂时的局部现象。在发生这种现象时，潼关以下河段往往处于淤积延伸或比降调整的过程中。因此，它又不是与大库段的冲淤图形发生互相联系，而对潼关变化高程产生影响。

另一类是小水大沙，即水沙比值(ρ/Q)特别大。从其变化过程和表 9 的统计中可以看出，它对潼关高程变化的作用是暂时的，总的影响反映到最终的结果上是不大的。在前面分析比降调整的物理图形（即ρ/Q与J的关系）时，常常发现有偏离点群的现象，往往也是由于时段内来水来沙条件比较特殊的缘故。

关于特殊水沙条件引起河床的冲淤变化的机理，我们尚不清楚。但从统计材料来看，以上两类特殊水沙条件对潼关高程变化的影响，从长时段来说是很小的。

表 9　由于上游河道发生剧烈冲淤变化(揭河底)引起潼关高程的升降情况统计

年份		1964	1966	1969	1970
相应时段编号		11	8	10	6
时段		7.4～7.9	7.18～7.20	7.26～7.29	8.2～8.5
潼关升降变化	同流量水位 ΔH	+0.58	+0.87	−0.24	−0.90
	ΔA330	+730	+340	−520	−1 000
上下游站 升降变化	坩埼 ΔH	+0.30	−0.25	−0.10	−0.66
	太安 ΔH	+0.50(右岸)	+0.37	−0.24	−1.30
	龙门 ΔH	−1.03 冲刷长 90km	−7.50 冲刷长 73km	−2.85 冲刷长 49km	−7.50
时段前后比降变化	上潼	1.81↘1.75	2.12↘1.81	2.00↘1.93	1.85↗1.94
	潼坩	1.73↗1.86	1.52↗2.00	2.17−2.16	2.09↘1.66
	潼太	1.48↗1.63	3.09↘2.58	2.05−2.00	2.51↗2.93
潼关水沙条件	Q_{max}(日)	7.4～7.9 6 350 (9 240)	3 840 (5 130)	3 240 (5 680)	8.3～8.5 4 820 (8 420)
	ρ_{max}(日)	260 (465)	391 (456)	351 (404)	473 (631)
	$(\frac{\rho}{Q})_m$	0.041	0.172	0.125	0.114
	$\frac{Q_{max}}{Q_m}$	2.02	2.44	1.53	1.43
冲淤量	潼三	7.4～7.9 1.676	0.848	−0.032	0.788
	潼太	0.819	0.265		
来水来沙条件	$\frac{\rho_{龙+华}}{Q}$	0.10	0.42	0.22	0.15
	$\frac{\overline{W}_{华}}{\overline{W}_{潼}}$	12.9%	6.7%	17.3%	23.4%
	Q_{max}	10 200	7 460	8 860	14 300

3.2.5 本断面特性

3.2.5.1 流量增减对断面冲淤的影响

历年潼关站的实测资料中均反映了一种现象，即汛期冲刷、汛后回淤；洪峰冲刷、峰后回淤。在绘制各年330m高程以下面积的过程线时，也可以明显地看出，对应于每一洪峰，面积均有一次增减过程。这是一种局部冲刷现象。为了与来自上、下游对潼关高程的影响区别开来，我们对此进行了初步分析。

我们选用了历年潼关没有受回水影响，且流量变化较稳定时期的资料，分别点绘了单宽输水模数($q/J^{0.5}$)与平均水深及水位的关系，如图13、图14所示。可以看出是一组互相平行的曲线，可以利用导向原断面的原理用同流量水位差值归纳为一根线。进一步比较这两根曲线后可以看出，输水模数($q/J^{0.5}$)数值增加或减少时，水位的增减与要求水深的增减是不一致的。我们绘制了输水模数与水位、水深增减率的关系线(见图15)，进行比较，并将两个曲线的差值绘出。这个点子反映了对于各个输水模数的值，每单位模数水位与水深增减率的差数是不同的。

对于冲积河流来说，在某一流量，当流量有所增减时，如水位的增减与所要求的水深增减不一致，河床将进行自动调整，改变断面形状或比降以放行上游来水。在一般条件下比降是由长河段的边界条件所确定的，因此河床的调整作用主要是表现在改变断面面积上。当流量增加时将刷深及扩宽，流量减小时将淤积或缩窄，以适应来水。对于单宽流量增减而言，河床将随着流量增减而冲深或回淤。这一分析可以有助于说明流量增减所引起的局部冲淤作用。

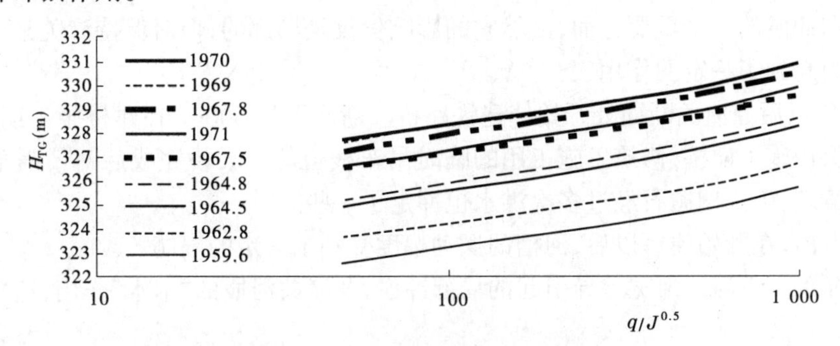

图13 单宽输水模数与水位关系

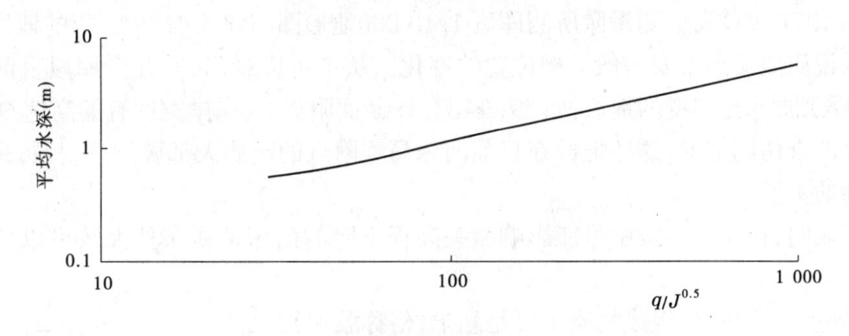

图14 单宽输水模数与平均水深关系

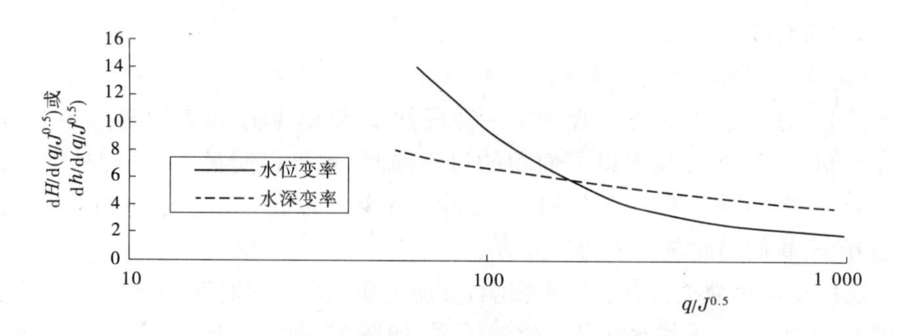

图 15　单宽输水模数与水位、水深增减率关系

3.2.5.2　河槽摆动引起的断面冲淤

曾对历年洪水时期测流断面的变化进行了一些对比，在一次洪水过程中，河槽往往发生横向摆动，伴随着每一次摆动断面都经历着一次冲淤变化。这个情况由中泓过程线与洪水期断面冲淤变化的过程对照，可以明显地看出来。造成摆动的原因很多，黄渭河来水不同，由于河势走向可以引起摆动；黄河来水大小不同，顶冲坐湾不同，可以引起摆动；由于特殊小水大沙的条件，如上游发生揭河底现象后，在潼关河段造成暂时性的大量淤积，可以迫使河槽移位。

从较大范围的河势来看，潼关断面处于黄河自北向南转而向东的转折点，因此一般情况下，主流均紧贴南岸。整个河床的宽度(包括滩地)约为1 000m，远远小于潼关以上的黄河北干流河床。洪水时期的摆动，当然也受到两岸的约束。但是，在既定的范围内这种摆动是横向冲淤的一个重要方面，虽然它的影响仅仅是局部的，但对保持潼关某一水位下的过水能力起到了一定的作用。

1966 年以后原潼关断面处开始修建铁路桥。断面下移 500m，在建桥施工期，北岸曾大量抛石保护施工便桥，修筑了施工用的临时吊车栈道等。大桥完成后对暴露部分曾进行了一些清理，施工期抛石经过多次洪水也冲走了一些。

可以看出，在开始建桥以后，河槽的摆动幅度受到了一定的限制。

由于潼关上下河段河宽差异引起的局部冲淤，及潼关河段的“卡水”作用，这次未做分析。

3.2.6　潼关、太安河段河势与局部河床地质条件

利用 1971 年黄委会测量队所测库区 1/10 000地形图与建库前 1955 年的地形图对比套绘可以说明潼关到太安一般河槽位置的变化。从中可以看出，有几个库段目前的河槽已远远伸入到原来是岸壁的地段，如 39、38、37、35 断面附近等，塌岸宽度有的高达 600 余 m。根据历年调查访问情况，这些地段在目前河床高程附近的土质大都属于三门系，是具有一定抗冲性的土层。

分析表明，在这一河段中可能影响潼关高程下降的河床地质条件大致可以分为以下几类。

(1)异重流淤积层：组成物质主要是黏土(俗称胶泥)。

(2)塌岸形成的岸边堆积物：包括有卵石等三门系的组成物质。

(3)过去陡岸下层的所谓缸泥层。

(4)过去的街道石基等。

实际冲刷过程说明,前两类物质在一定的来水条件下是可以冲刷的,如1966年32断面附近的异重流淤积层经过洪水冲开了,1970年34断面的跌水和37断面的陡坡也经过一段时段的水流冲刷消失了。但第三、四类物质所组成的河床能否在洪水时期冲开则尚未得到足够的资料说明。1970年到1971年继改建的二洞四管投入运用后八个底孔相继打开,坝前侵蚀基面进一步降低,几次均发生了溯源冲刷,这些溯源冲刷与沿程冲刷相结合,均对降低潼关高程起到了很重要的作用。但是1971、1972年洪水期间,潼坫段河势的变化及河床组成物质是否对潼关高程的继续下降起到了一定的抑制作用,尚有待于进行勘探调查研究,才能得出结论。

4 几点看法

通过以上对潼关高程升降的分析,结合当前三门峡水库运用中与潼关高程有关的问题,试图提出以下粗浅的看法,供制订水库运用方案时参考。

(1)潼关高程的上升,在建库前是由于来水来沙在上游淤积发展的结果;建库后则主要由于抬高了侵蚀基面,水库运用产生溯源淤积的结果。因此,今后欲使潼关高程不再上升,在现有来水来沙条件下水库要有一定的泄流规模,才能保持足够的输沙比降,这个比降不应小于2.3‱。

建库后潼关高程的上升既然主要是溯源淤积的结果,潼关高程恢复下降,也必须是依靠溯源冲刷来提供条件。但是仅有溯源冲刷是不够的,还需有利的水沙条件产生沿程冲刷作用。值得指出的是,潼关高程的下降除了上述因素外,还有潼关以上淤积、对潼关控制河段比降调整的影响以及潼太段河床地质条件的影响。当遇到有利水沙年份,上述这些必要而又充分的条件具备后,才能达到。水库运用就是要能保持降水冲刷得以顺利发展这个必要的前提。

从影响潼关高程升降的因素来看,建库前主要受水沙条件所制约,建库后则主要受水库运用和泄流条件所制约。进一步工程改建后,降低了水库水位,潼关高程已经有所下降,但应注意近期来水来沙改变而引起的后果。例如,由于今后水沙条件的改变(水可能减少得多,而沙则减少得少,形成水小沙大)塑造潼关控制河段的比降不同,就可能造成潼关的上升。对于来自上游对潼关的影响,我们这次工作做得不多,仅将这一设想提请今后注意。

(2)关于装机后潼关高程变化趋势的估计。改建后水库按照四省会议精神装机运用,这时对潼关高程的影响如何是大家关心的问题,我们对此作了极为粗略的估计。

根据我们在分析自下而上比降调整使潼关高程上升的资料中,得到来水来沙和下段比降相关关系:

$$J = f(\rho/Q)$$

式中 J——下段比降,在关系中用潼坫段资料;

ρ/Q——上游来沙系数,用潼关资料。

假定装机后拟某一控制水位,自坝前向上游有一壅水段(为简便计算估计该段长为13.5km),在壅水段以上均按上述输沙平衡关系式,计算在一定的来水来沙条件下可得一定的潼关高程;反之,若令潼关高程不变,则可根据一定的水沙条件反推不淤的控制水位,经估算得表10所示的结果。

由表10可以看出,若7、8月份发电水位控制在305m运用,则因来沙较多,潼关高程可能较现在要回淤0.1~0.5m,因为非汛期控制运用部分泥沙将淤在库内,需要汛前冲走,因此水库初期运用时发电水位应留有余地,暂建议7、8月份控制在300m,在9、10月份控制在305m运用为好。

表10 估算结果

时间	ρ/Q (15年平均)	J (‰)	坝前水位 (m)
7月	0.036 7	2.30	304.5
8月	0.030 5	2.26	304.9
9月	0.014 6	2.10	306.5
10月	0.007 52	1.95	308.0

潼关断面高含沙量河道异重流现象

1 引言

潼关水文站测验断面位于黄、渭河交汇区下游附近(黄、渭河汇流区形势见图 1),距三门峡大坝 113.5km。三门峡水库改变运用方式以后,潼关站实际上起着水库进库站的作用。潼关断面输沙量直接决定了潼关上、下库区的冲淤量。1973 年底以后,三门峡水库开始蓄清排浑、水沙调节、发电运用,库区冲淤量比以往相对小一些。这就对潼关断面输沙量测验准确度提出了更高的要求。可是,在本断面历年来汛期的水文测验中常常发

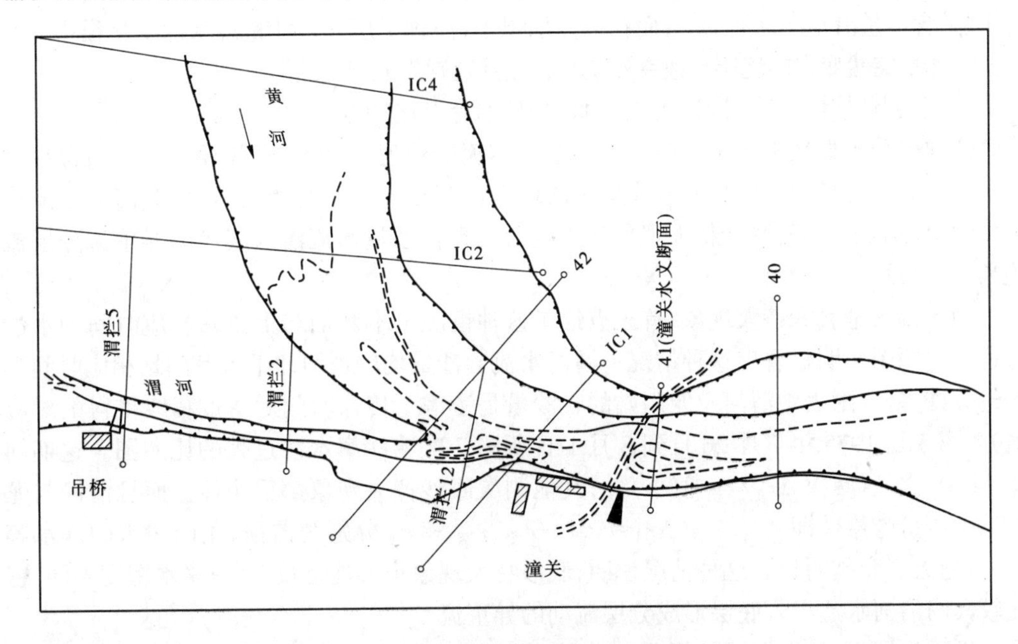

图 1　黄、渭河汇流处地形示意图

现底层水流含沙量特大,是上层水流含沙量数倍到数十倍,迥然不同于一般河流悬沙分布的特殊现象。如 1972 第九次输沙率测验的(7 月 4 日施测)11 号取样垂线上相对水深 0.6 处的含沙量(882kg/m^3)是相对水深 0.2 处的含沙量(26.9kg/m^3)的 33 倍。遇到这种情况,按正常的测验建立的经验关系(本站用等流量 5 线 0.6 相对水深一点混合沙样作单沙和用输沙率法测得的断面平均含沙量建立相关关系以推求断面输沙量)确定沙量会引

作者:潼关水文站(龙毓骞、程龙渊、牛占)。本文原刊载于《黄河泥沙研究资料》1975 年第二集,其中部分内容已收入《三门峡库区水文泥沙实验研究》,黄河水利出版社,1999。

起极大误差。如 1964 年在单断沙关系图上因第 52 测次一个点的取舍就引起 1 亿 t 沙量出入。1975 年 7 月在出现上述现象的几次洪水中,若按常法施测并按原来建立的单断沙关系确定沙量,则输沙量误差可达 1.1 亿 t。为了搞清这个问题,近年做了一些工作。1975 年 7 月 26 日到 8 月 1 日洪水期间施测了 7 次输沙率。很多垂线用 6 点、7 点法测速取样,获得了宝贵的第一手资料。随后整理分析了这些资料和历年的部分资料,使我们对这个问题有了一些粗浅的认识。

2 典型分布

长期的测验实践发现:每当渭河沙峰到来而黄河干流来水含沙量较小时,潼关断面常出现底层含沙量特大现象。图 2 整理绘制了一次输沙率测验流速、含沙量的分布图,是一个典型例子。

由图 2 可见,最明显的特点是含沙量在某一层有个突变。在突变层以上的水层(以下简称上层)含沙量沿水深逐渐加大;而在突变层以下(简称下层),含沙量沿水深变化很小。对应于含沙量突然变大的流层流速突然变小,而悬沙粒径则突然变粗。

整理绘制其他一些底沙特大现象的资料,都有上述特点。

这样的分布显然不同于一般常见的明渠水流的流速、含沙量和粒径分布。而含沙量的板凳状分布容易使人联想起水库异重流的含沙量分布。结合渭河沙大、黄河北干流沙小的情况更启示人们:底沙特大现象是不是渭河高含沙量水流潜入底层的异重流分层流现象?

为了搞清楚底沙特大现象,首先点绘了这种情况下本断面与上游站相应时间的水沙过程线比照图。明显看出这种情况下渭河水流含沙量均较黄河北干流龙门站相应时间含沙量大许多倍(附表中渭河及龙门站的含沙量是考虑了传播时间后由过程线推得的对应值)。图 3 是 1975 年 7 月 26 日到 8 月 1 日所测 7 次输沙率水沙过程的比照图。这期间除 14、16 次(这两次 $\Delta r_1/r_{槽}$ 值小)外,其他测次底沙特大现象都很明显。而且渭河与龙门站含沙量越悬殊即 $\Delta r_1/r_{渭}$($\Delta r_1 = r_{渭} - r_{龙}$,$r_{渭}$ 和 $r_{龙}$ 分别为渭河、龙门来水的浑水容重)值越大突变越明显。这种情况说明,底沙特大现象很可能是黄、渭河来水密度不同,密度较大的渭河水流潜入底层形成分层流动的异重流。

进一步设想,如果上述认识是正确的,那么将本断面的水流从突变处分为上、下层,(突变层的流量平均分配给上、下两层),则上、下层的流量、含沙量和龙门、渭河相应的流量、含沙量应有相关关系。图 4 是基于这个假设绘出的相关图。图中点据不很分散,相关关系是很好的。显然,上层水流来自黄河北干流,下层水流来自渭河。

此外,测验资料曾记载,出现底沙特大现象时同一垂线底层和上层流向有明显的偏差,无疑是分层流的证据之一。

根据以上分析,有理由认为:潼关断面出现的底沙特大现象是黄、渭河水流密度差别较大时,汇流后没有充分掺混而形成分层流动的高含沙量河道异重流现象。

3 高含沙量河道异重流的特点

除了前面已经谈到的含沙量、流速、悬沙粒径的特殊分布以外,河道异重流还有一些

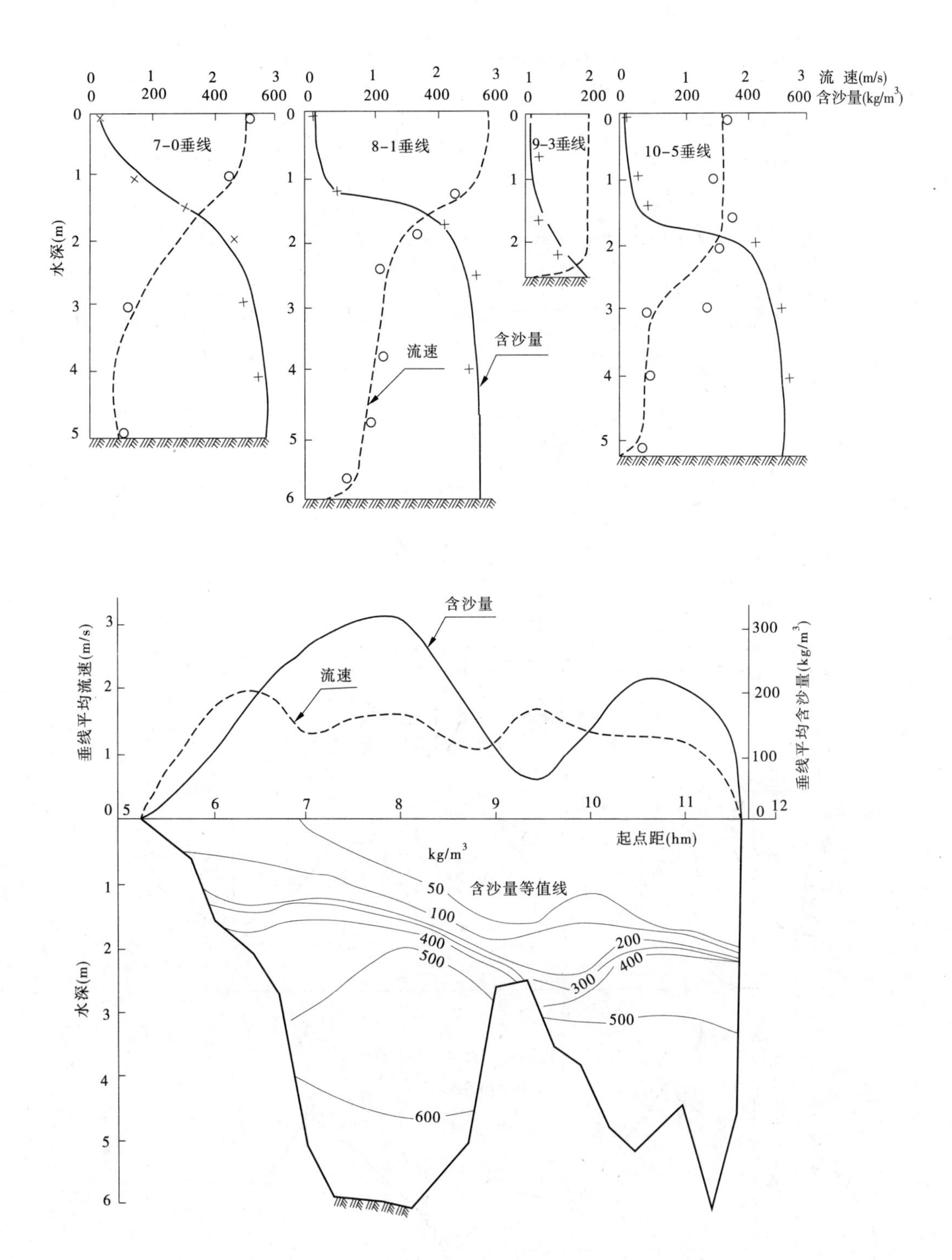

图 2　1975 年 13 次输沙率所测流速、含沙量分布图

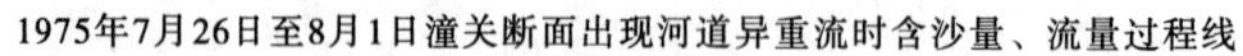

(○输沙率测次)

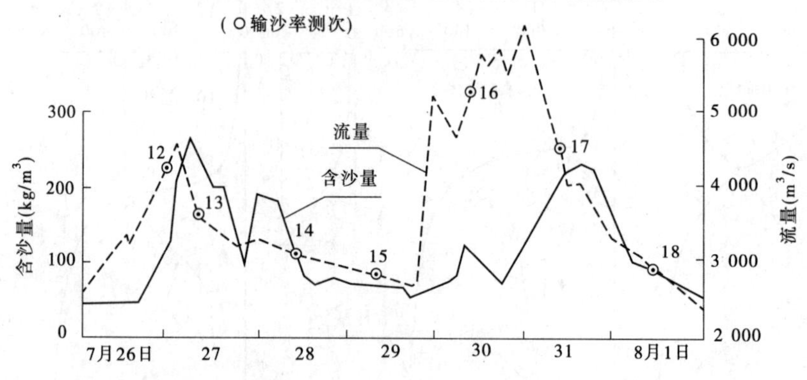

黄河龙门站对应含沙量、流量过程线

(按传播时间滞后绘出)

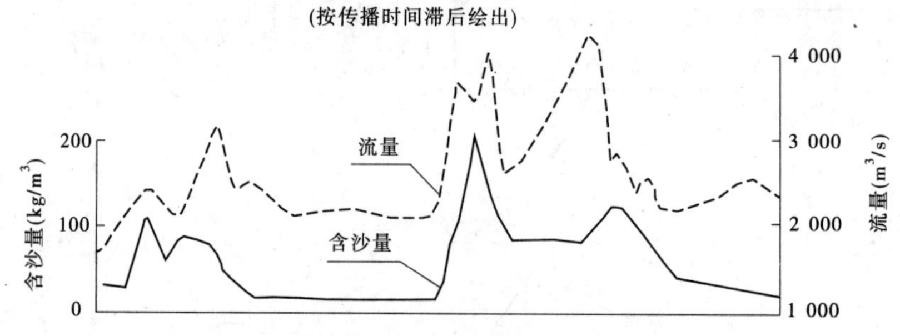

渭河相应来水含沙量、流量过程线

(将渭河华阴站和北洛河朝邑站按传播时间滞后合成)

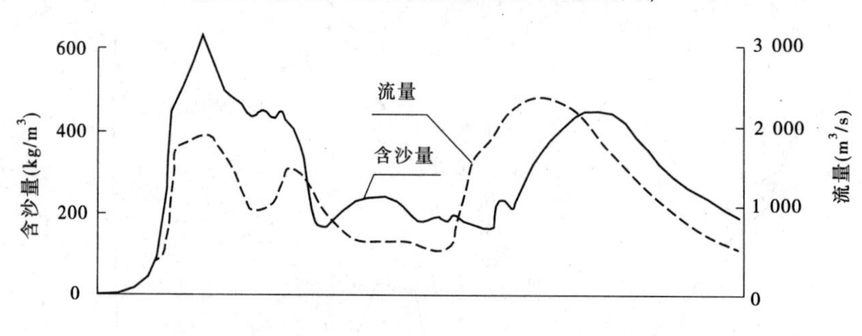

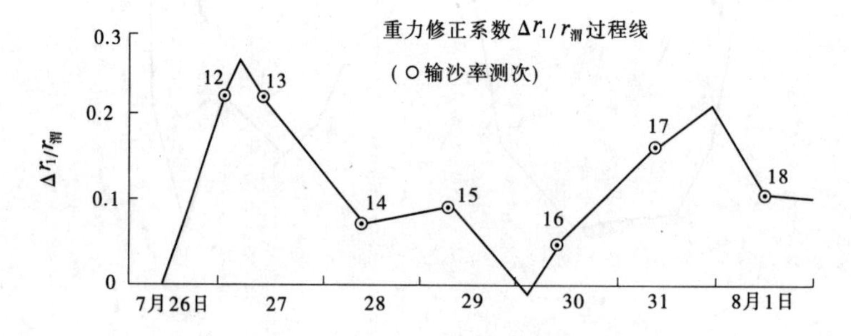

图 3　潼关站及相应时间黄、渭河来水过程线

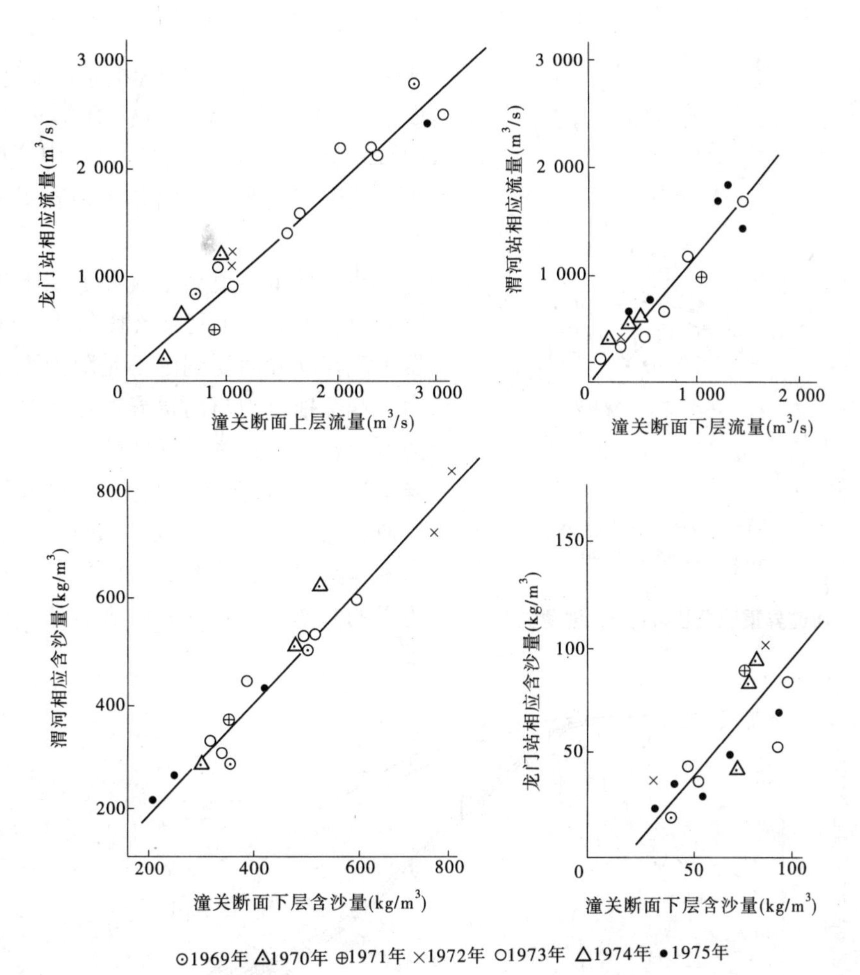

图 4　潼关断面河道异重流情况下上、下层流量、含沙量与上游黄、渭河相应值的相关图

其他特点。

在高含沙量水流的条件下，悬沙粒径随含沙量增大而增大，悬沙 d_{50} 与含沙量间有相当良好的关系。潼关断面河道异重流的含沙量都很高，附表所列下层含沙量都在 200～300kg/m³ 以上。图 5 点绘了不同测次悬沙中值粒径与含沙量关系，可见河道异重流也具有上述特点。在异重流厚度以内，也和一般高含沙量水流相似，含沙量沿垂线的分布相当均匀。因此，可以认为潼关断面河道异重流具有高含沙量水流的特征。

高含沙量河道异重流中粗粒径泥沙占的比重很大，d_{50} 在 0.03～0.07mm 范围内，在 0.04mm 的占多数。而水库异重流大部分均由小于 0.025mm 的细颗粒泥沙组成。显然，从泥沙粒径来看，它比水库异重流粗得多。河道异重流下层内的泥沙级配近乎相同(见图 6)。但仔细分析还可以看出：细颗粒泥沙沿垂线的分布十分均匀，而粗颗粒泥沙沿垂线仍有一定梯度(见图 7)。

在异重流运动中，重力修正系数 $\Delta r/r_{下}$($\Delta r = r_{下} - r_{上}$，$r_{上}$、$r_{下}$ 分别为上、下层水流

浑水幺重)是一个重要的参数,它表明异重流不同于一般明流的特殊性,也表明上、下层水流密度的相对大小。在河道异重流中,$\Delta r/r_{下}$ 越大,流速、含沙量、中值粒径沿垂线的突变越明显。图 8 正是表明了这一情况。

高含沙量河道异重流和上层水流的运动方向相同,并且上层流速较大。这使下层水流在交界面受到的不是阻力而是拖曳力。这个拖曳力与河道异重流所受周界阻力方向相反。这种情况还使高含沙量河道异重流垂线流速分布远异于水库异重流的流速分布。交界面的突变使上、下层流速呈不连续分布。这些有关河道异重流运动力学的基本问题凭现有的观测还不能精确描述。

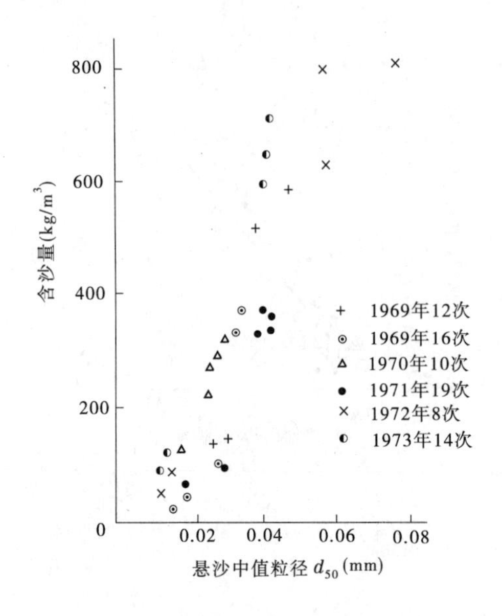

图 5　河道异重流悬沙 d_{50} 与含沙量关系

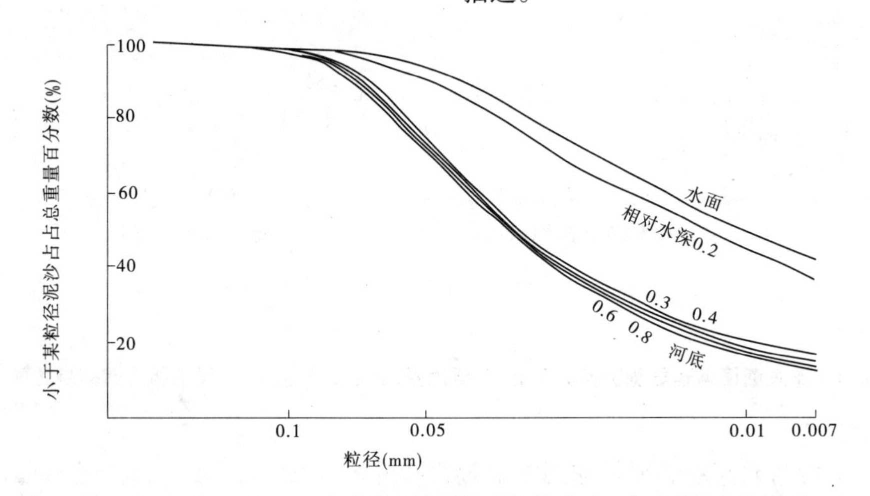

图 6　1974 年 7 月 30 日出现高含沙量河道异重流时一条垂线的级配曲线

高含沙量河道异重流的流速一般在 0.7m/s 以上,最大达 1.41m/s,比一般水库异重流要大。

上述特点是由于密度、流速不同的黄渭河水流交汇后没有充分掺混而造成的。

我们认为上、下层水流在断面的平均水深应与 $\Delta r/r_{下}$ 和两层水流流量等因素有关,根据分析点绘了图 9($\overline{h}_{上}$、$\overline{h}_{下}$ 和 $q_{上}$、$q_{下}$ 分别为上、下层水流的平均水深和单宽流量)。图中点子不很偏散,可以用来大致估计交界面的位置。至于突变层的厚度还有待探讨。

出现河道异重流时,横断面上流速、含沙量的分布可参见图 2。特点是:垂线平均含沙量的横向分布与断面形状相当对应,而流速的横向分布与断面远不对应,并且,$\Delta r/r_{下}$ 影响着上述对应的程度。

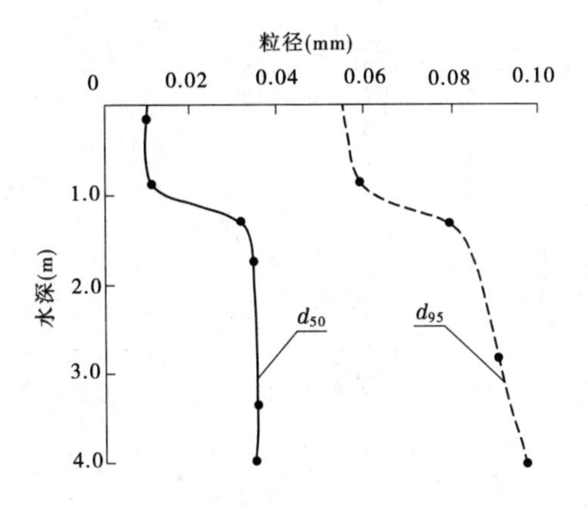

图 7　一条垂线悬沙的 d_{50}、d_{95} 分布

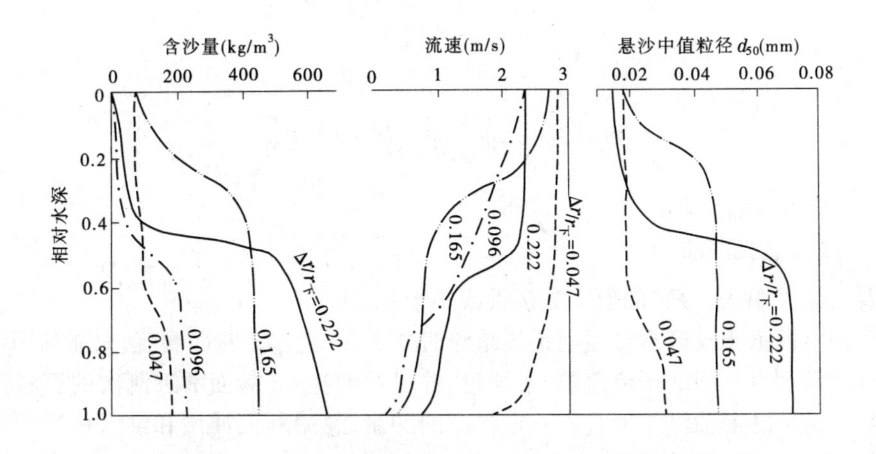

图 8　各级 $\Delta r/r_{下}$ 下的垂线流速、含沙量中值粒径 d_{50} 的分布

从图 2 含沙量等值线还可以看出，突变层或交界面在右岸偏高、有明显的横比降。这是由于黄、渭汇口处渭河向右转弯，存在弯道环流。弯道横比降的大小取决于重力与惯性力的对比。在异重流的条件下重力作用由于 $\Delta r/r_{下}$ 的修正而大为减弱，惯性作用相对增强，这样，异重流在弯道的横比降比一般明流要显著一些，交界面自然倾斜。

4　高含沙量河道异重流的形成和稳定

根据对水库异重流的研究，异重流潜入处的修正佛氏数 Fr' 应等于 0.78[5]。参照这一概念，采用黄、渭交汇处渭拦 12 断面计算高含沙量渭河水流的修正佛氏数。计算式如下：

$$Fr' = \frac{V}{\sqrt{\frac{\Delta r_1}{r_{渭}} gh}} = \frac{Q_{渭}}{Bh\sqrt{\frac{\Delta r_2}{r_{渭}} gh}}$$

式中　$Q_{渭}$——渭河流量；

B、h、V——渭拦 12 断面的河宽、平均水深和平均流速；

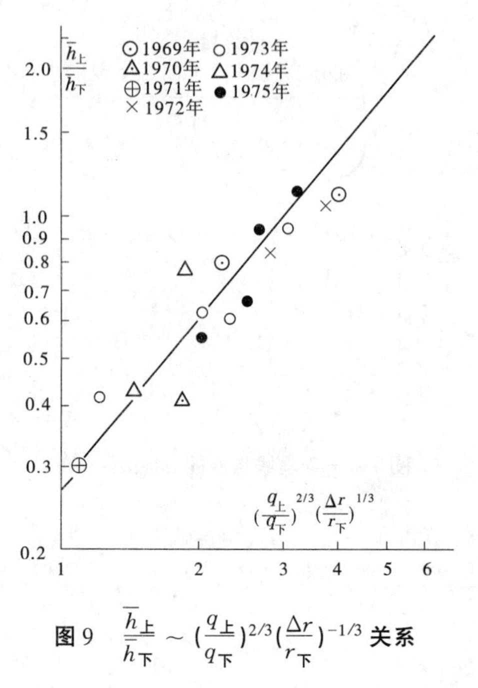

图 9 $\frac{\bar{h}_{上}}{\bar{h}_{下}} \sim (\frac{q_{上}}{q_{下}})^{2/3}(\frac{\Delta r}{r_{下}})^{-1/3}$ 关系

g——重力加速度；

$\Delta r_1/r_{渭}$意义同前。

计算结果见附表。Fr'的值多数接近或小于 0.78。

由于潼关断面出现高含沙量河道异重流时并未在渭拦 12 断面测流，只能利用洪峰传播时间推得渭河及黄河北干流流量、含沙量，并借用渭拦 12 断面邻近测次的资料计算水深、流速。渭拦 12 断面洪水期会有一定幅度的冲淤，忽略断面冲淤和洪水传播的复杂情况的计算显然会有相当的误差。

为了进一步检验潜入情况，仍用渭拦 12 断面计算了不发生河道异重流的 Fr 值，一般远大于 0.78。如 1975 年 14 次和 16 次的 Fr'分别为 1.40 和 2.28。根据这一估算，考虑到可能的误差，可以认为河口断面修正佛氏数 Fr'等于或小于 0.78 是发生河道异重流的判别条件。

进一步分析前述 Fr'表达式的组成，在渭拦 12 断面没有大幅度冲淤的前提下，B、h 均随$Q_{渭}$而变，则 $\Delta r_1/r_{渭}$ 和$Q_{渭}$ 成为Fr'的决定因子。按照这点启示，将发生和不发生河道异重流的测次点绘成图 10，点子有明显分界，可以用一分界线将两类点子区分开，从而提供了一个预报河道异重流的简捷方法。

黄河北干流水流的含沙量远大于渭河含沙量时会不会潜入底层形成异重流是一个值得关注的问题。资料表明，遇到这种情况潼关断面大多数输沙率测次流速、含沙量的分布正常，可以看做黄、渭河水流已掺混均匀。但在某些输沙率测次的一些垂线上曾测得下层含沙量、流速均大于表层，说明河势水流的某种变化很有利时，黄河高含沙量水流会有局部潜入。需要指出的是，当黄河北干流出现高含沙量洪峰时，渭河含沙量如不大，流量往往也很小，这时黄河顶托甚至倒灌渭河，渭水很难流出交汇口，也就谈不上黄水潜入渭水底下的问题了。另一方面，黄河的顶托或倒灌也会使高含沙量的渭水潜入点上移。这里

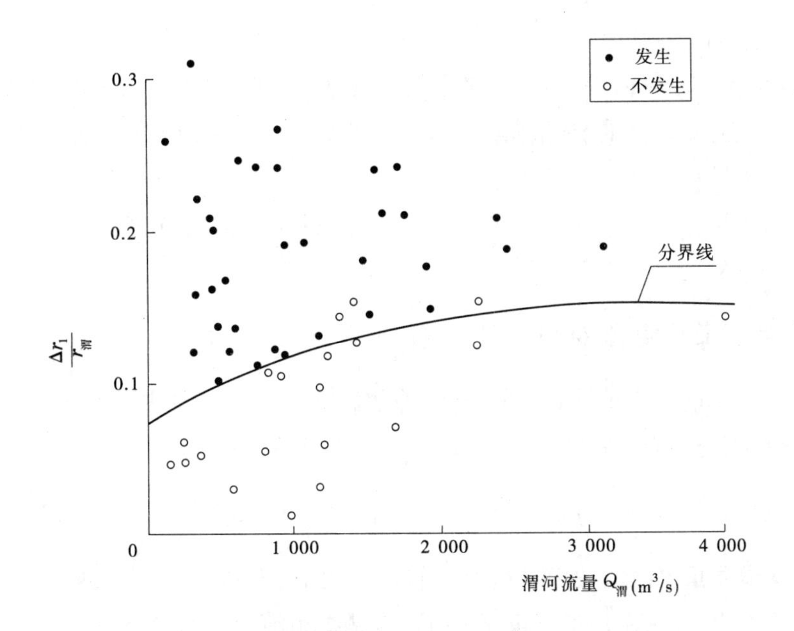

图 10　高含沙量河道异重流发生条件的判别用图

不予讨论。

需要说明的是，黄、渭交汇区地形的明显特点就是黄河河床高于渭河河床，渭河口常有一深洼，深洼到潼关断面的河床成负比降。这种地形必然对高含沙水流的潜入起作用，这个问题仍有待于进一步观测研究。

渭河高含沙量水流潜入后只要在一定时间内不和上层水流充分掺混就会形成河道异重流通过潼关断面，但是能否保持稳定持续运行呢？根据分析，试作如下讨论。

沙玉清曾提出用流速判别数 S_a 来判别异重流的稳定性[5]。

$$S_a = \frac{V_c}{\left(g \dfrac{\Delta r}{r_{下}} \gamma\right)^{1/3}} = Fr'^{2/3} Re^{1/3}$$

式中　V_c——上、下层水流相对流速；

γ——下层水流的运动黏滞系数；

Re——雷诺数；

$\Delta r / r_{下}$、g、Fr' 意义同前。

并且指出在紊流区内：

当 $S_a > 5.62$ 时异重流不稳定；

当 $S_a < 5.62$ 时异重流稳定；

当 $S_a = 5.62$ 时异重流处于临界状态。

参照上式分析，在高含沙量条件下，$\Delta r / r_{下}$ 数值较大，特别是黏滞系数会大幅度增加，因而在相当大的相对流速下河道异重流仍可能保持稳定。另外，高含沙量水流黏性大，紊动显著减弱，水面平滑。流动时界面上只可能形成长波，不会出现高频短波以致波峰突起破碎被上层水流所“吞掉”，上、下层水流的掺混大为减弱，稳定性相应增强。

潼关断面稍上游600m宽的水流中有直径3m的十几座桥墩(见图1铁路线),中间150m宽的河道还有一段由于1966年建桥施工抛石而形成的潜坝。即使在建桥以后,河道异重流流经大桥受到严重干扰,在桥下断面仍测到了突变层明显的河道异重流,正说明了高含沙量河道异重流具有一定的稳定性。

由于目前还没有河道异重流沿程变化的实测资料,因此它是否能持续运行,尚有待于今后验证。

5 高含沙量河道异重流对断面的冲刷

伴随着高含沙量河道异重流的出现,潼关断面常常发生剧烈冲刷。特点是如断面原来有深槽,这个槽便被刷深扩宽,如原来没有槽会冲出一个深槽。主槽的宽度和面积大体随 $Q_{渭}$ 增大而增大。冲刷强度似乎与 $\frac{\Delta r_1}{r_{槽}}$ 有关。图11是1975年7月26日到8月1日两次高含沙量河道异重流(12、13和17、18次输沙率,见附表和图3)对本断面的冲刷情况。对照图3可以看出,前一次河道异重流冲开的深槽被黄河续来的一个沙峰给淤起来,第二次河道异重流又冲开一个缺口。

对于潼关断面的冲淤,1972年总站曾作过详细的分析。当时把一些难以解释的冲刷现象归入“特殊水沙类(F类)”。经过核对,归入这一类的几次都是高含沙量河道异重流造成的冲刷:

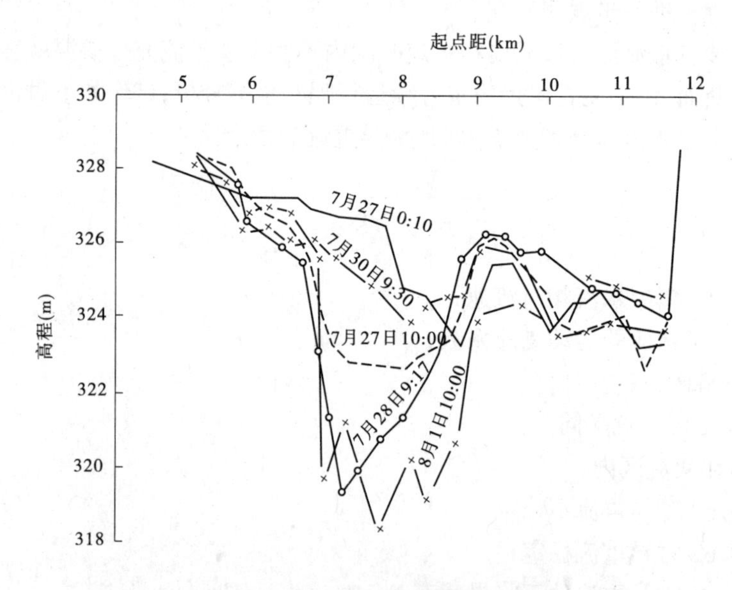

图11 高含沙量河道异重流对断面的冲刷(1975年)

河道异重流的剧烈冲刷作用显然与高含沙量水流的特性有关。河道地形特点对这种冲刷也有一定影响。至于河道异重流的冲刷机理与冲淤规律、影响范围和对潼关高程升降的作用等问题是值得进一步研究的。

6 高含沙量河道异重流与水文测验

从水文测验的角度来看，由于高含沙量河道异重流的含沙量、流速分布的特殊性，常规的2点、3点甚至5点法测速取样不能反映垂线的分布，按常规方法取得单沙也失去代表性，从而不能准确确定水量、沙量，影响测验准确度。

根据以上的分析，可以由图4、图10和图9初步判断能否出现河道异重流和粗估交界面的位置。目前条件下，发生河道异重流时只能利用精测法进行测验，在积累更多的资料对其含沙量、流速分布规律有进一步认识以后，才能对测线、测点作合理的精简或者探索新的测验方法。

为了全面认识高含沙量河道异重流，除了潼关断面的测验外有必要进行从黄、渭交汇口开始的沿程观测，以掌握河道异重流发生、发展和消亡的全过程。

7 小结

潼关断面发现的河道异重流是渭河高含沙量水流在黄、渭河交汇区的特殊条件下潜入黄河水流的底部而形成的。它的流速、含沙量、泥沙颗粒级配的分布十分独特，在测验上点线都不能按常规法布置。它有很强的冲刷能力，对潼关河床演变有一定影响。这种水流一方面具有异重流的一些特点，一方面又具有高含沙量水流的一些性质。

本文着重描述了一些野外观测现象，并对高含沙量河道异重流的形成、稳定和影响作了一些极粗浅的分析。错误和缺点之处，欢迎批评指正。

河道高含沙量水流的观测研究是1975年黄河泥沙问题科研计划的一项课题。

本文的分析整理工作是本站职工为适应测验生产的要求而进行的。水利电力部第十一工程局勘测设计研究院和黄委三门峡水文总站的同志参加了这一工作。

参考文献

[1] 钱宁.异重流.北京:水利出版社,1958
[2] 武汉水利电力学院.河流动力学.北京:中国工业出版社,1961
[3] 水利水电研究院河渠所.异重流的研究和应用.北京:水利电力出版社,1959
[4] 沙玉清.泥沙运动学引论.北京:中国工业出版社,1965

附表　潼关断面高含沙量河道异重流现象

年份	测次	月	日	测验时分		流量 (m³/s)					含沙量 (kg/m³)				上、下层浑水幺重			$\frac{\Delta r}{r_{下}}$	黄渭河来水浑水幺重			$\frac{\Delta r_1}{r_{渭}}$	$\frac{\bar{h}_{上}}{\bar{h}_{下}}$	$(\frac{q_{上}}{q_{下}})^{\frac{2}{3}}(\frac{\Delta r}{r_{下}})^{-\frac{1}{3}}$	Fr'
				起	讫	$Q_{潼}$	$Q_{上}$	$Q_{下}$	$Q_{渭}$	$Q_{龙}$	$\rho_{上}$	$\rho_{下}$	$\rho_{渭}$	$\rho_{龙}$	$r_{下}$	$r_{上}$	Δr		$r_{渭}$	$r_{龙}$	Δr_1				
						1	2	3	4	5	6	7	8	9	10	11	12	13	14	15	16	17	18	19	20
1969	12	7	31	15:15	18:10	3720	2800	920	1200	2800	161	508	510	230	1.32	1.1014	0.2186	0.166	1.318	1.143	0.175	0.133	1.12	4.09	0.723
	16	9	2	8:00	9:37	1020	755	265	289	850	42.8	353	286	20.0	1.222	1.0270	0.1950	0.160	1.178	1.012	0.166	0.141	0.790	2.24	0.388
1970	10	7	27	8:30	10:48	777	389	389	473	250	62.2	303	279	45.0	1.191	1.0392	0.1518	0.127	1.174	1.028	0.146	0.124	0.402	1.78	0.720
1971	19	8	23	8:25	10:10	1990	910	1080	1000	520	72.0	364	373	85.0	1.229	1.0404	0.1836	0.150	1.232	1.054	0.178	0.144	0.308	1.14	0.680
1972	8	7	3	8:00	10:00	1380	1070	310	316	1250	68.9	780	859	100	1.491	1.0454	0.4476	0.300	1.535	1.062	0.473	0.308	0.848	2.85	0.586
	9		4	15:00	16:50	1130	1045	84.7	160	1150	30.8	744	625	40.0	1.469	1.0194	0.4496	0.306	1.389	1.025	0.364	0.262	1.07	3.94	0.373
1973	10	7	23	8:00	9:48	1870	1715	155	213	1600	56.0	339	303	35.0	1.213	1.0353	0.1777	0.148	1.190	1.022	0.168	0.141	0.971	3.10	0.761
	14	8	20	8:10	10:20	1660	894	766	712	1100	89.5	584	592	80.0	1.368	1.0546	0.3116	0.228	1.369	1.050	0.319	0.233	0.430	1.24	1.27
	15		21	15:25	16:40	1680	1140	540	415	900	49.3	307	328	45.0	1.193	1.0311	0.1619	0.136	1.204	1.028	0.176	0.146	0.608	2.08	1.45
	20		30	8:05	10:05	3150	1580	1570	1700	1400	85.0	382	449	55.0	1.240	1.0535	0.1865	0.150	1.280	1.034	0.246	0.192	0.598	2.42	0.695
1974	10	7	30	8:23	10:30	1140	641	500	500	628	76.9	485	620	90.0	1.305	1.0485	0.2565	0.197	1.386	1.056	0.330	0.238	0.435	1.49	0.330
	11		31	8:30	10:40	1110	960	150	390	1200	72.7	500	520	80.0	1.315	1.058	0.2692	0.204	1.324	1.050	0.274	0.207	0.795	1.80	0.283
1975	12	7	26	23:00	1:17	4390	3150	1240	1700	2500	68.5	50	536	50.0	1.340	1.0431	0.2969	0.222	1.334	1.031	0.303	0.227	0.924	2.76	1.04
	13		27	8:50	11:15	3560	2110	1450	1450	2200	43.3	511	537	35.0	1.321	1.0273	0.2937	0.222	1.334	1.022	0.312	0.234	0.558	2.07	0.88
	15		29	8:35	10:45	2750	2410	344	550	2150	35.2	207	211	15.0	1.130	1.0222	0.1078	0.096	1.132	1.009	0.123	0.109	2.00	5.61	0.635
	17		31	8:50	11:30	4190	2880	1310	1850	2400	87.5	419	420	70.0	1.264	1.0551	0.2089	0.165	1.262	1.043	0.219	0.173	0.652	2.60	1.40
	18	8	1	8:37	10:33	2910	2370	539	800	2200	58.7	247	265	30.0	1.156	1.0370	0.119	0.102	1.165	1.019	0.146	0.125	1.12	3.43	0.83

黄河三门峡水库的泥沙问题

1　水库基本情况

三门峡水库位于黄河中游的下段，控制集水面积占全流域面积 90％多（见图 1）。每年流经三门峡站的沙量为 16 亿 t（其中来自支流渭河的水量约占 20％，沙量约占 25％），平均含沙量为 37.8kg/m^3。黄河干流入库站龙门实测最大含沙量达 933kg/m^3（1966 年）。

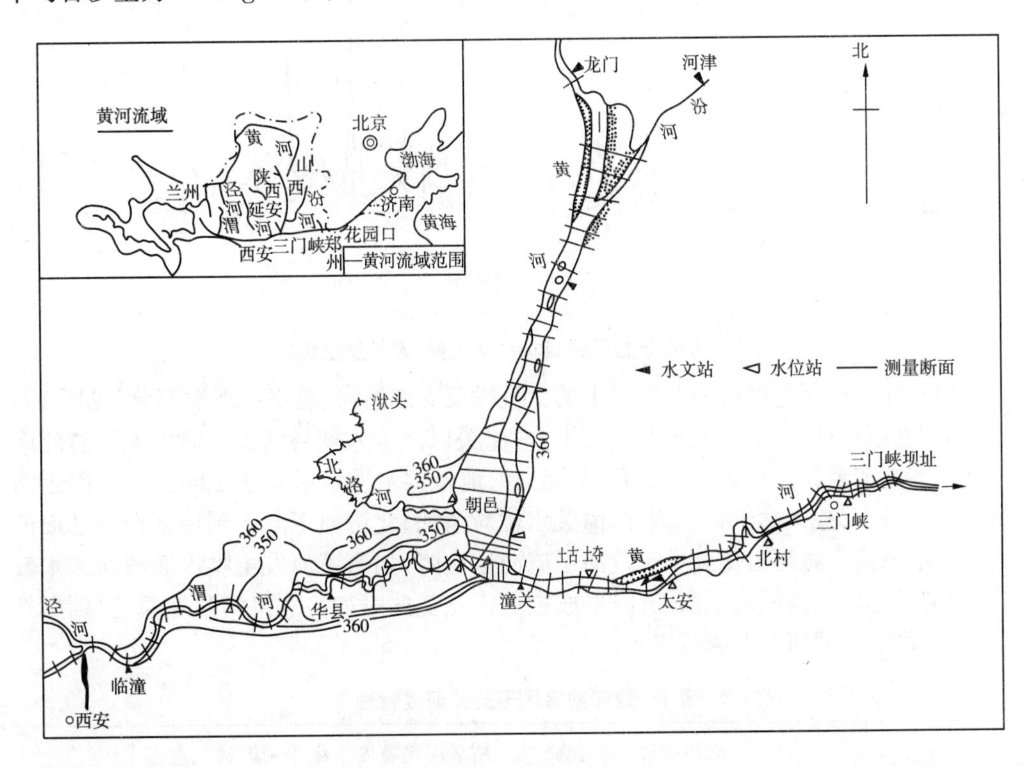

图 1　三门峡水库平面图

水库来水来沙，在年内分配情况是汛期 7～10 月水量占全年 60％，沙量占全年 85％；洪水由暴雨形成，洪峰陡峻，洪量不大而沙量集中，7、8 月份一次洪水挟带沙量常可达全年沙量的 1/3 以上。水库来水来沙过程线，以 1970 年为例（见图 2）。多年平均悬沙中径（中值粒径）黄河干流（龙门）为 0.046mm，支流渭河（华县）为 0.024mm，黄、渭河汇合以后

作者：三门峡泥沙问题编写小组。三门峡泥沙问题编写小组由北京水科院、清华大学水利系、黄委水科所、黄委三门峡库区实验站等单位组成。钱宁同志为组长。本文为集体创作，完成于 1974 年，原为拟参加国际大坝会议论文稿。曾刊载在 1976 年水利电力出版社《坝工建设技术汇编》第二集。本书作者参加了编写小组，本文带有阶段总结意义，较为重要，特收入本选集。

为0.038mm,其中小于0.025mm的泥沙占36%。根据上述情况可见,水库来水来沙的主要特点是来沙量很大,而且粒径较小,沙量在年内分布的集中性比水量更为突出。

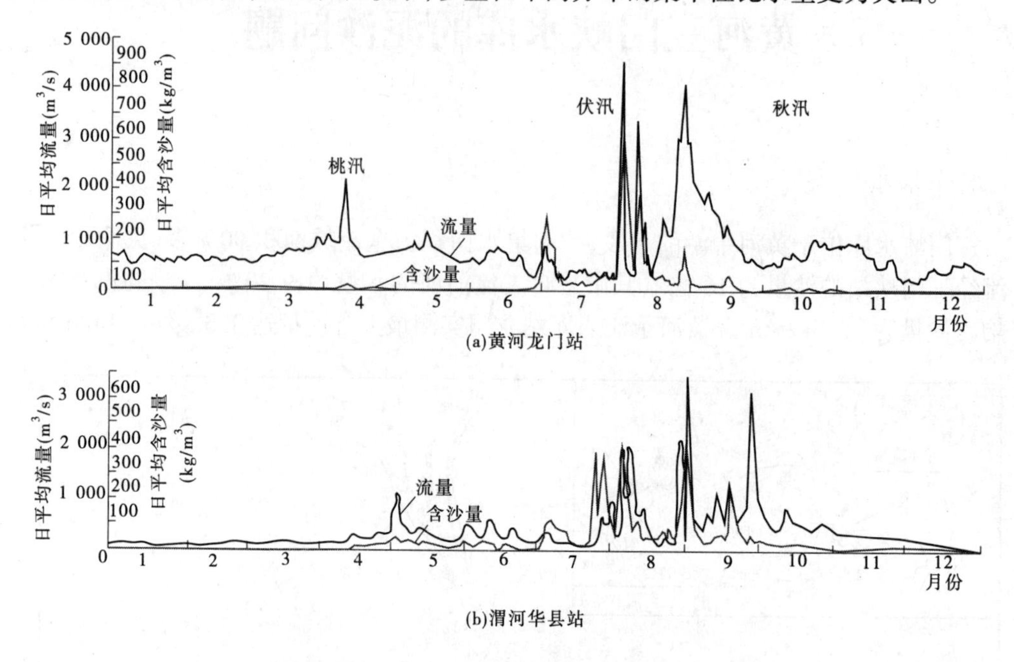

图2　1970年龙门站及华县站流量、含沙量过程线

三门峡库区范围包括黄河龙门以下的干流段及支流渭河、北洛河下游部分(见图1)。黄河在潼关(距坝址113km)附近与支流汇合,潼关以下进入峡谷河段。潼关上下游建库前库区干支流河道特性见表1。在干、支流交汇地带洪水滩地最宽达18km,潼关附近河床宽度仅1km,形成天然卡口。因此,潼关水位对渭河、北洛河下游起到局部侵蚀基面的作用。由于渭河下游河道比降小于黄河干流河道比降,如遇黄河发生洪水而渭河来水较小,在渭河就会发生顶托或倒灌,有时形成拦门沙坎。此时如与北洛河沙峰遭遇,则必然形成拦门沙坎,对渭河下游影响更大。

表1　建库前库区干支流河道特性

河段		床沙中径(mm)	比降(‰)	枯水河槽宽度(m)	洪水河床最大宽度(m)	河型
黄河	距坝110~150km(潼关以上)	0.13	3.5~3.7	2 000~5 000	18 000	游荡
	距坝70~110km(潼关以下)	0.14	3.0~3.5	600~900	3 200	过渡
渭河	距潼关0~110km	0.16	1.5	100~500	11 000	弯曲
北洛河	距潼关0~45km	0.09	2.3	30~50	4 000	弯曲

三门峡工程于1957年动工,1960年建成。坝顶高程353m。原设计逐步抬高运用水

位，近期不超过340m，相应库容162亿m^3，淹没土地9万hm^2。1960年9月开始蓄水，最高蓄水位332.58m，经过一年半的时间(其中只有一个汛期)，淤积泥沙达15.9亿m^3，潼关河床高程上升4.5m，渭河、北洛河下游水位相应抬高。由于淹没给国民经济带来的影响，其严重性远远超过原来的估计，因此于1962年3月改变运用方式，降低水位，滞洪排沙。但因泄流规模过小，泄水孔过高，淤积继续发展，到1964年汛后，共损失库容39.9亿m^3，其中潼关以下损失库容33.4亿m^3。而且随着淤积上延，库区两岸土地的浸没、盐碱化、沼泽化面积进一步增加。1965年以后，逐步对工程进行了改建，加大泄流规模，增建两条左岸泄水洞，打开高程较低的导流底孔，降低电站进口高程(见图3)。工程改建前后泄流能力见表2。

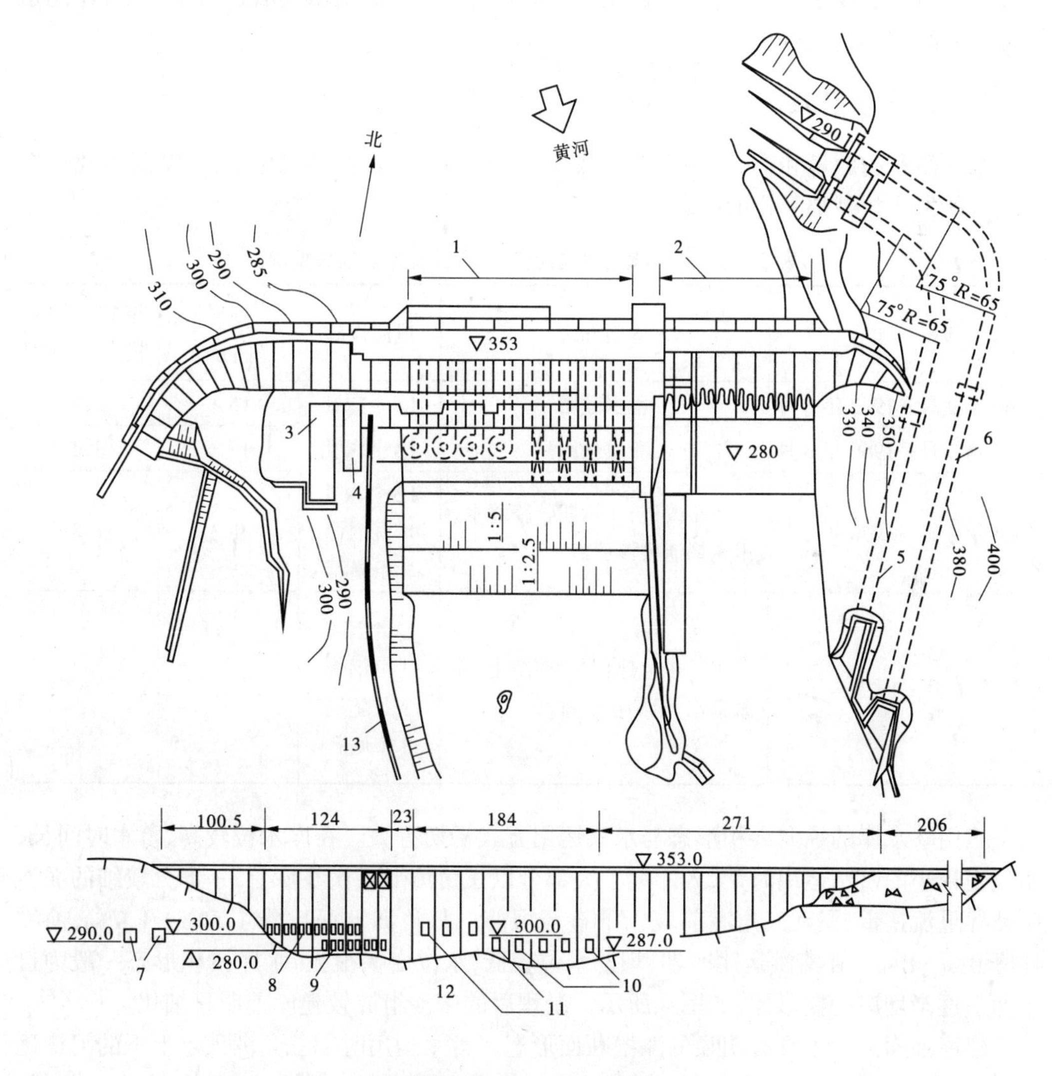

图3　三门峡枢纽改建后工程布置图　(单位:m)

1—电站坝段；2—溢流坝段；3—110kV变电站；4—副厂房；5—1号隧洞；6—2号隧洞；7—泄流排沙隧洞；8—12个8m×8m深水孔；9—8个3m×8m底孔；10—电站进水口；11—排沙钢管；12—闪长玢岩；13—进厂铁路

表 2　工程改建前后的泄流能力

项目	各级水位下泄流能力(m^3/s)			
	300m	315m	330m	340m
原设计	0	3 080	5 460	6 600
改建后	3 240	9 390	13 800	16 120

改建工程陆续投入运用后已取得一定成效。1970 年以来,库容恢复 6.7 亿 m^3,潼关河床高程下降 1.9m,水库淤积上延也得到一定的控制。改建前后运用方式及库容损失情况如表 3 所示。改建后,通过合理运用,目前除保持一定的防洪、防凌[1] 库容外,还能适当兼顾灌溉、发电效益。

2　水库冲淤形态及淤积上延问题

水库淤积的数量和部分,关系到有效库容的损失(见表 3)和库区的淹没范围及周围地区可能发生盐碱沼泽化的问题。

表 3　三门峡水库改建前后运用方式及库容损失情况

时　　段	运用方式	泄流设施	库容损失(亿 m^3)	年平均库容损失率(%)
1960 年 9 月～1962 年 3 月	蓄水运用	12 个深孔	15.9	5.7
1962 年 3 月～1966 年 6 月	滞洪运用	12 个深孔	18.6	3.2
1966 年 6 月～1970 年 6 月	初步改建,非汛期防凌蓄水,汛期畅泄排沙	12 个深孔 4 根钢管 2 条隧洞	9.3	1.8
1970 年 6 月～1973 年 10 月	进一步改建,非汛期防凌、灌溉蓄水,汛期畅泄排沙	12 个深孔 4 根钢管 2 条隧洞 8 个底孔	-6.7	-1.7

三门峡水库的纵向淤积形态与水库运用方式密切有关。在库水位较高、蓄水时间长、水位变幅小的蓄水运用时期,入库泥沙大部分以三角洲形式淤在库首,一部分较细的泥沙则被异重流挟带,淤在三角洲前坡以下直至坝前。三角洲洲面比降 1.5‱～1.7‱,前坡比降 6‱～8‱。在滞洪运用时期,坝前水位较低,水位变幅很大,水库淤积形态一般为自上而下逐渐增厚的楔形体,如图 4 所示。淤积后的床沙组成较建库前明显细化。

建库前库区河道具有明显的滩槽断面形态。蓄水运用时期三角洲顶点上下的河槽逐渐淤平,泥沙淤积分布于全河宽,滩槽高差减小,宽深比加大。滞洪运用后,库水位降低,水流在三角洲淤积面积上切割形成深槽,其宽度小于河床的淤积宽度。随着工程的改建,

[1] 每年 2 月融冰期,黄河下游的下段流冰卡塞,形成冰坝,需要水库控制下泄流量,称为防凌。

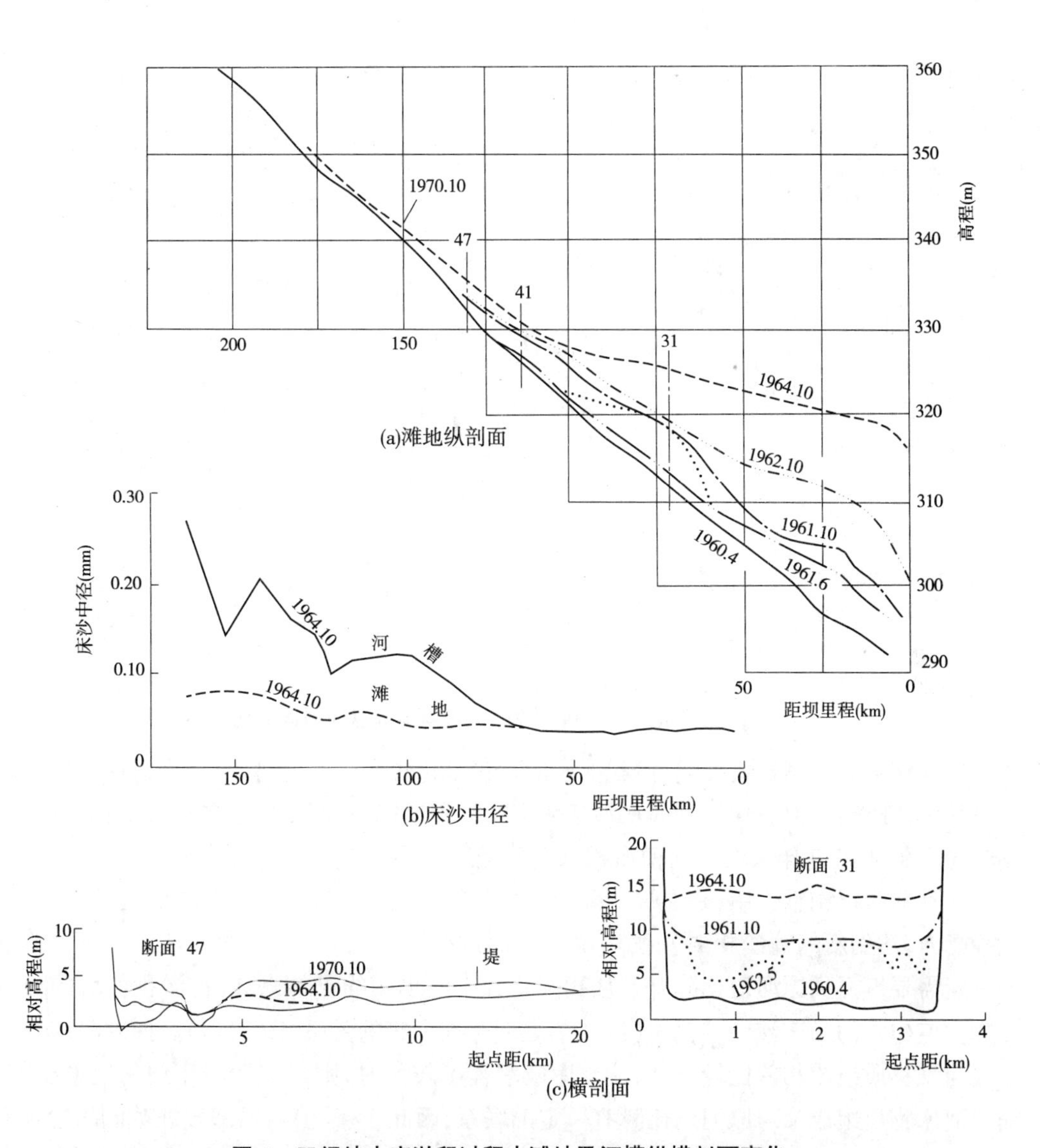

图 4　三门峡水库淤积过程中滩地及河槽纵横剖面变化

潼关以下逐步形成高滩深槽，目前平滩流量已超过10 000m^3/s。在冲刷过程中床沙组成逐渐变粗(见图 5)。

三门峡水库泥沙淤积的主要特点是淤积向上游延伸很远。一般水库淤积上延是壅水期回水与淤积相互作用的结果，在水库水位降低时，末端淤积又会冲刷下降，淤积最远点的河床高程往往低于坝前实际发生的最高水位。但三门峡水库则不同，在库水位降落后，壅水作用已经消除，下段河槽开始冲刷下降，而末端附近前期形成的淤积不能立即冲走，淤积还继续向上延伸。图 6 为 1996 年 8～10 月潼关以下库区淤积上延的图形。由于这种前期淤积的影响，渭河淤积末端位置已达到距坝 260km，超过坝前滞洪水位与河床平交点 100km 以上，而淤积末端的河床高程高出滞洪水位达 25m 以上。

上述淤积上延是冲积河流在局部侵蚀基面变动后，为了适应来水来沙条件而进行河

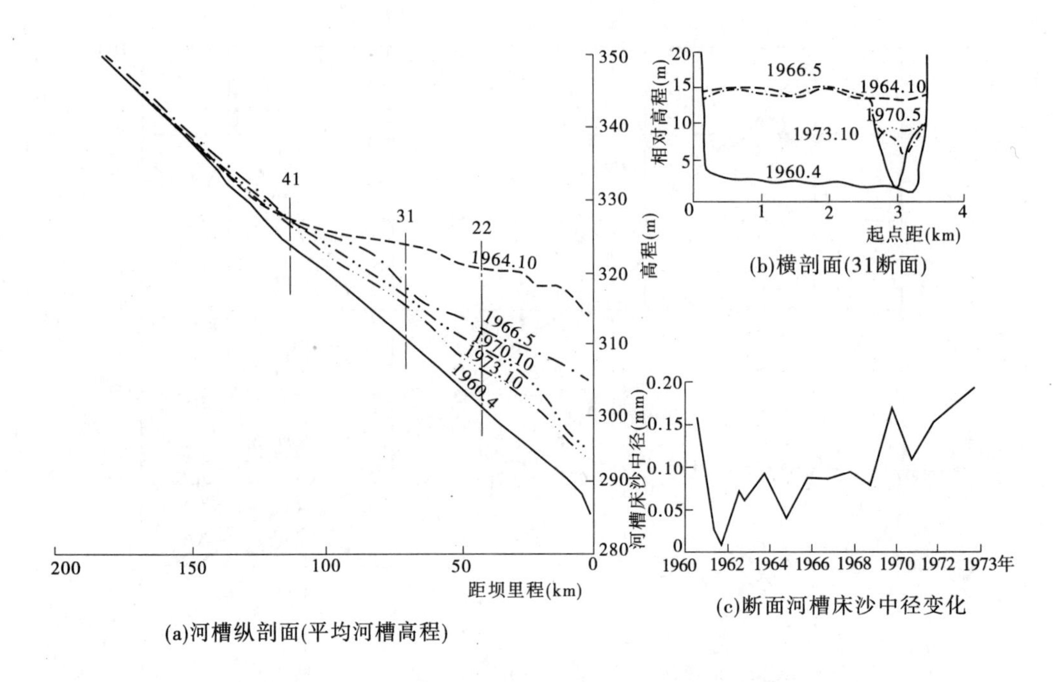

图5 三门峡水库改建后冲刷过程中河槽纵横剖面变化

床调整的结果。实测资料表明,淤积上延的过程是比较快的。上延以后,有时可以持续相当长的一段时间。但遇到有利的水沙条件产生沿程冲刷,淤积末端位置又会下移。反之,则将向上延伸。13年来渭河河槽淤积末端曾经历了几次上延下移的过程。

这种河床再调整作用,是通过比降、床沙组成及断面形态三个方面的变化,调整水流输沙能力,达到新的输沙相对平衡。由于后面两个因素的作用,淤积后新的河床比降 J 不一定需要恢复到原河道比降 J_0。从我国北方一些水库的资料来看,在淤积前后的河床比降比值(J/J_0)与床沙中径比值(D/D_0)之间存在一定的关系(图7(a))。如原河床物质组成与悬移质组成相差比较悬殊,或水库壅水程度较大时,则淤积后河床细化也愈显著。而原河床物质组成又与原河床比降有一定的联系,因此 J/J_0 值与局部侵蚀基面的抬升高度 H 及建库前的原河道比降 J_0 也存在一定的关系,如图7(b)所示。可以看出,随着 $HJ_0^{0.2}$ 的增大,D/D_0 不断减小,J/J_0 也相应减小。应该指出,由于各水库的来水来沙条件不同,河床形态的调整也有一定的影响,图7(a)、(b)没有包括这些因素,因此点群比较分散,只能说明淤积后比降调整的一般趋势。

渭河下游河床由于比降较小,床沙组成很细,淤积泥沙与原河床组成差别不是很大,这样就使淤积后的比降与原河道的比降之比值较大,从而使淤积上延十分显著。工程改建后,潼关河床冲刷下降,一般水沙条件下,渭河淤积已得到相应的控制。

滩地淤积末端上延的原因则与河槽淤积末端上延的原因有所不同。一方面,主槽淤高后,平滩流量小,漫滩机会增加。汛期滩地每上水一次,就会淤高一次,这样,滩地淤积将不断向上游发展,如图4所示。另一方面,随着滩地的淤高,主槽过洪能力加大,洪水漫滩机会减少,滩地淤积速度就会越来越慢,其淤积末端亦将渐趋稳定。

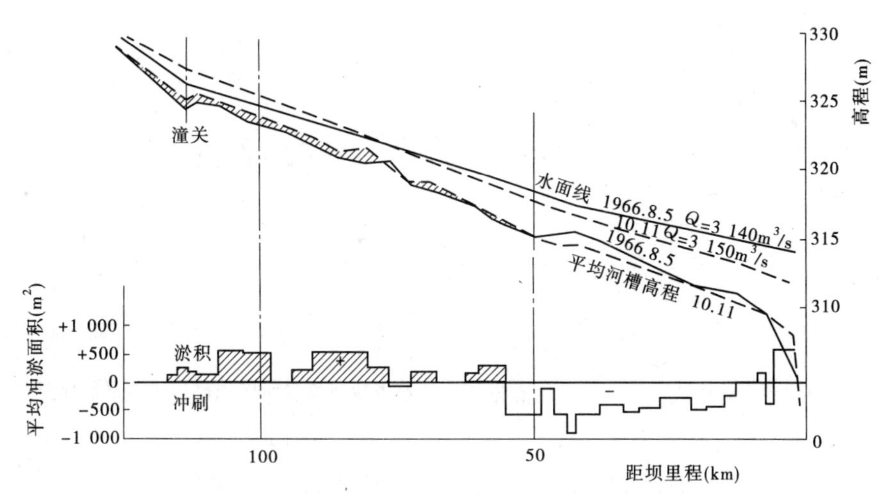

(a)1966年8月5日及10月11日潼关以下黄河干流水面线及河槽纵剖面

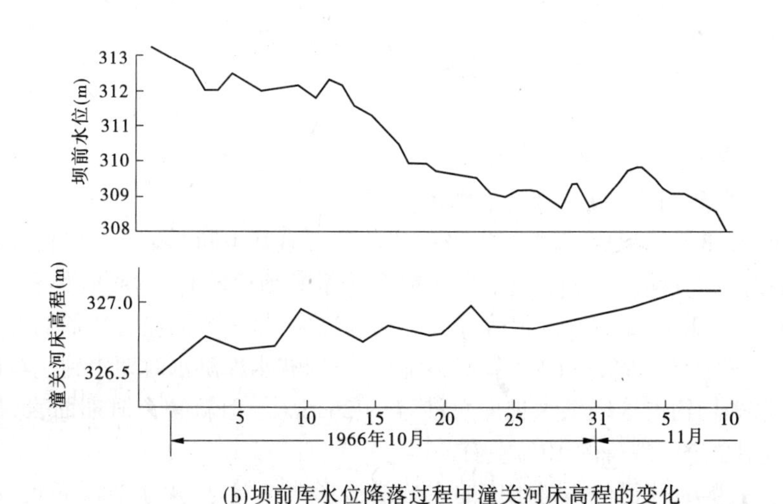

(b)坝前库水位降落过程中潼关河床高程的变化

图 6　水库淤积上延图形

3　水库输沙特性

在多沙河流上修建水库将引起大量泥沙淤积。在流域来沙没有得到控制以前,减少水库淤积、延长水库寿命的有效途径是充分利用水库输沙特性,按水库运用的一定方式,把一部分或全部泥沙排泄出库。

根据水库运用情况的不同,有以下各种不同的排沙形式。

3.1　**异重流排沙**

在蓄水运用时期,异重流排沙是主要的排沙形式。图 8 为 1961 年三门峡水库蓄水运用时期的异重流排沙过程。水槽试验和野外观测都证明在异重流潜入点处:

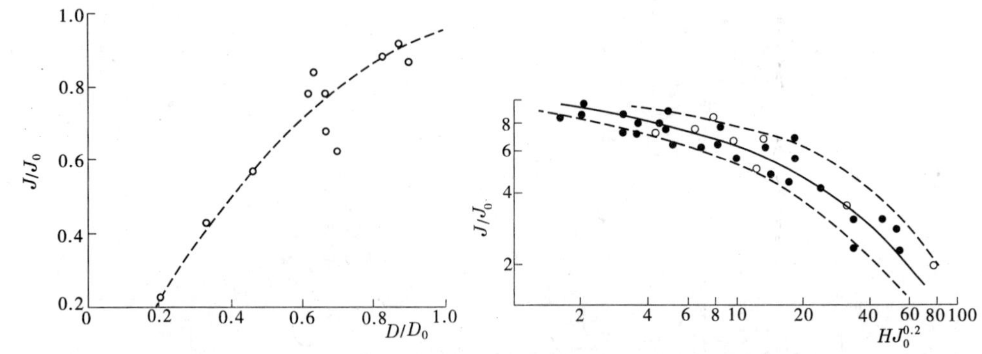

(a)水库淤积前后河床比降比值与床沙中径比值关系　　(b)多沙河流水库淤积前后相对平衡比降关系

图 7　河床比降比值(J/J_0)与床沙中径比值(D/D_0)关系

J_0、J—淤积前后比降(‱);D_0、D—淤积前后床沙中径(mm);H—局部侵蚀基面抬高程度(m)

$$\frac{\mu^2}{\frac{\Delta\rho}{\rho'}gh} \approx 0.6 \tag{1}$$

式中　μ、h——潜入点的平均流速(以 m/s 计)及水深(以 m 计);

ρ'、$\Delta\rho$——浑水的密度及浑水清水密度差。

应该指出,异重流的形成、持续运行及排出库外各有其不同的条件。要使异重流挟带的泥沙排出库外,一方面在一定流量下细颗粒含沙量必须比较高,库底应具有一定坡度,使异重流具有足够能量,足以克服沿程损失和局部损失;另一方面应有较低的泄水孔以利于异重流排出库外。据 1960~1964 年资料统计,三门峡水库洪水时期中到达坝前的异重流,其排出沙量平均约占这些洪水进库总沙量的 26.5%。但就整个时期而言,异重流排沙数量仅占同期总进库沙量的 10%左右。

工程改建后,异重流已经不是水库的主要排沙形式。但是,由于泄流底孔较低,库区比降增大,并有明显的深槽,有利于异重流运行。1973 年非汛期蓄水时期就曾出现三次异重流。我国某些水库,河床比降较陡,水库长度不大,泄水孔较低,一次洪峰的异重流排沙量可达进库沙量的 50%~60%。因此,在一定的条件下,利用异重流排沙,也是水库减淤的一种形式。

3.2　壅水期的明流排沙

当水库水位降低时,虽然仍有壅水,库区发生淤积,但与此同时,由于库区内行近流速较大,细颗粒泥沙沉降又需要相当长的距离,水库仍可排出一部分泥沙。从图 9 可以看出,随着淤积的发展,泥沙推向坝前,库容不断减小,水面比降逐渐加陡,排沙比(出库输沙率与进入壅水段输沙率之比)逐渐增大。因此,排沙比与前期淤积有很大关系。根据三门峡水库的资料分析,壅水期明流排沙关系如图 10 和式(2)所示。

$$\eta = f\left(\frac{J^{0.5}}{V/Q_0}\right) \tag{2}$$

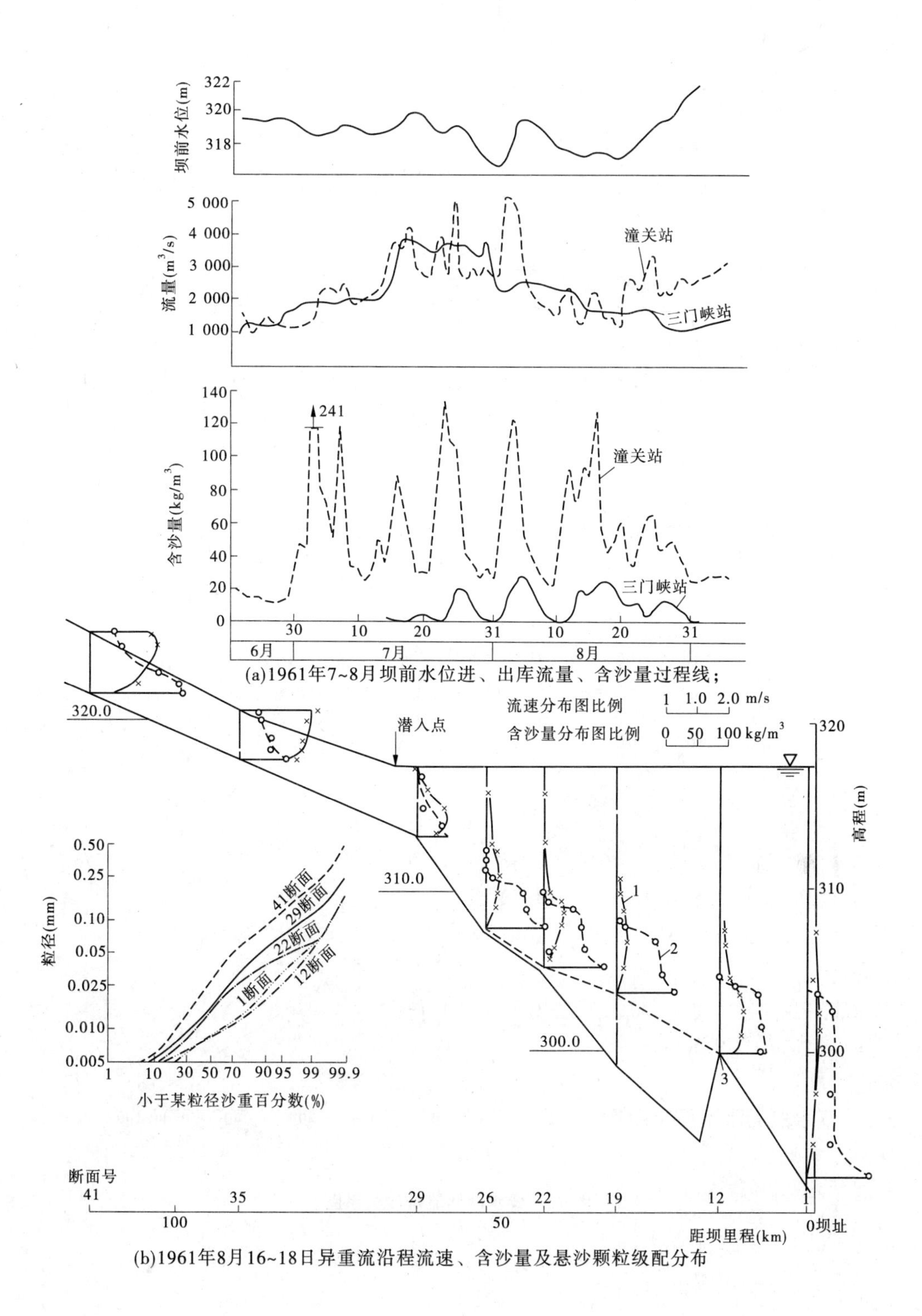

(a)1961年7~8月坝前水位进、出库流量、含沙量过程线;

(b)1961年8月16~18日异重流沿程流速、含沙量及悬沙颗粒级配分布

图 8　1961 年水库异重流排沙过程线

1—流速分布图;2—含沙量分布图;3—由于坍岸形成潜坝

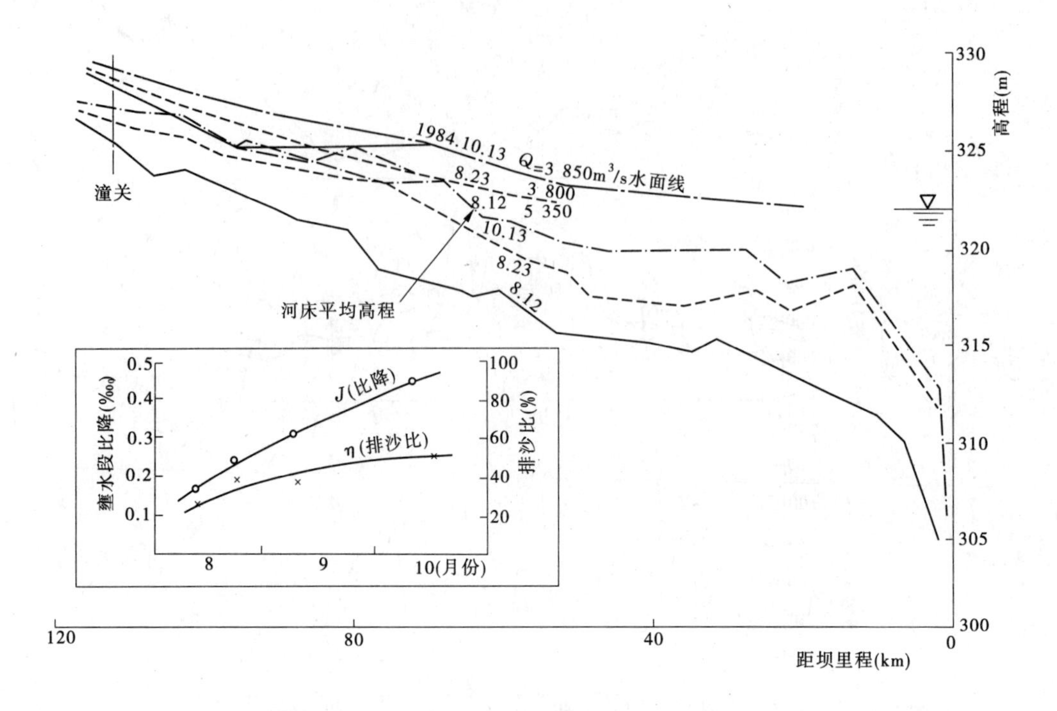

图 9　1964 年 8～10 月水库蓄水淤积过程中纵剖面变化

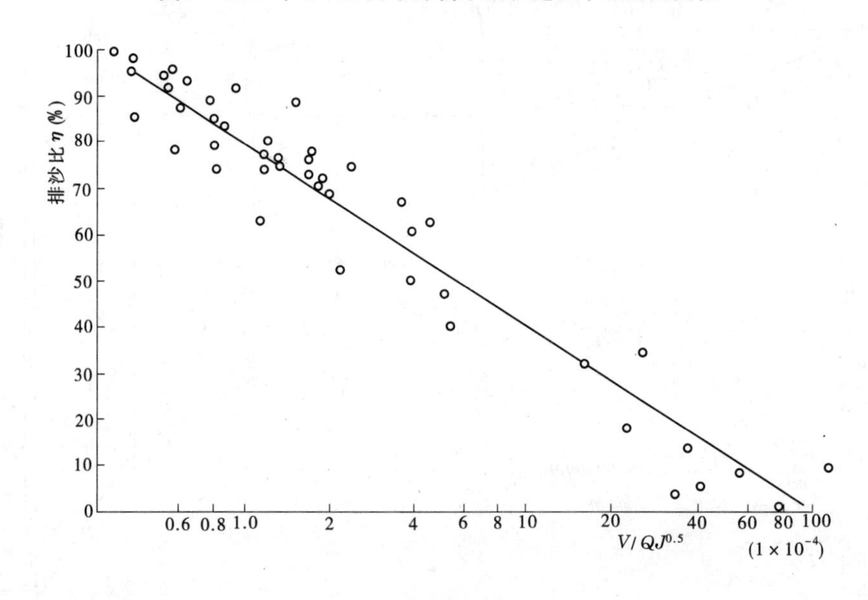

图 10　壅水期明流排沙关系图

式中　V——库容，亿 m^3；

Q_0——出库流量，m^3/s；

J——水面比降，‱；

η——排沙比，%。

V/Q_0 实质上反映了进库泥沙在壅水段内停留的时间，停留时间愈长，泥沙淤积愈多，所以排沙比应与 V/Q_0 成反比，而与水面比降成正比关系。

从这一关系可以看出，在壅水位较低时期，减少水库淤积的有效途径是降低 V/Q_0 值及加大比降。工程改建以后，各级水位的泄流能力均有所增加，滞洪机会大大减少，在来沙较集中的洪水时期能降低水位运用，壅水期明流排沙比也将较改建前有所增加，改建前 1964 年汛期为 35%，改建后 1966～1972 年平均为 81%。

3.3 沿程冲刷与溯源冲刷排沙

当坝前水位下降时，水库上段脱离回水影响，由于来水来沙与河床不相适应，河床通过冲淤变化进行调整。在有利的水沙条件下，将发生自上而下的沿程冲刷。

当坝前水位下降到库区淤积面以下时，水流从淤积面的顶坡段进入前坡段，局部比降急剧加大，发生强烈的自上而下的溯源冲刷。图 11 为一次溯源冲刷发展过程中冲刷率、比降、床沙组成变化情况。初期水面比降较陡，冲刷发展很快，随着比降的渐次展平，冲刷率亦相应减小，河床组成则在冲刷过程中不断粗化。根据三门峡水库实测资料分析，溯源冲刷的出库输沙率与流量、比降、水深及床沙中径之间，存在着如下的经验关系(见图12)。

$$Q_s = k\left[QJ^{1.5}\left(\frac{h}{D_{50}}\right)^{0.5}\right]^{1.3} \tag{3}$$

式中 Q_s——出库输沙率，t/s；

Q——流量，m^3/s；

J——冲刷河段平均比降，‱；

h——平均水深，m；

D_{50}——床沙中径，m；

k——系数，可取作 100。

表达沿程冲刷的挟沙能力关系与式(3)具有类似的形式。但是，黄河的特点是挟沙能力随着来水来沙条件的改变而呈现较大幅度的调整。在一定的来水条件下，如果来沙较多，则河床发生淤积，挟沙能力也随之加大；反之，如来沙较少，则河床发生冲刷，挟沙能力也随之降低。因此，沿程冲刷的挟沙能力关系还应以来水来沙作为参数。

溯源冲刷的排沙效果与水库前期淤积有很大关系。前期淤积面高，则水位降落后局部水面跌差大，溯源冲刷强度也大，最大时一天冲刷量可达 0.12 亿 t。表 4 列出了 1964 年 7 月至 1972 年 7 月期间两种冲刷形式的冲刷量和强度。可见，溯源冲刷对排出库内泥沙的作用很大，尤其当溯源冲刷与沿程冲刷能互相衔接时，对整个库区冲刷的效果，特别是消除库首淤积的作用更为显著。

还应该指出，如果被冲刷的前期淤积体距坝较远，而坝前仍有壅水，则冲刷作用只是把上段淤积搬到水库下段。出库沙量仍由前述壅水条件下的异重流或明流排沙所控制。这种淤积部位的改变对于消除淤积上延的影响也是有利的。

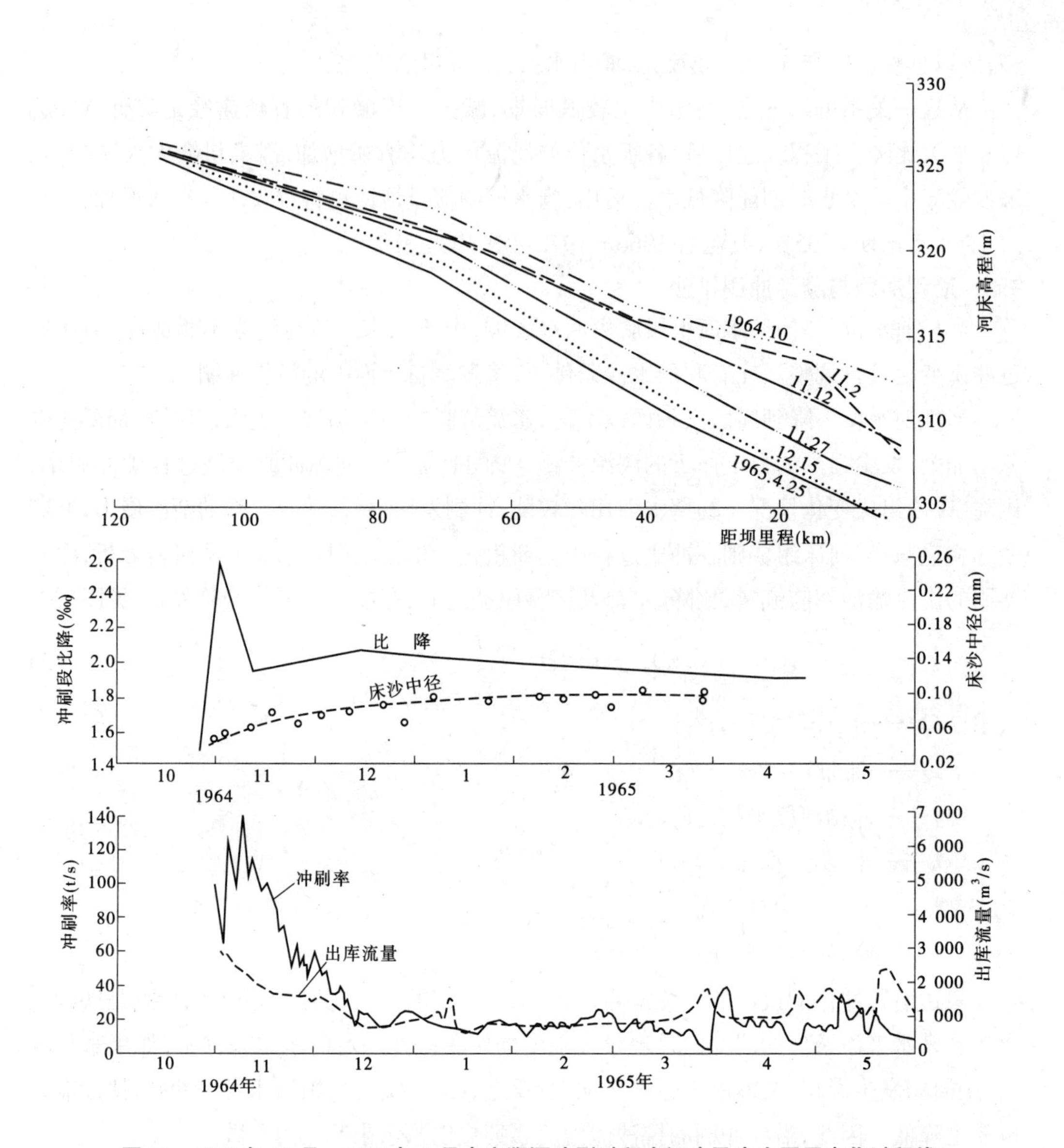

图 11　1964 年 10 月～1965 年 4 月水库溯源冲刷过程中河床及水力因子变化过程线

表 4　两种冲刷形式的冲刷作用

时段(年·月)	溯源冲刷		沿程冲刷	
	净冲刷量(亿 t)	冲刷强度(亿 t/d)	净冲刷量(亿 t)	冲刷强度(亿 t/d)
1964.7～1966.7	2.36	0.050	3.57	0.007
1966.8～1970.5	5.56	0.022	3.23	0.006
1970.6～1972.7	2.07	0.018	3.78	0.008
小计	9.99		10.58	

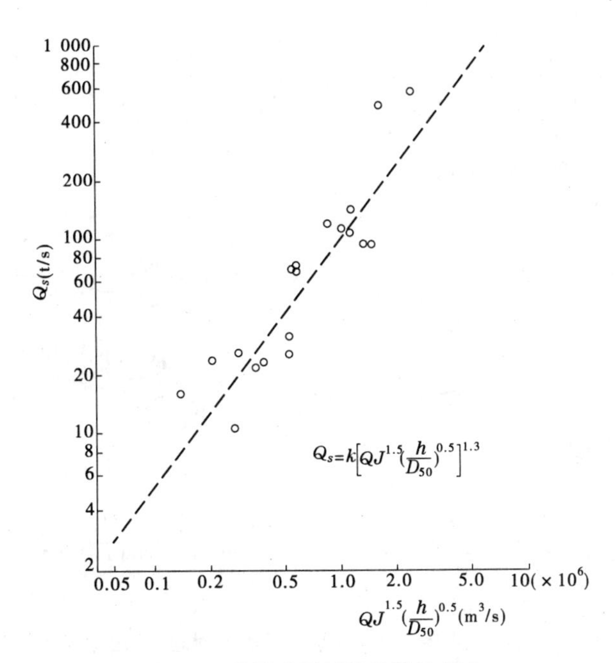

图 12　溯源冲刷时期的输沙能力

4　三门峡水库的水沙调节问题

三门峡水库改建以来的实践表明，根据水库冲淤及输沙规律，采取合理的运用方式，水库淤积及淤积末端上延问题都可以得到适当解决。关键在于进行径流调节的同时，必须考虑泥沙的调节。三门峡水库的水沙调节方式应考虑以下三个方面。

4.1　保持库容对水沙调节的要求

三门峡水库的库容分配在横向上包括滩地及河槽两部分，在纵向上则由峡谷段和开阔段组成。高程 330m 时主要库容均在潼关以下峡谷区，高程越高，开阔段库容所占比重越大，340m 时约占总库容 45%。

三门峡水库的冲淤特性表明，河槽库容损失后，还有恢复的可能，滩地库容一旦损失，就不易恢复。图 13 为建库以来滩地、河槽库容的不同特性，合理确定水库防洪任务，在下游安全泄量范围内，水库不拦洪、不滞洪。水库必须具有足够的泄流规模，使一般洪水情况下回水不超过潼关，潼关以下也力求水不出槽，以期较长期内保留开阔段库容和峡谷段的滩库容，作为防御特大洪水之用。

在非汛期，由于含沙量小、泥沙粗，壅水以后，大部分泥沙淤在漫滩库段以上的河槽壅水段内，滩地库容损失很小，因此可以适当抬高水位进行兴利运用。三门峡水库和我国一些多沙河流上水库采用这种运用方式，经过几年到十几年，还能保持大部分库容。这些水库的泄流规模都比较大。

在非汛期蓄水阶段，以及汛期自然滞洪阶段，淤在河槽内的泥沙，必须利用年内水沙分布的不均匀性，采用合理的运用方式，通过泥沙调节，将之排出库外，使河槽冲淤在年内达到相对平衡。这样就可以不致因为河槽淤积而引起滩地库容损失。为此，要求水库在

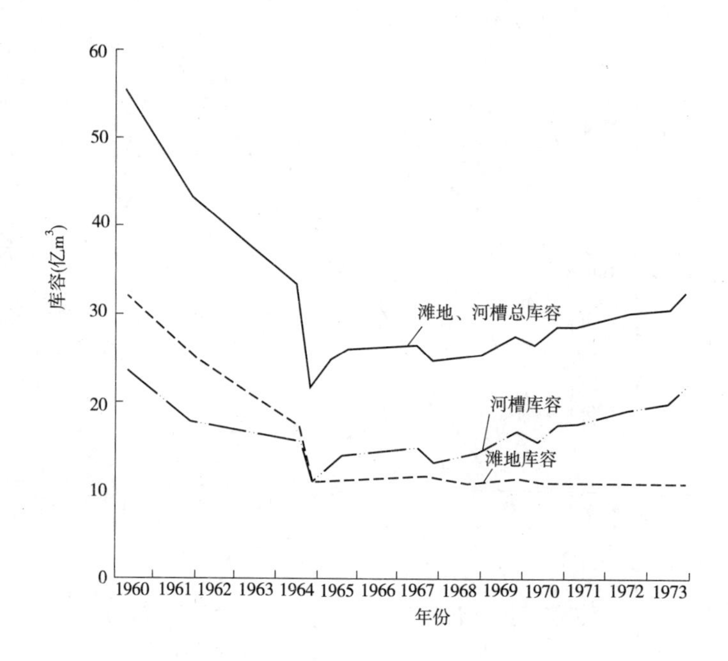

图 13　三门峡水库 330m 高程以下历年滩地、河槽库容变化

低水位下有较大泄流能力。

必须指出,一定的泄流规模只能保证某一频率的洪水在库内不漫过滩地。如遇更大的洪水,因漫滩而损失的滩地库容就不能恢复,防洪水位也将相应抬高。

4.2　控制淤积末端对水沙调节的要求

三门峡水库淤积末端迅速上延,对渭河下游两岸工农业生产影响很大,必须加以控制。潼关河床对渭河下游起到局部侵蚀基面的作用。而且潼关河床抬高以后,黄河倒灌渭河形成拦门沙的机遇增加,拦门沙也相应增高,对渭河下游很不利。因此,必须通过水沙调节控制潼关河床高程,以便控制淤积末端上延。

根据水库的冲淤特性,控制潼关河床高程的途径是:①控制汛期坝前水位,使一般洪水时回水及淤积上延尽量不影响潼关。②潼关河床具有汛期冲、非汛期淤的特点,非汛期蓄水加重了潼关河床的淤积,应在汛期有利的水沙条件下,通过冲刷加以消除。③非汛期蓄水阶段,应在桃汛[1] 期适当降低水位,使潼关脱离回水影响,利用桃汛洪水冲刷潼关河床,以期尽量减小非汛期潼关河床的上升幅度。桃汛后再继续抬高水位。

4.3　水库水沙调节对下游河道的影响问题

不同的水沙调节方式造成不同的出库水沙过程,对下游也将产生不同的影响。黄河下游是一条强烈堆积的地上河。解决黄河下游河道的淤积问题根本途径在于中上游流域治理,不能依靠三门峡水库拦沙。在水库排沙的前提下,水沙调节方式应充分利用下游河道的泄洪排沙能力,尽量避免给下游河道增加不利的影响。工程改建前,由于大坝泄流能力太小,洪水期水库滞洪作用显著,洪水以后大量排沙,形成小水大沙的情况(见图 14),下游河槽发生大量淤积。而建库前洪水期下游河道具有较大的输沙能力,有时还出现槽

[1] 每年 3 月下旬至 4 月上旬,黄河上游冰雪融化,形成较小洪峰,称为桃汛。

冲滩淤的现象,有利于河道的稳定。因此,一般情况下水库在洪水期排沙较之在小水期排沙有利。非汛期蓄水时水库下泄清水,具有冲刷下游河道的有利一面,但是由于下游河道很长,往往出现上段冲刷、下段淤积的情况,也产生新的问题。因此,水沙调节方式必须根据上下游的具体情况,统筹兼顾,全面考虑。这些问题还有待于今后在实践中逐步研究解决。

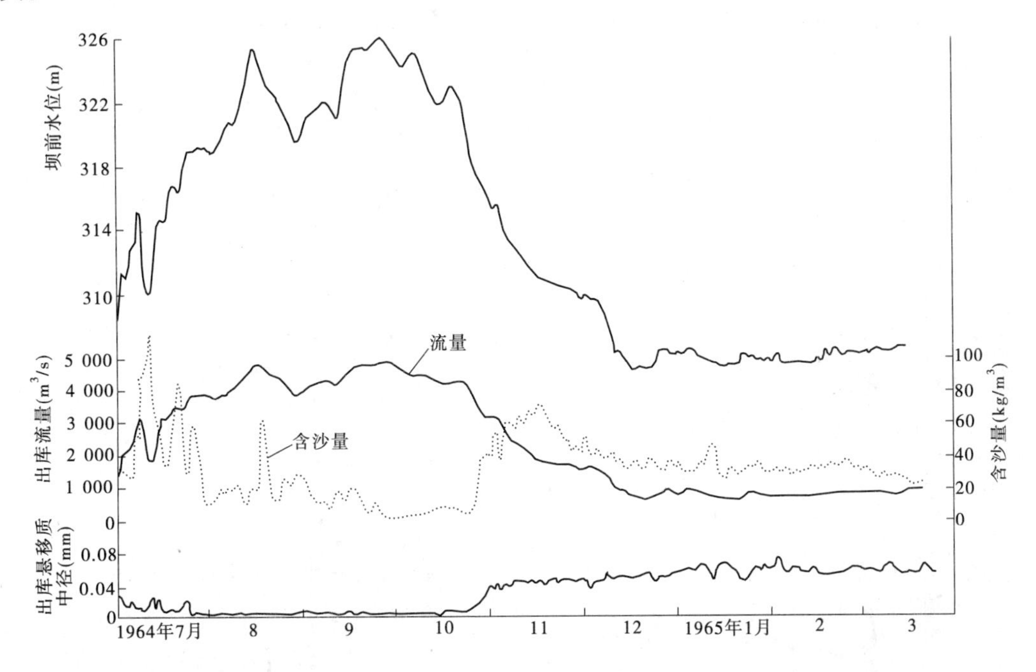

图 14　1964 年 7 月～1965 年 3 月三门峡水库出库流量、含沙量过程线

三门峡水库水沙调节的目的是在正常年份保持潼关以下河槽冲淤平衡,以保持一定的防洪库容;并控制潼关河床高程,以控制淤积上延;避免增加对下游不利影响;适当发挥防凌、灌溉、发电的综合效益。

在三门峡水库进行这种水沙调节,有其客观存在的有利条件。一方面由于非汛期有相当的水量可供调节,而沙量相对较少,蓄水后的淤积量也较少,这就为合理的径流调节提供了前提。另一方面,潼关以下峡谷河道比降陡,大于目前所形成的冲积河床的冲刷平衡比降,在一般年份,坝前控制在一定的水位,仍有可能将非汛期蓄水及汛期滞洪的淤积泥沙全部冲走,保持水库冲淤平衡。这就为进行水沙调节以实现综合利用提供了必要的条件。

1970 年到 1973 年水库实际运用情况表明,上述水沙调节方式是有成效的。从图 15 可以看出,每年非汛期调蓄量 5 亿～18 亿 m^3,蓄水后淤积引起的库容损失及潼关河床上升,都可以在当年恢复。而且由于改建前库区淤积较多,改建工程投入运用后,一部分前期淤积物被冲刷出库,因而表现为库容逐年扩大,潼关高程持续下降。可见这样的运用方式不但保持了防洪库容,在非汛期进行了防凌、灌溉蓄水,而且各个时期都有一定水头可供发电。

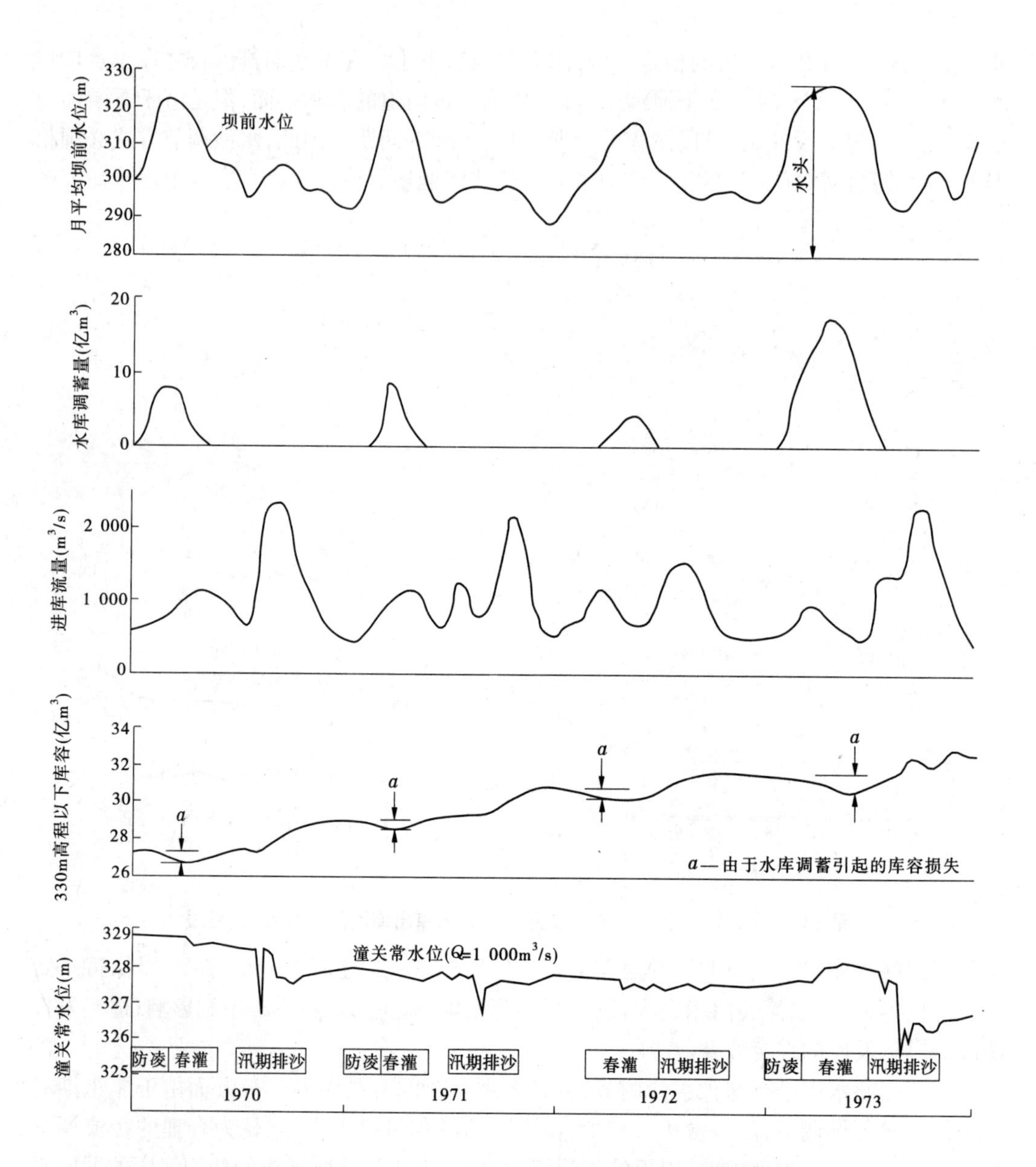

图 15　三门峡水库 1970～1973 年水库运用中水沙调节过程线

应该指出，水库综合利用效益在很大程度上受到了泥沙调节的限制。而且，各项效益的相互关系，也由于存在泥沙问题而相互制约。通过多年来积累的大量资料建立起来的水沙调节计算方法，可用以确定各种条件下的水库运用方式和相应的泄流规模。三门峡水库的水沙调节方式，还有待于在今后实践中不断进一步完善。例如，加强水文预报，充分利用洪水期的冲刷能力，并研究库区冲淤多年平衡问题，以提高水库综合利用效益。随着黄河中、上游水土资源逐步得到利用和控制，进库的水沙条件也将发生改变，水沙调节的方式和水库的任务均将作出相应的调整，使三门峡水库更能适应工农业生产发展的需要。

5 结语

三门峡水库的修建和改建，经历了曲折的过程。由于缺乏经验，原规划设计对黄河中上游水土保持减沙效果估计过高，同时对水库淤积及其所造成的严重后果认识不足，错误地搬用了一般河流水库蓄水拦沙的方式，水库建成蓄水后出现了一系列的问题。10余年来，紧密结合生产中的关键问题，在不断实践、不断认识的过程中，对三门峡水库进行了改建。工程改建后，大坝已具有较大的低水位泄流能力，利用水库的有利地形条件，根据水库冲淤和排沙规律进行水沙调节，扭转了被动局面。这样就可以在较长的时期内保持一定的库容，以发挥防洪为主的综合利用效益。

应当指出，三门峡水库由于受特定条件的限制，它的经验带有一定的局限性。而且工程改建后，还没有经过大洪水的考验，我们对泥沙规律的认识以及目前采用的水沙调节方式，也还有待于在实践中逐步完善。

光电颗分仪

1 河流泥沙颗粒分析方法

泥沙颗粒级配是河流泥沙的重要特性之一,也是泥沙研究的一个必要项目。天然河流泥沙粒径分布范围很广,必须用几种方法互相结合以求得其级配。在常用的分析方法中,直接量度法和筛分析法仅适用于砂及砾石类较粗泥沙的级配分析,而小于1.0mm的细砂、粉土、黏土等较细泥沙的分析则用沉降方法进行。多年来国内外一直沿用的比重计、吸管、底抽管、移液法及粒径计等方法,都是利用泥沙沉降理论并以重量法为基础的分析方法。

随着科学的进展和河渠泥沙问题的深入研究,应用新技术进行各种微粒级配分析的方法和仪器愈来愈多。近20年来,这种发展更为迅速。其中可以用于河流泥沙级配分析的方法就有:以测量比重为基础的比重浮子法;以直接在水中连续称出沉积重量的沉降天平法和差压计法;以非接触式测量浑水密度为基础的X光衍射法、放射性同位素法及光电法;以测量不同粒子通过微孔时所引起电阻变化为基础的库尔特计算器法,等等。这里,我们着重介绍应用光电法来进行河流泥沙颗粒分析。

20世纪20年代以来,就有人开始研究应用光电法测定微粒的级配分布。在冶金、海洋、地质、建材等部门已将它作为常规分析方法之一。1958年,水科院泥沙所开始研究应用光电法测定河流泥沙级配。1963年,华东水院物理组开始研制光电测沙仪用于测定沿海及河口的含沙量和级配。1975年,中科院海洋所研制了GDW-1型光电颗分仪。长办、黄委都进行了大量试验研究。这些工作的共同结论认为,光电法可以用于泥沙级配的常规分析。

2 光电法进行泥沙颗粒分析的物理基础

光电法进行泥沙颗粒分析的物理基础是泥沙颗粒的沉降理论和浑水体系的消光理论。现分别简要叙述如下。

2.1 泥沙的沉降理论

在重力作用下,静水中沉降的泥沙颗粒所受外力,有作用于颗粒的重力和水体对颗粒的阻力。当重力与阻力相等时,颗粒以等速沉降。随着颗粒大小、幺重和水温的不同,在等速沉降过程中颗粒周围水体可以具有层流、紊流以及从层流到紊流过渡的三种不同流态。从这样一种基本物理图形出发,许多学者推导了各种表达泥沙颗粒沉降速率的公式。就悬移质泥沙而言,一般情况下,较小的粒子(例如0.06~0.002mm)在静水中沉降属于

作者:黄委会水文处(龙毓骞、刘木林)、华东水利学院物理组(卢永生、徐友仁)。本文系1977年黄委会水文处研究报告,主要内容曾在1979年《人民黄河》第2期发表,有关内容曾在1980年第一届国际河流泥沙会议上发表。

层流的范围，较大的粒子(例如 1～2mm)已进入完全紊流状态，中间的粒子则处于过渡区。在包含有大大小小粒子的浑水体系中，由于粒子沉降时处于相对运动的水体流态不同，势必发生互相干扰，使各个粒子的沉降偏离静水单粒沉降的规律。因此，将泥沙样品按粒子大小所表现的沉降规律不同分为几个部分，分别用不同的方法进行分析，从理论和实际上都是必要的。就河流泥沙来说，可以分为三部分：0.1mm 以下；0.1～1.0mm；1.0mm 以上。作为日常分析，对于 0.1mm 以下及 0.1～1.0mm 泥沙，都可以采用以沉降原理为基础的分析方法；大于 1.0mm 的粗沙、砾石，则可采用筛分析法或其他直接量度尺寸的分析方法。

2.2 两种沉降体系

利用静水沉降原理进行颗粒分析的方法，通常有两种方式，一种是分析前使泥沙与水充分混合搅匀，不同大小粒子同时沉降，随时间的增长，沉降筒内出现浓度随高度的梯度分布，各高度含沙浓度随时间而变化，这种体系称之为浑匀体系。另一种是分析前沉降管为清水，开始时在管口注沙，由于大小粒子沉速不同，到达沉降管某一固定高度的时间也不同，管内泥沙依其大小而自行分层。这种体系称之为清水体系。

鉴于粗细泥沙的沉降特性不同，分析时适用的沉降体系也不同。0.1mm 以下泥沙宜于采用浑匀沉降体系，而 0.1～1.0mm 泥沙则较宜采用清水沉降体系。如在清水介质中加入一定量的增黏剂，则由于介质的黏滞度增加，粒子的沉速相应减小，也可用浑匀沉降体系来测定大于 0.1mm 的较粗泥沙。不论采用哪一种沉降体系，我们都可以通过测定在某一给定时间 t、深度 h 处的含沙浓度 c，求出沙样的级配。这是吸管、比重计等以沉降原理为依据的颗分方法所共同具有的一个特点。在另外一些方法中(如累积管、粒径计等)，则是通过直接求出沉降的沙重代替测定含沙浓度。

2.3 浑水体系的消光作用

光强为 I_0 的入射光穿过厚度为 L 的浑液，削弱后的光强 I 将服从以下规律：

$$I = I_0 e^{-\gamma L} \tag{1}$$

式中 e——自然对数底；

γ——系数。

对于溶液，γ 与浓度 ρ 成正比，即

$$I = I_0 e^{-K\rho L} \tag{2}$$

这就是物理学中朗伯 - 贝尔定律(Lambent - Beer)。式中：K 为系数，也称消光系数。对于含有微粒的悬浮液，光能穿过时将被削弱：一部分光能受粒子几何截面所阻挡，另一部分通过各种散射效应削弱。如将 K_s 定义为粒子从平行光束中削弱的能量与入射在粒子几何横截面积上光能之比，在体积为 V 的悬液中含有 N 个直径为 D 的粒子，则式(1)中的系数可表达为

$$\gamma = K_s \cdot N \cdot \frac{1}{4}\pi D^2 \cdot \frac{1}{V} \tag{3}$$

如用 C 表示悬液的含沙浓度(以单位体积的泥沙重量计)，γ_s 为泥沙幺重，则

$$C = N \cdot \frac{1}{6}\pi D^3 \cdot \gamma_s \cdot \frac{1}{V}$$

$$或 \qquad \frac{N\cdot\pi D^2}{V}=\frac{6C}{\gamma_s D} \tag{4}$$

代入式(3)、式(1),可得

$$I = I_0 e^{-\frac{6K_s}{4\gamma_s}\cdot\frac{C}{D}\cdot L} \tag{5}$$

取通用对数,并取 $\gamma_s=2.7\times10^3\text{kg/m}^3$,$C$ 以 kg/m^3 计,L、D 均以 mm 计,则得

$$\lg\frac{I_0}{I} = \frac{K_s}{4\ 150}\cdot\frac{C}{D}\cdot L \tag{6}$$

式中:$\lg\frac{I_0}{I}$通称为光密度或消光量。根据散射消光理论,K_s 是粒子相对折射率及粒径与波长比值的函数:

$$K_s = f(m,x) \tag{7}$$

其中,m 为粒子相对于水的折射率,如粒子折射率为 1.44,水的折射率为 1.33,则

$$m = 1.44/1.33 = 1.08$$

$$x = \frac{\pi D}{\lambda}(D\ 为粒径,\lambda\ 为入射光波长)$$

K_s 的变化规律比较复杂,华东水利学院对此进行了较详细的叙述。指出在一些特定的条件下,可以用简化的方法从理论上计算 K_s 随粒径 D 的变化,并指出实际上 K_s 的变化除受粒子光学效应影响外,还和仪器本身的光学尺度有关,必须用试验来确定。1978 年 5 月曾用长江、黄河的分组沙样进行试验(如图 1 所示)。

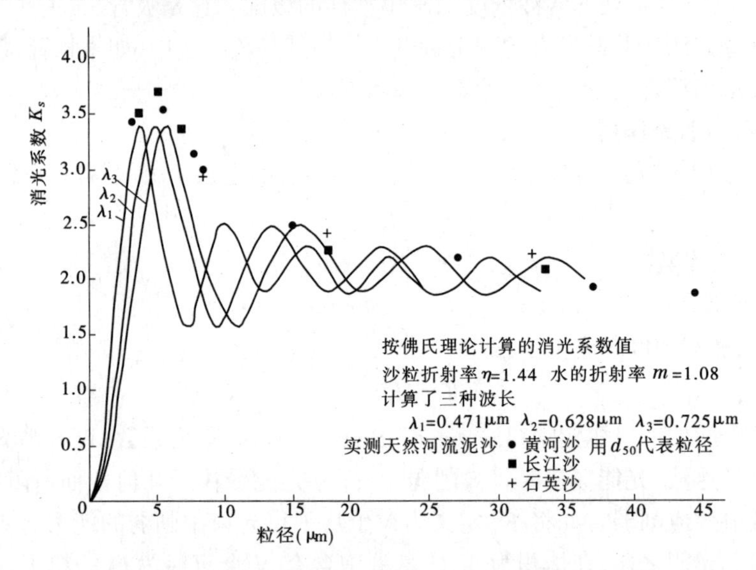

图 1　消光系数随粒径变化的规律

图 1 表明:消光系数在粒径 $D=5\mu\text{m}$ 附近出现峰值,其随 D 变化的趋势与用散射消光理论简化计算的 K_s 随 D 变化的趋势基本一致。计算中采用了三个不同波长,用以与白烛光试验所得结果相比较。可以看出,尽管长江与黄河的泥沙来源、矿物组成不同,但在实用的分析粒径的范围内,两者的变化趋势是完全一致的。

仪器光学尺度对消光系数影响的试验如图 2 所示。表明在仪器设计上,有可能通过试验,调整光接收器的位置,改变消光系数随粒径变化的大小。

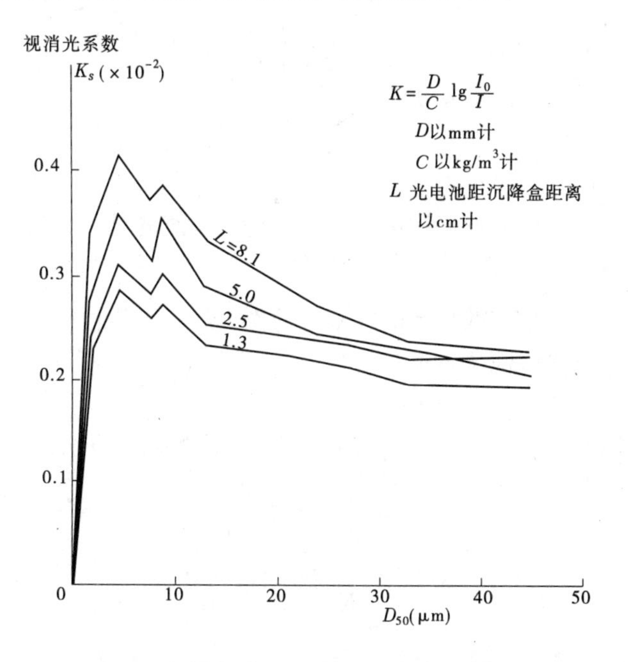

图 2　仪器光学尺度对视消光系数的影响

从式(6)及用天然河流泥沙进行消光系数试验的结果可知,对于一定粒径的泥沙,K_s、γ_s、D 均为常数,在某一浓度以下时,含沙浓度 C 与光密度 $\lg\frac{I_0}{I}$值呈线性关系。这一点对于将光电法应用于河流泥沙级配的测定是十分重要的。

2.4　光电法测定泥沙颗粒级配

在浑匀分散体系中,各不同粒径颗粒的消光作用具有近似的独立性。因此

$$\lg\frac{I_0}{I}=\lg\frac{I_0}{I_1}+\lg\frac{I_0}{I_2}+\cdots+\lg\frac{I_0}{I_i}+\cdots \tag{8}$$

式中　I_1、I_2、…、I_i——体系中浓度为 C_i、粒径为 D_i 的颗粒消光后的光强。

实际测量时,在浑匀体系沉降过程中所能测得的消光值是小于某粒径的颗粒的消光量之和。例如,相应于 t_1 及 t_2 时刻所读得的消光值为 I_{t_1}、I_{t_2},系粒径小于 D_1 及 D_2 的颗粒的消光量。那么,D_1 到 D_2 间粒子的浓度将是:

$$C_{12}=\frac{D_{12}}{K_{12}}(\lg\frac{I_0}{I_{t_1}}-\lg\frac{I_0}{I_{t_2}})=\frac{D_{12}}{K_{12}}\lg\frac{I_{t_2}}{I_{t_1}} \tag{9}$$

同理

$$C_{23}=\frac{D_{23}}{K_{23}}\lg\frac{I_{t_3}}{I_{t_2}} \tag{10}$$

……

显然,体系的总浓度

$$C=C_{22}+C_{23}+\cdots+C_{i,i+1} \tag{11}$$

为便于说明，设将全部泥沙分为 n 组，粒径 $D_1>D_2\cdots\cdots>D_i\cdots\cdots>D_{n+1}$，则小于任一粒径 D_i 的泥沙量占全部泥沙量的百分数为

$$\rho < D_i = \frac{\sum_{i=n+1}^{i=i} \frac{D_{i,i+1}}{K_{i,i+1}} \lg \frac{I_{t_{i+1}}}{I_{t_i}}}{\sum_{i=n+1}^{i=1} \frac{D_{i_1,i+1}}{K_{i,i+1}} \lg \frac{I_{t_{i+1}}}{I_{t_i}}} \tag{12}$$

式中：$\frac{D_{12}}{K_{12}}\cdots\cdots\frac{D_{i,i+1}}{K_{i,i+1}}$是在浑匀体系中相应于消光值差值的某一特征平均粒径和平均消光系数。

在实用计算中，我们采用两粒径的算术平均作为特征平均粒径，在 GDY－I 型光电仪的研制中，我们调整了光电池位置近似地取 $K=$ 常数，光电法所计算的级配与吸管法一致。

在清水沉降体系中，在某一时刻 t，于深度 h 处所测定的光密度数值为

$$\lg \frac{I_0}{I_t} = \frac{K_t C_t L}{D_t}$$

或写成：

$$C_t = \frac{D_t}{K_t \cdot L} \cdot \lg \frac{I_0}{I_t} \tag{13}$$

可以代入下式：

$$P < D_t = \frac{\int_t^T Cu\,\mathrm{d}t}{\int_0^T Cu\,\mathrm{d}t} \tag{14}$$

式中　T——全部泥沙沉降所需时间；

C——含沙浓度；

u——沉速。

用数值积分法即可求出小于某粒径的百分数。

光电法测定泥沙级配，运用了泥沙颗粒在静水中沉降原理和浑水体系的消光作用，因此作为一种方法，必然受到推导上述两方面原理的种种限制。就我们采用的仪器而言，主要有以下几方面：

(1)含沙浓度不能过大。浓度过大，背离了推导沉降公式时所作的单颗粒在无限介质中自由沉降的假定。从消光作用而言，浓度过大，光密度与浓度之间不复存在线性关系。

(2)粒径范围有限制。例如，当测定泥沙粒径小到 0.001～0.002mm 以下时，不仅颗粒沉降已不完全服从重力沉降规律，而且由于散射作用突出，浑水体系的消光作用更为复杂。当泥沙粒径超过 1～2mm 时，由于沉速太大，也不便于应用这种方法。

(3)被测的泥沙中，各种大小粒子应具有基本相同的物理性质，如泥沙的比重、颜色、形状等。

3　光电颗分仪的研制

为满足光电法测定河流泥沙级配的要求，我们通过调查研究国内各单位正在使用及

自制的同类仪器的性能,综合其优点,研制成 GDY－I 型光电颗分仪,参加研制的单位除本文作者单位外还有西安工业学院。GDY－型光电颗分仪具有如下主要特点:

(1)采用线性平衡电路,工作过程中可随时监测线性关系的变化,并随时调整保持在线性工作点工作,从而保证在透射层厚度一定时,含沙浓度与光密度呈线性关系(见图 3)。

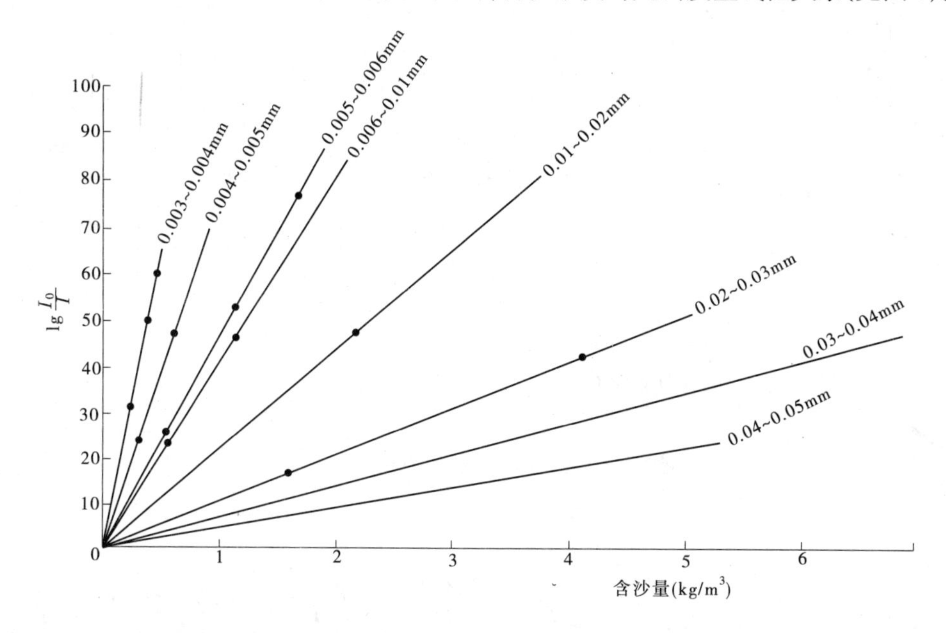

图 3 GDY—I 型消光系数试验

(2)采用双光束光路,解决了由于电压不稳或光源不稳定所引起的零点漂移及读数不稳现象,即在一次测定级配的过程中,I_0 是一个固定不变的数值。

(3)用电动机通过齿轮变速带动沉降盒自动升降,加快了一次分析历时,以提高效率,可以做到一次小批量的分析。

(4)利用对数放大器,把经过悬液指数衰减的光强转换成和含沙量成线性关系的读数,达到线性化。

(5)泥沙沉降过程相应于含沙浓度变化的电量变化,即 $\lg\frac{I_0}{I}$ 值,目前系选用 xwc－100 型、0～10MV 的通用电子电位差计作为记录仪器,也可接入数字电压表进行读数。记录曲线示例如图 4 所示。

GDY－I 型光电型颗分仪在采用蒸馏水作为沉降介质时,由于沉降盒尺寸的限制,只能适用于小于 0.1mm 的泥沙。对用于 0.1～1.0mm 粗沙的光电法仪器,目前尚未定型。初步试验时采用的装置,是将粒径计管(内径 25mm)插入方形盛有清水的有机玻璃盒中,放置在光路上,采用了清水沉降体系顶部注沙的分析方法,如图 5 所示。

4 试验成果

试验沙样取自黄河干支流各站、长江荆江河段,还有少数南京土壤所土样。仪器经过进一步调试又在郑州进行补充试验,沙样取自黄河干支流各站,均进行了分散处理,采用

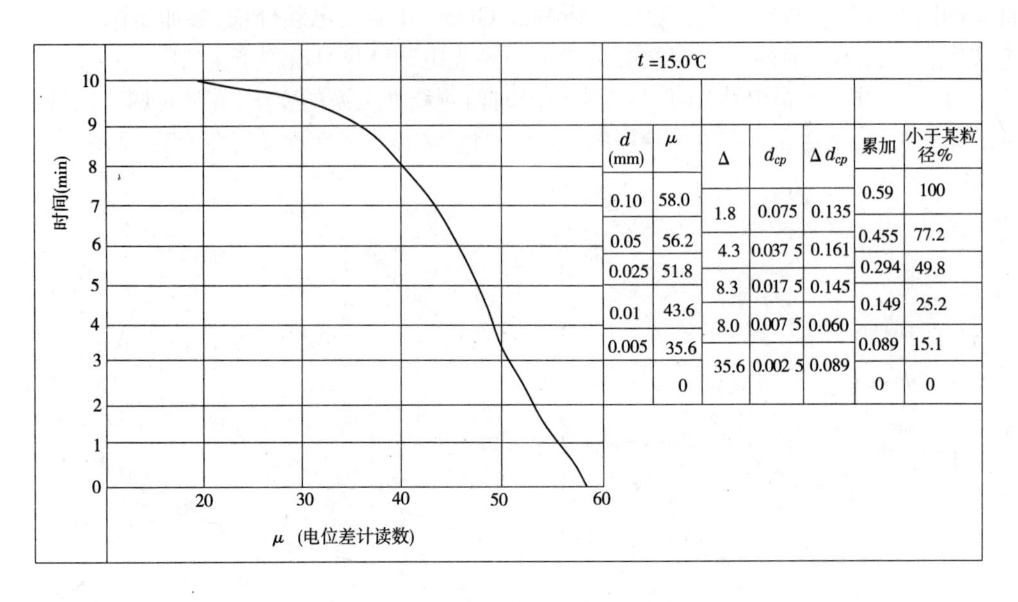

图 4　GDY－I 型光电仪记录曲线示例

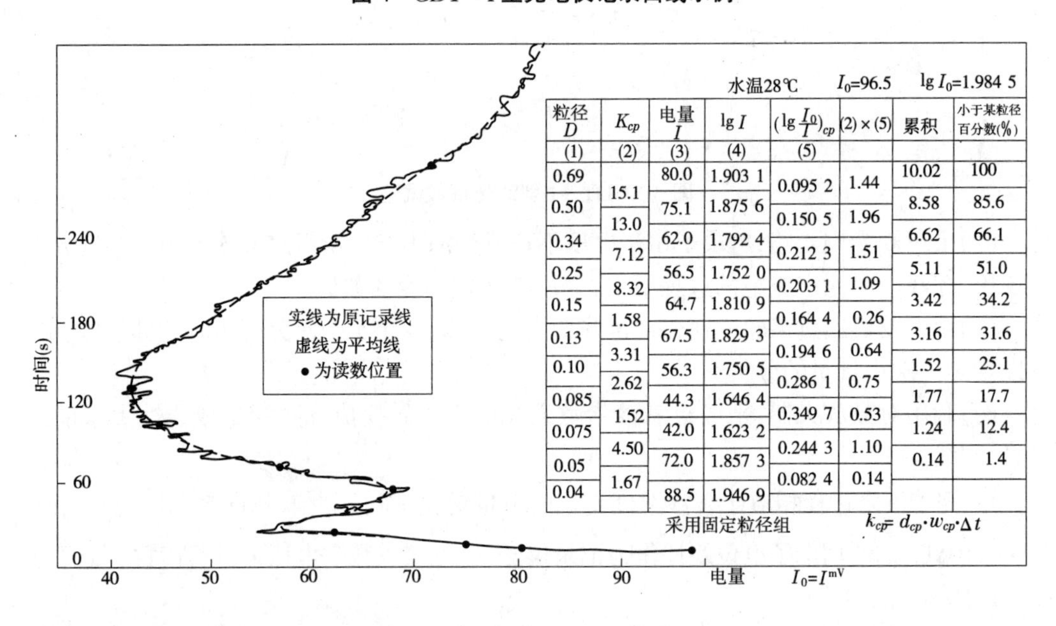

图 5　粗沙试验记录示例

六偏磷酸钠作分散剂，并以此作为正式成果。

4.1　准确度

准确度是指用光电法测定的泥沙级配与沙样的真实级配的接近程度。

关于测定一个沙样的真实级配的标准方法问题，是一个十分复杂尚有待解决的问题。在选择供作比较标准的颗分方法时，我们倾向于尽可能采用以沉降原理为基础的方法。在常规方法中，我们选用了吸管法作为小于 0.1mm 泥沙的比较标准，浑匀消光法作为大于 0.1mm 粗沙的比较标准。

与吸管法对比,小于0.1mm的泥沙,同一粒径累积百分数相关图如图6所示。

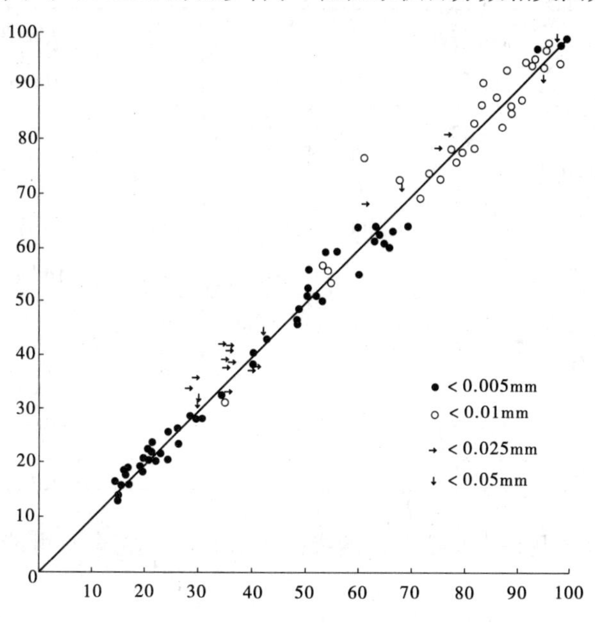

图6 光电法、吸管法百分数相关图

试验结果统计如表1所示。

表1 吸管法与光电法泥沙颗分对比试验统计

试验沙粒径(mm)		<0.1	<0.05	<0.025	<0.01	<0.005
30个沙样平均值	吸管法	100	86.4	61.2	41.0	31.0
	光电法	100	87.9	62.7	40.0	31.9
多次试验平均值的系统偏差			-1.5	-1.5	1	-0.9
单个测次对比偏差	80%频率不大于		4.5	4.2	3	2.5
	最大值		7.4	7.4	6.2	5.9

1977年11月全国泥沙颗分技术经验交流会,要求新方法达到的准确度指标:多次试验平均值的系统偏差,大于80%粗粒部分为±(2%~3%),小于80%的细粒部分为±(3%~4%);单个测次对比偏差80%频度,大于80%粗粒部分不大于±8%,小于80%的细粒部分不大于±10%。那么,GDY-I型(改进后)的试验结果不仅符合上述标准,而且与吸管法比较,其偏差小于其他同类型仪器所得结果。

对于大于0.05mm的沙,对比试验结果如表2所示。

表 2　粗泥沙对比试验成果

分析时间	方法	分析样品个数	小于某粒径百分数(%)					
			1mm	0.5mm	0.25mm	0.10mm	0.075mm	0.05mm
1978	浑匀消光法 70%甘油加水	8	100	70.8	44.0	18.6	10.8	
	注入消光法清水	8	100	69.1	44.8	18.5	8.9	
	粒径计清水	8	95.6	65.7	42.0	16.5	7.0	
1978	注入消光法	32	100	88.1	67.1	31.1		12.9
	粒径计	32	98.9	87.2	67.1	32.6		12.1
1977	注入消光法	24	100	94.5	74.8	35.3		14.1
	粒径计	24	100	94.3	75.7	37.8		13.7

从表 2 可以看出,几种方法所求出的级配十分接近。完全有可能应用注入消光法代替常规使用的粒径计法。

4.2　稳定性

一种方法的稳定性(或精度),是指分析同一样品所得结果的重复程度。曾将同一沙样用吸管分沙的方法分为 30 份,用光电法依次进行颗分试验。求出小于某粒径的百分数后,按同粒径组成的百分数取其平均值,求出每份沙样小于各粒径百分数与平均值的差值进行统计。用频率 80%的误差来衡量其稳定性。

试验结果如表 3 所示。

表 3　光电法稳定性试验成果(累积频率 80%的偏差百分数)

	仪器、测试时间	小于某粒径百分数的偏差值				说　明
细泥沙浑匀沉降		<0.05	<0.025	<0.01	<0.005	
	GDY－I 型 1978.12	4.8	3.2	2.3	1.8	
		5.0		3.7	3.4	
	郑Ⅰ号　1977	2.5	3.2	2.2	1.8	数字电压表读数 电位差计读数
粗泥沙清水沉降		<0.5	<0.25	<0.10	<0.05	
	兰Ⅰ号(改装)　1978	2.5	3.0	3.0	0.6	

要求新方法的稳定性指标:对于大于 80%的粗粒部分,同一样品多次重复试验,各次与平均值的偏差 80%频率不大于 ±4%,小于 80%的细粒部分不大于 ±5%。显然,现在仪器均可达到这一要求,说明用光电法测试有足够的稳定性。

4.3　灵敏度

试验方法的稳定性和准确度是衡量一种方法能否可应用的两个主要指标。对于小于

0.005mm 含量较多的极细泥沙,光电法还存在着记录曲线是否有足够灵敏度的问题。曾选择5个沙样,小于0.005mm泥沙含量自25%~75%,先用光电法进行分析,然后,吸出其中一部分细粒,分别进行剩下部分沙样和吸出部分沙样的级配分析。根据两部分沙样的重量和级配,可以计算原沙样的级配。和原分析成果进行比较,结果基本一致。反映了光电法具有一定的灵敏度,可以反映样品级配中的变化。

5 结语

(1)光电法可以作为进行河流泥沙颗粒级配的日常分析方法。

对于小于0.1mm的泥沙可用浑匀沉降方式,对于0.1~1.0mm泥沙可用清水沉降方式[1]。本方法有理论根据,其稳定性、灵敏度都与常规方法相近,并有一定的准确度。

(2)GDY-I型光电颗分仪可以用于小于0.1mm细泥沙的分析。该仪器的主要技术指标符合用光电法进行颗分的要求。对于大于0.1mm的粗泥沙,可以应用改装后的单光束或双光束仪器。

建议全部沙样的分析方法:

大于1.0mm的粗沙、砾石,用筛分析法;10~20mm的砾石、卵石,用直接量度法。

0.1~1.0mm以及小于0.1mm的泥沙,分别采用两套装置,均用光电法进行分析[2]。

(3)光电法的应用将为实现泥沙颗分自动化创造条件。鉴于泥沙沉降过程含沙浓度的变化,可以通过本文所述的光电效应,用电量进行读数或记录。因此,可在现有基础上,进一步研究沙样处理、分沙、计算技术等问题,以便早日实现颗分工作自动化。

(4)有待继续研究的课题。浑水体系的消光作用比较复杂,复合沙的消光作用仍是一个有待继续深入研究的课题。另外,目前,用光电法分析粗泥沙的级配还缺乏定型的仪器,粗、细泥沙分析的衔接配套也还有一些试验研究应该进行。

---

[1][2] 根据沙样实际级配分界粒径也可采用0.05mm。

三门峡水库泥沙问题的研究

1　基本情况

三门峡工程是修建于黄河中游下段的一座以防洪为主的综合水利枢纽。水库控制流域面积占全流域92%，年水量432亿m^3，其中汛期7～10月占60%。年沙量16亿t，其中汛期占85%。年平均含沙量37.8kg/m^3，悬移质泥沙中径为0.03mm。来自支流渭河的水量约占20%，沙量约占25%。来自中游晋陕区间支流的洪水由暴雨形成。洪峰陡峻，洪量不大，而含沙量极高，7、8月间一次洪水挟带沙量常可达全年沙量的1/3以上。干流实测最大含沙量曾达933kg/m^3。

库区范围包括黄河龙门以下干流及支流渭河、北洛河下游部分。

黄河在潼关(距大坝123km)附近与支流汇合，交汇地带洪水河床宽10余km，而潼关河床宽不到1km，形成天然卡口，潼关水位对渭河、北洛河下游起着局部侵蚀基面的作用。

三门峡水库于1960年9月开始蓄水运用，淤积迅速发展。鉴于原设计对来沙数量及淤积所可能出现的问题估计不足和库区淹没给国民经济带来的影响很大。1962年3月改变运用方式，降低水位，滞洪排沙，但因泄流规模较小，泄水孔位置偏高，滞洪壅水位高，淤积仍继续发展。同时，潼关河床抬高，淤积上延，库区两岸土地的浸没、盐碱、沼泽化面积进一步增加，1964年底及1969年6月两次决定进行工程改建，加大泄流规模，增建两条泄水隧洞，打开高程较低的导流底孔，降低电站进口高程。1973年到1978年期间装机5台，容量共25万kW·h。自1974年开始进行控制运用。

1970年6月改建工程有效地发挥作用以前，三门峡水库总淤积体积达53亿m^3，平均每年损失5.4亿m^3，潼关河床抬高5m。改建以后，水库淤积数量得到了控制，平均每年淤积不过0.2亿m^3，恢复了潼关以下河槽库容约9亿m^3，潼关河床降低了近2.0m(1978年与1964年汛后比较)。自1974年以来，水库配合防洪、防凌、灌溉、发电等综合利用进行水沙调节，不仅保持了335m以下约58亿m^3库容，而且潼关高程在一定变幅范围(约1m)内基本上保持了稳定，控制了淤积上延，对于下游河道淤积并没有产生不利影响。三门峡水库冲淤及排沙情况如表1所示。实际资料表明，工程改建达到了预期效果，这为在我国多泥沙河流上修建工程、控制水沙、除害兴利摸索出了一条途径。

2　水库冲淤形态

三门峡水库改建前，潼关以下处于淤积状态，所形成的锥体淤积的纵比降在1.1‱～1.7‱之间变化。改建以后进行正常控制运用，在年内冲淤过程中主槽纵比降形成上下两段。上段为非汛期形成三角洲淤积，顶坡比降1.4‱～1.5‱，洪水期冲刷恢复，其比降为2.2‱～2.3‱。下段自大坝到29断面(距坝约62km)，其比降为1.6‱～1.8‱，基本上

作者：张启舜、龙毓骞。本文原发表于1980年第一次国际河流泥沙会议，论文集由光华出版社出版。

属于淤积平衡的状态。多年来的观测发现,这些比降数值还是比较稳定的。

表 1 三门峡水库冲淤及排沙情况统计

时段(年·月)	运用方式	坝前水位		库区淤积量		出库沙量			潼关河床累计升高
		汛期最高(m)	汛期平均(m)	潼关以上(亿 m^3)	潼关以下(亿 m^3)	总量(t)	占进库(%)	大于0.05mm粗泥沙(%)	时段末(m)
1960.9~1962.3	蓄水	332.58	324.02	+3.2	+14.3	1.1	6.8	5.9	+4.5
1962.4~1966.6	改建前	325.90	312.81	+3.6	+16.1	33.9	58.0	27.2	+4.4
1966.7~1970.6	初步改建	320.13	310.00	+15.8	+0.1	73.8	82.5	39.2	+5.0
1970.7~1973.10	进一步改建	313.31	298.03	+3.8	-2.8	59.3	105	41.7	+3.1
1973.11~1978.10	控制运用	317.18	305.60	-0.7	+1.2	66.8	100	36.1	+3.0
小计				+25.7	+28.9	234.9			

由于运用方式的改变,库区河道现已形成了明显的滩槽。目前高滩滩面系在1964~1967年有充分泥沙补给的漫滩洪水所形成,滩面高程与洪水期某一流量(称为造床流量)的水面线一致,其比降数值与洪水流量有关,目前在1.2‰左右。

水库库容分为滩槽两部分。从潼关以下330m高程滩槽库容的变化可从看出,改建后,冲刷恢复的部分河槽库容,在目前运用方式下得以保持,供泥沙调节用。当然,在不同的水沙下,局部河段还将发生塌滩或边滩淤积。实测资料表明,这种滩槽交替转化所影响的库容约为1亿 m^3。

滩地淤积的发展与漫滩洪水频率有关。在具备足够大的泄流规模时,可以使主槽有一定的输水输沙能力,从而减少洪水漫滩的机遇以限制滩地淤积的发展,滩地淤高以后,漫滩洪水的频率也越来越小,也会限制滩地库容的损失。经过多年运用,水库将逐渐形成高滩深槽的河床,可以较长期地保持部分滩库容与槽库容作水沙调节之用。

库区潼关以上河谷地势开阔、渭河下游比降平缓,干支流河床主要由细沙组成,中值粒径为0.1~0.25mm。受水库直接壅水影响和随后的淤积上延,滩地与主槽均大量淤积。淤积末端距大坝约250km。改建后,潼关河床高程下降,主槽随之刷深,主槽过洪能力已逐渐恢复,淤积末端得到控制。潼关以上小北干流河道,对每年入库水沙量起到调节作用,表现在汛期较大洪水时的削峰滞沙作用以及非汛期冲刷增加进入潼关以下的沙量。特别是在发生高含沙量洪水时产生强烈的成层冲刷,整块河床被掀起冲走,称“揭河底”。1970年8月初一次洪水,龙门站洪峰流量13 800m^3/s,最大含沙量826kg/m^3,一次揭底冲刷深度6.4m,北干流河道在刷深的同时发生边滩淤积,原来游荡的河势趋于归顺,影响范围70余km。据分析,可以用单宽水流功率 $W=r'qJ$ 来衡量高含沙水流的冲刷潜力,其中 r' 为浑水容重,q 为单宽流量,J 为比降。统计表明,发生揭底冲刷处 $W>1.0\sim1.2$,这种强烈的冲刷是黄河这样多沙冲积性河流自动调整作用的一种特殊表现,对于库区河道冲淤都具有重要影响。

3 水库输沙规律

水库排沙分为壅水期异重流、壅水期明流及泄空期冲刷等几种形式。1960 年 9 月至 1962 年 3 月蓄水运用期间泥沙主要通过异重流形式排出;低水位运用及工程改建过程中除 1962～1964 年洪水期水位较高时形成异重流外,一般则为壅水明流,峰后退水时期水库发生溯源冲刷;1974 年以后的控制运用时期除非汛期发生壅水淤积外,汛期起主导作用的是大洪水的沿程冲刷和壅水明流排沙。据统计,1961～1964 年期间共发生明显的异重流 22 次,平均排出沙量占同时期进库沙量的 25.7%,排出泥沙绝大部分是小于 0.05mm 的粉土及黏土。

溯源冲刷与沿程冲刷的联合作用在恢复水库库容和冲刷水库末端淤积方面起重要作用。溯源冲刷是由于局部河段形成很大比降造成强烈的自下而上溯源发展的冲刷形式,初期冲刷强度每天可达 0.02 亿～0.05 亿 t,冲刷过程中比降逐步变平,河床粗化,冲刷强度逐渐削弱。在正常条件下沿程冲刷率每天仅 0.006 亿～0.008 亿 t,由于冲刷是自上而下进行的,故对控制水库淤积上延起着主要的作用。根据实测资料求出悬移质输沙能力经验公式:

$$Q_s = CQ^2J^2\left[\left(\frac{S}{Q}\right)_i + b\right]^{1.75} \tag{1}$$

式中 Q、Q_s——流量输沙率,m^3/s 或 t/s;

J——比降(‱);

$\left(\frac{S}{Q}\right)_i$——进入河段的含沙量($kg/m^3$)与流量的比值;

C、b——系数,$C=1.06\times10^5$,$b=0.02$。

这一关系通过$\left(\frac{S}{Q}\right)_i$这一参数反映来水来沙对河道悬移质输沙能力的作用,又通过比降这一因素反映了水流边界条件的影响。在溯源冲刷时,出口输沙率可用下式表达:

$$Q_s = R\left[rQJ^{1.5}\left(\frac{h}{D_{50}}\right)^{0.5}\right]^{1.3} \tag{2}$$

式中 r——浑水容重;

h、D_{50}——水深及床沙中径;

R——$R=1.6\times10^{-6}$。

式(1)、式(2)用不同的因子作为沿程冲淤与溯源冲刷的挟沙力参数,正是反映了这两种物量现象的主要影响因素是不同的。

在壅水条件下,由于库区河槽狭窄,洪水期水流还有相当大的行近流速,实质上是不稳定不平衡的输沙过程。如采用洪水期平均数值进行统计,可以做出潼关以下库区排沙百分数与库容(V)及泄量(Q_0)的比值关系图,这一指标反映坝前水位、前期淤积和洪水过程中淤积对排沙的影响。

为了适应工程改建的需要,根据上述规律建立一套水库冲淤计算方法。鉴于黄河河床调整迅速，每一冲淤计算时段都要考虑河床纵向变形对输沙能力的影响。每一时段的计算结果都要使水流泥沙因子与冲淤剖面相适应。将这种方法编成程序运用电子计算机计算，冲淤数量与冲淤部位的计算误差大体上在10%。

为进一步探讨水流输沙的机理，根据能量平衡的观点，来研究库区水流输沙能力问题。维里加诺夫推导悬移质挟沙关系如下：

$$\frac{S_V(1-S_V)}{1+\beta \cdot S_V}=\frac{\alpha}{\beta}\frac{UJ}{\omega} \tag{3}$$

式中　S_V——以体积百分比计的含沙量；

β——泥沙与水的密度差与清水密度的比值；

α——保持泥沙悬浮系数，用管道试验资料整理得 $\alpha=0.024$。

拜格诺(Bagnold)推导的公式也具有类似的结构。在含沙量较小时，它们都呈类似的直线关系。含沙量增大后的曲线拐弯现象是由于细颗粒的存在对水流黏滞性的影响，以及泥沙群体沉降对沉速的影响。图1中绘入一些实测资料(其中 V 为平均流速，ω_{50} 为 d_{50} 的沉速)。同时绘入考虑含沙量对沉速影响的修正曲线 f_1、f_2、f_3。实测点群说明了挟沙力与水流因子之间关系的变化趋势。可以将挟沙力的变化分为四个区段加以讨论：

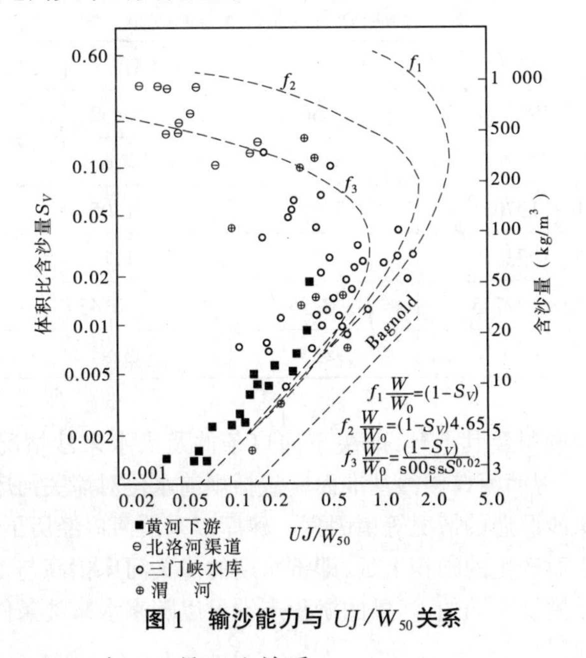

图1　输沙能力与 UJ/W_{50} 关系

(1) $S_V<0.01$，UJ/ω_{50} 与 S_V 是正比关系。

(2) $S_V=0.01\sim0.1$，开始变弯，泥沙对水流黏滞性及沉降特性产生影响。关系线中 UJ/ω_{50} 有一最大值即 $UJ/\omega_{50}\approx0.1$。意味着泥沙在运动过程中获得的能量可以抵消泥沙因重力作用下沉所损失的能量，河床处于不稳定状态。

(3) $S_V=0.1\sim0.3$，含沙量增加使水流黏滞性增加，沉速降低，更有利于泥沙输送。水流条件减弱可输送数量较大的泥沙。

(4) $S_V>0.3$，趋向水平。泥沙与水流已成均质混合体，泥沙运动已不取决于水流挟沙力,而取决于浑水一相流运动的阻力。

上述对悬移质输沙能力的研究是从纯经验的途径出发,逐步归纳到用能量观点所建立的半经验半理论公式。所得到的一个很重要概念是水流输沙能力和水力泥沙因子之间存在的关系将随含沙量大小而遵循不同的规律。点绘渭河临潼站的资料表明,由于细颗粒含量的差别,影响输沙率相差可达 100 倍。实际资料还表明,随着含沙量增大,悬沙平均粒径变粗,所以这种输沙能力的增大并不是所谓冲泻质输沙能力增大的结果。据统计,最近 10 年内发生平均含沙量超过 200kg/m^3 的 11 次高含沙量洪水的进出库排沙比为 80%～130%,平均约为 100%。洪水期间均发生一定程度的滞洪作用,坝前水位均有不同程度的壅高,坝前河段水面比降均在 1‱左右,这也说明高含沙量洪水期间库区输沙能力是很大的。

4 水库淤积末端的河床调整

淤积上延现象是冲积河流河床调整的表现。

建库以来,渭河下游河道总淤积量为 9.28 亿 m^3。表 2 是渭河各时段冲淤量及其分布。

表 2 渭河各时段冲淤量及其分布 (单位:亿 m^3)

编号	时段(年·月)	总淤积量	上段(临潼—华县)	下段(华县以下)
I	1960.5～1963.10	1.56	0.52	1.04
	1963.10～1966.10	3.10	0.63	2.47
II	1966.10～1970.5	3.91	1.05	2.89
III	1970.5～1973.10	1.23	1.17	0.06
	1973.10～1977.5	-0.55	-0.43	-0.12
总计		9.25	2.94	6.34

渭河下游河道的淤积及其上延,取决于河口条件及来水来沙情况。渭河河口为黄、渭、北洛三河汇流区。因而河口侵蚀基准面应包括坝前水位对潼关河床的影响、黄河倒灌渭河以及与北洛河来沙遭遇的情况等诸因素。建库以来渭河口经历了二次侵蚀基准面的大幅度抬高以及随之而产生的淤积上延,即蓄水期的潼关河床抬高与 1967 年渭河口的堵塞。在调整过程中滩槽是不同的,河槽的淤积末端可以随来水来沙条件而上提下挫,而滩地末端则逐步上延。

淤积上延发展的过程反映侵蚀基面抬高所导致的过洪能力和输沙能力两个方面的调整。过洪能力的调整过程是由于主槽淤积后漫滩流量减小,漫滩机会增加,滩地升高,使河槽调整到建库前河槽的过洪能力。其调整往往在一次大洪水期完成,这是由于漫滩后滩与槽水流交换使主槽流速进一步降低,而滩地糙率较大,流速较小,因此在含沙量较大的洪水期发生大量的堆积,使洪水位进一步抬高,逐步形成新的行洪断面。

在河床演变过程中,高含沙水流对主槽的调整作用十分突出。据分析,每一次大幅度的冲刷都是由来自支流泾河的高含沙量洪水所造成的。1977 年 7 月洪水曾使淤积末端下挫近40余km,渭河下游同流量水位降低约1m。但高含沙量小水却可以形成强烈的淤积。

在河床调整过程中,相对于主槽的淤积上延,滩地的发展比较缓慢。由于局部侵蚀基面下降引起的主槽冲刷也还需要一段时间才能得到充分发展。三门峡水库改建前蓄水运用对上游的影响直到1973年才充分暴露,而改建后对渭河的效果直到1976年以后才比较充分地得到反映。这一点说明了河床调整的滞后性。目前渭河下游的河床对于某一频率以下的洪水已处于一个相对稳定的时期。

5 水库的水沙调节

改建以后,三门峡水库运用的中心问题是使水库能较长期地保持一定库容,淤积上延得到控制,出库水沙过程较有利于减轻对下游河床的淤积以及减少过机泥沙的数量和粗度。

5.1 水沙调节方式

(1)保持库容的泥沙调节。根据滩槽库容特点,为有效地保持库容,应合理确定水库防洪指标,在下游安全泄量范围内水库不拦蓄洪水,来水流量超过下游安全泄量时,水库进行滞洪运用。因此,工程必须具有足够的泄流规模,使一般洪水回水淤积不影响潼关,潼关以下力求不出槽,以期较长期地保持滩地库容不淤损,留作防御特大洪水之用。

水库在一般年份的调节方式是非汛期蓄水,汛期适当降低水位。由于非汛期含沙量小,粒径较粗,壅水以后大部分泥沙淤在漫滩库段上游的河槽壅水段内,滩地库容无损失,因此可适当抬高水位运用。汛期则根据来水情况合理控制坝前水位,创造条件以冲走淤积在河槽壅水段的泥沙。因此,必须保持冲刷水位以下有较大泄流规模(如等于洪峰平均流量),达到泥沙冲淤年内平衡。经过几年运用,水库330m以下库容仍保持在30亿m^3左右,其中河槽库容约20亿m^3。

(2)控制淤积上延的泥沙调节。控制潼关高程的办法包括两个方面:一方面要求限制非汛期蓄水的运用水位,使潼关高程的升高限制在允许的变幅以内;另一方面要控制汛期滞洪期坝前水位,不仅要使淤积不致影响潼关,而且还应在流量较大时尽可能降低坝前水位以造成沿程冲刷与溯源冲刷的联合作用,使潼关—太安河段的淤积泥沙得以冲走而使潼关河床下降,在运用中应充分利用每年3、4月间的桃汛及7、8月的高含沙量大洪水对冲刷河床的有利作用。

(3)合理调节出库水沙过程,减轻下游河床淤积。控制运用以来,入库泥沙经历了以下四个方面的调整,对减轻下游河床淤积都是有利的。①非汛期泥沙调节到汛期排出,充分利用汛期河道排沙能力大的特点。但是必须注意合理施放清水流量,避免出现上冲下淤的现象,增加山东河段的防洪负担。②流量较小时期泥沙调节到较大洪水期间排出。目前在大于3 000m^3/s的洪峰期间的排沙量加大约70%,而大于这一级流量时下游各河段的排沙能力都较大。一般滞洪水库的小水大沙的不利局面已不出现。③滞洪期间排沙应尽可能做到水沙峰相适应,这样有利于下游河道输送。关键在于使闸门开启所引起的下泄流量增长率能抵消洪峰增加所引起的坝前水位抬高率,则出库水沙峰的相应程度将会更好。④下泄粗细泥沙的调节。根据不同高程泄流孔排出粗细泥沙效果不同,底孔可以大量排出粗泥沙。因此,洪峰期间降低水位多开底孔,非洪峰期间关闭底孔,拦截部分粗泥沙,可以使粗泥沙较多地在洪峰期间排出。

(4)水沙调节对减少过机泥沙的可能性。多沙河流开发利用中,泥沙对水轮机的磨损也是生产中一个迫切需要解决的问题。通过水库运用和工程合理布置可做到有利于减少过机沙量。据1974年统计,过机平均含沙量仅为出库含沙量的40%,其中大于0.05mm粗泥沙含量仅为出库含沙量的20%。

5.2 水沙调节的可能性

三门峡水库实现水沙调节的条件首先是非汛期仍有较大的水量,汛期发电后的弃水量也较大。另外,库区天然河道比降较陡(天然河道比降3.5‱,而河段冲刷比降为2.2‱~2.3‱,而且洪水期库区河道输沙能力由于细颗粒的影响及河床的调整而较大。另外,必要的泄流规模和可以灵活运用的启闭设备是有效地实行水沙调节的手段。

5.3 水沙调节与水库综合利用

在上游来沙还不能有效地减少的前提下,为长期发挥水库综合利用效益,必须对泥沙进行合理的调节。因此,各方面的综合利用指标都受到泥沙调节的制约。例如,非汛期淤积及汛期滞洪运用期间的淤积,都要求有一定的时间降低水位运用加以清除。汛期与非汛期、洪水期与非洪水期等各时期的运用水位也都必须根据前一段时期冲淤数量和部位来确定。这种情况说明,随着水沙条件的变化,水库综合利用效益在一年之内也是有变化的。同时,防洪、防凌与各项兴利指标之间也是互相制约的,这一点正是多沙河流水库水沙调节的一个显著特点。

6 结语

通过20年来系统的、大量的观测研究,揭示了许多水库冲淤现象和规律,用于指导工程改建和运用。目前三门峡水库所采用的水沙调节运用方式,合理地处理了蓄泄和拦排关系,初步发挥了水库综合利用效益,适应了当前的水沙条件和生产发展情况。随着上下游工程的兴建,这种运用方式还有待于发展和提高。必须通过实践来获得认识并用实践来检验和提高我们的认识。

三门峡库区冲淤变化是在各种运用方式下河道输水输沙能力为适应来水来沙条件而进行调整的结果。这种调整在河床演变现象上有时表现得十分强烈,反映出多沙河流河床调整速度很快。但是,多年来的水文现象又有一定的周期性,在冲淤发展过程中会出现稳定的时期。围绕这一相对稳定状态,一年内或一次洪水过程也还会发生一定幅度的变化。在分析库区冲淤过程时必须注意这一特点。

三门峡水库20年来出现的大量冲淤现象,丰富了我们对河床演变规律的认识。例如高低不同含沙量条件下的输沙能力,水库淤积上延过程中河床自动调整的图形,壅水条件下的排沙作用,水库进行水沙调节可保持库容长期使用、减轻下游河床淤积,等等。本文仅仅归纳总结了一些冲淤现象的物理图形,进行了初步的理论探索,还有许多有待继续深入研究的课题,必须继续努力。

输沙率测验误差的初步分析

1　现行测验方法

进入黄河下游河道的多年平均沙量约16亿t，这是根据水文站实测悬移质泥沙输沙量计算的。目前，黄河干支流各水文站所使用悬移质取样器，主要仍为横式取样器。近年来有一部分测站已采用了可在现场直接测定含沙量的同位素测沙仪。尽管就一个水文断面而言，多线多点法的输沙率测验仍是推求总输沙量的基础。但为掌握过程，采用简化方法进行日常取样工作仍是必不可少的。采用这种简化方法取得的水样称之为单位水样。通过由多线多点法所求出的断面平均含沙量，与相应时间取得的单位水样含沙量之间建立关系，可将日常单位水样成果换算为断面平均含沙量。再乘以流量过程，就可求出输沙率过程，从而可以计算出一个时段、一个月或全年的输沙量。

有许多可选用的简测法。如对一条垂线的取样来说，采用积点法时，有0.5一点法，0.2、0.8两点法，0.2、0.6、0.8三点法以及2:1:1定比混合法等。对取样垂线在断面上的横向分布来说，有主流边一线法、中泓三线法以及按等流量原则布设3～5根垂线法等。

黄河河道洪水时期含沙量高，冲淤变化剧烈，水位流量关系变化异常复杂。因此，为掌握沙量的变化，必须有足够多的测次，以建立随时序的水位流量关系，以及较完整的含沙量变化过程。

2　输沙率测验的可能误差

2.1　垂线含沙量测验的漏测问题

由图1可以看出，不同粒径的泥沙在垂线上的分布存在不同的梯度。尤其是粗颗粒的泥沙，其含沙量梯度在邻近河床处常常特别大。因此，采用简测法时，由于邻近河床的这部分泥沙可能漏测，而不可避免地会有实测偏小的情况。实测资料表明，在一般含沙量时，含沙量垂线分布是服从扩散分布规律的，而流速分布也与对数流速分布相接近。因此可以应用爱因斯坦方法，分析垂线上简测法成果与全沙的关系，从而可以估算出垂线含沙量的简测法对不同粒径泥沙可能存在的误差。钱宁和万兆蕙曾根据爱因斯坦全沙输沙率的理论，提出了对0.6m水深一点法和三点法实测成果的校正方法，本文的计算主要是在这个基础上加以扩充而得到的。

若垂线用积点法施测，并令θ代表第i粒径组的实测悬移质输沙率与计算全沙输沙率的比值，则有

$$\theta = \sum \frac{i_S SVd_i}{i_T q_T} \tag{1}$$

作者：龙毓骞、林斌文、熊贵枢。原载于《泥沙研究》1982年第4期。

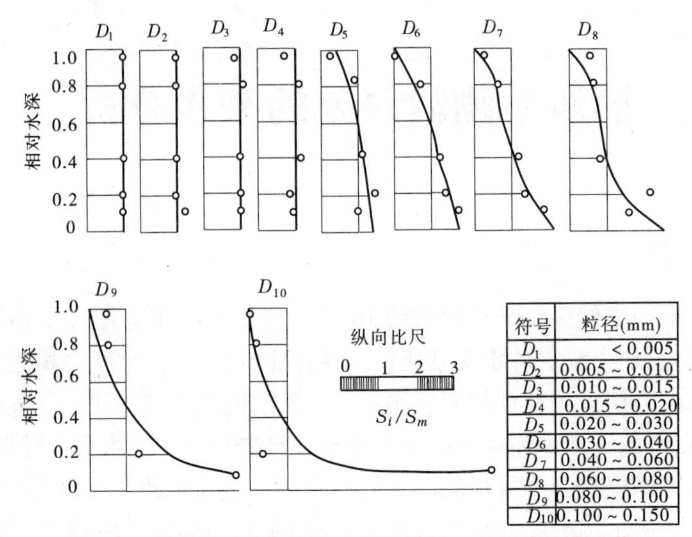

图1　1958年6月9日陕县站各粒径组垂线含沙量分布

式中　V——测点流速；

d_i——该测点所代表的部分过水面积的水深；

Vd_i——测点所代表的部分过水面积上的单宽流量；

S——测点悬移质含沙量；

i_S——该组粒径悬移质的组成百分数；

q_T——单宽全沙输沙率；

i_T——该粒径组在河床质组成中的百分数。

按照爱因斯坦方法，可将 VS 的乘积沿整个水深积分，求得 $i_T q_T$ 如下：

$$i_T q_T = i_B q_B (1 + PI_1 + I_2) \tag{2}$$

这里，$i_B q_B$ 代表某一粒径组泥沙的单宽推移质输沙率；P 是一个与水深及有效粗糙度有关的参数；I_1、I_2 为两个积分值，随 A、Z 值而变；Z 是含沙量垂线分布公式中的指数($Z = V_S / \nu n_*$)；A 为床面层厚度($2D$)与水深 d 的比值。

根据黄河下游一些测站的资料，P 值的变化范围通常为10～16，平均可取 $P=13$；A值的变化范围通常为 $10^{-5} \sim 10^{-3}$，由于 $A=10^{-5}$ 与 $A=10^{-3}$ 所得之 θ 值相差甚小，故作为代表，可取 $A=10^{-5}$；并由下式计算出漏测率 α 值：

$$\alpha = \left(\frac{1}{\theta} - 1\right) \times 100 \tag{3}$$

图2为 α 值随 Z 值变化的计算结果。由图可知，当 Z 值大于0.47时，对所有简测法来说，α 值都将大于10%，并且随 Z 值的增大，α 值也迅速增大。

这里，需要进一步指出两点：第一，根据式(2)可知，推移质输沙率与全沙输沙率之比值为 P、I_1 和 I_2 的函数。黄河一部分测站的实测资料表明，对于粒径大于0.1mm的泥沙来说，这个比值的变化范围为2%～50%，这个数值代表了仅取悬移质沙样而造成推移质在全沙输沙率中漏测的百分数。第二，由于受到悬沙采样器操作方面的限制，取样工作

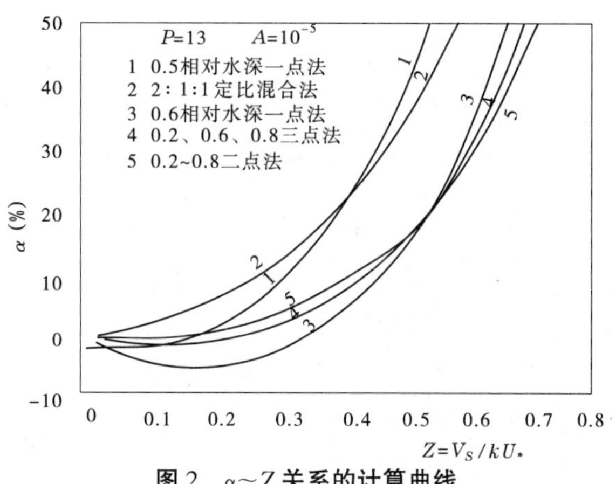

图 2 α～Z 关系的计算曲线

实际上只能在距床面以上某一定距离的位置上进行，例如只能取到相对水深为 0.9 或 0.95 的位置。结果在临近河床处存在一个含沙量往往很大的缺测范围。这样，当采用现行取样和悬移质输沙率整编方法时，就导致了实测悬移质输沙率偏小的系统误差。

根据以上分析，对一条垂线来说，存在着总输沙率偏小的系统误差。对分组粒径来说，粒径愈粗，这种误差就愈大。图 2 表明了这种趋势，其结果已为含沙量垂线分布的实测资料所证明。图 3 表示漏测率 α 值实测资料与计算成果的比较情况。图中所用资料中的全沙输沙率，是通过对 VS 乘积沿整个水深的积分算得的，而含沙量 S 及流速 V 的垂直分布公式是根据实测资料确定的。所以，临近床面的含沙量及流速就可以借助这些公式外延得到。由图 3 可见，尽管实测点子很散乱，但是实测资料与计算曲线之间的相同趋势是相当明显的。

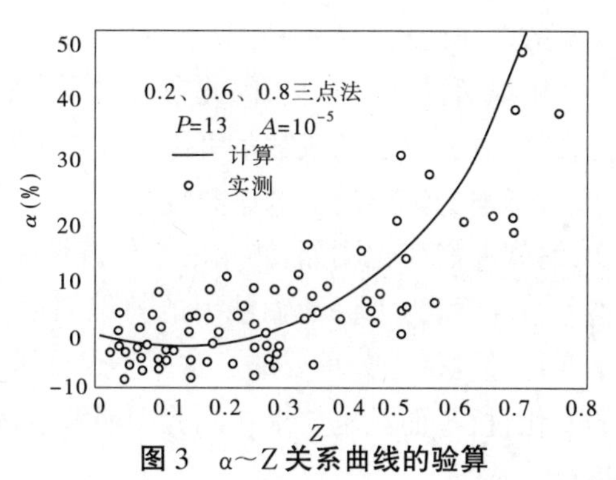

图 3 α～Z 关系曲线的验算

2.2 横向含沙量分布的特点

图 4 为一典型的横向含沙量分布图形。由图 4 可以明显地看出，就细颗粒泥沙而言，其横向含沙量分布比较均匀，而粗颗粒泥沙的横向含沙量分布就有比较明显的差异，并且这种差异和水流流速的变化趋势是一致的。由于在悬移质总含沙量中粗颗粒泥沙含量所占的百分数甚小，所以正如图 4 中所显示的那样，就悬移质总含沙量的横向分布来说，差异就不很大。但对于粗粒泥沙来说，如果简化方法的取样垂线位置布设不当，就会给测验成果带来较大的误差。

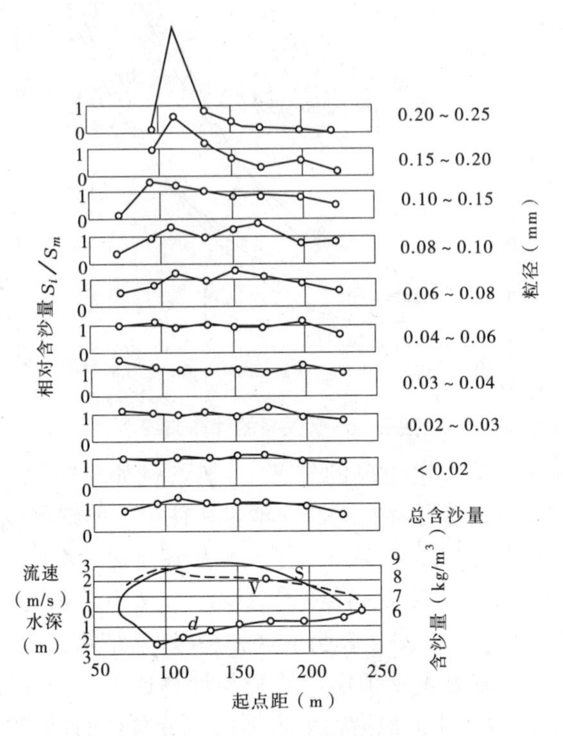

图 4　陕县水文站实测典型含沙量横向分布

根据上述横向含沙量分布的特点，可以认为在进行单位水样取样的简化方法中，按等流量原则布设垂线的方法是较为合理的。主流边一线与中泓三线取样方法的可靠性，在很大程度上取决于测验人员的工作经验。特别是对于像黄河这样的多沙河流来说，由于河道断面在短时期内常会产生显著的冲淤变化，因此在每次测流后，都有必要分析流速及水深沿横断面的变化情况，以便于选出一条或数条可供采取单位水样用的代表性垂线。

2.3　足够的测验次数与掌握适当的测验时机的必要性

由于黄河的多沙善变，河床冲淤变化剧烈，测站的水位流量关系及流量含沙量关系随时序变化非常复杂。在这种情况下，为了保证输沙率的整编精度，测取比较完整的、特别是洪水期的流量与含沙量变化过程是十分重要的。这就不仅要求有足够的测流及测沙次数来控制输沙率随时序的变化过程，而且也要求在测验中能够掌握好适当的测验时机，来控制输沙率过程线的转折点。

当然，除以上所分析的以外，输沙率测验的误差还有其他许多来源。例如，当应用瞬时采样器时，因水流中泥沙含量的脉动而引起的测验误差；资料整编过程中使用不同计算方法所造成的整编误差；以及因流量测验误差所导致的泥沙测验误差等。这些误差中，有一些是属于日常泥沙测验工作中的随机误差，有一些则为在泥沙测验和整编过程中引进的系统误差。由于随机误差可在多次测验中相抵消，而系统误差则是累积的，因此必须特别重视输沙率测验的系统误差问题。

3 断面法与输沙率法实测冲淤量成果的对比

三门峡水库和黄河下游若干河段，已经积累了约 20 年的输沙率法和断面法冲淤量实测成果。表 1 为这两种成果在若干河段上的比较情况。表中所示的偏离百分数，是指包括两种方法的随机误差和系统误差在内的总体偏离。图 5 为三门峡水库潼关至三门峡库段各个不同测验时段断面法与输沙率法实测冲淤的偏离量占该时段潼关总沙量的百分数。这里，在计算时取淤为正、冲为负。由图 5 可见，无论该库段是处于冲刷还是处于淤积情况，其偏离百分数均为正值。由此可见，与断面法成果相比，该库段淤积时输沙率成果系统偏小，而冲刷时输沙率成果则系统偏大。

表 1 断面法与输沙率法实测冲淤量的比较

河段	河段长 (km)	统计年数 (年)	淤积总量		断面法与输沙率法淤积量之差* (亿 m^3)	河段来沙总量 (亿 t)	偏离百分数 (%)
			断面法 (亿 m^3)	输沙率法 (亿 t)			
潼关—三门峡	120	18	28.1	19.6	13.0	254	6.7
铁谢—花园口	100	23	1.2	32.0	-21.7	345	-8.8
高村—利津	476	17	10.4	6.3	5.9	186	4.4

* 体积变换时的单位容重取 $1.3t/m^3$ 或 $1.4t/m^3$。

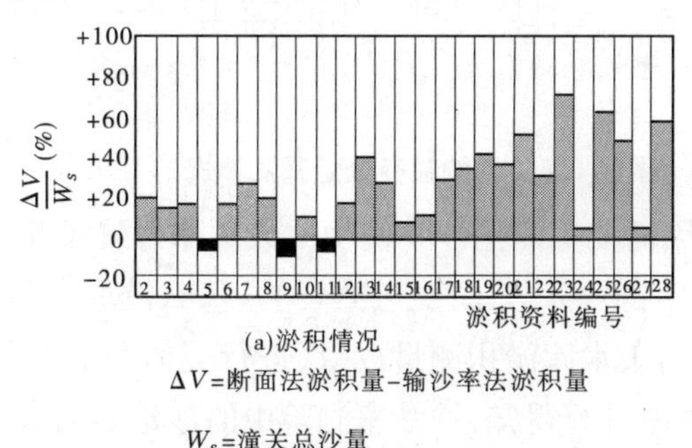

(a)淤积情况

ΔV=断面法淤积量-输沙率法淤积量

W_s=潼关总沙量

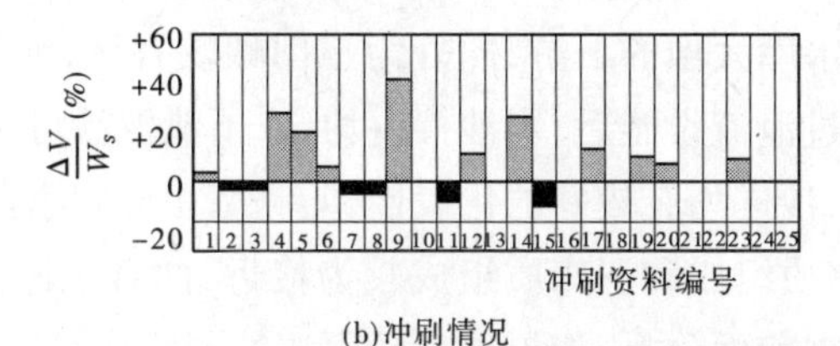

(b)冲刷情况

图 5 断面法与输沙率法冲淤量偏离百分数

据三门峡水库 1960、1971 年两次详细的地形法测量与同期断面法测量所得的库容相比，其 330m 高程以下库容的偏差值为 -6% ~ +2%。我们还分析了黄河下游铁谢至花园口、泺口至利津河段的断面法测量资料，说明断面法成果的误差不是累积的系统误差。此外，在作体积换算时应用了泥沙淤积的容重值，当然，各个测次的淤积容重也会有某种程度上的偏差，估计其偏离范围为 ±(10% ~20%)。但由于在计算中应用了容重的平均值，对于长时段计算来说，因容重引起的误差也不是累积的。因此可以认为，图 5 所示的系统误差主要是输沙率测验引起的。特别值得指出的是，对垂线输沙率测验的误差分析也确实表明，上述系统误差是存在的，而且是偏小的。

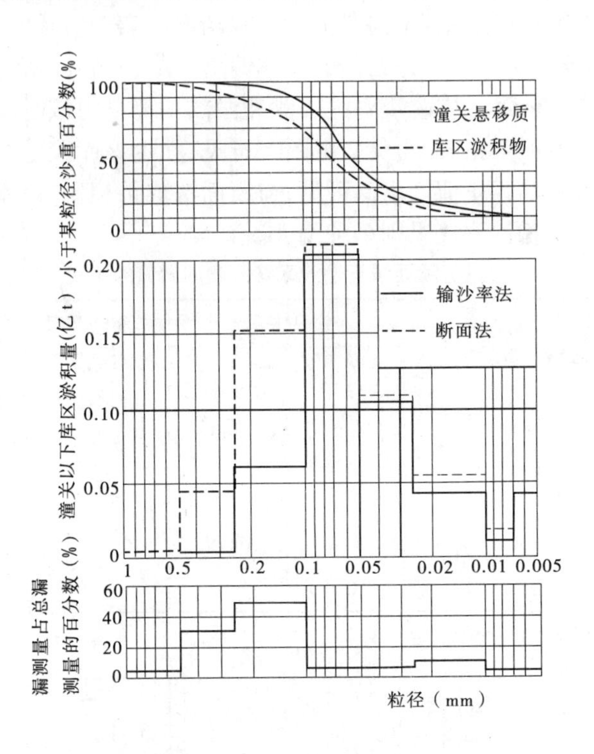

图 6　潼关站按粒径分组漏测情况的对比

如果把由于种种原因而使实测输沙率偏小的数量称为漏测量，把漏测量占实测沙量的百分数称为漏测率，并用符号 α 表示(见公式(3))，那么选取三门峡水库出库沙量很小或为零的时段，并根据该时段水库淤积测量成果，进行类似图 6 的分组分析，以及运用爱因斯坦全沙理论进行漏测率计算得知，输沙率测验中的沙量漏测部分主要为粗颗粒泥沙。对于潼关来说，漏测量中的 80 %以上为大于 0.05mm 的粗颗粒泥沙。

三门峡站位于三门峡水库大坝的下游，此处为三门峡峡谷区，河床为卵石和块石，河道狭窄，水流湍急，水流经过泄流设施后，水沙掺混均匀，下泄泥沙可全部视为冲泻质。所以不论采用何种方法取样，沙样均有较好的代表性，漏测率相对较小。而潼关站含沙量垂线分布存在较大梯度，悬移质组成和河床质组成较为接近，两者之间存在床沙交换，故存在漏测是完全可能的。根据前面分析，如果认为断面法的测验成果基本上可靠，那么通过两种方法测淤成果的对比分析，就可以估算出潼关站的漏测率 α 值。为了给出一个定性的平均概念，选用三门峡水库潼关以下库段淤积情况的 28 组资料，用算术平均法算出平均情况下的 $\alpha_{潼}$ 值为 13.2 %。此外，曾统计了 1972～1978 年共 59 组水沙基本资料，用林斌文的方法进行分组计算，求出潼关站的平均漏测率 $\alpha_{潼}$ 为 12.4%；漏测的沙量主要为大于 0.05mm 的粗颗粒泥沙，这和图 6 的实测资料分析结果是一致的。

4 讨论

初步分析表明，特别是对粗颗粒泥沙的测验来说，现行的输沙率测验方法在某种程度上是存在着误差的。如果按照冲积河段的泥沙供应来源，将河流泥沙分成冲泻质和床沙质，那么，在黄河下游河道中输送的总沙量中，正如图 7 所示，冲泻质占主要部分。因此，总的来说，相对较粗的床沙质泥沙只占总输沙量中的一小部分，泥沙的级配较细，且含沙量在垂向和横向的分布相对来说也较为均匀，所以就输沙量来说，采用现行悬沙简化取样方法，带来的误差可能还不十分明显。但是，对于某些泥沙问题来说，例如对研究黄河下游河床冲淤演变，或者水工建筑物附近的河床演变过程来说，能否精确确定颗粒较粗的床沙质泥沙的数量，则是十分关键的。因此，规定一个合适的输沙率测验允许误差范围，并在测验中把测验误差小心地控制在尽可能小的范围内，是极为重要的。而且，为了获得较可靠和较精确的测验成果，对现行的输沙率测验方法及仪器进行进一步研究和改进，也是十分必要的。

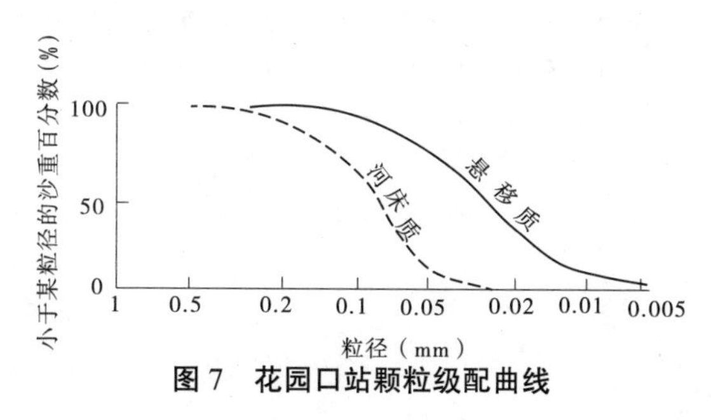

图 7 花园口站颗粒级配曲线

另一方面，在高含沙量的情况下，粗颗粒泥沙的垂线分布变得均匀。因此就总沙量来说，即使采用了简化方法，也能获得较可靠的成果。但是，在这种情况下，水流的流变特性、床沙组成的变化以及水流的输送能力等，都和一般挟沙水流有很大不同。用于一般水流条件的测深和测流仪器，在高含沙水流中也很难得到精确的测量成果。所以，今后也很有必要加强对这方面问题的研究。

我们还注意到，现行水文测验试行规范中的某些规定还不够完善。例如，用五点法采取垂线沙样时，由于采样器构造的限制，一般只能测到相对水深 0.9 或 0.95 处，这样在临近床面处就出现一个含沙量往往很高的缺测范围；而根据规范规定，把相对水深为 0.9 或 0.95 处测得的测点含沙量作为五点法河底含沙量，这样就必然使算得的垂线输沙率偏小。又如，由于规范对断沙测验中横向取样垂线数目的规定还不够严格(水面宽大于 50m 不少于 5 条，水面宽小于 50m 不少于 3 条)，致使一些测站断沙测验中垂线数目过少，结果使单沙和断沙测验垂线数相差无几，从而造成单沙、断沙关系甚好的假象。再如，在使用规范规定的简测法采取单位沙样时，由于取样位置过高(特别是一点法)，可能造成粗颗泥沙漏测较多，甚至有的粒径可能全部漏测等。总之，这些问题都可能给输沙率测验成果带来误差。所以，有必要对现有规范的有关规定加以修订或补充。

关于输沙率测验中的漏测问题，在国外已有大量研究。如在美国日常测验工作中，最广泛使用的是积深式采样器，用等流量间距取样法或等距取样法进行断面取样工作。由于仪器结构关系(进水口管嘴距仪器底部约0.3英尺),不能取得河底沙样,因而存在一个缺测范围(unsampled zone),而使求得的输沙率偏小。据 Middle Loup 及 Nio－brara 等河的观测资料表明,未量测部分输沙率有时可占总输沙率的20%～60%。为了求得通过断面的全部输沙率,Colby 及 Toffaleti 等人提出了利用修正爱因斯坦方法计算全沙输沙率,作为对采样器未能量测部分的补充。这种方法在河床主要由沙组成的河流上已得到广泛应用。我国学者在20世纪50年代也提出了类似的输沙率校正方法。近来的一些研究也表明,将这些方法应用于黄河也是有可能的。因此,作为推求断面全沙输沙率的一种途径,今后除了要加强对采样仪器和测验方法的改进研究外,还有必要开展黄河河道全沙输沙计算率方法的研究,以便对输沙率测验误差作出校正。

参考文献

[1] Chien, Ning(钱宁). The Efficiency of Depth－integrating Sediment Sampling. Trans. AGU, 1952

[2] 钱宁,万兆惠.根据悬移质积点测量决定输沙率所引进的误差问题.泥沙研究,1956(2)

[3] Long Yuqian(龙毓骞), Xiong Guishu(熊贵枢). Sediment Measurement in the Yellow River Proc. Florence Symposium on Erosion and Sediment Transport Measurement, IAHS, 1981

[4] 钱宁,王可钦,阎林德,等.黄河中游粗泥沙来源区对黄河下游的影响.见:第一届河流泥沙国际学术讨论会论文集.北京:光华出版社,1980

[5] 水利电力部.水文测验试行规范.北京:水利电力出版社,1975

黄河流域侵蚀、泥沙输移与沉积

1 概述

1.1 流域自然地理

黄河及其支流流经广大的黄土高原,其面积为 58 万 km^2,占全流域面积的 77%。图 1 为黄河泥沙主要来源的黄土地区的自然地理分区,其中黄土丘陵沟壑区面积 23.6 万 km^2,区内纵横交错的沟壑网是长时期暴雨及重力侵蚀的结果。根据野外调查[1],中游黄土粒度自西北向东南由粗变细,与河流悬移质泥沙粒度变化的趋势一致,如图 2 所示。

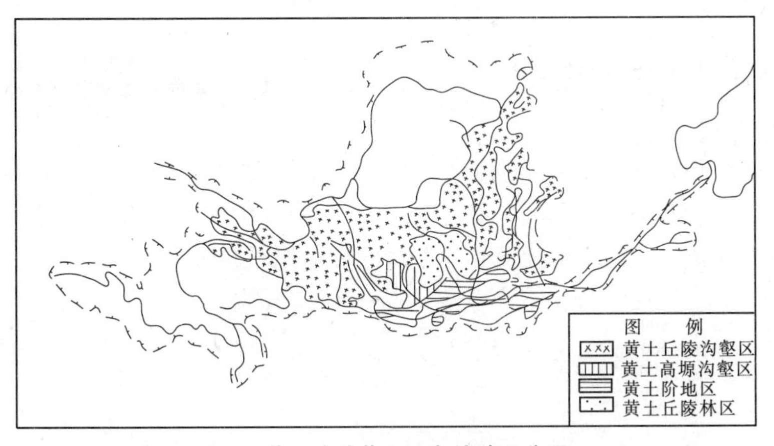

图 1 黄河流域黄土区自然地理分区

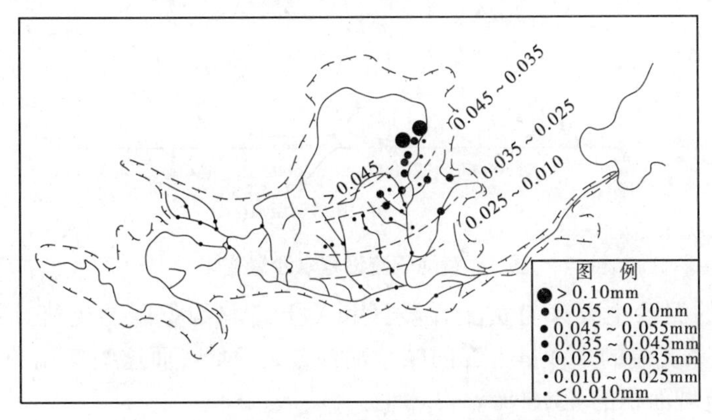

图 2 黄河流域河流悬移质泥沙中值粒径分布

黄河干流全长 5 460 余 km。根据河床坡度及形态特征,可粗略地分为若干区段,在

作者:龙毓骞、钱宁。原载 1986 年第一期"国际泥沙研究"(英文版),1996 年曾译成中文并稍作补充,牛占参与了部分工作,全文刊载于《黄河泥沙》(黄河水利出版社,1996)。

汇入渤海以前，沿干流有三个冲积河段，河谷宽阔，坡度相对平缓，提供了泥沙调整和沉积的环境。这三个河段是青铜峡至河口镇、龙门至潼关、桃花峪至利津。黄河干流河道纵剖面如图 3 所示，黄河下游河道形态特征如图 4 所示。

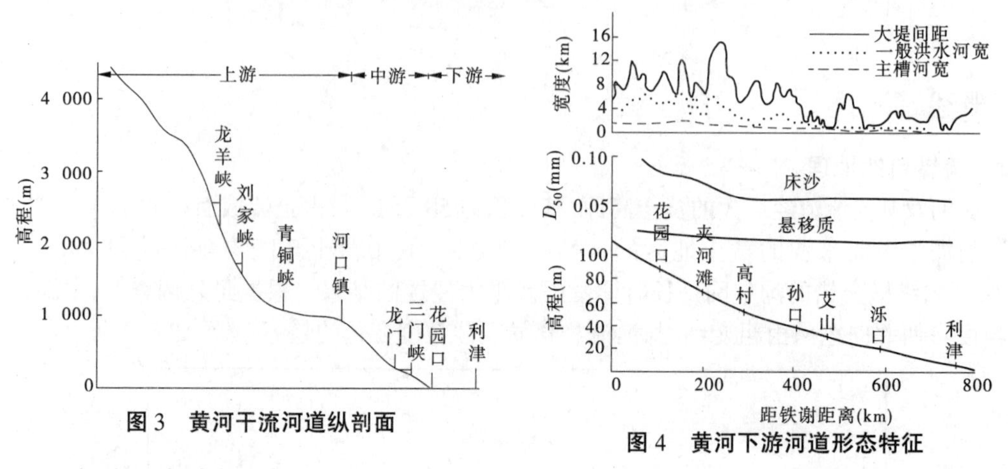

图 3　黄河干流河道纵剖面

图 4　黄河下游河道形态特征

1.2　径流泥沙时空分布

流域多年平均降水量 478mm，地域分布不均，自南部秦岭山脉超过 800mm，逐步减少至西北部贺兰山脉和阴山山脉尚不足 200mm。中游流域常发生短历时暴雨，产生洪水，导致严重的水土流失。沿干流径流和输沙量的变化如图 5 所示。

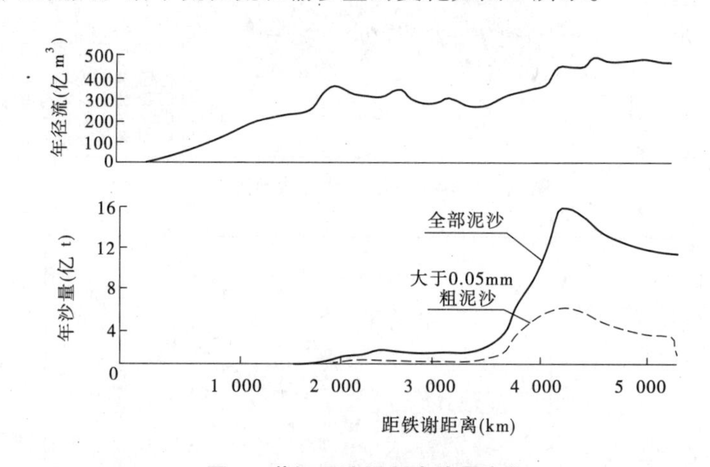

图 5　黄河干流沿程水沙量变化

黄河干流的泥沙主要来自黄土丘陵区和黄土高塬沟壑区的支流。年产沙量超过 1 000万 t 的 24 条支流的来沙量占三门峡站输沙量的 94%，而这些支流的总流域面积仅占三门峡以上流域面积的 43.6 %。

根据 1966～1975 年龙门站 54 场洪水资料统计，河龙区间 12 条支流的场次洪水及输沙量分别达 9.7 亿 m^3 及 5.4 亿 t。洪水径流中 80% 的粗泥沙就是由总流域面积仅为 6.92 万 km^2 的 12 条支流汇入的。

地表径流的年内分布是不均匀的。汛期(7～10 月)的径流量约占全年的 60%。例如，1954～1975 年黄甫川站汛期的平均径流量占全年的 72%，1972 年一次洪水的径流量就占该年年径流量的69%。年径流的变差系数(C_v)为0.22～0.25,年径流最大与最小的比值为3～4。

每年进入黄河下游河道的年径流约有53%来自黄河上游,其含沙量相对较小。另一相对清水来源是三门峡至花园口的区间流域,其年水量约占进入黄河下游年径流量的11%。年径流量中其余的36%来自黄河中游的黄土地区,其来沙量占进入黄河下游沙量的90%。径流和输沙量地域分布的差异是黄河流域一个重要的水文特征。

据1919～1959年实测资料统计,三门峡站多年平均输沙量为16亿t,其中85%发生在汛期。每年汛期的泥沙又大部分集中来自几场洪水。就平均的情况来说,三门峡最大5日输沙量约占全年输沙量的19%。对黄土丘陵沟壑区的支流无定河和窟野河,甚至可达42%及72%。源自黄土丘陵沟壑区的支流经常发生高含沙量洪水。干流龙门站和三门峡站观测到的最大含沙量分别为933kg/m³ 及911kg/m³。

三门峡站有实测记录的最大年输沙量为1933年的39.1亿t,而1982年仅4.88亿t,其比例为8:1。

1.3 洪水

有两种类型的洪水威胁黄河下游防洪安全。其一是每年冬末春初常在艾山以下及近河口河段发生的凌汛,其二是夏秋季产生的暴雨洪水。暴雨洪水有四个主要来源区:①兰州以上流域发生的洪水,历时较长,一般30～40天,最大洪峰流量4 000～6 000m³/s。在沿河演进过程中逐渐坦化,形成下游洪水的基流。②三花间洪水,洪峰流量很大但历时甚短,例如1958年7月,干流花园口实测洪峰流量22 300m³/s,约相当于六七十年一遇洪水。据分析,这次洪水洪峰流量的29%及洪水总量的60%来自三门峡以上的干流。来自上述这两个来源区的洪水含沙量均较小,对水资源的开发利用很重要。③河龙区间洪水,洪峰流量很大,含沙量很高,泥沙级配粗。1977年花园口实测洪峰流量达10 800m³/s,三门峡站相应的洪峰流量为8 900m³/s,最大含沙量达911kg/m³。④龙门至三门峡区间流域洪水,一般洪峰流量较小,泥沙级配较细,但含沙量也较高。图6给出了花园口站两场典型洪水的过程线。可以看出,洪峰流量相近的这两场洪水,由于来源不同,含沙量的差异很大。来自中游的暴雨洪水,一般历时均较短,各次洪水的流量、含沙量和泥沙级配变幅很大,高含沙量洪水与一般洪水不定期地交替发生,这些水文泥沙条件也是黄河所具有的一个鲜明特点。

1.4 水资源开发利用

截至1990年,黄河上中游流域已有大、中、小(Ⅰ)型水库共601座,总库容522.5亿m³。其中,干流上已建成8座为防洪、工农业及城市供水、发电等综合利用枢纽,还有3座正在施工。在很多小流域内,除林草外,还实施了水土保持的工程措施如梯田、淤地坝等。水资源利用率已达50%。

三门峡水库自1957年开始修建,1960年9月下闸蓄水。由于泥沙淤积,库容损失迅速,以及由于淤积上延引起一些始料未及的问题,先后两次对枢纽工程的泄流建筑物进行改建和增建,增加低高程的泄流能力。运用方式也由全年维持较高水位蓄水,改为非汛期适量蓄水兴利、汛期降低水位运用排沙,对下游河道能安全宣泄的一般洪水不进行拦滞。1974年以来保持了一部分有效库容供水沙调节。目前,改建后的水库虽有一些调节泥沙

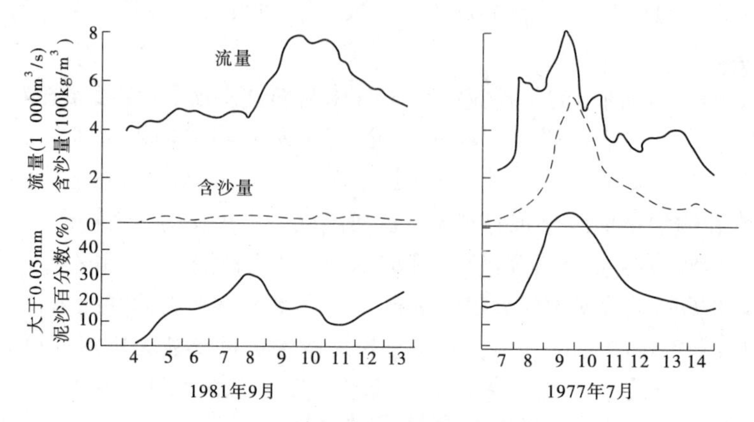

图6　花园口站两场典型洪水过程线

的作用,但由于受到现有库容限制,以及为了控制潼关高程上升淤积上延,其调节泥沙的作用仍十分有限。

黄河上游两座大型水电站——刘家峡和龙羊峡水电站,分别于1968年和1986年成。流域内大型水库的运用,灌溉引水的发展,以及大量水保措施的实施,使黄河的水沙条件发生了较明显的变化,主要表现为水沙量的减少、年内分配的改变和洪峰流量的削减等。这些变化无疑会对三门峡水库和黄河下游河道的冲淤演变产生一些影响。

2　侵蚀及流域产沙

2.1　黄土地区侵蚀

地表径流所挟带的沙量大部分来自位于河口镇至龙门区间的支流。这一区间流域的大部分都是黄土丘陵沟壑区,由马兰黄土覆盖,土质结构松散,垂直节理发育。沟壑密度一般为4.5~6 km/km²,地表纵横分布的沟壑切割成面积为几平方公里到上百平方公里的小流域。从地形图上切绘成的一个典型横剖面如图7所示。

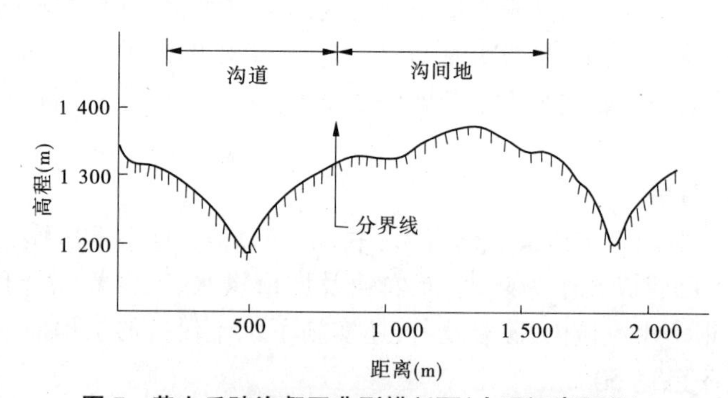

图7　黄土丘陵沟壑区典型横剖面(大理河青阳岔)

坡面和沟壑均可发生侵蚀。一次暴雨过程中,在包括峁顶的坡面与沟道的分界线以上地区,溅蚀和片蚀是主要的侵蚀方式。在溅蚀中土壤颗粒受雨滴冲击分离,在片蚀中,地表水流形成无数的小沟。有时,由于水流通过土壤裂隙入渗而使地面沉陷,也将促进沟壑的发展。

在侵蚀过程中，重力侵蚀，特别是在沟坡上的重力侵蚀，对土壤流失起着十分重要的作用。暴雨期间，在面积约 100 000km^2 的黄土区内，到处可见滑坡、塌陷、地面沉陷、泥石流等重力侵蚀现象。由于暴露岩土面受冻融影响和风化作用而产生的大量松散物质，随时可被洪水径流带走。

通过在实验小流域的观测和对流域进行的野外调查所搜集的资料可知，在一次暴雨径流的形成过程中，甚至在形成细沟以前的坡面流的含沙量就已经达到 500kg/m^3 左右。在地表径流通过小沟和犁沟逐步汇流的过程中，由于流量沿程增加和土壤的易蚀性，含沙量还会增加约 30%。在沟壑边坡的重力侵蚀不仅提供了大量物质供洪水径流输送，还向水流提供了例如风化的岩石碎块等粗颗粒泥沙。在沟坡坡脚观测到的最大含沙量可达约 1 000kg/m^3。根据 1963～1966 年在子洲径流实验站的观测资料，如以累积频率 10% 的最大含沙量作比较标准，则在支流流域面上各部位出现的最大含沙量如表 1 所示[2]。

表 1　黄土丘陵沟壑区小流域各部位最大含沙量

部　位	最大含沙量(kg/m^3)	部　位	最大含沙量(kg/m^3)
实验场峁顶及无排水沟的坡面	510	三级沟道	920
沟道上部	690	一级沟道	1 160
沟道中部	860	支流	1 290
沟坡坡脚	990	二级沟道	920

从分析资料可知，沟壑的侵蚀模数大于坡面及沟间地带的侵蚀模数。表 2 所举两例说明从沟壑所输出的泥沙占 50%～86%[3]。

表 2　黄土区典型小流域径流及产沙

沟壑区类型	代表小流域名称	面积(km^2)	部位	面积百分比(%)	年平均径流模数[m^3/(km^2·a)]	百分比(%)	年平均产沙模数[m^3/(km^2·a)]	百分比(%)
黄土丘陵沟壑区	韭园沟	70.1	沟道	43.4			20 700	49.9
			沟间地	56.6			16 000	50.1
			平均/小计	100			18 100	100
黄土高塬沟壑区	南小河沟	30.6	沟道	24.7	8.72	24.0	15 200	86.3
			坡面	9.5	7.20	8.6	666	1.4
			塬面	65.8	9.21	67.4	810	12.3
			平均/小计	100	8.898	100	4 350	100

2.2　黄土丘陵沟壑区产沙特点

2.2.1　沟壑水沙过程

黄土丘陵沟壑区一次暴雨的流量及含沙量过程如图 8 所示[4]。由图 8 可以看出三个鲜明的特点：①在沟系的产沙及输移过程中，含沙量变化很小。沟道，特别是二级及三级沟道，均已深深切割到基岩。沟道上河槽的水力几何形态已与高含沙洪水的输送相适应。在很陡的沟道中，其陡度常超过20%或者更多，看不出明确的冲刷或淤积的趋势。②含沙量的峰值常较流量的峰值能持续更长的时间，换言之，含沙量的历时常较径流的历时长。③流域面积增加时，沙峰逐渐落后于洪峰。很明显，在洪水退落时段，某种形式的重力侵蚀例如滑坡可能发生。在洪水径流的汇流过程中这一现象将由于很多沟道径流的入汇而更加显著。

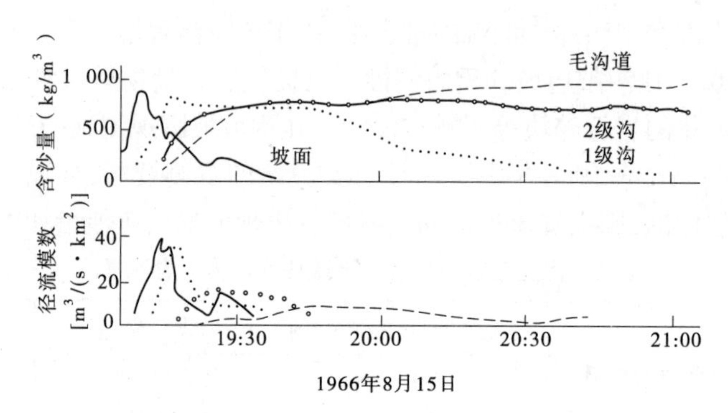

图8　黄土丘陵沟壑区暴雨洪水径流模数及含沙量过程线

2.2.2　流量输沙率关系

1964年一个典型沟道的流量输沙率关系绘于图9[3]。一般来说，水沙关系可用指数函数 $Q_s = kQ^n$ 来表示，式中 Q 和 Q_s 分别代表流量及输沙率。可以看出，指数 n 随流域面积大小而变。在含沙量小于某一数值，如 400kg/m³ 时，流域面积越大，n 值也越大。另一方面，如全流域被暴雨所笼罩并产生流量较大的山洪时，各处的洪水径流的含沙量均将达到其极限值。表1已指出，从坡面到各级沟道，极限含沙量的变化范围不算很大。结果是各来源不同的点子均将混合一起，如图9中A—A线的坡度为1∶1。这一情况与一般含沙水流是迥然不同的。一般含沙水流的指数 n 值约为2。事实上，绝大部分径流和泥沙产生于暴雨，因此黄土丘陵沟壑区长期的水沙关系具有非常好的相关关系。从径流特性来估算产沙量，不论采用什么样的参数，常可获得满意的结果。

2.2.3　泥沙级配

前人在试验地块的研究指出当降雨强度超过0.45mm/min时，被雨滴所扰动的土壤颗粒均能被坡面流带走而不致产生明显分选。沟系悬移质泥沙中值粒径的变化如表3所示。

表3　黄土区流域不同部位相应于各级含沙量的泥沙中值粒径

含沙量级(kg/m³)	中值粒径(mm)			
	沟坡坡脚	三级沟道	二级沟道	一级沟道
0～200	0.045	0.028	0.034	0.017
200～400	0.046		0.046	0.035
400～600	0.045		0.050	0.049
600～800	0.051	0.053	0.054	0.051
>800	0.051	0.050	0.053	0.057

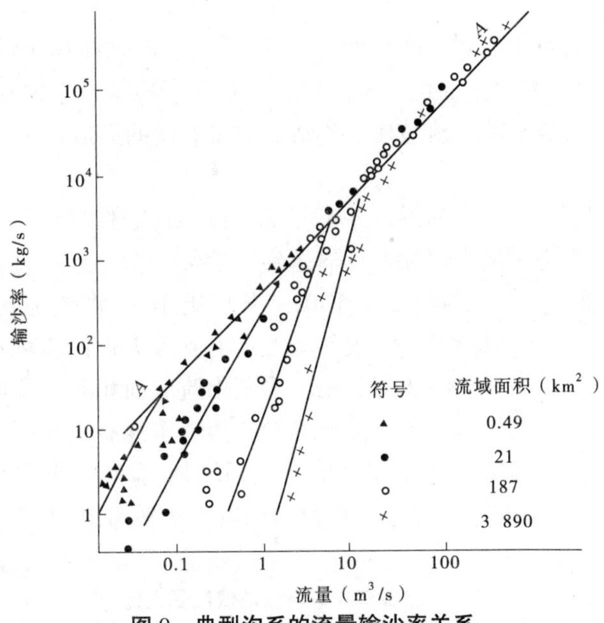

图 9 典型沟系的流量输沙率关系

可以看出，在沟道中某一固定断面，含沙量越大，粒径越粗。在含沙量相对较低时，流域面积越大粒径越细。不论总含沙量多大，悬移质泥沙中的黏土含量大体上保持为一常数，为 60～70kg/m³。这一点对保持高含沙量水流状态是十分重要的，在以后还会进行讨论。表 4 将在沟道或支流水文站所测的悬移质年平均级配与相应流域所覆盖的黄土平均级配进行了比较[5]，可以看出，悬移质中粗沙（d>0.05mm，下同）的比例一般较黄土沉积物大几个百分点。

表 4 黄河流域悬移质泥沙与黄土级配中大于 0.05mm 百分数比较

河流名	粗沙所占百分数（%）		河流名	粗沙所占百分数（%）	
	悬移质	黄土		悬移质	黄土
葫芦河	12.7	14.0	清涧河	27.8	25.0
马莲河	27.8	25.0	小理河	39.0	33.0
泾河	20.5	20.0	大理河	48.8	33.0
泾河	20.2	17.0	三川河	22.8	20.0
周河	28.4	25.0	湫水河	29.4	27.0
北洛河	27.8	22.0	岚漪河	35.2	33.0
延水河	31.1	22.0	窟野河	56.4	36.0
昕水河	18.0	17.0	无定河	61.4	45.0

从长时段来说，看不出沟系有明显确定的冲淤变化，但是在场次洪水或不同季节，水系内的沟道仍将发生一些冲淤变化。泥沙的级配和含沙量将通过这些变化而互相调整。整体来说，沟系可以看成是输送流域侵蚀形成的大量泥沙的渠道。

2.3 递送比

众所周知，从一个流域输出的泥沙并不等于从流域地表侵蚀的泥沙。这两个因子之比通常称为递送比，它是衡量自侵蚀地点输送到下游某一指定地点过程中由于沉积作用而减少的沙量的尺度。这一比值可以小于0.3，甚至更小，并将随流域面积增大而减小。黄土丘陵沟壑区并不完全是这种情况，表5是无定河支流大理河流域不同河道的输沙模数[4]，其中流域面积变幅为0.18～3 893 km^2，看不出流域面积和单位面积产沙量有什么确定的相关关系。看来，多年平均产沙模数可能和沟道密度有一些关系。当沟道密度为0.8km/km^2左右时，单位面积产沙量将随流域面积增加而减小，但变化的幅度很小。研究流域的地形特征可知，流域内约有6.9%的面积属于水平梯田，即使在大雨时产沙也很少。

表5　流域产沙量与流域侵蚀量之比

名　称	分　类	流域面积(km^2)	多年平均产沙模数[t/(km^2·a)]	沟道密度(km/km^2)	递送比
团山沟	三级沟	0.18	19 600		1.00
蛇家沟	二级沟	4.26	18 500	0.78	0.91
三川沟	二级沟	21.0	16 800	0.79	0.86
西　庄	一级沟	49.0	21 700	1.01	1.11
杜家沟岔	一级沟	96.1	25 600	1.06	1.31
曹　坪	一级沟	187	21 700	1.05	1.11
李家河	一级支流	807	15 700	0.82	0.80
绥　德	支流出口	3 893	16 300	0.88	0.83

综合分析这些资料似乎可以指出，在黄土丘陵沟壑区，地表及沟壑侵蚀量基本上近似地等于进入主要支流的输沙量。根据水文站所测全沙输沙量所计算的产沙模数大体上可反映该站以上流域的侵蚀模数。这也是丘陵沟壑区的各支流所共有的一个特点。

2.4 泥沙来源

按照黄河流域自然地理区划可绘制输沙模数分布图(见图10)。流域侵蚀的严重性可从图中鲜明地显示出来，即很广大的地区其年平均的输沙模数均在10 000t/km^2以上。表6给出了流域内四个分区的年水沙量。可以看出，其中两个分区即河口镇以上黄河上游及三门峡至花园口区间的年水量占总年水量的63.4%，而其年沙量仅占总年沙量的10.7%。另外两个分区主要分布于黄土地区，年水量仅占36.6%，而年沙量却占89.3%。图2已显示了悬移质泥沙粒径的地域分布情况。根据输沙量及其级配，泥沙的来源可分为三类地区,第一类是粗泥沙来源区,主要包括河口镇至龙门区间各支流,泾河上游马莲河及北洛河上游。这类地区一旦发生暴雨容易形成高含沙量洪水。第二类是细泥沙来源区,主要是除马莲河以外的泾河干支流,渭河上中游及汾河,洪水的含沙量也较大。第三类是少沙区,主要包括除位于黄土丘陵沟壑区的支流在外的河口镇以上上游流域,渭河发源于秦岭的南部各支流以及三门峡库区和三门峡—花园口区间伊、洛、沁河流域。这三类地区大体上和主要洪水来源是一致的。

表 6　黄河流域不同地区年水沙量

地　区	流域面积（km^2）	占花园口以上流域面积（%）	年水量（亿 m^3）	占花园口总水量（%）	年沙量（亿 t）	占花园口总沙量（%）	年平均含沙量（kg/m^3）
河口镇以上	367 900	52.2	250.0	52.8	1.4	8.6	5.6
河口镇—龙门	129 700	18.4	70.8	14.9	9.1	55.8	128.5
龙门—三门峡	174 300	24.8	103.0	21.7	5.5	33.7	53.4
三门峡—花园口	32 400	4.6	50.0	10.6	0.3	1.9	6
小计	704 300	100	473.8	100	16.3	100	

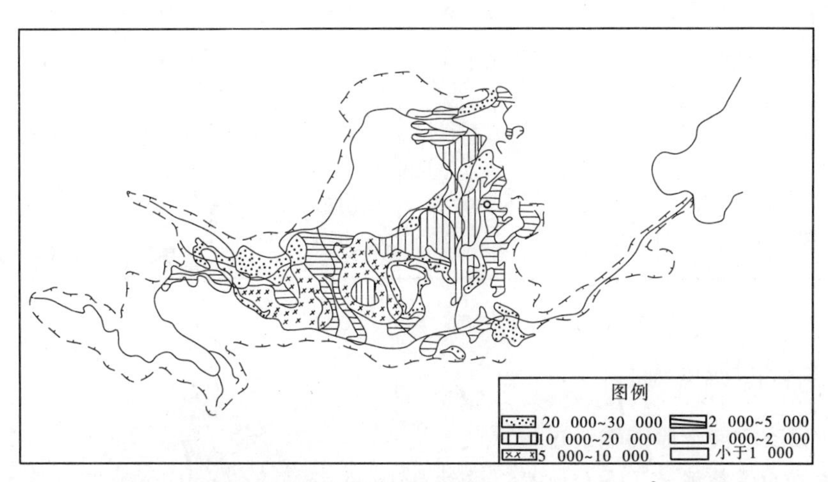

图 10　黄河流域输沙模数地区分布　[单位:t /(km^2·a)]

应当指出,除由于暴雨形成的地表侵蚀和各种形式的重力侵蚀外,还有经由风力输送直接进入黄河干支流河道的泥沙。它的数量虽少,但粒径较粗。

2.5　支流高含沙水流

来自黄土丘陵沟壑区的洪水多为高含沙洪水。用洪水期总沙量除以总水量所求得的洪水期的平均含沙量一般均超过 400kg/m^3。高含沙量洪水有很多不同于一般含沙量洪水的特点。来自粗泥沙来源区(SC)的洪水也可以很明显地和来自细泥沙来源区(SF)的洪水区分开来。前者泥沙较粗,最大含沙量较大,后者泥沙粒径较细,最大含沙量较小,如表 7 所示。据对表中所示各支流的统计表明,80%的洪水的含沙量均超过 500kg/m^3。黄甫川和窟野河位于中游西北部,该地区黄土的组成极粗,244 次洪水中有 107 次洪水的含沙量均超过 1 000kg/m³。

表 7 支流流域产沙量

来源区	支流名	站　名	流域面积 (km²)	产沙模数 [t/(km²·a)]	d_{50}(mm)	$P>0.05$ (%)	S_{max} (kg/m³)	发生年份	最大流量 (m³/s)
粗泥沙来源区(SC)	黄甫川	黄　甫	3 199	18 060	0.079	58	1 570	1974	1 230
	孤山川	高石崖	1 263	22 130	0.046	46	1 300	1976	2 330
	窟野河	温家川	8 645	15 270	0.069	56	1 500	1964	
	秃尾河	高家川	3 253	9 880	0.069	61	1 410		
	贾鲁河	申家湾	1 121	24 980	0.045	44	1 480	1963	1 670
	无定河	川　口	30 217	5 270	0.040	37	1 290	1966	4 980
	大理河	绥　德	3 893	16 300			1 420	1964	1 740
	北洛河	洑　头	25 154	3 810	0.030	22	1 190	1950	346
细泥沙来源区(SF)	泾　河	张家山	43 216	5 920	0.025	20	1 040	1963	5 120
	泾　河	杨家坪	14 214	6 690			900	1979	540
	渭　河	咸　阳	16 827	4 060	0.015	13	729	1968	5 360
	渭　河	南河川	23 385	6 160			953	1959	4 130
	蒲　河	毛家河	7 190	6 580			992	1965	
	汾　河	兰　村	7 705	1 860			544	1973	715
	汾　河	义　棠	23 925	597	0.018	17	731	1953	
	泾　河	泾　川	3 145	6 010			762	1973	

3 河道系统的泥沙输移

3.1 泥沙自支流向干流的输送过程

3.1.1 支流的调整促进了高含沙水流运动

前文已指出,支流的大部分泥沙是由高含沙洪水所挟带的。研究表明,必须有一定分量的细沙($d<0.01$mm,下同)才能形成高含沙水流。这些细颗粒泥沙将形成复杂的絮凝结构,有效地降低了粗粒泥沙的沉降速率。另一方面细泥沙含量又必须小于某一限度,否则水流黏性迅速增加将会转变为层流流态,需要在很大的坡度下才能维持其流动状态。

细颗粒泥沙主要来自坡面。坡面的极限含沙量在 860～990kg/m³ 间变化(参见表 1),因此,在丘陵沟壑区细粉土和黏土的来源是有限的。表 8 给出了在不同尺度的河道中当总含沙量足够大时细颗粒泥沙含量的变化情况。可以看出,细粉土和黏土的含量并不随流量的增加而增大,对于总含沙量超过 400～500kg/m³ 时,这部分细颗粒泥沙的含沙量基本保持在 50kg/m³ 左右,最大约为 100 kg/m³。

表 8　含沙量超过 400～500kg/m³ 时细粉土及黏土含量的变化

河　名	站　名	小于下列粒径的含沙量(kg/m³)					
		0.005mm		0.007mm		0.01mm	
		变　幅	平　均	变　幅	平　均	变　幅	平　均
岔巴沟	曹　坪	25～102	56				
黄甫川	黄甫(二)			23～82	48.5		
无定河	丁家沟					37～78	50

从另一方面来说,大于 0.01mm 的颗粒在降雨强度达到或超过 0.45mm/min 时都会受到溅蚀和细沟侵蚀,当这些粗颗粒泥沙进入沟系或坡度较平缓的支流时,一部分粗颗粒将会在小流量下淤积。随着水位的抬高,水流流速和输沙能力逐步增大可导致河槽的冲刷。冲刷的泥沙将是前期小水时自水流中沉积下来的粗泥沙。随着流量增加,总含沙量及粗泥沙含量均会相应地增加。从图 11 中很明显地看出泥沙中值粒径随总含沙量增加而增大的趋势,这一现象在粗泥沙来源区的支流例如无定河丁家沟站更为突出。

这样,在丘陵沟壑区,含沙量与泥沙级配组成之间由于自然调整作用存在着某种组合关系。含沙量较大的水流必须含有一定数量的粉土和黏土以维持其输沙能力。当含沙量增加到某一限度以后,再增加含沙量只能使其组成一步一步粗化。由于细沙含量并不随总含沙量的增大而按比例增加,因此水流还不会转变为层流流态。正是主要通过这种自动调整作用,在我国西北地区的高含沙水流才能够在相对较小的比降下维持其运动状态。

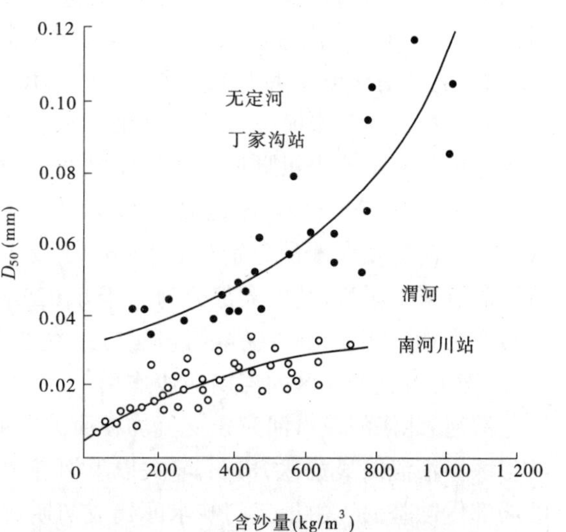

图 11　高含沙水流含沙量与泥沙中值粒径关系

3.1.2　支流输沙能力

晋陕间峡谷区许多支流均已切割到基岩。有的支流如无定河丁家沟站的河床系砾卵石,枯水时床面被砂层覆盖。在高含沙水流中悬移质泥沙的沉速极小,垂线含沙量分布十分均匀。表 9 给出了根据悬移质扩散理论计算的无定河在不同总含沙量下的悬浮指数 Z 值($Z=\omega/(\kappa U_*)$,式中:ω 是沉速;κ 是卡门常数;U_* 是摩阻流速)。当总含沙量为 270kg/m³ 时,最大的 Z 值仍小于 0.2,说明输沙能力确实很大。当总含沙量为 963kg/m³ 时,悬移质分布十分均匀,水流实际上是一种密度和黏性远远大于清水的均质流体。在这种情况下,用通常的概念来说已不是什么输沙能力。只要水流的能坡足以克服摩阻阻力,这种水流能在很长距离内保持其流态。长时期来说,在粗泥沙来源区的支流基本上保持了平衡状态,河道可仅仅看成是在特别大的含沙量下的一个输沙渠道。

表 9　无定河丁家沟站悬移质分布 Z 值变化

粒径级 (mm)	含沙量为下列数值时的 Z 值	
	270kg/m³	963kg/m³
0.02~0.05	0.025	0.020
0.05~0.10	0.047	0.015
0.10~0.30	0.144	0.040
>0.30	0.178	0.100

从另一方面来说，渭河是少数流经冲积层的一条支流。其下游是典型的弯曲河道。其床沙组成及河道坡度自临潼的 0.67mm 及 3.5‰变化到华县的 0.19mm 及 2.4‰。当高含沙水流为两相流时，可能发生沿程的分选沉积。例如，1973 年 8 月洪水，临潼最大含沙量 629kg/m³，悬沙中值粒径 0.053mm，小于 0.01mm 泥沙约占总重量的 10.1%。在洪水传播过程中，约有 17.3%的来沙量在临潼至华县间沉积，大部分沉积物为粗泥沙。如含沙量很大而组成很细，可形成伪一相流，此时分选沉积现象将不再显著。1977 年 8 月渭河流域发生暴雨，临潼最大含沙量达 861kg/m³，中值粒径 0.039mm，细泥沙占全沙重量的 16%。这一次高含沙洪水顺利地通过了渭河下游弯曲河段而没有发生显著的淤积。

3.1.3　支流高含沙量洪水汇入干流后的变化

支流高含沙量水流汇入黄河干流后，由于比降变缓和来自黄河上游相对较清水流的稀释作用将使水流中粗颗粒泥沙分离出来。1972 年 7 月 19 日黄河干流龙门站所测一次洪水流量为 10 700m³/s，这是 1949 年以来发生的最大的一次洪水。洪水来自黄甫川，其最大洪峰流量及含沙量分别为 8 400m³/s 及 1 210kg/m³。约有 22.3%的来沙在黄河干流汇流点下游淤积，其中大部分为大于 0.025mm 的粗泥沙。粗泥沙沉积后，龙门站的水流转变为伪一相流，向下游峡谷段运行过程中未再发生显著淤积。

3.2　潼关以上汇流区的滞洪滞沙作用

渭河、北洛河及汾河三条支流均在潼关以上汇流区与干流汇合，汇合后进入潼关以下峡谷区。汇流区最宽达 18km，潼关以下河谷宽度略大于 1km。潼关卡口形成上游各河流的局部侵蚀基面。由于三门峡水库建成初期蓄水运用，潼关河床抬高了数米，更加剧了上游河道淤积的发展。汇流区实际上起着滞洪水库的作用。洪水通过这一汇流区时将发生削峰滞沙作用。如已知通过龙门站的沙量则汇流区的滞沙量可自图 12 估算求得[6]。图中以龙门站洪水平均含沙量和北干流漫滩系数 r 作为参数。其中漫滩系数 r 的定义为：

$$r = 0 \qquad \text{当 } Q_L < Q_n$$

$$r = 1 - (Q_n / Q_{Lm}) \qquad \text{当 } Q_L > Q_n$$

式中　Q_L——龙门洪水流量；

Q_n——汇流区平滩流量；

Q_{Lm}——$(Q_L - Q_n)$的平均值。

龙门至潼关间小北干流河道，虽然从整体来说在汛期是抬高的，但是龙门站河槽不时

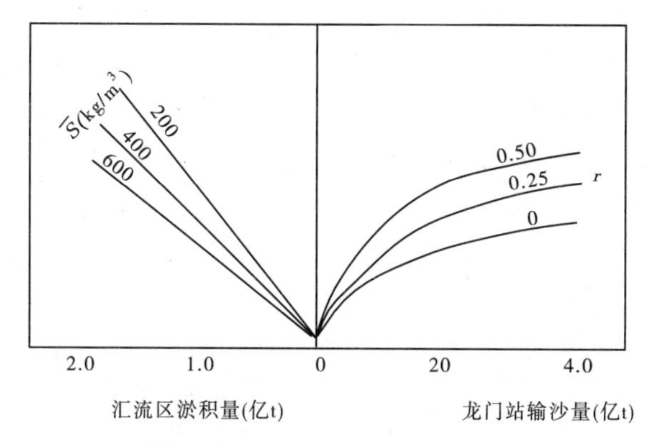

图 12　黄河小北干流滞沙量诺模图　(单位:亿 t)

还会观测到剧烈冲刷的现象,如表 10 所示。这种剧烈的冲刷通常是在尖瘦洪峰和含沙量很大的条件下发生的,并且可向龙门以下河道延伸一段距离,甚至影响到潼关以下。经过这样一场洪水,河道主槽将会逐步回淤。有些学者提出了一些假说,试图解释这种异常的机理,但为什么河床会像地毯一样被成层卷起并高出水面然后再落入水中还有待于更合理的解释。这种所谓"揭河底"现象在龙门站和渭河临潼站也曾出现过。

表 10　龙门站干流河道发生剧烈冲刷现象

日　期 (年·月·日)	洪峰流量 (m^3/s)	最大含沙量 (kg/m^3)	含沙量>500 kg/m^3 的历时(h)	d_{50} (mm)	$P<0.01$ (%)	冲刷深度 (m)	冲刷范围 (km)
1964.7.6~7.7	10 200	695	19	0.04~0.09	11~16	3.1	90
1966.7.18~7.20	7 460	933	36	0.06~0.35	1~12	7.4	73
1969.7.26~7.29	8 860	752	29	0.04~0.05	15~28	1.8	49
1970.8.1~8.5	13 800	826	42	0.07~0.08	11~17	8.8	90
1977.7.6~7.8	14 500	690	13	0.04~0.05	14~20	4.0	71
1977.8.5~8.8	12 700	821	24	0.08~0.13	11~16	2.0	71

非汛期来水较清,汇流区主槽将发生冲刷。冲刷的泥沙主要是粗颗粒,这部分泥沙对黄河下游是十分有害的,这一点将在以后讨论。

3.3　黄河下游泥沙输送

黄河支流众多,其中不少支流含沙量相对较小。高含沙水流虽在黄河下游也时有出现但出现的机遇不算太多。含沙量为 100kg/m^3 或稍小一些的洪水则是经常见到的。

3.3.1　多来多排

世界上大多数河流的流量与床沙质输沙率之间,不论上游来沙量多少,均存在有某种确定性关系。在含沙量大的河流,河道均将随着每次洪水含沙量和级配的变化而进行暂时性的自我调整。如来自上游的沙量增加,自行调整的结果将趋向于增加河道的输沙能力,使河段出口的沙量也相应地增加。图 13 是黄河下游孙口站床沙质输沙率与流量的关系。就全部实测资料而言,点据是十分分散的。但是,如将孙口站上游高村站的来沙含沙量作为独立参数,则全部点据将可分为若干组,每组的流量输沙率就会呈现明显的相关关系。这就反映了黄河下游河道输沙的多来多排的特性[7,8]。分析实测资料指出,在多沙河流中,经过一次洪水,河床的变形异常剧烈。来沙量大时河床将会发生淤积,其结果床沙组成将会细化,并且主要通过这一途径使输沙能力得以提高。当来水含沙量超过 400 kg/m^3,由于存在高含沙量将改变水流的物理性质,使水流得以沿河道长距离地运行并保持其高含沙量。

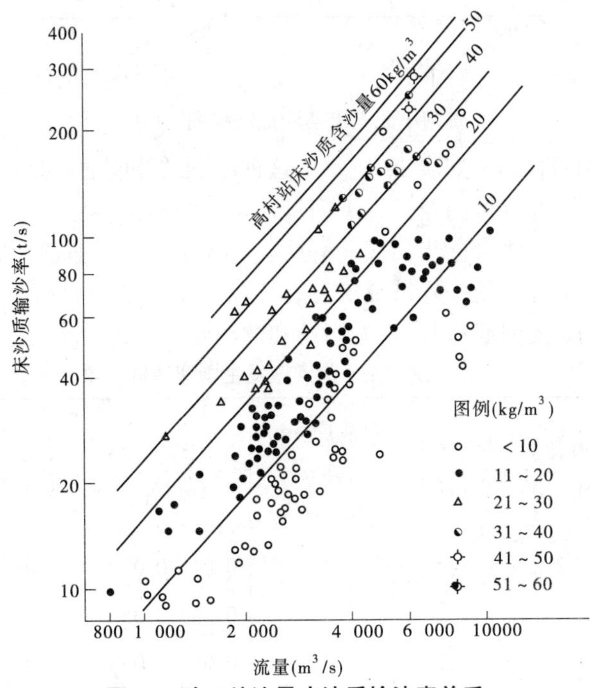

图 13　孙口站流量床沙质输沙率关系

3.3.2　输沙能力与上游来沙量的差别

黄河下游以其堆积速率之快而著称。意味着河道的输送能力远远不足以运送来自上中游的沙量。但是,这一差别对不同的时间尺度将具有不同的形式。

前节已指出,黄河流域产水与产沙的空间分布是不同的,即具有水沙异源的特点。不同洪水由于来源不同,含沙量的变化幅度是很大的。图 14 给出了以相应于每立方米径流的河道冲淤量与平均含沙量的关系[9]。虽然大多数点子落在堆积的范围内,也还有一些点落在不冲不淤线的下方。这就说明在水沙条件特别有利的年份,黄河下游作为一个整体仍可能处于冲刷状态。从图中可以看出,当年平均来沙含沙量在 25kg/m^3 左右时,流域产沙量与下游河道的输送能力处于相对平衡状态。

如果我们研究一年内不同时段的差别,应参考表 11。表中将洪水依其洪峰流量大小分为四类,汛期小流量时期和非汛期单独统计。可以看出 1952～1960 年期间总计约有 35.5 亿 t 泥沙淤积在下游河道。平均每年约为 3.94 亿 t。由于大部分来沙是在暴雨洪水时期,因此汛期的淤积是主要的。9 年内汛期共淤积了 28.4 亿 t,占全部淤积量的

80%。如下游河道的平滩流量以6 000m³/s计,可以看出汛期中大部分淤积是漫滩水流所致,漫滩程度越高淤积越严重。

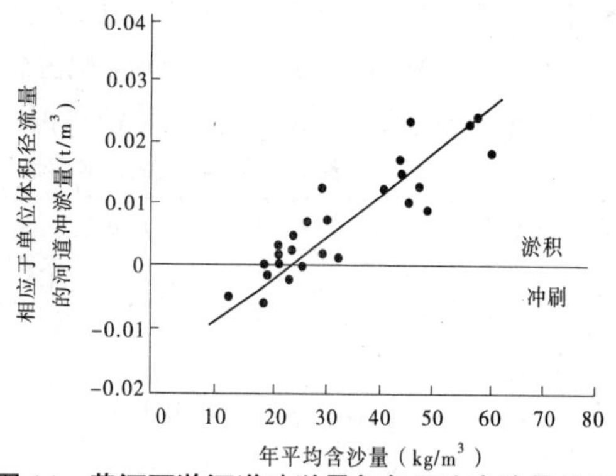

图14 黄河下游河道冲淤量与年平均含沙量关系

为了深入了解黄河下游河道的输沙特性,必须区别主槽和滩地。洪水过程中,主槽的流速很大,经常会出现主槽冲刷的现象。从另一方面来说,滩地由于行水阻力特别大,成为易于沉积的环境。更有甚者,从河道平面来看,黄河下游的游荡段交替收缩与展宽,具有藕节状的形态。主槽与滩地的流态是迥然不同的。在主槽扩散段常可分为中间夹有滩地的无数汊流,在主槽收缩段相对比较窄深,偶而出现少数心滩。水流自收缩段流入扩散段时,沙洲和滩地均将被淹没,部分泥沙将在此淤积。在下一个收缩段的漫滩水流,其原先挟带的泥沙在滩地落淤以后又将汇入主流。这种漫滩水流与主槽水流的交汇将对主槽水流起到稀释作用。这类滩槽交换的过程将不断地向下游传播,导致洪水漫滩的广泛淤积,并且在洪水向下游传播的过程中主槽水流的含沙量逐步降低。这种滩地淤积和主槽冲刷的形式都将向下游方向持续很长一段距离。表12是一次洪水在演进过程中下游河道主槽和滩地的冲淤情况。经过上述这一过程,一次洪水主槽和滩地的冲淤数量均相当可观。事实上,经过1933年一场罕见的大洪水,花园口以上的滩地就淤高了2m多。

表11 1952～1960年年内不同时期黄河下游河道冲淤量统计

时期		流量级(m³/s)	发生次数	发生天数	来水量(亿t)	来沙量(亿t)	冲淤量(亿t)
汛期	洪水期	>10 000	7	67	350	29.0	9.4
		6 000～10 000	23	165	609	50.2	14.8
		4 000～6 000	16	138	422	22.2	1.7
		2 000～4 000	12	83	181	7.2	-0.1
	小水期			654	1 123	29.8	2.6
	小计		58	1 107	2 685	138.4	28.4
非汛期				2 178	1 493	22.9	7.1
9年总计				3 285	4 178	161.3	35.5
年平均					464	17.9	3.9

就保持河道的行洪能力使河流处于正常状态而言,保持一个通畅的主槽是极为重要的。大部分主槽的淤积发生在流量小于2 000m³/s的时段,或者是发生在含沙量较高的中小洪水时段。根据经验,一次洪水平均含沙量与平均流量之比超过0.015～0.020(kg·s)/m⁶

时，主槽就会发生较严重的淤积。根据资料分析，从1952～1960年汛期黄河下游主槽淤积约占总淤积量的37.7%，非汛期淤积占总量的62.3%。非汛期淤积主要是小流量所形成的。可见小流量输沙能力不足是使黄河下游河道恶化的主要因素之一。

表12 黄河下游洪水演进过程中主槽和滩地的冲淤情况

洪水发生时间(年·月·日)	花园口洪水		滩槽冲淤量(亿t)		
	Q_{max} (m^3/s)	$\bar{S}/\bar{Q}$ ($(kg\cdot s)/m^6$)	主　槽	滩　地	全断面
1953.7.26～8.14	10 700	0.011 2	−3.00	3.03	0.03
1954.8. 2～8.25	15 000	0.009 7	−2.44		
1954.8.28～9. 9	12 300	0.017 0	2.17	3.43	5.6
1957.7.12～7.23	13 000	0.011 9	−4.33	5.27	0.94
1958.7.13～7.23	22 300	0.009 5	−8.65	10.20	1.55

4　沿程泥沙沉积

4.1　黄河上游

根据实测水文资料推估，在50年代，即上游干流大型水电工程建成以前，河口镇以上河道是微淤的。大型水库先后建成并投入运用后，截至1990年，共淤积泥沙22.7亿m^3。各支流经过治理也不同程度地减少了进入黄河干流的水沙量，宁蒙灌区大量引水也引走部分泥沙。据统计，80年代平均每年减少的沙量分别达到0.50亿t及0.32亿t[10]。青铜峡至河口镇长约850km，比降较平缓的冲积河段为适应这些水沙变化不断地进行调整。图15为几个不同时期沿程含沙量的变化情况[11]。可以推论，不同时期不同河段的调整情况并不相同。从变化趋势分析，建库前青铜峡以下河段含沙量沿程减小。刘家峡水库建成后这一河段含沙量则有沿程增加的趋势。龙羊峡与刘家峡两水库联合运用进一步削减了来自上游的洪峰流量，调节径流使汛期下泄水量减少，石嘴山以下河段含沙量还有沿程减小的趋势。综合分析上述水库拦蓄、灌溉引水、支流治理所引起的变化以及上游河道因这种变化而发生的调整作用，与50年代比较，估计每年自河口镇输往黄河中下游的泥沙平均减少0.6亿t左右。当然，由于大型水库调节径流，使汛期水量减少，年内分配发生较大变化，直接影响中下游河道的输沙条件，对河道冲淤有深远的影响。

4.2　北干流和潼关以上汇流区的沉积

自河口镇至潼关，黄河流经山陕峡谷并进入另一开阔盆地，按地貌条件可分为两个河段：一是河口镇至龙门的北干流，二是潼关以上汇流区。河龙区间北干流长725 km，平均比降84‱。据1964～1988年25年实测及插补资料，用沙量平衡法推估，一般情况下，该河段每年汛期淤积、非汛期冲刷，多年平均略有淤积，淤积量尚不足0.1亿t。但是，发生大洪水时河道冲淤仍十分剧烈。据对1966～1979年六场大洪水分析，一次洪水前后，河段冲淤量的变幅可达2亿t左右。不仅洪水期冲淤变化大，而且对粗细泥沙的调整也异常剧烈。府谷至吴堡区间支流发生较大洪水时往往在入黄口形成拦门沙，对干流起到顶

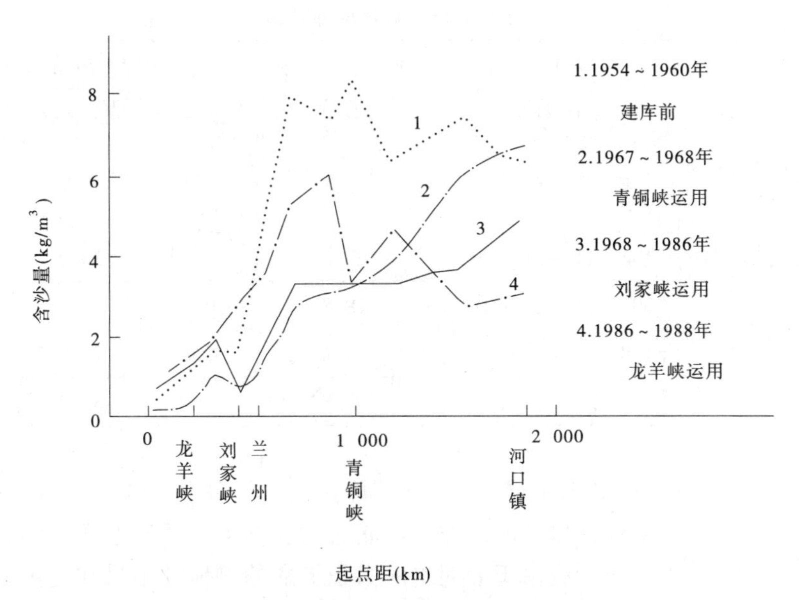

图 15　黄河上游河道不同时期含沙量沿程变化

托作用。支流口由粗沙、砾石、卵石组成的大大小小碛滩也是多年来自支流的粗泥沙在干流河道沉积而形成的。据上述沙量平衡法推估，北干流河道具有明显的拦粗排细作用，年内粗泥沙冲淤幅度大于全部泥沙的冲淤幅度，多年平均每年可拦截粗泥沙估计可达 0.3 亿 t。本文作者认为，由于水文站实测级配资料不全，实测沙量末包括推移质等近河底部分沙量等原因，北干流对粗泥沙的调整尚有待于继续研究。

潼关以上汇流区是指龙门至潼关的小北干流，汾、渭、北洛等河在此与干流交汇。汇流区滩地宽阔，河势游荡多变，全长约 135km，比降为 3‱～6‱，为黄河提供了一个调整其沙量和级配的良好环境。据分析，从较长的历史时期来说，这一段堆积性河道平均年堆积量为 0.3 亿～0.5 亿 t。交汇地带也常发生相互顶托或倒灌现象。

1960 年 9 月三门峡水库开始初期蓄水运用，小北干流下段长 60～70km 的河段直接或间接受到回水影响，发生淤积。水库降低运用水位后，由于冲积河流自动调整作用，淤积上延，干流和渭河分别达到距坝 175km 及 245km，已远远超出最高水位回水的长度。至 1990 年，小北干流累计淤积量已达 21 亿 m^3，渭、洛河下游淤积量达 11.6 亿 m^3。

三门峡水库自 1974 年开始采取蓄清排浑的运用方式以来，除在有些年份防凌运用时期潼关及渭河河口段略受水库回水影响外，小北干流汇流区的河道冲淤仍属于自由河道性质，一般表现为汛期淤积、非汛期冲刷。据 1974～1990 年实测资料统计，年平均汛期淤积 0.63 亿 m^3，非汛期冲刷 0.45 亿 m^3，并且也有拦粗排细的作用，粗泥沙年平均淤积量约有 0.17 亿 t。

4.3　三门峡水库的淤积

30 余年来三门峡水库经历了运用方式不同的三个时期，库区冲淤情况列于表 13。可以看出，在采取蓄清排浑的控制运用方式以后，库区的淤积大大减轻，基本上保持了可用于防洪和在一定限度内进行水沙调节的库容。

表 13　三门峡水库冲淤量

运用方式	时段（年·月）	河道入库沙量（亿 t）	水库冲淤量（亿 m^3）		
			潼关以下	潼关以上	全库区
蓄水运用及滞洪运用初期	1960.9～1964.10	76.7	35.8	8.7	44.4
滞洪运用(改建期)	1964.11～1973.11	163.0	－9.2	20.9	11.7
蓄清排浑控制运用	1973.11～1985.10	128.8	0.4	－0.5	－0.1
	1985.11～1990.10	41.3	1.1	3.2	4.3
小计		409.8	28.1	32.2	60.3

三门峡库区内河道的形态主要是经过初期蓄水淤积，而后降低水位运用所形成的。在目前的运用条件下，变动回水区的河道主槽能通过在洪水期降低运用水位而维持其冲淤平衡，但淤积在滩上的泥沙或由于前期水库淤积形成的滩地却不易冲走。为与不断变化的水沙条件相适应，库区河道还在继续不断进行调整。图 16 显示库区坫垮至太安长约 20km 的变动回水河段，在控制运用期间每年汛期、非汛期两次冲淤量与相应河段表层床沙级配的相应变化。可以看出床沙组成随冲淤变化而进行调整的情况。

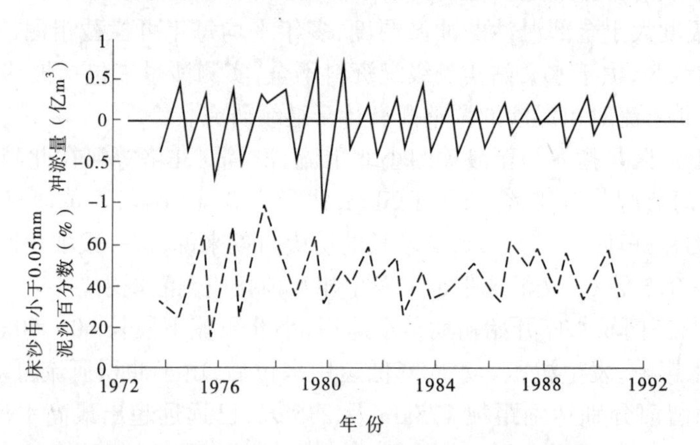

图 16　三门峡水库坫垮—太安段冲淤量与床沙粗细化的对应关系

水库蓄水初期不少库段库岸坍塌，侵占了库容。在形成窄深河槽和高滩以后，既会由于风浪淘蚀使高滩或岸壁坍塌，又会由于河势摆动和运用水位变幅大而形成库岸变形。根据实测资料分析库区总的坍塌数量超过了 8 亿 m^3[12]。

经过改建，较大幅度地增加了各级水位的泄流能力，并使水库具备了一定程度的调节水沙能力。目前，对水沙调节的形式为非汛期适量蓄水，进行防凌、春灌、供水和发电运用，汛期降低水位运用，在满足防洪的要求下，利用洪水排沙并控制长时期小流量排沙。对下泄水流的水沙搭配进行调节，使下泄水沙有利于下游河道的输送。对泥沙级配进行调节，发挥水库拦粗排细的作用。在汛期后期，利用近坝段低水位以下库容进行泥沙调节以减少过机含沙量。

三门峡水库的运用实践证明，经过水沙调节，在正常的来水来沙条件下，既能保持一定的可用库容满足防洪需要，并控制淤积上延，在调节过程中，在一定的水沙条件下抬高了相应于最大输沙量的流量级，相当于提高了下游河道的造床流量，因此也在一定程度上减缓了下游河道的淤积[13,14]。但是由于现有可供调节的库容较小，和控制潼关高程上升以限制淤积上延的运用要求，三门峡水库调节泥沙的能力仍是十分有限的。据计算分析，水库采用蓄清排浑控制运用方式，对下游河道的减淤作用与来水来沙条件及下游河道调整情况有关。初期减淤作用大，以后逐渐减小，1974～1988 年每年平均可减少下游河道的淤积量约 0.3 亿 t。

4.4 黄河下游河道的淤积

4.4.1 长期堆积作用

在过去四个年代共有约 50 亿 m^3 泥沙淤在下游河道，下游沿河不同地点的水位均有所抬高。表 14 给出了三门峡水库建库前后及不同运用期下游不同河段的淤积量。长时期以来由于大量淤积，下游河道的主河槽已成为华北大平原海河、淮河流域的分水岭，在约 800km 长的河道内，除大汶河外，没有大的支流汇入黄河干流。

表 14 水库不同运用时期下游河道冲淤情况

时 段（年·月）	年均冲淤（亿 m^3）					备 注
	铁谢—花园口	花园口—高村	高村—艾山	艾山—利津	合计	
1950～1960	0.46	1.01	0.87	0.33	2.67	系根据输沙量差按 r = 1.35 t/m^3 计算，1960 年以后按断面法估算；（+）淤积，（−）冲刷
1960.9～1964.10	−1.67	−2.22	−1.06	−0.92	−5.87	
1964.10～1973.9	0.71	1.54	0.57	0.49	3.31	
1973.9～1990.10	−0.10	0.25	0.37	0.15	0.68	
平 均	0.07	0.48	0.40	0.16	1.11	
河段长（km）	102	189	193	282	766	

根据黄河下游河道沿程同流量水沙变化过程（$Q = 3\ 000 m^3/s$），可以粗略地评价来水来沙条件和包括由于三角洲河道改道引起的溯源冲刷及主槽向河口海域延伸在内的河口条件对黄河下游河道堆积速率的影响。1960～1964 三门峡水库下泄水流较清，颗粒较细，除局部河段外，引起了下游河道沿程冲刷。1964 年河口河道改道的新流路由于河床存在黏土层使溯源冲刷微弱而得不到充分发展。1966～1973 年期间由于三门峡水库改建的底孔和其他泄流设施逐步投入运用，大量泥沙在流量较小时冲出水库，又遇到这一期间频频出现的高含沙量洪水的不利水沙条件，海岸线向外平均延伸了 12km，下游河道全程出现较大淤积。1974～1985 年来水来沙条件除 1977 年外均较为有利。1976 年河口水流被引入预定的新流路。改道后形成溯源冲刷向上游发展，与由于上游下泄的含沙量较小的水流的沿程冲刷相结合，使黄河下游沿程各处的同流量水位普遍下降。

从黄河下游河道的特性而言，如果来水来沙条件没有发生根本性的改变，河道堆积抬高的趋势将不可能有很大的改变。就 1950～1990 年近 40 年的整体情况而言，下游河道年平均淤积量为 1.11 亿 m^3，相当于 1.50 亿 t。淤积速率远较 50 年代为小，如表 14 所示。在这一期间，三门峡水库投入运用，拦蓄部分泥沙，使下游河道约 12 年内没有出现累积性淤积。水库调节水沙也有一些减缓下游河道淤积速率的作用。

黄河下游 1919～1959 年期间的年平均来沙量为 16 亿 t，而 1960～1990 年的年平均来沙量尚不足 12 亿 t。50 年代花园口站的平均年水量为 502 亿 m^3，其中汛期约占 61%，1960～1985 年年平均水量 450 亿 m^3，其中汛期约占 58%，而 1986～1990 年年平均水量仅 333 亿 m^3，其中汛期水量仅占 49%。这些差别除反映水文周期的自然变化外，流域上中游修建的大量水库、灌溉及实施水土保持措施等也对水沙变化起着十分重要的作用。

4.4.2 下游河道河床冲淤演变取决于泥沙来源区的产沙情况

下游河道河床冲淤与泥沙来源区产沙有着密切的联系。例如，下游河道的大量淤积主要是由前节所提到的来自粗泥沙来源区的物质所形成的。这一点已由根据 1952～1960 年三门峡水库建库前及建库后 1969～1978 年的 103 场洪水资料分析得到证实。

根据洪水来源区，各次洪水可分为以下六类：

(1)强度较小笼罩全流域的暴雨洪水；

(2)源自粗泥沙来源区洪峰较大而含沙量较大的洪水；

(3)源自粗泥沙来源区、降雨强度中等、含沙量较大的洪水并有少量源自低产沙量区的洪水加入而形成的洪水；

(4)源自粗、细泥沙来源区含沙量大的洪水与源自低产沙量区的洪水汇合形成的洪水；

(5)主要来自低产沙量区的洪水；

(6)来自低产沙量区但含沙量大的洪水。

表 15 表示了来自不同来源区洪水对下游河道的作用[17]。其中第二类洪水是由强度大的暴雨形成的，具有峰高但洪量较小的特点。这类洪水进入下游河道后洪水过程由于槽蓄作用而坦化，不漫滩或漫滩系数很小。大部分泥沙将在主槽淤积，平均淤积强度可达每日 0.31 亿 t。有 13 次洪水属于这种类型，其淤积量占 103 次洪水淤积总量的 60%。从图 17 也可以看出第二类洪水对河道淤积的作用。

表 15 来源于不同地区洪水对下游河道冲淤的影响

洪水分类号	发生次数	占总次数(%)	花园口洪水特征		冲淤强度(万 t/d)	冲淤量占总量(%)
			Q_{max} (m^3/s)	$\overline{S}/\overline{Q}$ [$(kg \cdot s)/m^6$]		
1	7	6.8	3 680	0.022	3.41	4.0
2	13	12.6	6 830	0.052	3 100	59.8
3	22	21.4	4 280	0.036	545	13.6
4	10	9.7	11 740	0.013	1 900	28.2
5	47	45.6	4 610	0.011	-100	-9.0
6	4	3.9	5 730	0.021	932	3.4
合　计	103	100				
平均			5 500	0.023	706	100

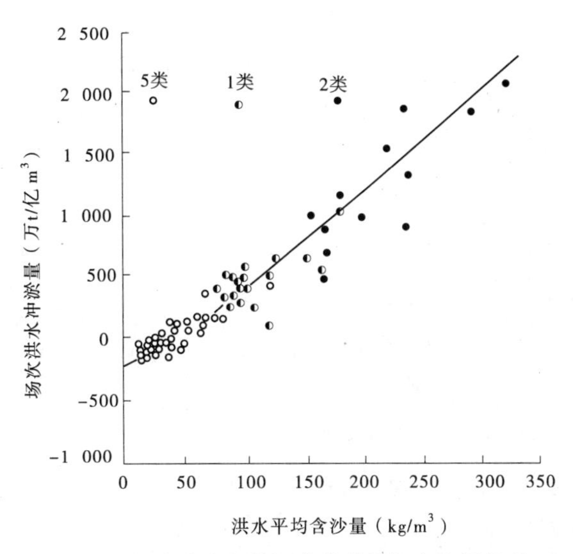

图 17　场次洪水下游河道冲淤量与含沙量关系

从上述分析可见，源自粗泥沙来源区的洪水对下淤河道减淤最不利。如要解决黄河的问题，在这一来源区集中力量实施水土保持措施将是十分重要的。分析还指出，正是流域的特性决定了流域内河流的特性，这一点也是所有治河工作者和地貌学者所公认的。

4.4.3　河道淤积取决于来水来沙条件

在干旱季节自流域来的冲泻质数量少而不重要，水流挟带的大多属床沙质泥沙。在潼关以上汇流区每年非汛期平均冲刷约 0.67 亿 t，相应地下游河道每年非汛期平均淤积 0.79 亿 t。这两个数值比较接近的事实不仅仅是一种偶合，而是反映了一种随机的规律。如果在非汛期没有从上游河道通过冲刷得到粗泥沙的补给，下游河道的淤积状况将会好得多。

三门峡水库修建以后，上述情况发生了变化。在目前的运用条件下，非汛期下泄清水时期下游河道发生冲刷的范围一般也局限于河道的上段。不论是汛期或非汛期，除非冲刷流量超过 2 000～2 500m^3/s，否则，上段冲刷的泥沙也将在下段淤积。

根据近 40 年实测资料统计，下游河道冲淤情况可以用进入下游河道的年平均流量和输沙率扣除灌溉引水引沙分别作为横、纵坐标的图来显示(图 18)。图中用不同符号反映河道冲淤情况，可以看出，冲淤近于平衡的来水来沙关系可以大致用一根二次方的指数曲线来代表。由此可以推论如在来沙量减少的同时来水量也在减少，则两者减少的程度应大致符合上述平衡线的关系。否则，由于流量减少，即使来沙量有所减少，仍将出现不能维持平衡并发生淤积的情况。从图 18 也可以明确地看出下游河道冲淤取决于来水来沙条件的依从关系。

4.5　河口河床演变

广大的华北冲积平原是由黄河挟带的泥沙沉积而形成的。1855 年铜瓦厢改道以后黄河归入现行河道。通过野外调查可以定出 1855 年的海岸线并与有地面实测资料的 1954、1972 年资料对比。三角洲的面积 1855～1954 年增长了 1 510km^2，1954～1972 年增长了 424 km^2。年平均造陆面积 23 km^2。但是由于近 30 年来河口河道的摆动受到两

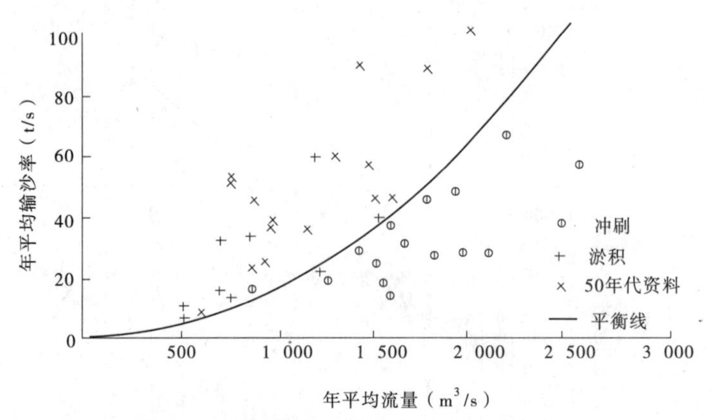

图 18　下游河道冲淤平衡的来水来沙关系

岸堤防的约束，岸线向海域延伸的速率 1954～1972 年为 0.42 km/a，较 1855～1954 年的延伸速率 0.15 km/a 增大很多。1958～1978 年海岸线的延伸情况如图 19 所示。应当注意的是在河口河道发生改道以后，还可能有一部分海岸由于沿岸流作用发生蚀退。

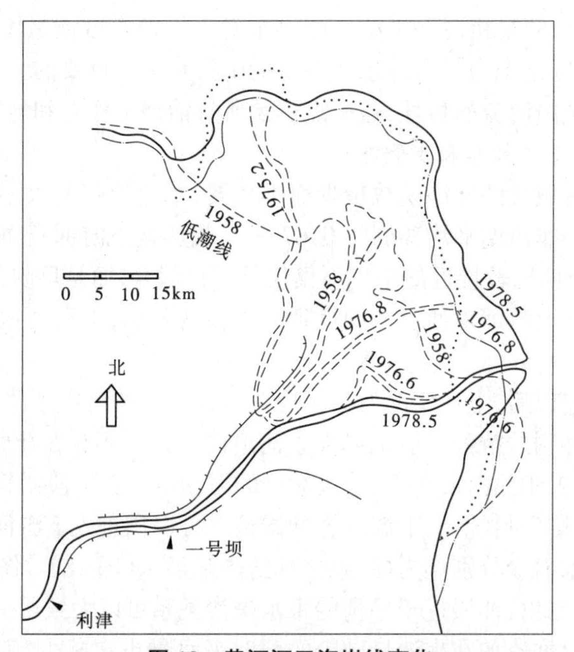

图 19　黄河河口海岸线变化

平均来说，每年通过利津站的水量为 443 亿 m^3。实测最大流量为 10 400 m^3/s。悬移质输沙量为 11.2 亿 t，平均含沙量 25.3kg/m^3，最大实测含沙量 222 kg/m^3，大于 0.05mm 的粗泥沙约占全部悬沙的 16%，小于 0.005mm 的黏土含量约占 25%，这是河流进入三角洲以前的情况。分析三门峡建库前后资料表明，在进入三角洲以前的长河段中悬移质泥沙已作了一些调整，其情况如表 16 所示。

在现行河道实际行水期间，河口河道发生了约 11 次改道。每次改道后均发生了溯源冲刷。冲刷向上游发展的范围取决于比降增加的幅度、来水情况及新河道的可冲性。在向上游发展过程中溯源冲刷的比降和幅度均将逐步变小。平均来说,改道后新河道发展到它的成熟期约需11年,包括新河道形成、淤积及延伸、游荡及弯曲直至下一次改道的一个完整周期性的变化[15]。

表16 不同时期悬移质分组百分数

时 段 (年)	粒径组 (mm)	三门峡	花园口	利 津
1955~1959	<0.025	54		64
	0.025~0.05	26		23
	>0.05	20		13
1960~1964	<0.025	90	66	64
	0.025~0.05	9	18	18
	>0.05	11	16	18
1965~1973	<0.025	46	53	60
	0.025~0.05	27	26	25
	>0.05	27	21	15
1974~1989	<0.025	51	54	54
	0.025~0.05	27	24	28
	>0.05	22	22	18

河口地区淤积分布可用每年进行的地形测量资料来求出。对于进入河口地区的泥沙,平均约有64%将淤积在三角洲上,其中24%将淤积在零高程等高线以上。其余36%的泥沙将被带入深海。在三角洲上淤积量的比值在改道初期为90%,七八年后降低为52%,到河床演变一个周期的后期又恢复到78%左右。河口三角洲河道这种延伸、摆动的演变必然对黄河下游河道带来影响。侵蚀基面向海域方向的延伸将导致三角洲地区河道水位的抬高从而加剧下游河道的堆积作用。另一方面,河口的一次改道及河长的缩短将引起上游河道暂时的冲刷。溯源冲刷的长度向上游延伸可达200km,只要河流继续向海域延伸,在后续的年份河道又将继续淤积抬高。图20所示为利津站水位与河道向海域延伸长度就具有明显的同步变化关系。

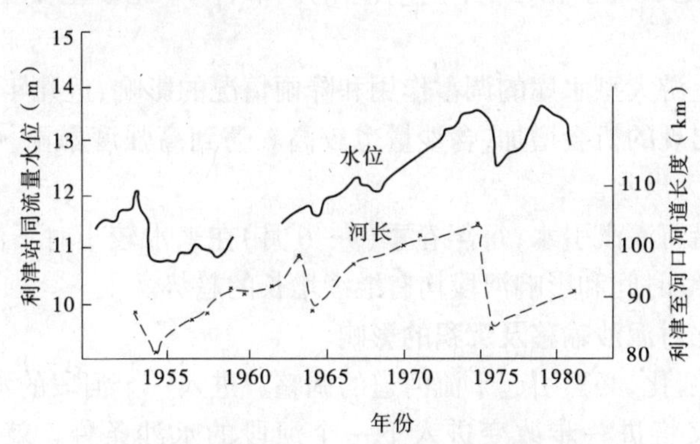

图20 河道向海域延伸长度与利津站水位的变化趋势

5 流域水沙变化及其影响

5.1 流域水沙变化特点

近 40 年来实测三门峡水库入库站各年代的水沙量及其变化情况如表 17 所示。据分析,水沙量的变化既有由于自然条件如降雨的差异而出现的周期性变化,又有由于水利水保措施的影响。40 年来全流域修建的各类水库的总库容已达 523 亿 m^3,包括引黄与井灌的总灌溉面积已达 640 万 hm^2,耗水量达到 274 亿 m^3。实施包括林、草、梯田、淤地坝坝地等在内的各种水土保持措施的总面积也近 800 万 hm^2。水资源开发利用、黄土高原水土流失区的治理以及下游防洪体系的建设是黄河治理开发的三个主要方面,也是造成上述水沙变化的重要因素。

表 17 各时期进入三门峡水库及下游河道年平均水沙量统计

(单位:水量为亿 m^3;沙量为亿 t)

时期(年·月)	年数	三门峡入库		进入下游河道		下游沿河灌溉	
		水量	沙量	水量	沙量	水量	沙量
1950~1960	11	416	17.0	466	16.8		
1960.11~1964.10	4	499	16.5	596	7.8	48	0.4
1964.11~1973.10	9	394	17.2	482	14.3	34	1.0
1973.11~1985.10	12	398	10.2	467	10.3	91	1.6
1985.11~1990.10	5	310	8.1	359	6.8	120	1.5

初步分析认为,黄河水沙变化具有如下几个特点:

(1)进入三门峡水库的年水沙量均呈减少的趋势。水量的减少主要是由于灌溉用水量的增加。沙量的减少,除由于水库的拦蓄外,上中游流域开展的水土保持起到了重要的作用。

(2)水沙量的年内分配发生了重大变化。汛期水量占全年水量的比例已由原来的60%左右降低到不足 50%。由于三门峡水库的调节,全年泥沙主要在汛期排泄出库,非汛期主要下泄清水。

(3)主要由于上游大型水库的调蓄作用和降雨情况的影响,近几年较大洪水出现的次数少,而中小洪水出现的机会增加,含沙量也较高。遇到高强度暴雨,中游一些支流仍会发生含沙量较高的大洪水。

(4)主要由于沿河灌溉引水,每年春季(3~6 月)在来水较小时下游河道下段经常出现断流。断流的持续时间和影响河段均有继续增长的趋势。

5.2 流域水沙变化对泥沙输移及沉积的影响

上述流域水沙变化,必然引起干流河道的调整。进入一个河段的水沙条件发生变化,经过本河段调整,又将进一步改变进入下一个河段的水沙条件。就三门峡水库而言,1986~1990 年汛期入库水量减少十分显著,较大洪水出现几率减小而中小洪水出现较多,非汛期淤积在水库变动回水区即黄淤 31~45 断面,距坝 72~133km 范围内的泥沙往往不能在当年通过沿程冲刷与溯源冲刷的联合作用冲刷出库，形成累积性淤积。近年来，由于汛期大水出现的几率减小，中小洪水含沙量较高，造成下游河道主槽严重淤积。虽然进入下游河道的水量沙量都较过去减少，但来沙系数却有所增加。枯水持续时间较长势必引起河道萎缩，从而使它的行洪及输沙能力降低。当然，由于来沙量的减少，上述河道发生淤积的绝对量也相应较小。

由于流域治理引起水沙量减少，以及一些支流因遇较大暴雨造成工程失事而增加输入黄河的泥沙的情况仍将继续发生。黄河干流河道也将继续进行调整以适应不断变化的来水来沙条件。自然条件如降水的差异固然是引起水沙变化的一个主要因素，但是，由于黄河水少沙多的固有特性，上、中游流域大水库的水量调节，全河沿程水沙资源的利用和实施小流域治理等对各河段来水来沙条件的影响也是不容忽视的。下游河道整治以及河口治理引起河道边界条件的变化，也将对下游河道的泥沙输移和沉积产生重要影响。因此，应该继续探索和研究在不断变化的形势下流域侵蚀产沙、泥沙输送与沉积的相互关系，以便在合理地利用水沙资源的同时能正确地处理泥沙问题。

参考文献

[1] 刘东生．黄河中游黄土．北京：科学出版社，1964

[2] 王兴奎，钱宁，胡惟德．黄河流域黄土丘陵沟壑区高含沙水流的形成与汇流过程．水利学报，1982(7)

[3] 龚时旸，蒋德祺．黄河中游黄土丘陵沟壑区水土流失及防治措施．中国科学，1978

[4] 龚时旸，熊贵枢．黄河泥沙的来源与输移．见：第一届国际河流泥沙讨论会论文集．北京：光华出版社，1980

[5] 马秀峰．关于黄河粗泥沙来源问题的商榷．人民黄河，1982(4)

[6] 文康，等．黄河龙门至潼关河段滞洪沙分析．见：水库泥沙报告汇编．黄河水库泥沙观测研究成果交流会论文集．黄河泥沙研究工作协调组，1972

[7] 钱宁，张仁，李九发，等．黄河下游输沙能力自动调整机理初步研究．地理学报，1981，36

[8] 麦乔威，赵业安，潘贤娣．黄河下游河道泥沙问题．见：第一届河流泥沙国际学术讨论会论文集．北京：光华出版社，1980

[9] 治黄研究小组．黄河的治理与开发．上海：上海教育出版社，1984

[10] 顾文书，等．黄河水沙变化及其影响的综合分析报告．见：黄河水沙变化研究基金研究报告．国际泥沙研究培训中心，1993

[11] 钱意颖，龙毓骞．黄河上游水沙研究变化及发展趋势预测．见：黄河水沙研究基金研究报告．国际泥沙研究培训中心，1992

[12] 程龙渊等，三门峡水库淤积测量方法初步分析．见：三门峡水利枢纽运用研究文集．郑州：河南人民出版社，1994

[13] 龙毓骞，李松恒．三门峡水库的泥沙调节．黄河科研，1995(1)

[14] 张启舜，龙毓骞．三门峡水库泥沙问题．见：第一届河流泥沙国际学术讨论会论文集．北京：光华出版社，1980

[15] 钱宁，王可钦，阎林德，等．黄河中游粗泥沙来源区对黄河下游冲淤的影响．见：第一届河流泥沙国际学术讨论会论文集．北京：光华出版社，1980

我国河流泥沙问题和泥沙测验技术发展展望

1　我国河流泥沙问题概况

全国河流水系主要控制站的年悬移质输沙量共约21亿t,如按各大流域统计如表1所示。

表1　全国各大流域悬移质输沙量统计❶

河流名称	统计名称	实测多年平均值			说明
		年水量(亿m^3)	年沙量(亿t)	平均含沙量(kg/m^3)	
黄河	利津	432	11.0	25.6	
长江	大通	9 114	4.68	0.53	
华北各河		142.6	1.519	(10.7)	滦河、永定、大清、子牙、漳卫等各河控制站之和
西南诸河		1 751.2	1.363	(0.78)	澜沧江、元江、怒江、雅鲁藏布江之和
珠江		2 844	0.811	(0.285)	西江、北江、东江三河控制之和
辽河		118.9	0.609	(5.12)	辽河、太子河、浑河、大凌河控制站之和
内陆诸河		305.1	0.599	1.96	叶尔等3条河流
东南沿海各河		1 643	0.301	(0.18)	包括浙、闽、粤入海的11条河流
淮河	蚌埠等	296.3	0.271	0.91	包括沂沭河共三站之和
松花江	佳木斯	678	0.099 5	0.16	
合计		17 325	21.25		

各大河流在治理开发中均不同程度地存在泥沙问题。由于自然地理条件特别是水量和输沙量的差异,泥沙问题的严重程度有所不同,但从流域治理与开发的角度来考虑,各流域应重点研究的泥沙问题也具有一些共同点。概括起来可以分以下几方面。

1.1　流域侵蚀产沙及其控制

我国几条多泥沙河流在流域产沙方面一个共同点,就是流域内产沙区相对十分集中。黄河三门峡站以上约46.5%的来沙量来自面积约5.1万km^2的黄土丘陵沟壑区[1]。长江宜昌站以上约有64%的沙量主要来自雅砻江口以下至屏山河段以及嘉陵江上游,粗颗粒推移质则主要来自三峡区间各小支流和溪沟❷。永定河官厅以上重点产沙区面积仅占

作者:龙毓骞。本文系水利部水文司泥沙测验研究工作组系列报告之一,1988年发表,刊载于《江河泥沙测量文集》。

❶　水电部水文局,全国主要河流水文特征统计,1982。

❷　长江水文局,长江三峡以上地区来沙历年变化趋势分析。

全流域面积的20%。辽河也有类似情况。这种情况使我们有可能集中力量进行重点河段治理，以控制对整个河系危害最大的那一部分泥沙。

坡面及沟壑的岩土物质受各种自然力(暴雨、滑坡、泥石流、冻融等)的侵蚀作用，经暴雨径流的搬运进入河流形成泥沙。从侵蚀到产沙经历了堆积储存及冲刷输送的过程，这种过程在不同河流有很大的差异。应该看到，控制侵蚀与减少河流来沙量是流域全面治理中两个不同概念而又互相关联的问题。各种措施在控制侵蚀和产沙方面的作用是不同的，搞清每个流域的重点产沙范围、主要侵蚀方式和产沙规律是进行流域治理规划的一项基本工作。此外，在经济建设如开矿、修路、市镇建设中，如不注意采取必要的防治措施，可能加剧侵蚀，形成新的潜在的泥沙来源。

根据自然地理条件和生产发展情况，各地区因地制宜地采用一些水利、水保等措施，在水利方面，如修水库进行拦沙或调节泥沙，灌溉工程的引水引沙及用洪用沙；在水保方面，如造林、种草、梯田、谷坊、淤地坝等拦蓄泥沙；以及利用沟道淤积的调蓄作用，企图控制侵蚀和减少进入河流的沙量。如何较确切地分析计算或评价这些水利、水保措施的效益，和在改变流域水沙条件方面所起的作用，以及其持续效益，是一个尚待解决的问题。

目前对流域水变化情况的估算，大多是利用实测及调查资料用水文法或水保法进行，如表2所示，永定河流域在官厅水库建成后通过上游水库拦蓄、用洪用沙等多种措施，70年代较50年代入库输沙量减少85%。1970～1984年黄河上中游干支流水利、水保措施的拦沙作用，扣去由于降雨减沙的影响后，减少入黄泥沙平均每年2.5亿～3.0亿t[2]。由此可知，这些措施的效益是可观的，这些计算方法，目前虽比较粗略，但其成果对流域治理规划决策等有着重要的参考意义。

表2　永定河官厅以上流域水利、水保措施拦沙情况❶

项目	沙量(亿t)	占总量(%)	说明
总产沙量	28.5	100	
上游水库拦蓄	5.00	17.5	大部分实测
上游灌溉引沙	5.75	20.2	调查及实测
河道淤积、淤滩造地	4.00	14.0	调查估算
水土保持及其他措施拦蓄	2.00	7.0	调查估算
官厅水库淤积	7.50	26.3	实测
官厅水库下泄	4.25	14.9	实测

以流域产水、水沙和各种措施调蓄水沙的基本物理图形为基础，综合建立适用的流域模型，用以分析评价各类措施的作用，应该是一个值得进一步探讨的方法。国外在这一方面的研究方法可资借鉴。

1.2　江河防洪与河道整治

我国各大江河现有防洪工程设施如水库、堤防等防洪能力仍然较低，一般地说，还不

❶ 武博庆、梅锦山，水利水保工程对官厅水库入库水沙量影响的研究，1986。

足以安全防御相当于百年一遇的洪水。不少重要城市和工农业地区的地面高程都低于当地江河的最高洪水位,依靠堤防以保证其安全。有效地控制一般常遇洪水,减少特大洪水可能造成的灾害,仍然是当前水利建设的重要任务。对于多泥沙河流如黄河、辽河等下游河道,为防止洪水灾害还必须有效地减少河道淤积和控制河势。防洪和减淤都应该是治理河道的主要目标。

大多数河流的下游都属于冲积性河流。冲积性河流的基本特征之一是河床边界条件包括床沙组成、断面形态、比降等将随来水来沙条件的变化进行自动调整。黄河下游床沙组成较细,河宽一般不受地质条件约束,这种调整十分迅速和剧烈,这也是黄河下游河道阻力及输沙特性与其他冲积河流有所区别的一个显著特点。三门峡水库建成后,黄河下游河道在水库三种不同运用方式的相应时期内经历了三次调整,河道的行洪和输沙能力都相应地有一些变化。分析研究这种调整机理是探讨黄河下游防洪减淤途径的一项基本工作[3]。

辽河下游也是一条堆积性河道,上游各支流修建了不少水库。建库后河道淤积量大为减少,但由于来沙量减少,洪峰流量调平,泥沙在主河槽淤积,降低了各河段主槽泄洪能力,并且使支流柳河口以下一段河道淤积加重,河床极不稳定,影响到防洪安全[4]。

天然河流在修建大型水利水电工程以及进行河道整治后,引起的河流上下游的河床冲淤演变及水文情势的变化一直是国内外众所关心的问题。水库运用后水位有所抬高,对水库上游将引起淤积上延和库周地下水位的抬高,带来了库首段防洪和库周浸没、坍塌等新的问题,对下游来说,一般情况下削减了洪峰,流量过程坦化,中小水流量持续时间加长,削弱了下泄水流的输沙能力。河流含沙量大幅度减小也将使许多历史上行之有效的河道整治措施失去其原有的作用。由于河床冲淤情况的变化给沿河引水和防洪带来了一些新问题:水库的修建和运用改变了天然河道的水、沙量及其过程,也改变了下泄水流的水质,改变了库区小气候。这些变化也将对上下游环境生态产生影响。

据多年的实践经验,我国有些水库在调节水量的同时,也调节泥沙。如何兼顾上下游冲淤发展,并在适当地发挥水库综合利用效益的条件下探求水库的最优运用方式,是值得研究的重要问题,认真总结并完善这一经验对指导今后水库建设有重大意义。

长江中下游荆江是典型的弯曲河段。1968~1972 年期间曾先后在三处进行裁弯工程,根据河段裁弯前后各 11 年的资料,对比其泥沙蓄泄情况如表 3 所示。可以看出由于裁弯工程的实施,进入洞庭湖区的泥沙减少很多,荆江河段的泥沙输移发生了较明显的变化。

海河流域包括滦河、蓟运河和海河水系的永定、大清、子牙、漳卫、南运等河水系,各河流发源于西部及西北山区,流经中部平原地区在天津附近汇合注入渤海。近 30 余年来为防洪目的陆续修建了一些直接入海的减河,原来的一些二级支流均形成了直接入海的水系。各河总水量约 143 亿 m^3,总来沙量约 1.52 亿 t,绝大部分泥沙均在冲积扇的河床及沿岸洼地淤积,注入渤海的沙量还不到总沙量的 1%。近 300 年来这些河流下游陆续修筑堤防,约束洪水泛滥。近 40 年内在西部和北部又修建了不少防洪为主的综合利用水库,也拦蓄了不少泥沙,暂时延缓了平原区河床和洼地的淤积速率[5]。

表 3　荆江河段裁弯前后泥沙蓄泄情况对比[1]

项目	年平均沙量(亿 t)	
	裁弯前(1956～1967 年)	裁弯后(1973～1984 年)
干流枝江站	5.62	5.63
经三口分入洞庭湖	1.96	1.23
湘、资、沅、澧四水进入洞庭湖	0.301	0.346
洞庭湖区淤积量	1.666	1.194
城陵矶进入长江干流	0.595	0.382

本文所列举的几条河流的情况可以归纳为一个总的课题，就是研究在河流水系中修建各种工程带来水沙条件变化以及由于这些变化引起河流的反应。对一个河段来说，上游修建水库会改变来水来沙条件，本河段修建河道整治工程会改变河道的边界条件，下游河段水位和河床冲淤情况的重大变化会改变本河段的局部侵蚀基准条件。冲积河流就是在这种复杂多变的条件下调整本身的细沙和行洪能力以适应这种变化。天然河流泥沙的级配跨越了几个数量级，表现在各不同河流的冲淤演变各有其特点。分析研究这些特点，总结冲积河流的共有规律，才能为各条河流的治理开发提供更坚实的理论基础。

1.3　水资源综合利用所引起的泥沙问题

对河流进行治理开发的主要目的之一是合理地综合利用水资源。不少河流水资源利用率很高，海河、辽河达到 60%～65%，淮河、黄河已达 50%，南方诸大江河为 15%～18%，内陆诸河达到 33%[2]，水资源综合利用包括农业灌溉用水、城市及农村人畜用水、工业用水，当然也包括开发水电、开展江河航运、控制河道冲淤、改善环境质量、旅游等其他多种目标的用水。新中国成立以后水利水电建设的一条主要经验就是在利用水资源中必须妥善地处理泥沙，其有效程度往往是水资源开发利用的一个很重要的制约因素。

我国灌溉事业发达，著名的都江堰工程建成 2 000 多年，积累了丰富的治沙经验，灌溉效益历久不衰。西北五省(区)灌溉面积占总耕地面积的 43%，其中从低水头枢纽引水所担负的面积又占灌溉总面积的 84%。

黄河流域为发展灌溉引用的水量和沙量很大。据估算，三门峡以上每年引水的沙量可达 0.6 亿 t，三门峡以下沿黄河引水的沙量也可达 1 亿～1.5 亿 t。妥善地处理这部分泥沙是进一步开展引黄灌溉的一个关键问题。

从灌溉泥沙问题而言，我国已积累和发展了包括引水防沙、渠系减淤、防渗、清淤和泥沙利用、高含沙量浑水灌溉及许多用洪用沙的经验与技术，这些经验与技术还有待进一步完善和提高。

我国在西北、西南地区兴建了不少水电站。在水电站建设和运行的实践中虽已取得

[1] 长办水文局，洞庭湖水沙情况简析，1987。
[2] 水电部水资源办公室，中国水资源初步评价，1981。

了枢纽总体布置、防沙减淤的运用方式、冷却用水处理、水工建筑物和机组抗磨等不少经验,但也存在不少泥沙问题❶❷。为论证长江上已建的葛洲坝枢纽和在建的三峡枢纽,以及黄河上的小浪底枢纽,曾经或正在组织大规模的泥沙研究,包括野外资料调查分析、物理模型和数学模型的研究等。修建水库除引起一般泥沙问题外,在长江三峡枢纽还突出地表现为修建枢纽所引起的变动回水区的航运泥沙问题,包括航闸运用在内的坝区工程泥沙问题和下游河床演变问题[6],对于小浪底枢纽则主要为如何运用水库调节泥沙和对下游河床演变的影响以及工程泥沙问题。

泥沙,特别是细颗粒泥沙,是河流污染物质和营养物质以及一些有机质的载体。江河水质的变化与泥沙输送、沉积有密切的关系。水体中泥沙的数量与组成、泥沙中吸附物质的成分与含量都反映水的质量,也是水资源开发利用所考虑的重要指标。黄委会水资源研究所对黄河中游泥沙对重金属迁移转化影响进行的研究❸,反映了泥沙和水质的关系。

1.4 河口海岸泥沙问题

我国海岸线很长,主要江河均直接汇流入海。随着河流水沙量和海洋动力条件的差异,形成了具有不同特点的河口。河口三角洲往往是重要的工农业生产基地,不仅由于许多河口三角洲上有经济发达的重要城市,而且由于大陆架石油工业的兴起,河口的治理开发日益受到重视。

河口是河流泥沙沉积的主要地区。冲积河流上、中游修建水库以后,在一定时期内由于河道的自动调整,仍将有一定数量的泥沙输送到河口地区。对入海河流的河道下游而言,河口三角洲的淤长蚀退反映了侵蚀基面的变化,对河道下游的演变往往起着十分重要的作用。

长江是我国一条重要的通航水道,长江口外拦门沙的淤积和航道的稳定是长江口航道整治的两大问题。钱塘江河口是海域来沙丰富的强潮河口。河口内由于庞大的沙坎与强潮互相作用互相影响,形成了潮汐汹涌、河道善变的特点。经过长期研究与治理,缩窄江道稳定河势并结合围垦滩涂取得了预期效果。黄河每年有大量泥沙进入河口地区。据统计,1950~1980年淤积在河口三角洲的泥沙达181亿m^3,平均每年造陆38km^2,海岸线平均外延0.47km[7]。河口治理的核心问题就是妥善处理进入河口地区的泥沙,使之在防洪安全的条件下有利于石油工业及滨海地区农牧渔业的发展和延缓下游河床升高。从这几条河流河口的情况可以明显地看出,各河流河口泥沙问题各有其不同的特点。其他河流入海河口及海岸带的演变也与航运和海岸带的开发利用有着密切关系,必须针对各河流河口的不同特点分别加以研究。黄河和钱塘江河口进行了长期的实验研究,取得了有价值的分析研究成果,为河口治理提供了科学依据。长江及珠江等河口近年来已开展了系统的实验研究工作。

2 发展泥沙测验技术的重要性

新中国成立以来我国江河治理和水利水电建设中泥沙问题十分突出。不仅多泥沙河

---

❶ 水电部水利水电规划设计院,全国大中型水利水电工程泥沙成果汇编,1984。
❷ 全国重点水库测验研究协作组,重点水库文献汇编,1982。
❸ 廖明等,黄河中游泥沙对重金属迁移转化的影响研究,1987。

流而且一些少泥沙河流的水资源开发利用都受到泥沙问题的制约。进行江河治理规划要求算清三笔账,即产沙、输送与沉积账[8]。在流域和工程的规划设计中都面临着如何处理好流域来沙,运用中如何调度水沙,以及如何控制泥沙不利的一面并发挥其有利作用的问题。在流域治理中,泥沙引起很多生产问题。经验表明,必须加强对水沙情况的测验研究,才能为研究解决这些问题提供必要的资料。河流上修建大坝引起上下游河床变形对水道环境产生深远的影响,更需进行系统的观测研究。

在长江三峡和黄河小浪底枢纽的规划设计中,为满足宏观决策,需要搞清楚流域产沙情况,并合理地预测今后若干年内的水沙变化。目前已经认识到在各水系重点产沙区的站网密度是不够的,对于各种人类活动所可能引起流域水沙条件变化的估算方法也还有待于进一步完善,才能对未来若干年内来水来沙情况作出合理的估计。

冲积河流的输沙能力是河流为适应一定的来水来沙条件而形成的。水沙条件的改变就会引起输沙能力的改变。通过实测资料分析,研究不同河段输沙能力可能变化的幅度,对治理河流的决策将起到重要作用。

我们认识自然界河流泥沙运动现象的途径,不外以下三个方面:一是收集大量的、系统的野外资料,分析其变化,探求其规律;二是进行室内模拟试验,即用一定比尺进行室内实体模型试验,研究水沙条件或边界条件改变以后引起的河床变形;三是数学模型模拟河道演变,也可进行长期的冲淤计算,预估今后的发展。

这三种途径,对解决泥沙问题而言都各有其局限性。室内实体模型试验受比尺限制,还不可能完全模拟在各种条件下的冲淤演变;应用数学模型受我们对河道水力学、泥沙运动力学等规律认识的局限,还不能确切模拟现场的水流泥沙运行;野外收集第一性资料,则受测验手段所制约,也无法在人工控制的条件下研究不同水沙条件对河道冲淤演变的影响。通过这三种途径互相结合、相辅相成,有可能求得较好的解决办法。在国内外实际工作中采用的杂交模型(hybridmodel),就是两种模型结合运用以解决问题的实例。事实上,应用数学模型研究河流泥沙问题能否取得成效的一个关键,就是所采用模型的基础是否符合某一河流根据大量野外试验所认识的该河流河床演变的物理图形。模型中一些特定系数的确定也有赖于利用实测资料进行验证。室内实体模型也需要依靠实测资料进行率定。很明显,野外水文泥沙观测研究是一项基本工作,是我们认识自然规律、研究改造自然工作的一个重要手段。

40年来,我国江河泥沙测验研究工作取得了不少进展。20世纪50年代和60年代初期,全国水文系统在统一泥沙测验技术标准的基础上,对重要江河、水库、湖泊、河口以及流域中上游一些产沙区开展了水文泥沙试验研究工作。所取得的资料及研究成果为我国江河治理及水利水电建设的规划、设计和运用提供了十分重要的依据。同时,也极大地丰富了我们对泥沙运动的认识,促进了学科的发展。这项工作在60年代后期和70年代前期曾大有削弱。近10年来,在江河治理以及水利水电建设中对泥沙问题的认识有所深入,需要取得更多更可靠更系统的野外资料来检验和发展理论,并用以解决实际生产问题。我国现有的野外泥沙测验研究工作无论在工作内容、研究项目和测验研究技术手段方面都还满足不了客观需要。对此,必须有足够的认识。当然,在我国的发展形势下,必须探求开拓野外泥沙测验研究的新途径。进一步促进泥沙科学更好地为江河治理服务,是形势发展的需要。

从收集野外河流泥沙资料而言,要认识一条河流决不应限于定位观测。我们提倡调查与定位观测相结合的方法,运用新兴技术如遥感、遥测、电子技术,有可能较好地实现这种结合,也需要探索地貌学与河流动力学结合研究流域产沙、河道及河口河床演变方法。泥沙测验技术发展应该是为全面深入地了解流域产沙、输送和沉积情况服务,并为解决一些重点工程重要河段的泥沙问题开展试验研究准备必要的物质条件,或者说提供较好的测验手段。应该针对前面所归纳提出的几个方面问题,一条河流一条河流、一个流域一个流域地进行分析研究,调整和充实泥沙资料收集及处理的内容。在充实和改造基本站网泥沙测验的同时,还应开展对上述每一河流特定河段的实验研究项目。

3 泥沙测验技术存在的问题和发展趋向

3.1 站网

要全面掌握一个流域泥沙的产沙、输送与沉积情况,要求进行泥沙测验的站网具有一定的密度。世界气象组织指南中曾有建议性的规定,但是,从我国江河治理对泥沙资料的需要而言,这一密度要求只能作为参考。我国土地辽阔,各地区水资源情况有很大的差异,必须根据每一个流域的自然地理特点具体分析,即使在同一流域中还应当对不同水系区别对待,合理地采取不同的站网密度,满足水资源开发利用的需要。

在一个流域中建立站网的一个重要的目的是了解流域各河系的产沙量。从物理概念而言,侵蚀与产沙具有不同的含义,前者通常是指从坡面或沟壑受风力、雨水、冻融等或其他地质、气候作用剥离、崩解、流失的土壤(包括岸石碎块),后者则通常可定义为通过沟道或河流某一固定断面的输沙量。由于地形地貌的特点,通过某一固定站点(断面)的流域产沙量常常不等于流域的土壤侵蚀量。流域面积愈大,流域内侵蚀环境愈多,两者差异愈大。国外学者称产沙量与侵蚀量的比值为输移比(Delivery Ratio)。绝大多数地区河流输移比均小于1。据美国土壤资源普查,全国平均情况输移比仅为0.25。长江上游一些典型区域的输移比大部分为0.1～0.3,少数区可达0.5,我国黄河中游黄土丘陵沟壑区一些较小支流输移比可高达0.8～0.9,甚至接近于1。面积愈大,输移比的数值愈小。鉴于输移比随流域大小而呈现的差异,在研究流域产沙量时就必须考虑某站所代表的流域面积大小。有的研究者曾分析用某一河流上下游两站输沙量的差值求出两站区间流域的产沙量,发现其误差远较用单站求出该站以上流域产沙量的误差为大。从站网密度而言,应该考虑对不同级的流域面积有不同的要求,对代表同一级流域面积的测站应考虑下垫面和降水等条件,进行适当的分类、插补、统计,才能较合理地求出综合性的流域产沙情况。这是在站网布设密度方面需要解决的第一问题。

其次,在站网规划中还存在一个测验技术的问题。我国大多数地区径流泥沙来源于暴雨或强度较大的降雨。控制流域面积500、1 000km^2 的测站所面临的测验问题很可能是如何实时监测短历时、大强度降雨所产生的洪水和泥沙问题。从坡面、径流场、试验小区到大中河流的测验方法,主要区别就在于前者基本上是用人工设备例如带三角堰的集水箱、带分流取样的集沙槽等来收集径流泥沙资料,而后者则一般并不改变水流的过水条件,仅仅是设法利用各种人为手段使仪器或取样器能到达所需要的测验位置。在这两者之间存在一个过渡区域，就是小流域的测验，发展小流域的测沙技术可能是近期应该研究的一个问题。

在一些较小的河流，有可能利用人工建筑物和各种宽顶堰、三角堰、抛物线形堰等进行测流。主要的问题是需要较多的投资来实施这一方案。国内外有不少利用人工建筑物进行测流的例子，这些人工建筑物包括堰、涵洞等。有的利用原有的建筑物，有的是专供测验用的建筑物，应当认真研究这些建筑物测沙的方法，不仅可取得悬移质资料，而且较易取得全沙资料。测验技术的改革必须寻求一种简便、可靠、投资少的方法，才有可能使这种方法得到推广使用。利用人工建筑物测流取沙方法的显著特点之一，在于它在设计过程中(指设计测流取沙的方案)需要较高的技术，在初期验证观测中需要组织一定的人力，而在长期日常观测中节省大量人力，这种方法也是适合水文巡测、间测要求的一种方法。

据分析，美国近20年来在一些测站装设了抽水取样设备(Pumping Sampler)，也是适应较小河流或无人值守的间歇性河流测沙要求而发展起来的。通过定点定时取样，并用单点与全断面平均含沙量关系或者比值与水位等水文因子的变化关系(与我们采用的单沙断沙关系具有同一含义)，换算求得代表全断面平均的含沙量。

除江河主要控制测站外，在站网中对一些项目实行巡测或年内间测的方法，对一些项目实行自记或遥测的方法是测验技术发展的必然趋势。在我国现有的条件下，泥沙是站网测验中一个独立的项目。它的巡测技术是一个有待研究与认真解决的问题。利用振动式密度计、超声波测沙计、同位素测沙计等技术，直接取得与含沙量相关的电讯号为实现遥测提供了可能。

有一点必须指出，对于大江大河的干流或主要支流的干流河道测站而言，测验的主要目的已不是单纯研究流域产沙量，而是河流输送泥沙的能力和河床演变的问题。因此，干流测站的泥沙测验要求就和小支流的泥沙测验要求有所区别。除水沙数量外，与确定河流输沙能力有密切关系的一些水文泥沙要素例如床沙组成、水面比降、水温、泥沙级配等等都应当列入日常测验项目。

在冲积河流上用沙量平衡原理布设测站，关键是沿河长方向的冲淤量应作为沙量平衡中的一个因子予以测定或较准确地予以推估。一般情况下，在一个河段上冲淤量只是河流输沙量的一个小部分。对沙量平衡方程各项进行误差分析，可以看出，河道冲淤量应是一个独立的测验项目。习惯上常常企图用上下两站输沙量之差求出区间河道冲淤量，这样做有时会出现较大的误差甚至不合理的结果。

当前，在站网布设及泥沙测验要求上应该明确地提出大、中、小河流测验目的的差异，在小河测验中还应研究和采用简便、可靠的方法。

3.2 泥沙测验技术

众所周知，处于运动状态的河流泥沙按其补给来源可以区分为床沙质和冲泻质，按其运动方式可以区分为悬移质和推移质。组成河床的物质称为床沙。全沙通常是指包括悬移质和推移质在内的全部泥沙。从泥沙检验而言，由于运动方式不同必须用不同的方法施测悬移质和推移质。以下将依次讨论悬移质、推移质、床沙、颗粒级配及全沙的测验计算方法。

3.2.1　悬移质测验

3.2.1.1　输沙率和断面平均含沙量的测验

通过河流某一断面的悬移质输沙率可以是河流单位断面面积上(即某一测点)流速与悬移质含沙量乘积对全部断面面积的积分;也可以是通过该断面的流量与全断面按部分流量加权得出的平均含沙量的乘积。

用选点法施测输沙率,要求在选定的垂线和测点逐点施测流速及含沙量求出单位面积的输沙率或者直接用仪器测得逐点输沙率,然后按其所代表的水深及宽度求出通过全断面的悬移质输沙率。我国一些江河习惯上所采用的常规测验方法就是通过一年内少数测次用选点法实测输沙率,求出断面各测次的断面平均含沙量,洪水时期水沙变化较大,还用较简便的单沙测验方法以掌握含沙量的变化过程。用输沙率求得的断面平均含沙量(断沙)与单样含沙量(单沙)建立关系,再将大量单样含沙量换算为断面平均含沙量。用换算后的断沙与流量过程推求各时刻的输沙率。这种方法在进行输沙率测验时取样点很多,分析数量也很大,测验成果的准确程度还有赖于选择合理的单沙测验及整编方法。

进行输沙率测验的第三种思路是直接测得已按流量加权的断面(或垂线)平均含沙量,用这一数值与用其他方法推求的流量的乘积求得输沙率。从 20 世纪 40 年代后期开始,悬移质泥沙测验技术有了突破性的进展,随着在美国对积时式取样器的研制成功,逐步取代了瞬时式取样器,并且发展了积点式及积深式的取样仪器和方法[9]。这类仪器的基本特点是设计时使得取样器管嘴的进口流速与天然流速接近一致。据试验研究,当两者比值在 0.9~1.1 之间时,对于一般悬移质泥沙,所测得的含沙量均与天然水流含沙量一致,误差可以忽略不计,用积深法取样,只要取样器上提或下放的速率不大于某一数量(例如相对水深 0.4 的平均流速),所取水样能代表沿垂线按流速加权的水样的含沙量。这一进展无疑是悬移质泥沙测验技术的一大改革,大大地促进了泥沙资料的收集工作。运用这一指导思想来进行悬移质泥沙测验不需要在测沙的同时测速,简化了工作。但必须注意,取样器的设计及操作使其能取得经过部分流量加权的代表性水样。

3.2.1.2　我国河流悬移质泥沙测验现状

我国江河的流域自然地理条件和河流水文泥沙特性有很大差异。在泥沙测验所用设备方面不能要求一种型式的仪器能适用于各个河流情况。据初步调查,在我国泥沙站网使用仪器的情况如表 4 所示。

表 4　我国悬移质泥沙测验仪器调查

运载设备	采用仪器情况					小计
	瞬时(横式)	积时式			间接测定(同位素计)	
		简易(瓶式)	调压	皮囊及其他		
缆车	187	66				253
测船	360	108			3	471
	786	364	51	7	6	1 214

注:本表系引自文献《关于编制悬移质泥沙测验规范的调研报告》(赵伯良等,1986),与原文总数略有差异。原文系根据对 25 个省(市、自治区)及 3 个流域机构函调的结果,特此说明。

通过这一调查可以看出，我国目前悬移质泥沙的测验方法还存在不少值得探讨的问题。主要表现在精心设计和研制的积时式取样器还没有全面地得到推广和应用，很多测点还在使用性能未经鉴定的取样器；在一些河流上由于采用瞬时式取样器而使测验方法的发展受到很大的制约；缆道测沙设备还未得到很好解决，等等。近20年来，发展了一些有可能逐步推广应用的测流新技术，但还没有解决与之相适应的测沙问题。

上述调查还表明，我国河流悬移质泥沙测验中大部分测站系采用瞬时取样器，这和前述用选点法实测断面输沙率、确定单断沙关系等一整套指导思想有密切关系。可以预期在推广使用积时式取样器以后，可以更多地采用在垂线上的积深法和断面上按等流量原则布设垂线等方法，以简化断面输沙率的测验并相应地减少室内分析工作量。应该指出，我国有些河流测站现用的断面输沙率测验受水深、运载工具、测验历时等影响，准确度并不一定很高，在一些宽浅游荡河段测站的单沙取样的代表性也很有限。需要认识研究每一测站输沙的特性，选择最适宜的仪器和方法，以达到节约工作量并提高测验资料准确度的目的。

3.2.1.3 悬移质泥沙测验仪器

悬移质泥沙的可靠性有赖于可靠的仪器和测验方法。方法与仪器相辅相成。就仪器而言，存在一个与真值比较的标准问题，或所谓率定问题。按其性能，就一个测点或一条垂线而言，已有的悬移质泥沙的测验仪器可以分为两大类，如图1所示。

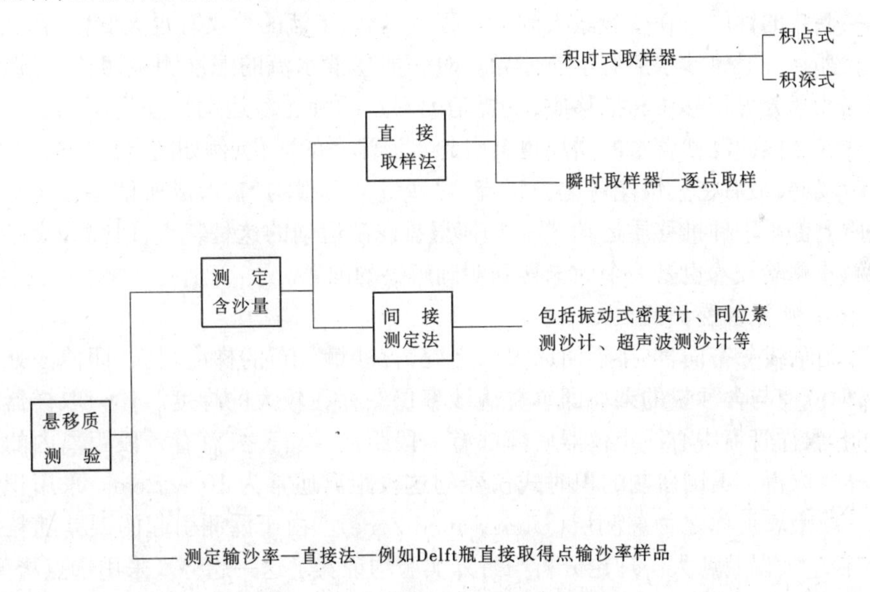

图1 悬移质泥沙测验仪器

图1所列仪器中，直接取样法所用仪器在使用时按目前的习惯并不进行事先率定，过去也很少进行比测工作，不同形式取样器之间是否存在系统偏差还有待研究。对积时式悬移质取样器而言，公认的一条准则，即用于衡量仪器是否适用的标准是进口流速与天然流速的比值是否等于1或在±10%之内变化❶。超过这一范围可能引起较大误差。现场

❶ 向治安，悬移质泥沙采样器研究技术报告，1987。

比测试验资料说明，现有各种积时取样器的水力系数即进口流速与天然流速的比值，在含沙量约大于 100kg/m^3 以后有变小的趋势。说明上述水力系数 $K=1$ 的准则只适用于含沙量不太大的河流条件。

在含沙量较大的河流，例如经常出现含沙量大于 50kg/m^3 或 100kg/m^3 的河流使用一般积时式取样器时，不仅 K 值将随含沙量的增加而减少，而且在用调压仓进行调压的取样器，或用转阀、针阈等开关进行控制的取样器，都会由于泥沙过多而带来操作上的问题或调压性能的变化。根据比测结果和上述准则来衡量我国和美国现有的积时式取样器，从主要性能而言，都是在一定水流和含沙量条件下可以应用的仪器，如用调压仓调压的积时取样器、皮囊式取样器、美国标准系列的积时取样器等。将这种仪器在含沙量为 50～100kg/m^{3}条件下使用时应该注意操作和研究 K 值偏小可能引起粗粒泥沙部分的误差。从仪器角度而言，应使仪器的尺寸、重量、容积系列化，以满足各种不同河流和各种悬吊方式以及测验方法(积深、积点)的要求。

上列仪器中间接测定含沙量的仪器或间接测定输沙率的仪器都需要在使用前进行室内或野外的率定，这一率定实质上是一种相对的比测。这种比测要求有公认的可供作标准含沙量的测定仪器或方法。这个问题在实践中也还没有一个满意的解决方法。

在我国黄土地区一些河流和西南、东北少数河流洪水时期含沙量很高，往往超过 400 kg/m^3，有的地方甚至形成泥流或泥石流。高含沙水流的流变特性与一般挟沙水流不同，已具有非牛顿体的性质。在含沙量大到一定程度以后，水流的性质有很大变化，在运动和输沙特性上都和一般挟沙水流有本质差异。对一般挟沙水流的泥沙测验，我们习惯于将运动中的泥沙区分为悬移质和推移质，主要是因为这两种泥沙运动机理是不同的。由于运动中水沙混合体的泥沙含量的增加也会引起水流流态的变化，例如随含沙量的增大，紊动强度不断减弱，最后将有可能转化为层流，含沙量分布很均匀，形成所谓层移运动。层移质在本质上也是一种推移质运动[10]。如何根据泥沙运动的这种特点，研究和规定高含沙水流的泥沙测验技术也是一个尚未得到明确解决的问题。

3.2.1.4 悬移质泥沙漏测问题

就泥沙的垂线分布而言，接近河床表面之处，含沙量分布的梯度很大，即使该处流速急剧变小，但流速与含沙量的乘积即单宽输沙率仍然存在较大的梯度。任一取样器受仪器结构限制，取样管嘴中心线距仪器底部都有一段距离，换言之，总有一段距离内的水样不能由取样器取得。美国研制的积时式仪器的这段距离通常为 10～12cm。采用积深法取样时这一段距离被称之为漏测层(Unmeasured Zone)。由于漏测引起的误差随粒径大小而变，粒径愈大误差愈大。理论分析与野外实验均证实了这一趋势。采用选点法测验，虽然取样器和流速仪不能直接测出床面的流速与含沙量，但是在计算垂线平均流速、平均含沙量或输沙率时往往都是假定在最低一点(相对水深 0.90～0.98)所测得的数值直接代表了床面的流速和含沙量(五点法)，或者每一测点所代表部分水深加权进行处理以便计算垂线平均值(二点法、三点法、五点法等)。由于近底层含沙量分布的梯度特别大，这种处理往往会引起误差。这种误差的大小也与粒径有关，粒径愈大误差愈大。钱宁曾用泥沙运动理论分析了这一误差。

如用对数或指数分布来反映垂线流速分布，用扩散理论或指数分布描述含沙量分布，可以分析这两种方法引起的误差并与反映水流泥沙悬移分布特征的某些参数例如悬浮指标发生关系。在野外试验场所可以用施测全沙的方法与现行的悬移测验方法相比较求出包括推移质及漏测悬移质在内的输沙率[1]。理论与野外试验结果都说明,对于较粗泥沙例如大于0.05mm的砂质泥沙,由于上述漏测或计算方法造成的误差常常可以达到很大的数值,以致不能忽略不计。

20世纪50年代中期,美国柯尔贝(Coiby)研究这一问题并提出对实测资料进行修正计算。方法的实质是认为,用悬移质及流速垂线分布公式计算的实测及全部水深范围内输沙率的比值与实测的水深范围内及待定的全部水深范围内输沙率的比值相等,从而可以求出待定的全部水深的输沙率。柯尔贝采用爱因斯坦床沙质函数计算全沙并作了一些修正,文献中称为修正爱因斯坦方法(Modified Einstein Procedure)。这一方法曾用野外实测的全沙成果进行验证。20余年来,这一方法的基本思路已被美国各工程业务部门所采纳,工程兵团、垦务局、地质调查局等各家计算时对原公式进行了不同的修正,均已应用于分析计算。

我们曾试用这一方法对永定河官厅八号桥水文站和黄河潼关站的少数积深法资料进行计算,据分析,实测总输沙率的误差可达4%~5%,对粗粒径误差更大。这种误差的性质是系统的(实测偏小)。可以推论,对于水深较小、以粗泥沙为主的冲积河道,直接施测悬移质输沙率而不加修正时引起的误差将不容忽视。

用同一原理,可以分析积点法所引起的误差。熊贵枢对黄河下游各站资料进行分析,如将多点法所测资料按具体测点位置(最低一点通常在相对水深0.95左右)点绘并用指数公式延长到河底,与流速相乘并积分求出的单宽输沙率与实测值比较,其误差也与上述结果类似。林斌文在用实测资料修正值以后,利用修正爱因斯坦公式计算黄河下游各站输沙量。修正计算后,用上下游两站输沙量之差求得的河段冲淤量与用断面法实测河段冲淤量较为接近。在缺乏野外试验成果的条件下,这些分析成果均说明一个问题,即不论采用何种方法进行悬移质泥沙测验,对于粗颗粒泥沙(大于0.05、0.1mm或0.25mm等)其误差均不容忽视,而对于细泥沙(小于0.05mm),所产生的误差均可忽略不计。当然,对于积深法而言,还与漏测层的厚度有关,对于积点法而言,点数的多少及最低一点位置仍然是导致误差大小的一个重要因素。

鉴于上面所讨论的由于漏测引起误差的性质和大小与粒径有密切的关系,因此当我们测验的主要目的是求出通过断面的全部输沙量或流域产沙量时,可以寻求某些合理的简化测验方法。在日常测验中,采用积深法求得垂线平均含沙量较用一点法、两点法或三点法应能获得在含沙量和颗粒级配方面更有代表性的结果。而且,方法本身较简便,还可减少水样处理的工作量,是应该得到推广应用的一种方法。

如果我们测验的目的不仅仅是求得流域产沙量,而且还要通过输沙率测验研究某一河段的冲淤变化以及河床演变特点,这时,对造床起主要作用的是粗颗粒泥沙,在测验中就要求较准确地测定这一部分泥沙的输移数量。采用积深法或测点较多的积点法是可行的,但存在所谓漏测问题。提高准确度的途径不外乎两个方面,一是设计仪器尽量减少漏

---

[1] 林斌文、梁国亭,全沙输沙率计算方法的修正和应用,1987。

测厚度，换言之，使仪器能取得尽可能位置低的水样，或者增加测点即进行所谓临底含沙量的测验。另一方面是采用计算方法对实测资料进行修正计算。前者应在设计仪器中设法解决，后者在我国已开始进行了初步的研究。当然，直接引用修正计算方法尚待一些实测全沙资料的验证。

3.2.2 推移质测验

悬移质泥沙测验的主要方法是通过取样测定水流的含水量而求出输沙率，推移质测验则是取样直接求出输沙率。作推移运动的泥沙大至卵石小至粉土和细沙，其级配分布极广。取样器必须适应这种变化而采取不同型式，不可能期望有一种能适合各种粒径泥沙的推移质取样器。除上述原因外，还有由于仪器结构影响，当取样器下放到河床表面时，不可避免地会发生局部冲刷，当河床发生沙垄或沙波时，取样器的相对位置将大大影响所测的推移质数量。取样器口门的高度往往使一部分理论上应是作悬移运动的泥沙被作为推移质而取样，对大卵石推移质则受仪器尺寸的限制而无法采取。这些问题使常规的直接测定推移质的方法长期得不到满意的推广应用。现在所采用的仪器都只适用于一定的河床边界条件和粒径范围，即使如此，其效率系数变差范围也是很大的。此外，推移质泥沙运动的特点在时间分布上有显著的脉动，在横向呈带状输移都会给推移质测验带来不易克服的困难❶。美国的 Emmett 等在东叉河上曾进行较细致的研究，在约 20m 宽的中粗沙、砾石河流上布置 20 条垂线并往复进行取样，用 Helley－Smith 取样器测验所得推移质输沙与位于河床表面的槽式取样结果比较接近，平均的取样效率接近 100％[11]。美国的 Hubbel 则认为，在测验中应重点掌握某些垂线(即测点)推移质输沙率随时间的变化，以克服由于取样器放在沙波不同位置处带来的取样数量的差异。这样，通过在少数垂线增加重复取样的次数并建议用几率拟合法(Probability Matching)分析整理资料[12]。汤运南曾用随机理论对推移质泥沙在断面的横向分布和随时间变化的规律，提出了按部分输沙相等的原则分析推移带范围内布设垂线，各垂线取样历时相等，或者，每一垂线重复取样历时按部分输沙率比值分配的办法❷。看来，推移质测验方法尚有待于进行深入研究。作者认为，必须结合各河流床沙组成和水流情况的特点研究最适宜的测验方法。

大江大河和小河流的推移质运动机理尽管并无差异，但是，其形式和在泥沙输送中的地位是不同的。大江大河的下游一般都是沙质河床，河床中也存在少量砾石或卵石，它主要以推移质方式运动，其数量仅占整个泥沙输送量的一部分。而在山区河流，卵、砾石常占河床中主要部分，其数量也是以输沙为主体。我们认为应该区分这两种河流边界条件和泥沙运动的特点。客观事物的发展也说明了一点，我们已研制了适用于沙、细砾石的推移质取样器(美国 HS 型、长江 78 型)和适用于卵石、粗砾的取样器(四川 MSⅡ型、长江 80 型、美国 TR－2 型等)❸。当前应积极选择几处河床组成及水流条件不同的河段进行系统比测，改进仪器结构，并与室内试验配合确定其效率系数。尚待研究的一个问题是适用于细沙河床和大卵石河床的取样器，以及针对大小河流不同条件下的测验方法。

沙波是一种一定水流条件下的河床形态，也是泥沙运动的一种形式，研究沙波的形

---

❶ 黄光华、高焕锦、王玉成，长江推移质器测法研究，1983。
❷ 汤运南，关于推移质测验方法(初稿)，1988。
❸ 长办水文局，泥沙检验仪器设备研究文集，1987。

成、持续、消灭、转化,不仅是研究泥沙运动的一项内容,也是研究推移质测验方法所必需的。直接测定推移质数量可能是一种可行的途径。河床组成以沙为主的河流,在进行一些验证工作以后采用实测资料修正计算的方法,应该说也是可以取得一定精度的方法。在江西赣江以小砾石和沙为主的河床上曾利用坑测器并配以能测定坑中淤土厚度的设备,可以测定一次洪水推移质泥沙的数量和过程❶。有的河流也曾在水流平稳条件下用取样方法或坑测法等直接测量的方法,求出某一流量级的推移质输沙率,再利用理论公式按洪水期的水力因子计算外延求出洪水期的推移质输沙率。有的研究者建议在室内进行模拟试验,以求出卵石河流的推移质输沙率[13]。对于河床组成比较均匀的中小河流,这些都是值得进一步探讨和应用的方法。

用器测法进行推移质测验,每一种现行取样仪器各有其一定的适用范围,采用经过率定的仪器,并注意其操作方法有可能取得能反映真实推移质输沙变化的资料。推移质取样器的率定过去曾将取样器按比例缩小在实验室水槽内进行,由于有所谓比尺效应,所得结果能否直接用于原型观测尚待研究。在天然条件下比测,为求出真实的推移质数量往往需要一定的投资和设施。目前在成都科技大学和四川白沙河已先后建成了大型水槽,为解决推移质取样器的效率率定问题还需要做大量的工作。

直接用器测法测定河流推移质输沙率的工作一直是我国泥沙测验的薄弱环节,全国只有极少数测站开展了这一工作,器测法的仪器和率定方法无疑应该继续研究和推广使用。考虑到我国一些河流的自然情况和水文测验的具体条件,运用野外能够施测的水文泥沙因子与室内试验相结合的方法,有可能对粗颗粒推移质输沙率提供有一定可靠性的成果。对较细颗粒如沙质推移质,现有仪器的效率较高,在实施器测法的同时,也可与前文所介绍的全沙测验方法和计算方法进行比较,求出适于日常测验的方法。总之,需要结合我国各河流的具体情况开展河流推移质测验和计算方法的研究。

3.2.3 *床沙取样方法*

冲积性河流的河床组成是控制河流泥沙运动的主要因素。冲积河流的输沙能力与河流实际输送泥沙数量的关系,是研究河流泥沙问题的核心,床沙组成正是控制河流泥沙输沙能力的主导环节。据调查,全国只有不到3%的测站进行了这一工作,主要限于长江和黄河中下游干流一些测站和极少数其他河流的测站[14],大多数测站都没有进行这项资料的收集工作,床沙资料的缺少给分析研究河流泥沙问题带来了很大的困难。冲积河流测站进行泥沙测验的主要目的,除确定通过断面的总输沙量及其过程外还兼有研究泥沙运动规律的任务,正是在后一问题上往往被人们所忽视。

冲积河流随来水来沙变化而自动调整其输沙能力以适应这一变化,这是一个自然规律。其中,床沙组成变化而引起输沙能力的变化是泥沙研究的一个薄弱环节。以黄河下游河道及支流渭河下游河道为例,实测资料表明,床沙组成(指的是表面床沙组成)在年内的变化以及洪水过程中的变化幅度是很大的,大于0.05mm粗泥沙含量的百分比变化范围甚至可达50%以上,这种变化将导致输沙能力的成倍增减,这也是多泥沙冲积河流的一项重要特征❷。

---

❶ 长办水文局,泥沙检测仪器设备研究文集,1987。
❷ 龙毓骞、林斌文等,床沙组成变化对输沙能力的影响,1988。

床面床沙组成的这种变化受制于来沙数量及组成与河道输沙能力的对比关系。较大流域洪水泥沙来源不同,引起的变化调整也是不同的,需要通过较长期实际资料的收集来探求这种变化有无规律可循。

床沙取样的方法和仪器也随粒径组成的不同而有差异,颗粒大到一定程度就不能通过取样来求出其组成,必须采取现场测定的方法。

3.2.4 沙样的实验室处理及颗分技术

悬移质含沙量沙样的传统处理方法有烘干法、过滤法和置换法几种。近一二十年的进展主要在两个方面,一是称重技术,二是过滤或去水技术。美国一些单位将电子天平称重与计算机处理数据相结合大大简化了室内处理过程。微孔玻璃纤维滤纸用加压过滤的方法也早已作为常规方法使用,冰冻—升华原理脱水的方法(Freeze Dryer)也已在水质取样中使用。应考察这些领域的新进展并用于含沙水样的处理。

泥沙的级配组成是泥沙测验中一个重要的待测定项目。工业领域在这一方面进展十分迅速,已有多种自动化程度很高的仪器可供选用。但是,它们并不一定适用于河流泥沙的日常分析。对悬移质泥沙分析的原理应以沉降法为基础,对推移质泥沙应以直接测定粒径为对象,这是与研究泥沙运动的特征相联系的一个要求❶。河流泥沙分析方法的传统发展也是遵循这一指导原则而进行的。

20 世纪 60 年代初,我国不少单位采用了粒径计法作为分析小于 1mm 泥沙的主要方法,鉴于原水文规范不恰当地延长了粒径计分析的下限(用粒径计分析……允许用到 0.01mm,必要时可延长到 0.07mm),造成了级配成果系统偏粗的后果。对此长办及黄委等的水文部门曾进行了大量研究,分析其原因并提出了改正方法[15,16]。

对于小于 0.1mm 或 0.05mm 的泥沙,原规范曾规定有吸管法(在规范中称之为移液管法),作为普遍接受的传统方法,这种方法可以被看成是一种标准方法。近年来,我国研制的基于光原理的颗分仪器,有坚实的理论基础和大量的比测资料,可以加以推广应用❷。曾用 4 个沙样,用美国常规采用的吸管法与基于消光原理的仪器(Sedigraph)与我国采用的吸管法及光电颗分仪器定级配对比,得出了基本一致的结果,也说明了这些方法是普遍适用的。

对于 0.05mm(或 0.1mm)到 0.5mm(或 1mm)的泥沙,在采用粒径计进行分析时也有系统偏粗现象。长办水文局曾对偏粗原因进行了较深入的研究,并提出了用实测沉速对成果进行改正的方法。美国累计沉积管法(Visual Accumulation Tube,即 VA 管法)进行 0.625~1mm 泥沙颗分,其原理与粒径计类似,也用天然泥沙单颗沉降试验结果对沉速进行了修正。这部分泥沙在水的介质中沉降,其流态和阻力属于从层流到紊流的过渡区。陈守煜曾推荐用与层流区和阻力平方区具有同一形式的统一沉速公式,代替原规范采用的过渡区沉速公式,并指出它们之间的差别[17]。在冶金行业,分析比重远较石英砂为大的粉末的级配时,广泛采用了在黏滞性很大的介质例如甘油沉降的分析方法。由于分析的物质组成单一,比重变化小,分析的结果有一定的可靠性。天然泥沙的矿物组成复杂,单个颗粒的比重变化也很大,就不宜于采用这种加黏分析的方法,而应仍研究采用以水为

❶ 龙毓骞,河流泥沙测验方法,1983。
❷ 卢水生等,消光法用于河流泥沙颗粒分析,1980。

介质的沉降分析方法。总之,对这一部分泥沙而言,应继续研究可以作为标准的分析方法和分析时应采用的沉速公式。

由于泥沙粒径大小悬殊,对粗细泥沙分析原理的要求不同,需要将大于及小于0.05mm(或其他分界粒径)泥沙分别进行分析。河海大学新近研制的NSY-Ⅱ型光电颗分仪,将泥沙样品分为0.25~0.05mm及0.05~0.002 5mm两部分分别进行分析,并通过计算机数据处理,给出总的分析成果❶。中科院南京地理所也研制成各种尺度的标准筛,可以预期,这些成果的推广应用将促进我国河流泥沙颗分工作。

用积点法进行悬移质泥沙测验,由于采用多线多点,大大增加了悬沙级配分析的工作量。现行的所谓单沙取样只是在洪峰过程中采用的一种简化方法。现行的所谓单断颗关系也容易掩盖一部分粗颗粒泥沙固有的差异。在对泥沙资料准确度要求较高的测站应该从改变测验方法入手,即增加常测法(例如积深法)的测次,相应地减少一次输沙率测验的颗分工作量,而限制单沙的测次,只有在特殊情况下有特殊需要时才采用所谓"精测法"。从泥沙级配的代表性而言,全断面按部分流量比例加权水样的代表性远较所谓单沙水样的代表性为好是毋庸置疑的。

3.2.5 全沙测验和计算方法

这里所说的全沙,指包括悬移质和推移质在内的全部输移泥沙(Total Load)。很明显,河流泥沙测验的主要目的之一就是测定全沙的数量。但是在实际工作中受到种种限制,使我们不易测得全沙的输沙率或其总量。美国地质调查局曾在一些小河上利用人工建筑物造成水流强烈紊动,使全部泥沙呈悬移状态,然后利用悬移质测验方法进行取样,求出全沙含沙量进而计算输沙率。通常,在一些水工建筑物出口,例如大坝泄水孔尾水下游取样,水流的紊动程度足以使全部泥沙呈悬移状态,所测得的含沙量也能代表全沙的含沙量。

还有一种直接测定一个时段以内全沙输沙总量的方法,就是测量水库淤积体积。

前面业已讨论到用修正爱因斯坦法计算河床组成,主要为沙质河流的全沙输沙率问题。应该注意的是,这种方法主要是在对已有实测悬移质资料作修正计算时使用,由于已有实测的断面水力泥沙因子如流速、床沙组成及取样范围内的悬移质含沙量及其组成等资料,因此经过修正计算所求得的全沙输沙率具有一定准确度。这种计算一般适用于包括以悬移质及推移质方式运行的床沙质输沙率,并主要用于沙质为主体和含少量小砾石的河床。对于河床组成呈双峰形式的级配时,例如存在一部分卵石时,由于较粗粒径部分泥沙只是以推移方式运行并不参与悬移质运动,用公式计算所求出的输沙率不能包括这一类推移质泥沙。在这种情况下,用修正实测资料方法计算全沙输沙率的可靠性还有待于论证。

在仅仅取得断面水力因子和床沙组成资料的条件下,用经过验算的公式计算床沙质输沙率也有可能达到一定的精度。林斌文用黄河资料对Toffeletti公式验证的结果,计算与实测输沙率也存在一定的相关关系。必须指出,这类计算属于估算性质(Prediction),它和上述利用实测悬沙资料进行修正计算在本质上是不同的。修正计算仍属于测验范畴

❶ 河海大学电力系量测技术研究室,NSY-Ⅱ型宽域粒度分析仪研制报告,1988。

的一种整编方法,也是本文所讨论的一项内容。

当前我们很需要利用已知的各种全沙测验方法,针对不同河流进行试验研究,求出常规测验可能带来的误差,以及用实测悬移质资料进行修正求得全沙输沙率的方法。

应该指出,当测验的目的主要是求出一条河流的总输沙量时,对于以悬移质为主体的大江河,不计入近底层的泥沙和推移质所产生的总输沙量误差还是较小的。但是,这种误差明显地具有系统误差的性质,并且随粒径的增加而增大。利用这种资料研究河道冲淤特性和河床演变是不能满足需要的。对于一些中小河流,特别是一些山区河流,大量粗颗粒泥沙以推移质或近底悬移质方式运行(例如山东省按30座大中型水库实测资料分析,总输沙量与悬移质沙量的比值在1.37～3.26,小Ⅰ型水库的比值更大[18]),仅仅施测悬移质而忽视这一部分粗颗粒泥沙,所求出的河流输沙量将会有很大的误差。这是亟需通过实际测验改进的。

3.3 水库河道测量技术

在多泥沙河流,无论水库、河道都会呈现一定程度的冲淤变化,洪水过程中冲淤变形尤为剧烈。在水库、河道上设置一定数量的断面,定期或不定期地进行直接测量(包括局部地形测量),是确定河段或库区冲淤量的主要方法。

用一个河段或水库进出口水文断面输沙量的差值推求河段或水库冲淤量的办法,从直观上来说是一个河段或水库沙量平衡方程式求解的问题。当进出口断面输沙量达到一定准确度,而河段或水库冲淤量很大足以掩盖通常所谓测验误差时,用上下游两站输沙量差值可以在一定条件下反映河段或水库的冲淤量。但是,使用这一方法必须十分慎重,这是因为输沙量的测验常常不仅包含随机误差也包含了系统误差,特别是粗颗粒泥沙,许多实测资料说明了这一情况。因此,河道或水库冲淤量应该是一个独立的观测项目,而不是水文站泥沙测验的副产品。河道或水库的测淤断面系统,对于重要河流来说,是河流泥沙测验站网的组成部分,这一问题的重要性往往并没有被人们所普遍认识到。

20世纪60年代后期开始,河道、水库的断面及地形测量技术有了较迅速的发展。定位和测深两个方法新技术的应用,使传统的测量方法有了很大的改变,达到了多、快、好、省的目的。简言之,用电磁波原理如微波、激光、无线电乃至卫星等定位技术和超声波测深技术与电子计算机处理数据相结合,形成了测深定位系统,使测船的导航、定向、测量资料的整理大大简化[19,20]。我们也正在研制或引进轻便的测深仪及河道测深定位系统,但在这一方面我们和国外的发展存在着明显的差距,必须努力解决。

新中国成立初期,我国重视河道水库的测验工作,曾经组织不少实验站,大规模地对重要水库、河道、河口进行了经常性的观测研究,积累了十分丰富的资料,为我国水利水电工程建设提供了依据。很遗憾的是,许多有意义的野外试验研究工作已以大大地削弱或者停止,其中很重要的一个原因是没有及时地用新技术改革陈旧落后费人费时的测量技术。50～60年代建设的一大批水库、河道工程泥沙问题十分突出,新建待建工程的泥沙冲淤动态亟待及时监测,改革测量手段已是一项刻不容缓的工作。应该认真总结经验,引进必要的仪器设备,研制实用的运载工具,在对水库、河道泥沙冲淤和河床演变规律认识提高的基础上,重新组织开发测验研究,以适应水利水电、航运等水资源开发利用的需要。

新中国成立以来,我国已建成大量水库和引水工程,据不完全统计及估算,在长江上游四川省境内有162座大中型水库和数以万计的小型水库,每年淤积量占宜昌年输沙量的18%[1]。黄河上中游水利、水保措施平均每年减少入黄泥沙将近15%,其中80%为水库和淤地坝的作用。目前,仅有很少一部分水库有较长期的系统实测资料。上述估算数值除实测外,一部分来自调查和勘测,另一部分则系根据分析其规律而进行的粗略估算。由于这些工程的拦蓄作用对改变流域水沙条件的影响很大,如何有计划地对这些流域内各种工程措施拦蓄泥沙和河道调节泥沙的作用进行定时监测,是泥沙测验的一项不容忽视的任务。因此,研究适用于小型水库、淤地坝、引水工程等简便的监测或巡测技术也是十分必要的。

3.4 资料数据库

近年来,电子计算机的应用日趋广泛。泥沙测验及研究的大量日常工作是对收集的水文泥沙资料的整理、整编、计算、分析。我国水文资料的整理、整编工作多年以来已形成了一套独立的系统,每年资料刊印成鉴正式发表供各方面使用。随着计算机技术的发展,其内容和形式也必将发生变化。目前,从流量到泥沙,从断面测量成果到计算断面间冲淤量均已有了成熟的电算整编方法,建立全国通用泥沙资料数据库的条件已经成熟。

由于电子计算机功能的扩展,年鉴的编印无论从内容和格式上都可以作某些改革,以适应用户的需要。从内容而言基本上可分为三类:一是实测原始资料,包括在测站用简单计算求出的各项数据,以及根据水力学及泥沙运动力学基本原理适用的某些经验关系,例如水位流量关系、流量或流速与输沙率关系以及对原始资料插补、筛选以后表列出反映水流泥沙过程的数据。二是根据过程计算的一次洪水,日、月、年总量及各种特性数字的统计。使用计算机就有可能使人们的精力从烦琐的数字计算校核中解放出来,更好地对第一性资料进行合理性审查,做到去伪存真、去粗取精。同时,在完成上述第一步整编以后,有可能继续进行第二步的整编加工(例如本文所讨论的全沙修正计算等)。在整编工作中的过程线点绘、加权计算等工作应该在各种计算机上进行。目前,在全国水文系统的计算机网络上,应建立以上述测验资料整编为基础的基本水文数据库。三是根据水文泥沙测验资料或用其他手段采集的资料进行第二次加工以后的资料。例如为某一特定目的进行的有一定时限的试验研究资料,河道地形及反映河势与水流平面变化的航空遥感或航天遥感资料,为研究河道输沙、阻力、河相关系所收集整理的基本资料,为研究工程泥沙问题而实地收集的资料等。这些资料是试验研究的成果,经过加工整理编入数据库中为其他人员分析研究河流泥沙问题提供基本素材,也可减少大量重复性的工作。利用通用型计算机建立河流(包括水库、河口)泥沙数据库,也可为基本上解决对泥沙资料供需之间的矛盾提供一条可行的途径。总之,作为一个独立的测验和整编的项目,编制泥沙资料数据库必将大大促进我们认识天然河流泥沙运动规律的进程。

3.5 新技术的应用与推广

应用于泥沙测验的新技术,在一个相当长的阶段内仍必须与传统的测验技术相结合才能得到发展。主要原因之一是应用这些新技术测定河流的含沙量或级配都只是一种相对测量,而不是通过某种物理原理的直接测量(例如同位素测沙、光电颗分仪,以及遥感技

---

[1] 长办水文局,长江三峡以上地区来沙历年变化趋势分析,1987。

术的应用等),因此都需用真值作为率定或比测。振荡式含沙量计及超声波测沙计也是如此。

在河流输沙率测验方面,近年的发展可以看出两个趋向。一种是进一步改进原有的常规取样仪器,采用新材料以适应广泛的取样要求,例如,用人工合成材料制造取样器,以避免污染水样;改进启闭设备避免泥沙卡塞,用硅橡胶制作皮囊起调压作用等。美国近几年较多地在中小河流采用抽水式取样器也属于这一类。另一种是运用普通物理学原理现场测定含沙量,例如应用振荡式密度计施测密度或含沙量,超声波或同位素强度衰减原理测沙及用光电衰减测泥沙级配等。这一类仪器的进一步发展特点将是直接用于遥测。应该指出,用测定流体在不同密度时的频率差,或测定不同浓度流体的消光、消声作用以及压差等,都需要在研制过程中进行细微的基础物理试验,为研制探测感应元件奠定可靠的理论基础,并且必须研究河流泥沙级配、河水中溶解质、泥沙矿物组成、水温等对探测准确度的影响。

世界各国河流泥沙问题远远没有我国突出,我国泥沙测验技术的发展也十分缓慢,而且对它的准确度要求远远低于对流量测验的要求。在学习、引进国外经验时必须注意到这一特点,不能盲目效仿。

河流泥沙运动遵循着普通物理学已经阐述的原理。要探索新技术应用于泥沙测验的可行性,必须以泥沙运动所依据的基本原理为考虑问题的基础。现代工业领域的量测技术发展迅速,有不少方法、仪器可资借鉴甚至引用。泥沙测验技术的发展也与工业领域的发展息息相关,例如绞车、悬吊索、过滤材料、称重技术、计算机、机源等。因此,我们推广应用新技术还必须以我国工业技术的发展和我国的经济条件为基础。另外,人员的技术水平必须有一个较大的提高,才能善于接近和应用新技术。总之,传统技术还需不断改进,一些测验设施、工具也需要研究,使其达到标准化、系列化,新技术的应用不能脱离我国的实际情况。在当前,前面两项工作似乎应该得到更多的重视和支持。

3.6 泥沙污染分析

河流泥沙的大小和它们的级配,是反映泥沙输送和沉积特性的一个重要参数。细颗粒泥沙作为河流中一些污染物质的载体,又对水质有重要影响。世界卫生组织《全球环境监测手册》对吸附于泥沙的物质分为两大类,即污染物质和营养物质,并且规定了相应的各种分析方法。美国也对泥沙中有机物质、有害元素、营养物质等含量的规定作出了相应规定[21],并且对它们的迁移转化规律开展了不少研究。

河流泥沙在输送和沉积的过程中所吸附的物质也随之迁移转化。泥沙一旦沉积下来又形成新的污染物质和营养物质补给源。因此,在环境水质监测工作中,应对泥沙所吸附的物质进行必要的监测。由于这些物质都是微量的,因此从取样到样品处理和分析都必须十分细致地按照规定的方法进行。

当前,我国也开展了这一方面的工作,例如曾对官厅水库区淤积泥沙进行了系统的分析研究❶,对黄河泥沙吸附的重金属物质的变化规律进行了探讨❷。张书农对当前水流紊

---

❶ 官厅水库水源保护领导小组办公室,官厅水库水源保护的研究,1997。
❷ 廖明等,黄河中游泥沙对重金属迁移转化的影响研究,1987。

动输送的研究及其发展途径进行了评述，指出了研究泥沙与污染关系的重要意义❶。很明显，在多泥沙河流对污染物质迁移转化规律的观测研究必须与研究泥沙运动更好地结合。在监测和分析方面应该结合我国河流泥沙产生、输送和沉积的特点作出适合我国河流情况的规定，才能为环境保护决策提供可靠的基本资料。

4 结语

上述讨论对比了当前泥沙测验技术的发展和我国的现状，提出了值得进一步研究的问题。概括起来可看出当前泥沙测验的改革方向大致有以下几点：

(1)要求整个河系的泥沙资料达到合理的准确度，对于各河流不同河段(干支流)必须根据泥沙的产沙、输送与沉积情况，结合江河治理及水资源开发利用的需要提出不同的测验和整编要求，调整及充实站网；测验方法应注重全沙与级配，简化每一次测验而力求掌握过程；对冲积河流输沙量与冲淤量必须有不同的方法实际观测；沙量平衡仍是指导站网布局组织测验、进行整编的指导原则。

(2)新技术的应用与传统方法的改进并重，在承认相对测量的基础上，应对被测项目或其测定方法建立可供比较的标准。并且，新仪器和新方法的研究应该在原理可靠的基础上力求降低生产和使用成本，以达到便于推广使用、提高测验质量的要求。

(3)通过设立在河流水系的站网及断面，系统地收集河流泥沙资料是认识河流泥沙的产沙、输送与沉积的重要手段。流域内工程和非工程措施的实施改变了流域水沙条件，并引起了河流自身边界条件的一系列变化和对环境的影响。较确切地评价或预估这种变化的一个有效途径，是建立适用于流域、河道或水库的反映产沙、输送、沉积这些现象的模型。野外资料以及通过它们所反映的物理图形是研制和验证数学模型或建立物理模型的基础。因此，测验技术的发展，除改进站网工作外还应适当进行调查勘测及对某些专题进行试验研究。

(4)新中国成立后，在20世纪50年代我国曾大规模地开展了对水土流失及水库、河道渠系、河口的河床冲淤演变的定点试验研究。当时收集资料的手段虽然是较简陋的，但是通过这一途径所积累的大量科学资料，一直是发展我国泥沙学科和解决生产建设中泥沙问题的基本依据。应针对我国河流目前治理开发中所存在的泥沙问题，组织必要的专题试验研究。科学技术发展已使我们有可能用较为先进的手段取得和处理资料，试验研究工作必将为解决经济建设问题作出应有的贡献。

参考文献

[1] 龚时旸，熊贵枢．黄河泥沙的来源和输移．见：第一届国际河流泥沙讨论会论文集.北京：光华出版社，1980
[2] 熊贵枢，等.黄河上中游水利水土保持措施对减少入黄泥沙的作用.人民黄河，1986(4)
[3] 龙毓骞，钱宁.黄河流域泥沙侵蚀与输送.国际泥沙研究(英文版)，1986，1(1)
[4] 王吉狄，藏家津．修建水库群后辽河下游河床演变的初步探讨．泥沙研究，1982(4)
[5] 曹银真，等．河北平原的沉积速率与演变的初步探讨．泥沙研究，1982(4)

❶ 张书农，运用泥沙分析研究河流金属污染，1988。

[6] 钱宁,张仁．长江三峡枢纽工程的几个泥沙问题．人民长江,1986(4)
[7] 黄委治黄研究组．黄河的治理与开发．上海:上海教育出版社,1984
[8] 龙毓骞,熊贵枢．泥沙测验研究的现状及展望．人民黄河,1984(4)
[9] H.P.GUY,V.W.Norman. Field Methods for Measurement of Fluvial sediment(河流泥沙测验). 水资源调查技术手册,1976
[10] 钱宁,万兆惠．泥沙运动力学．北京:科学出版社,1987
[11] Emmett, W.W4. Field Calibration of the Sediment Trapping Characteristics of the Helley-smith Bed load Sampler USGS professional paper 1139～1980
[12] Hubbel D W et al. Laboratory Data on Coarse Sediment transport for Bedload Sampler Calibrations. 1987
[13] 彭润泽,等．用水槽模拟试验求卵石河床推移质输沙率．泥沙研究,1984(3)
[14] 李兆南．国内泥沙测验研究的新动向．水沙信息,1987(7)
[15] 刘木林,刘明月．粒径计算资料改正方法的试验．人民黄河,1982(5)
[16] 李克勤．粒径计分析粗沙样级配成果方法的试验研究．泥沙研究,1985(1)
[17] 陈守煜,赵英琪．过渡区泥沙沉速公式．泥沙研究,1986(12)
[18] 胡煜煦．山东省水库总输沙量与实测悬移质输沙量比值及淤积泥沙干容重的变化规律．泥沙研究,1985(1)
[19] Hart E.D. 美国工程兵团水道测量定位技术及设备．美工程兵团水道实验站．技术报告 H77～10.1997(英文)
[20] 美国垦务局．水库淤积测量方法．美国垦务局技术指南．1932(英文)
[21] 美国地质调查局．水资源调查技术手册．1972(英文)

黄河下游河道床沙组成实测资料分析研究

冲积河流为适应来水来沙条件的变化而自行调整其行水输沙能力。龙门以下黄河中游河道的床沙组成主要是细沙并含有少量粉土。了解床沙组成的变化将有助于了解河道输沙能力的变化。

冲积河流的自动调整作用可以表现为比降、床沙组成、断面宽深形态、滩槽行水能力等各个方面的调整。在黄河的具体条件下,需要分析这种调整是通过什么途径进行的。本文主要是根据现有实测资料分析床沙组成的变化。

1 水文站断面床沙组成的年内变化

黄河及其支流渭河的中下游冲积性河段水文站床沙组成的取样和分析是配合断面输沙量测验而进行的一项工作。每年的测次多少不等。水文年鉴刊布的各站断面床沙组成的成果,是进行输沙率测验时各测次断面上几条垂线表层床沙级配的平均值。

如果暂用小于 0.05mm 泥沙的百分数或用中值粒径反映实测的床沙组成变化,并与本站输沙率(或含沙量)过程相对照,可以发现在很多情况下,当出现一个较显著的输沙率(或含沙量)过程时,床沙组成往往相应地有明显的变化。由于年内输沙率测次多集中在汛期以及汛期后的一二个月内,各站每年床沙资料多少不等,往往无法用实测资料全面系统地反映床沙组成的全年变化。现选择测次较多、各项配套资料齐全的几个站资料点绘过程线如图 1 所示。

从 1 图中可以看出,一年内床沙组成变化很剧烈。每出现一次含沙量峰,床沙组成也往往相应地出现一次细化或粗化的过程。这种床沙组成粗化或细化的过程又往往是和断面的冲淤变化相呼应的。

除洪水时期床沙组成的这种变化外,断面上发生累积性的冲淤时床沙组成也会相应地发生变化。永定河八号桥站位于官厅水库三角洲顶坡上直接受变动回水影响的河段。从图 2 可以看出,1963 年 8 月中旬断面冲刷降低 1m,床沙组成明显地粗化。1964 年 8 月中旬以后河床抬高近 2m,床沙组成则趋向细化。如暂忽视实测数据的波动起伏,这一变化趋势则是很明显的。

黄河干支流各主要水文站全年均进行悬移质泥沙测验,资料系统齐全。经整编以后求出各站月、年悬移质泥沙平均级配并刊布在水文年鉴上。这里,拟对悬移质泥沙组成的年内变化作一粗略分析,并与床沙组成的年内变化作一比较。图 3 是三门峡水库改建并进行正常蓄清排浑运用以后 1975~1984 年期间潼关及花园口、高村、艾山、利津等站悬移

作者:龙毓骞、林斌文、梁国亭。本文系黄委水科院科研报告。英文版曾在 1988 年美国 Federal Interagency Sedimentation Conference 发表。

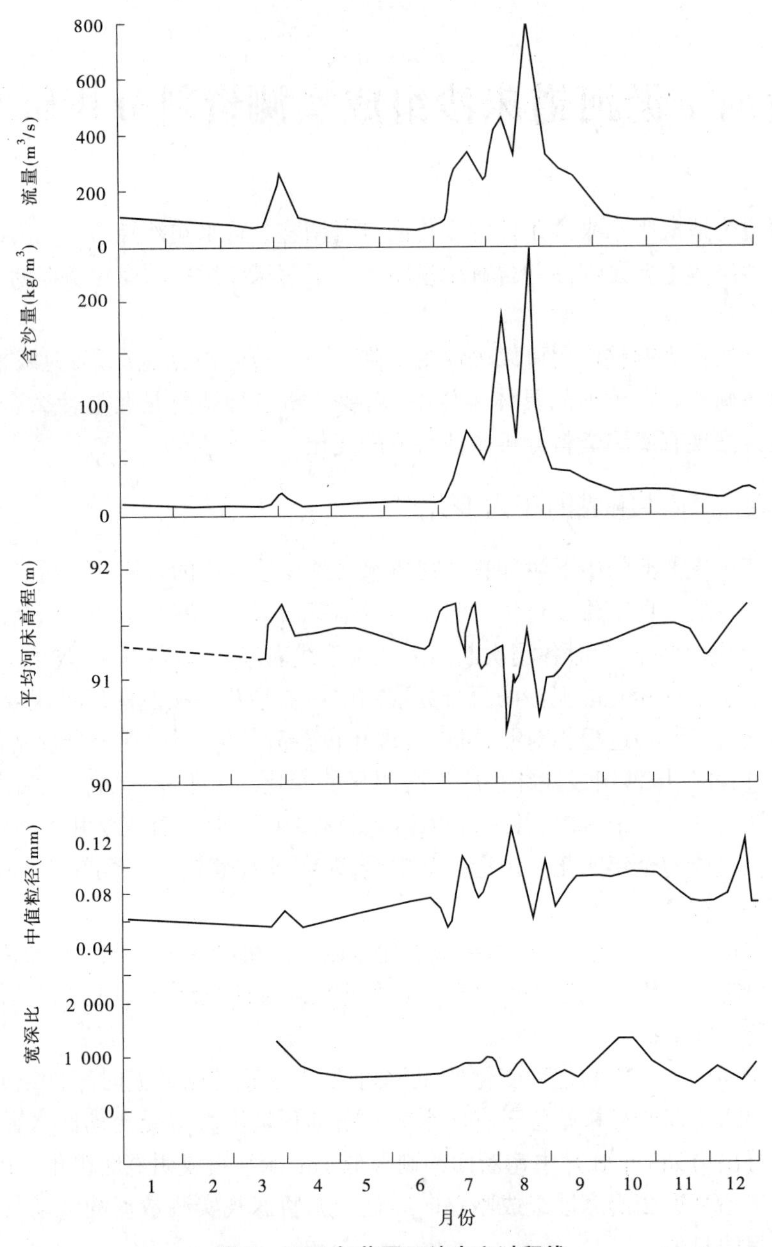

图1　1959年花园口站水文过程线

质泥沙级配的年内变化。从图中可以看出：

(1)悬移质泥沙级配普遍有汛期细、非汛期粗的变化规律。大于0.05mm的砾质粗泥沙所占百分数在年内有很大变化。潼关站7～9月为12%～20%,12～2月为54%～58%,黄河下游各站变化幅度略小。

(2)经过三门峡水库的调节作用,非汛期下游河道的悬移质泥沙组成有了明显变化。这部分泥沙是非汛期三门峡水库下泄清水自河床(包括河岸)冲刷的泥沙。可以看出,花园口以下悬移质泥沙沿程变细的趋势较明显。

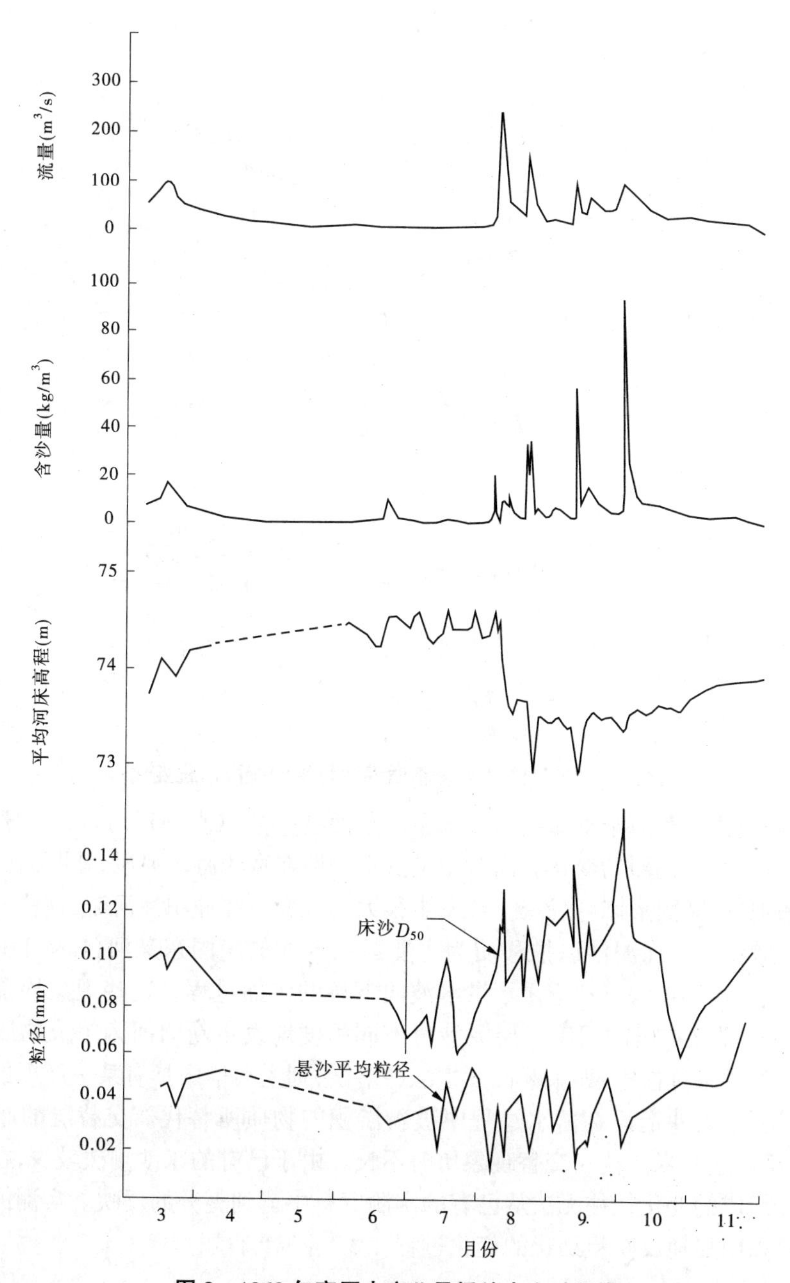

图 2　1963 年官厅水库八号桥站水文过程线

对于下游河道某一个水文站所处的河段来说，上游水文站的悬移质泥沙组成和输沙量代表了来沙情况，下游水文站的悬移质泥沙组成和输沙量也反映了经过本河段河床调整的结果。这种调整又往往表现为断面形态的冲淤及床沙组成的变化。由于全部悬移质泥沙中含有数量相当多的冲泻质，它的数量及在全部悬移质泥沙中所占比例主要取决于流域产沙情况，与断面水力特性关系较小，因此不能期望一个断面上的床沙组成和全部悬移质泥沙的变化中得到一定程度的反映。

洪水期间流量、含沙量有大幅度的变化，相应地会带来河床断面的冲淤变化和床沙组

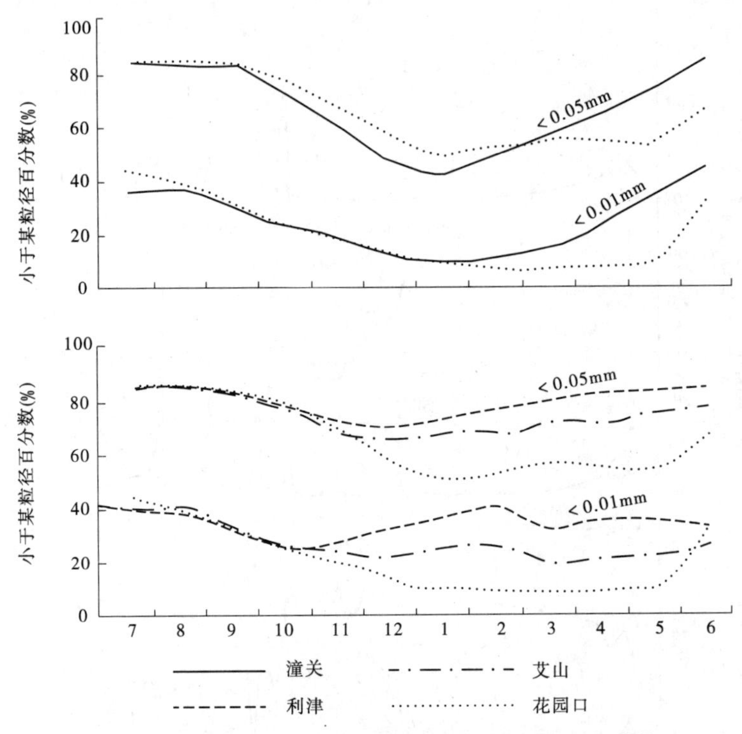

图 3　1975～1984 年悬移质泥沙月平均级配沿程变化

成、宽深比等变化。黄河干支流上一些水文站断面在一般洪水通过时常出现涨冲落淤的现象,床沙组成发生剧烈的变化。高含沙量洪水时期在宽浅游荡河段,就断面而言往往发生淤滩刷槽现象,断面形态(宽深比)会发生很大的改变。在冲积性河流,这些河床演变的现象将向下游传递。在泥沙以推移质为主要运动方式的美国东叉河(East Fork)的一个试验研究河段,曾详细观测和记录了洪水波向下游的传播过程。这些现象均说明在一次洪水过程中一部分主槽的河床表层泥沙将不同程度地发生新旧河床组成物质的交换现象。在黄河的洪水过程中,如果断面发生涨冲落淤,则主河槽中具有某一厚度的床沙物质将在涨水过程中被冲走而在落水过程中被新淤积的物质所替代。交替层的厚度变幅很大,有时甚至可达几米。这一交替现象历时不长。由于已有的床沙测次较少,在冲淤变化过程中床沙组成的变化往往无法从已有的实测资料中得到充分的反映。实测的悬移质泥沙级配却可以明显地反映粗细化的变化过程。

2　床沙组成的多年变化

床沙组成的多年变化反映了冲积性河道在较长时期内为适应水沙条件的变化而进行的调整。黄河中游下段于 20 世纪 50 年代末建成了三门峡水库并于 1960 年 9 月开始蓄水运用。1962 年 3 月开始改变运用方式,由全年蓄水改为滞洪,即汛期泄流不加任何控制。由于当时泄流能力较小,因此遇多水丰沙的 1964 年,水库仍具有相当大的拦蓄滞洪作用。1964 年底确定扩建泄流设施。这些工程于 1966 年 6 月至 1973 年底期间逐步投入运用。在这一段时期内,除在非汛期有时进行短期防凌蓄水外,汛期仍采用自由滞洪运用。1973年底扩建工程全部竣工，水库进入正常控制运用，即在非汛期根据需要适当蓄水满足防凌及春灌需要，汛期降低水位运用，一般控制水位高程300m，必要时在305m，以满足泄洪排沙需要并在低水头条件下发电运用。

三门峡水库运用情况的变化改变了进入黄河下游的水沙过程，对水库上下游河道产生了一定程度的影响。图4是处于三门峡大坝上游70～120km的潼关—太安河段床沙组成的多年变化。这里采用了每年汛前及汛后进行大断面测量时在几个断面所求得的水下床沙中值粒径的平均值(不可能反映洪水期间的变化)。从图4中可以看出，初期蓄水的1961年这一河段床沙组成明显细化，运用方式改变以后床沙组成变粗，以后的年份呈现汛期与非汛期的锯齿状变化。这一锯齿状变化与每年非汛期蓄水淤积及汛期泄水冲刷的过程基本上相对应。这种变化对于位于冲积河流上水库的变动回水区也是有代表性的。

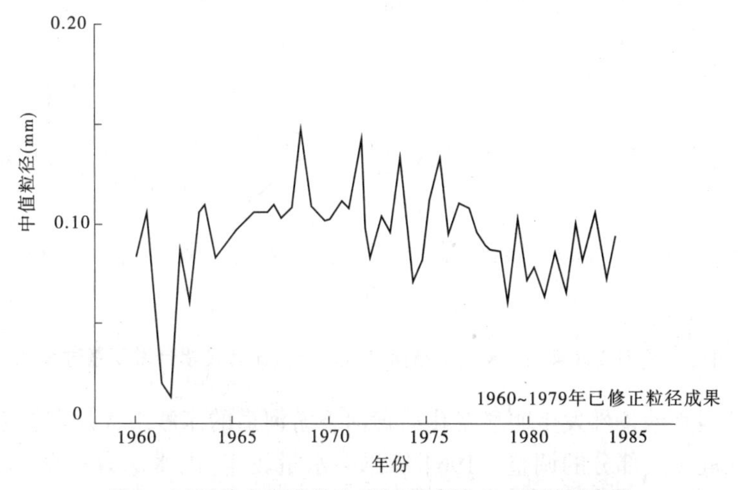

图4　三门峡水库潼关太安河段床沙 D_{50} 随时间变化

渭河是黄河的一条主要支流，在潼关附近汇入黄河。三门峡水库投入运用以后，渭河下游受回水影响发生了冲淤变化。张启舜、龙毓骞曾对水库修建后变动回水区的冲淤及河床调整问题进行了初步研究。图5是处于渭河以上约120km处[距大坝约230km的交口—沙王河段(18～21断面长约15.6km)]建库后根据每年汛期前后大断面测量资料所求得的冲淤量及相应各测次的水面比降、平均床沙中径等变化过程。从图5中可以看出，1967年到1974年本河段发生了累积性淤积，相应地在这一段时间内，水面比降和床沙中径有调平和细化的趋势。1977年汛后河段平均床沙中径突然变得很粗，可能是由于该年汛期曾发生强烈冲刷的揭河底现象的缘故。渭河下游的这一河段，在水库蓄水运用时期处于变动回水区，在水库改变运用方式以后该河段虽已脱离回水影响但仍受前期淤积影响，断面形态、比降、床沙组成、洪枯水水位、滩槽相对高差等经历了一段调整过程。这一调整在已经发生的水沙条件下，已渐趋稳定。

三门峡水库建成后，黄河下游河道也经历了几个运用时期的下泄不同水沙条件下的河床调整。当然这些调整表现在比降、断面形态、滩槽相对高程等各个方面，但是，床沙组成无疑是诸调整因子中较剧烈的一个。图6引用李保如等的资料，说明在三门峡水库初期蓄水运用时段内，由于水库下泄清水造成下游河道冲刷使床沙粗化的沿程变化。这一

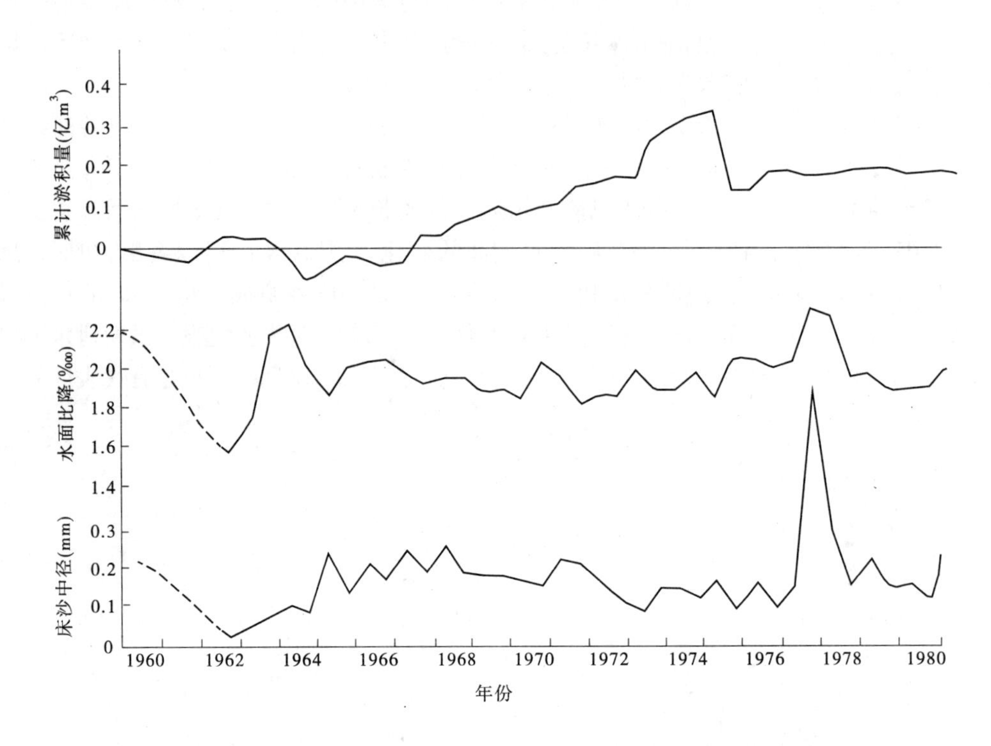

图5　渭河交沙河段(18～21断面)床沙中径、比降及累计淤积量过程线

资料也说明了当水沙条件发生明显变化后黄河下游河道的床沙组成是在不太长的河段和较短时间内完成了大部分的调整。1964年汛期水量较丰,洪水次数很多,受泄流能力的限制,三门峡汛期自然滞洪,但仍多次发生壅水,形成浑水异重流排沙出库。花园口站断面各因子的变化幅度,如暂不考虑大小极值,床沙中径为0.08～0.17mm,宽深比为1 000～3 500,水面比降为1.0‰～2.7‰,可见变幅是很大的。刘月兰等曾分析三门峡水库建库后下游河道调整对输沙能力的影响,指出在1961年水库蓄水运用过程中水库下泄清水,花园口以上河段发生冲刷,床沙中径从0.08mm逐步粗化变为0.12mm;在1964年10月下旬水库泄空冲刷,集中排沙,花园口以上河段发生淤积,在约2个月的过程中床沙中径从0.18mm细化为0.07mm左右,说明在冲淤变化中床沙组成的变化也是很迅速的。

图7是1965～1979年期间下游彭楼、位山等断面冲淤及相应的床沙组成的变化,是根据每年汛期前后两次测量成果绘制的,并不能反映洪水期间的变化,但还是可以看出,在一个较长时段内,随着断面的累积淤积抬高床沙组成及其中径似有变细的趋势。

3　床沙组成变化对输沙能力的影响

黄河下游河道床沙组成变化对输沙能力的影响林斌文、梁国亭已有所论述。黄河支流及我国一些多泥沙的冲积河流均具有类似的特点。为研究这一问题收集和整理了几个水文站265组资料(见表1)。

各站每一组资料均包括实测流量、河宽、水深、流速、悬移质含沙量、水面比降、水温、

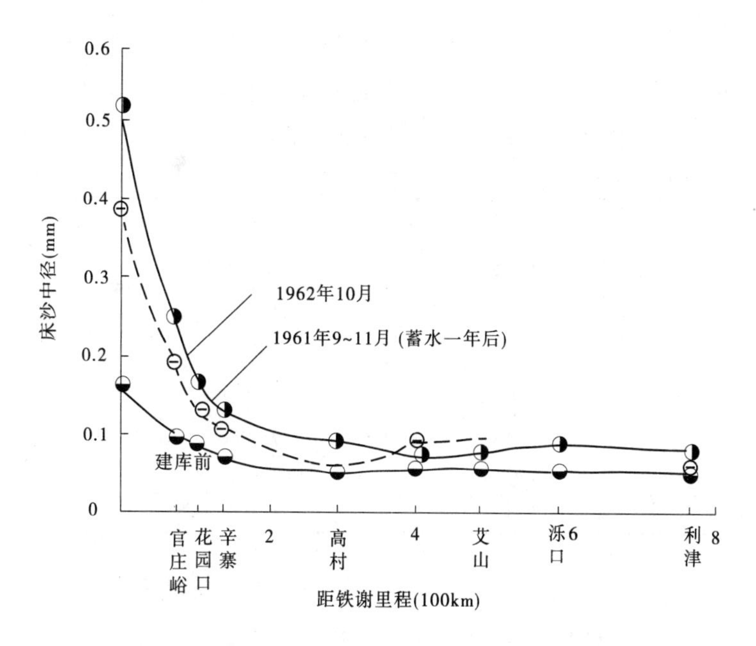

图 6　三门峡水库蓄水运用期下游河道床沙组成变化

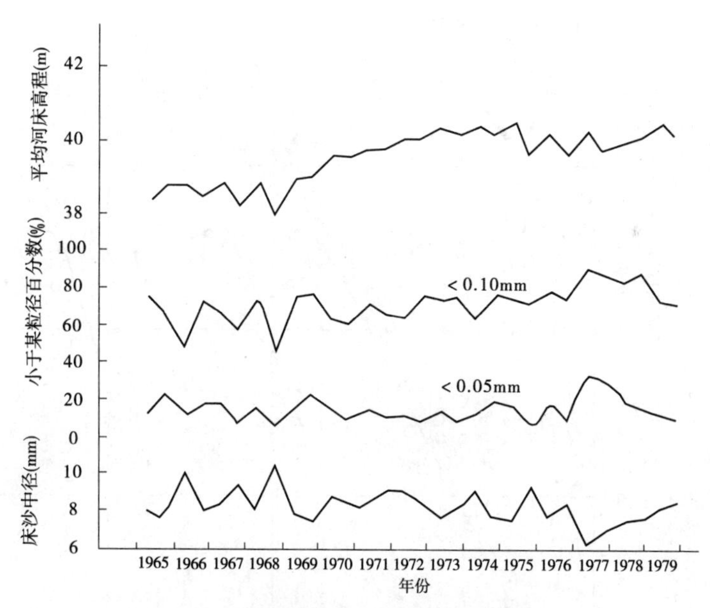

图 7　黄河下游河道位山断面床沙组成变化

（根据淤积测量资料点绘）

悬移质及床沙级配，项目较齐全，可以用于分析河流输沙能力受各种因素变化的影响。本文在分析中对实测悬移质资料均用修正爱因期坦方法进行了修正，计算了全沙输沙率。资料中比降虽均为实测数据但由于种种原因准确程度不高。本文按林斌文、梁国亭列举的方法采用实测流速、水深、床沙粒径等资料反求比降。用经修正计算后的单宽床沙质输沙率与水流功率点绘关系如图 8 所示。由于影响输沙能力的因素很多，决不限于床沙组成，因此在图中将各站资料按床沙粒径 D_{65} 分类点绘。点子虽较散乱，但从点群变化的趋势可以明显地看出，床沙组成的粗细将导致实际床沙率输沙率的成倍增减。这就说明了床沙组成确是影响河流输沙能力的一个重要因素。

表 1

河系	站名	年限	组数
黄河	潼关	1987，1985	24
	龙门	1987	15
	华县	1987	16
	花园口	1958～1959	52
	泺口	1959	15
永定河	八号桥	1964～1965	120
辽河	铁岭	1987	23

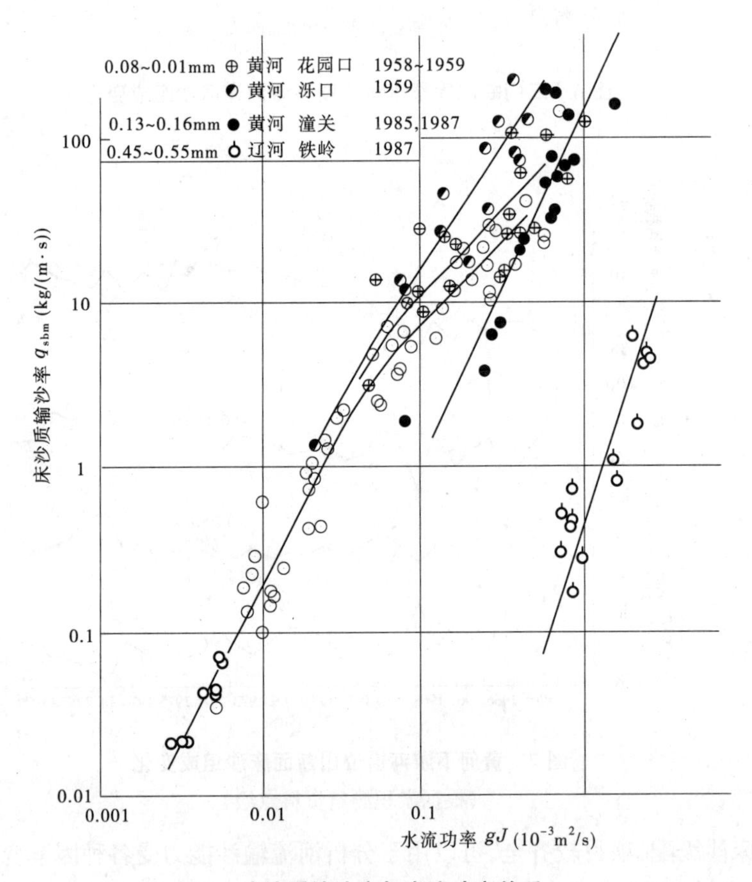

图 8 床沙质输沙率与水流功率关系

4 结语

本文主要是利用实测资料分析床沙组成的变化。除利用水文年鉴已刊布的黄河有关站资料外,还收集了永定河、辽河两个冲积河段上水文站的资料以扩大水沙资料的范围。初步分析结果说明,各冲积河流床沙组成变化具有许多相似的特点。

冲积河流随着来水来沙变化而进行河床调整是反映河流泥沙运动的一个自然规律。对于黄河下游及其一些支流,流域来沙量很丰富,有充分的泥沙补给,可以满足河床调整的需要。从资料中可以发现,往往在一个较短的时期内就能完成或实现河床调整的主要部分,换言之,这种调整往往是很迅速的。从另一方面来说,由于水文现象的随机性和周期性,在既定水沙条件下完成的调整,遇到另一较稀遇频率的水沙条件时河床仍将继续作出调整。因此,要完成全部调整就需要一个较长的时间。作者认为应该用这样的辩证观点来研究像黄河这样的冲积河流在修建水库以后上下游河床调整问题。

黄河流域水沙变化对三门峡水库及下游河道的影响

1 进入三门峡水库各主要河流的水沙变化

龙门站控制了黄河上游及中游晋陕峡谷区各支流来水,它的水沙变化集中地反映了上游大型水电站及水利枢纽水量调节和中游多沙粗沙区水利水保措施的效果,按年代统计,龙门站的水沙量如表1所示。

表1 龙门站年平均水沙量

年代	平均年水量(亿 m^3)	平均年沙量(亿 t)	非汛期占全年的比例(%)	
			水量	沙量
50	321	11.89	40	11
60	337	11.30	40	11
70	285	8.68	47	10
80	276	4.70	47	17

从表中可以看出,近20年来不仅水沙量均呈减小的趋势,而且非汛期水量占全年的比例也在增加。统计泥沙级配的变化如表2所示。70年代以后,粒径大于0.05mm的粗泥沙所占比例明显下降,而粒径小于0.025mm的细泥沙比例则有所增加。

表2 龙门站泥沙级配变化(按水库运用时段统计)

时段(年)	平均年沙量(亿 t)	各粒径(mm)组所占比例(%)			
		≤0.025	0.025~0.05	0.05~0.1	>0.1
1957~1959	14.9	40	29	25	6
1960~1964	9.7	42	29	19	10
1965~1973	11.2	37	27	22	14
1974~1990	6.1	46	27	12	9

除干流龙门站来水以外,三门峡水库还承接来自主要支流渭河、北洛河及汾河来水。根据渭河华县水文站、北洛河洑头水文站、汾河河津水文站(以下简称华县站、洑头站、河津站)实测资料统计见表3。可以看出,无论水量或沙量,自70年代以来均呈明显减小的趋势。

作者:龙毓骞。本文原著于1993年,为第一期水沙变化研究基金项目研究课题之一,曾由项目主持单位国际泥沙研究中心编入论文集。现收入《黄河水沙变化研究》第一卷(黄河水利出版社,2002年)。

表 3　渭河、北洛河、汾河年水沙量

时段（年）	平均年水量（亿 m^3）			平均年沙量（亿 t）			非汛期水量所占比例（%）	非汛期沙量所占比例（%）
	渭河	北洛河	汾河	渭河	北洛河	汾河		
1950～1959	85.5	6.73	17.6	4.29	0.93	0.70	37～42	4～11
1960～1969	96.2	8.76	17.9	4.36	1.00	0.34	42～45	9～17
1970～1979	59.4	5.91	10.4	3.84	0.80	0.19	32～36	3～8
1980～1988	79.1	6.98	6.65	2.76	0.48	0.05	35～39	10～17

2　三门峡水库的来水来沙

三门峡水库于 1960 年 9 月开始蓄水。建库前后进入三门峡库区的年平均水沙量统计见表 4。其过程见图 1。

表 4　三门峡水库入库年水沙量统计

时段（年）	水量（亿 m^3）	沙量（亿 t）	各粒径(mm)组所占比例(%)	
			>0.10	>0.05
1950～1959	432.2	17.6		
1960～1969	459.4	17.0	11	31
1970～1979	360.3	13.5	12	32
1980～1989	368.9	8.0	7	24

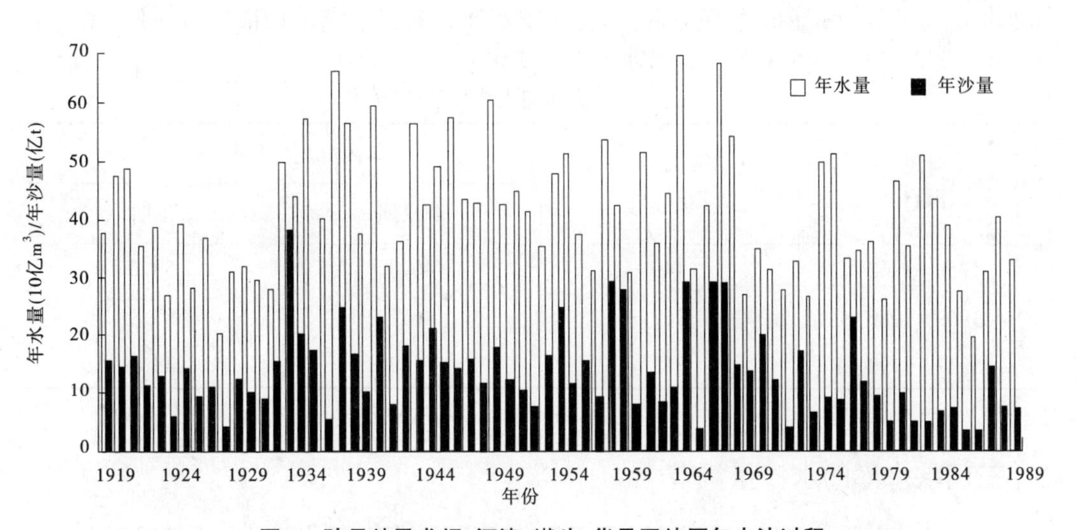

图 1　陕县站及龙门、河津、洑头、华县四站历年水沙过程

此处，建库前系采用陕县站资料，1960 年以后则采用龙门、临潼、河津、洑头四站之和。点绘入库年水沙量累计值的相关图如图 2 所示。可以看出，进入水库的水沙量关系从 70 年代起发生较明显的变化。随着来水量减小，沙量减少得更多。

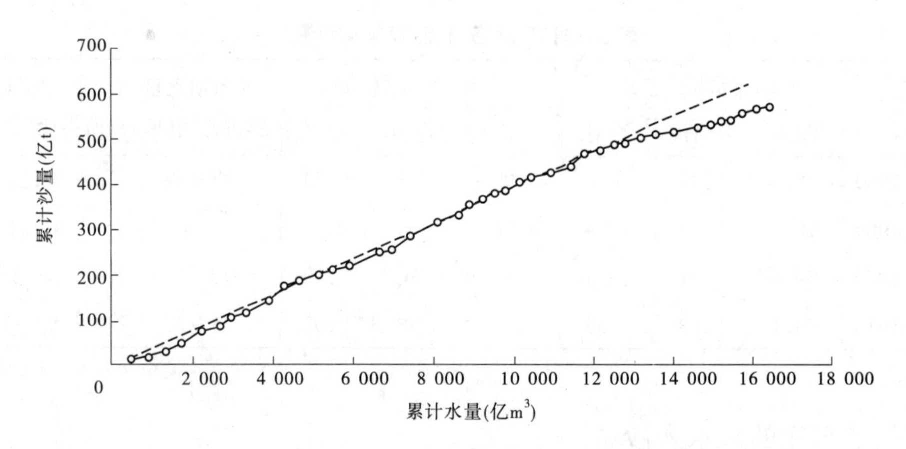

图 2　入库累计水沙量相关关系

综合黄河流域的情况,40 年来,进入三门峡水库的水沙条件有如下特点:

(1)水沙量在年际间呈现一些丰枯变化。一方面是由于自然条件如降雨的差异,另一方面也是受流域治理情况及各种社会经济活动的影响。近十余年中,在相近的降雨条件下进行比较,水沙量均有减小的趋势,其中沙量的减小更为显著。初步分析,自 70 年代开始,粗泥沙(粒径大于 0.05mm 及 0.10mm 的泥沙)的来量就有所减少;进入 80 年代,不仅沙量有所减少,而且粗泥沙在全部泥沙中所占百分数也明显减小。

(2)由于大型水库水量调节的作用,水沙量在年内的分配情况已开始发生变化。上游大型水库的年内调节使汛期水量减少、非汛期水量增加。据统计,1968 年上游大型工程如刘家峡水库等相继投入运用以后,非汛期来水量占全年来水量的比例已由原来的 40%提高到 47%左右。这一趋势到 1986 年 10 月龙羊峡水库投入运用后更为明显。非汛期来水量已超过全年水量的 50%。此外,龙羊峡水库具备多年调节的能力,也将对年际水量变化产生影响。表 5 说明了非汛期来水的变化。

表 5　非汛期水量占全年的比例

时段(年)	年平均水量(亿 m³)	年内分配百分率(%)	
		非汛期	汛期
1950～1968	449	40.8	59.2
1969～1986	369	46.2	53.8
1987～1990	312	51.9	48.1

3　三门峡水库的水沙量调节

程龙渊等[1]曾对三门峡水库水沙量平衡进行分析计算。就水量的收支情况而言。除建库初期(1960 年 9 月至 1962 年 3 月)水库实行蓄水运用时期外,1962 年 3 月以后,水库进行滞洪和蓄清排浑的方式运用。但就全年而言,水库的水量调节作用是很小的。沙量平衡分析计算的结果如表 6 所示。

表 6　三门峡水库沙量平衡计算结果

时段(年)	进出库沙量(亿 t)			区间沙量(亿 t)			断面法冲淤量(亿 m³)		
	"四站"入库	潼关	三门峡	区间支流	塌岸	灌溉	总计	潼关以上	潼关以下
1960～1964	76.8	66.1	26.9	1.58	3.83	0.05	45.06	8.54	36.52
1965～1973	163.0	132.6	144.9	2.39	2.46	0.31	11.71	20.94	-9.23
1974～1990	170.1	167.6	171.8	4.03	2.17	1.01	4.20	2.66	1.54
小计	409.9	366.3	343.6	8.00	8.46	1.37	60.97	32.14	28.83

注:入库及潼关沙量是对实测资料修正后的数值,区间沙量引自文献[1]。

在水库实行蓄水及滞洪运用期间,即 1960 年 9 月至 1962 年 3 月及 1962 年 4 月至 1973 年 12 月,库区有较大的冲淤,影响范围也很大。自 1960 年 9 月至 1990 年 10 月,全库区共计淤积泥沙 60 亿 m³,其中潼关以上约占 55%,潼关以下约占 45%。泥沙淤积绝大部分是在蓄水和滞洪运用期间发生的。30 年内库区还发生塌岸,总量近 8 亿 m³。淤积和塌岸的数量约占同期进入库区沙量的 21%。从宏观上来说,这也就是水库调节泥沙的总量。

为了控制水库淤积的继续发展,经过对泄流建筑物的几次改建及增建,1974 年起实行蓄清排浑控制运用。水库的水沙量调节作用可归纳如下。

3.1　水量调节

非汛期(每年 11 月至次年 6 月)实行有限度的蓄水以满足下游防凌和补充春季灌溉用水。大体上可以用 3 月下旬桃汛开始之日作为分界。桃汛以前主要运用目标是防凌(包括防凌前期蓄水);桃汛以后至 6 月下旬,主要运用目标是补充灌溉用水。就整个非汛期而言,水量收支没有显著变化。水库的调节作用主要是改变了进出库非汛期各月的水量分配,其中包括:

(1)将 11 月至次年 3 月期间各月水量进行调节,使下泄流量有利于防凌,并留存少量水,约 4 亿 m³(即桃汛起调水位 315～318m 至 310m 之间的水库容量)供后期使用。

(2)将一部分桃汛来水及 4 月上中旬来水暂时存蓄,以补充 5、6 月份下泄水量,共 12 亿～14 亿 m³。

非汛期的运用,按运用目标而言,可分为防凌前期蓄水、防凌蓄水及春灌蓄水三个阶段。每时段运用最高蓄水位、蓄水量及相应的潼关同流量水位变化,列于表 7。表中蓄水量系最高蓄水量与 310m 蓄水量的差值。表中还附列了桃汛的有关数值。桃汛的统计则均以历时 10 天计算。表中各运用时段的历时均系参考实际情况统计。非汛期其余时间均属正常运用。

汛期,即每年 7～10 月,实行控制运用。一般来水条件下,控制坝前水位 300～305m,较大洪水或有特殊情况时,库区将由于滞洪而发生淤积。就整个汛期而言,水量收支没有显著变化。

表 7　三门峡水库非汛期运用情况

项目	凌前蓄水		防凌			春灌			桃汛	
	H_{max}	Δh	H_{max}	S	Δh	H_{max}	S	Δh	H_0	Δh
1962～1973 年										
最大值			327.90	17.88						
平均值			323.75	11.75	0.09					-0.14
1973～1979 年										
最大值	321.07		325.99	18.37		325.33	16.71		323.42	
平均值	317.91	0.30	321.92	10.59	0.25	324.36	13.74	0.12	321.36	-0.05
1979～1986 年										
最大值	318.07		324.94	15.17		324.03	13.01		320.30	
平均值	315.84	0.11	322.77	10.59	0.19	322.66	10.36	0.00	318.98	-0.08
1986～1991 年										
最大值	316.11		321.25	7.55		324.11	12.71		321.94	
平均值	315.55	0.08	318.49	4.49	0.06	323.97	12.36	0.10	319.24	-0.10

注：H_{max}为年内最高日平均水库水位，m；S 为相应蓄水量(310m 以上)，亿 m^3；Δh 为潼关 $Q=1\ 000m^3/s$ 水位升降值，m；H_0 为桃汛起调水位，m。

3.2　沙量调节

水库实行蓄清排浑控制运用以来，潼关以下水库冲淤及潼关高程升降情况如图 3 所示。可以看出，潼关至三门峡河段的冲淤量呈现出年际间的起伏变化和年内的周期性变化。后者是由蓄清排浑运用的特点所决定的，而年际间的变化既与来水来沙条件有关也与各年的运用水位有关。概括地说，1980 年以前非汛期运用水位较高，加上遇到 1977 年那样的多泥沙年份，库内出现累积性淤积，潼关高程也有所抬高。80 年代前半期来水来沙条件较有利，即表现为水量较丰而沙量较小，非汛期运用水位已有所改善，因此库内有所冲刷，潼关高程也相应地有所降低。80 年代后半期来水偏枯，再加上 1986 年 10 月以后龙羊峡投入运用，又值枯水系列，进入水库的水沙量较小，汛期水量偏小，洪水发生次数也少，库区又出现累计性淤积，潼关高程又有所上升。

水库对泥沙的调节作用主要有下列几个方面：

(1)蓄清排浑。非汛期进入库区的泥沙暂时在库内淤积，汛期排出水库(见表 8)。1986 年以前潼三河段基本上保持了冲淤平衡，而 1987～1990 年则尚未达到冲淤平衡。

(2)控制小流量时大量排沙。从潼关及三门峡两站各级流量相应输沙量的统计可以看出，流量在 1 500m^3/s 以下的各级流量的出库输沙量均小于进入水库的沙量。滞洪运用时期出现的“小水带大沙”现象已不复出现。

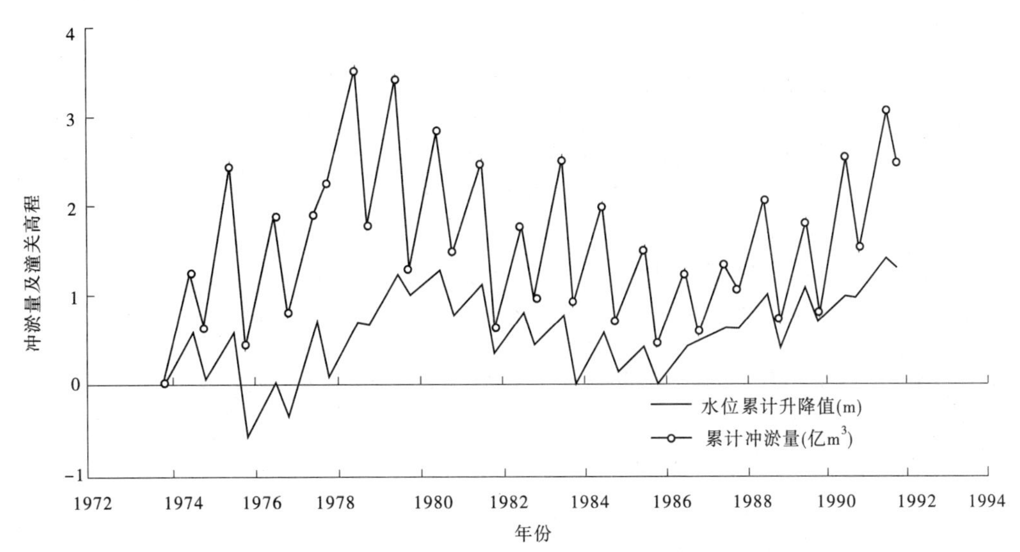

图 3　三门峡水库潼三河段不同年份冲淤量及潼关高程变化

表 8　控制运用期各时段冲淤量统计

时段(年)	年数	年平均冲淤量(亿 m^3)			
		全库区		潼关以下	
		非汛期	汛期	非汛期	汛期
1974～1980	7	0.85	-0.70	1.45	-1.23
1981～1986	6	0.74	-0.84	1.07	-1.22
1987～1990	4	0.86	0.22	1.13	-0.89

(3)拦粗排细。水库在各不同运用期拦沙的作用不同。表 9 给出了不同时期统计的进出库站各粒径组的沙量,可以看出不同运用方式对各粒径组泥沙的拦滞作用。就粒径大于 0.05mm 的粗泥沙而言,蓄水运用时期有 81% 淤在库内,滞洪排沙期为 24%,而 1974～1988 年的控制运用期为 18%。对粒径大于 0.1mm 的粗泥沙,三个时期分别为 93%、46%及 44%。蓄水运用期拦滞粗泥沙的作用最为明显。即使在控制运用期,水库也有一定的拦粗排细作用。

(4)对水沙搭配情况进行的调节。水库进行滞洪运用时,在洪峰后降低水位泄空的过程中不可避免地会出现所谓小水带大沙,使水沙搭配不利于输沙的情况。到达坝址的洪水,经过坝址以上长河段的调整,一般情况下,流量与含沙量的过程是搭配得较好的。因此,出库水沙搭配情况主要取决于水库的滞洪作用。遇到较大洪水,出于防洪的要求,水库将发生滞洪作用,这是不可避免的。三门峡水库改建的工程规划要求在一般常遇洪水时,或者说,在下游河道能安全宣泄洪水时,水库不滞洪,使水库下泄的水沙搭配有利于输送。泄流建筑物经过改建及增建,已经大大地提高了在控制运用期不发生滞洪作用的流量级。从 1974 年运用的实际过程来看,对小于流量 6 000m^3/s 的洪水,水库一般没有发生滞洪作用,或者说,滞洪作用是很小的。水沙搭配的情况已较滞洪运用期有了很大的改善。近几年闸门启闭设施有所改善,泄流能力有所扩大,可以预期,只要调度运行得当,出库水沙搭配情况必将进一步得到改善。

表 9　各粒径组泥沙冲淤量（"四站"—三门峡）

时段（年）	各粒径(mm)组泥沙冲淤量(亿 t)				
	<0.025	0.025～0.05	0.05～0.10	>0.10	小计
1960～1964	11.7	15.3	11.1	7.8	45.9
1965～1973	0.3	5.3	3.5	9.7	18.8
1974～1980	-4.2	0.7	2.2	4.4	1.7
1981～1986	-2.4	-3.5	-1.9	1.1	-6.7
1987～1988	0.2	0.9	1.0	0.7	2.8
总计	5.6	17.3	15.9	23.7	62.5

注：冲淤量系用沙量差法求得。

4　三门峡至花园口区间水沙变化

4.1　水利工程概况

三门峡至花园口区间流域面积 4 万多 km^2，是黄河下游主要洪水来源区之一。自 20 世纪 50 年代以来陆续修建了许多水利工程。据统计，现有水库 509 座，引退水渠道 83 条，灌溉面积达 20.5 万 hm^2。各年代修建竣工的水库见表 10。

表 10　三花间修建的水库座数及库容统计

年代	座数/库容(亿 m^3)			
	大型	中型	小(一)型	小计
50		2/0.38	38/1.04	40/1.42
60	1/12.9	13/2.59	58/1.73	72/17.23
70		3/0.88	46/1.46	49/2.34
80		1/0.10	5/0.22	6/0.32
90	1/12.0			1/12.0
小计	2/24.9	19/3.95	147/4.45	168/33.3

注：90 年代仅将故县水库统计在内，未计中小型水库。

从表中可见，已建大、中、小(一)型水库的总库容已达 33.3 亿 m^3，占区间多年平均来水量的 78.4%，控制流域面积达 43.2%。

4.2　水利工程及水保措施对年水沙量的影响

伊洛河黑石关站及沁河小董站均有多年实测水沙量资料。点绘其累积年水沙量的相关关系如图 4 所示。就伊洛河而言，自 20 世纪 60 年代后期开始年水量有减小的趋势，累计水沙量关系的斜率也明显变缓。两站各年代的统计值如表 11 所示[1]。

[1] 冯相明，龙虎，黄河三花区间水利工程对洪水及径流的影响，黄委会水文局，黄河水沙变化研究基金项目，1992。

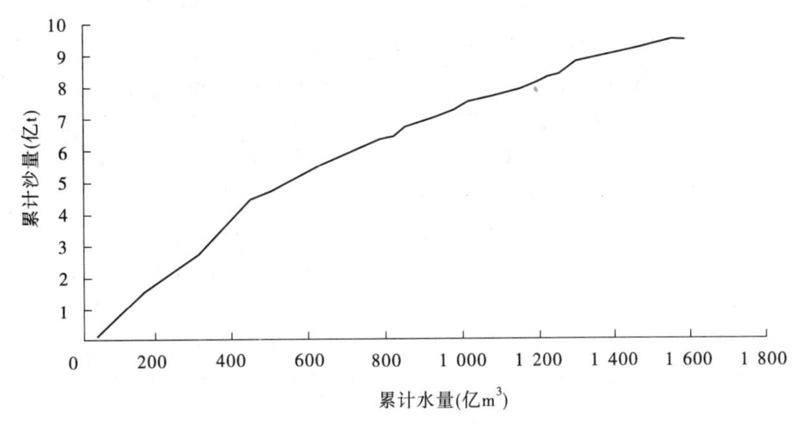

图4　伊洛沁河累计水沙量关系(1952～1990年)

表11　黑石关、小董两站水沙量统计

年代	伊洛河黑石关			沁河小董		
	降雨量(mm)	水量(亿 m^3)	沙量(亿 t)	降雨量(mm)	水量(亿 m^3)	沙量(亿 t)
50	680	41.71	0.38	647	16.16	0.13
60	654	35.48	0.18	650	14.03	0.07
70	625	20.46	0.07	595	6.15	0.04
80	679	29.90	0.10	591	5.41	0.03

从表中可以看出,80年代伊洛河年平均雨量与50年代相近,而年水量减少了约25%,沙量减少了近74%。就沁河而言,降雨量减少了不到10 %,而年水沙量约减少了75%。

4.3　水库对洪水径流的影响

本节引用了冯相明等的文献的分析来说明水库对洪径流的影响。据历史资料分析,三花间暴雨中心常发生在以下四个地区:①伊洛河上游栾川、洛南一带;②伊洛河中下游嵩县、宜阳、新安一带;③干流三小区间;④沁河下游济源、五龙口一带。其中第一个暴雨中心在陆浑、故县水库的控制范围以内,第二、四个中心则处于中小型水库分布密集的地区。通过对各主要控制站年最大洪峰流量的年代均值统计(参见表12),不难看出50年代各站洪峰流量均比其他年代为大。这固然与降雨因素有关,但60年代以后,随着水库增大,库容增大,其影响不容忽视。

陆浑水库于1965年建成,总库容12.9m^3。建库以来曾遭遇两次相当于20年一遇的大洪水,入库洪峰流量分别为5 640m^3/s及5 280m^3/s,削峰率为78%左右。拦蓄的洪水总量占来水量的57%。由此可以看出大型水库拦蓄洪水的作用。

中小型水库对拦蓄洪水的作用既与水库的防洪库容有关,还与能反映水库前期蓄水情况的流域前期影响雨量 P_a 有关。前期干旱或汛期第一场洪水到来以前,P_a 值较小,水库群的拦蓄能力较大。P_a 值逐渐增大后水库群的拦蓄能力就会减小。冯相明等利用暴雨径流关系对三场陆浑—龙门镇区间的洪水进行了分析(见表 13)。

表 12　各年代内各控制站年最大洪峰流量均值统计　(单位:m^3/s)

年代	伊洛河			沁河		
	龙门镇	白马寺	黑石关	五龙口	山路坪	小董
50	3 000	3 040	4 290	1 370	1 030	1360
60	496	1 530	1 670	880	288	956
70	748	736	959	729	158	606
80	1 030	1 580	690	852	187	791

表 13　陆浑—龙门镇区间降雨径流关系计算成果　(单位:mm)

时间	雨量	P_a	实测径流量	无水库径流量	有水库计算径流量	水库拦蓄量
1975 年 8 月	198.3	15.1	73.4	99.0	65.9	33.1
1982 年 7 月	221.7	13.6	86.0	126.5	93.3	33.2
1982 年 8 月	109.4	81.4	90.9	88.0	88.0	

注:P_a 为前期影响雨量。

表中所列第三场洪水是 1982 年 7 月以后的一场连续洪水,P_a 值很大,大部分水库已蓄满,因此其拦滞洪水的作用就很小。从另一方面说,冯相明等认为尽管中小水库群对一般降雨能起到拦滞洪水的作用,但由于防洪标准不高,遇到较大暴雨仍有发生溃决并增大洪水的可能。

5　库区及下游灌溉引水

5.1　基本情况

三门峡库区有多处提水灌溉工程,如大禹渡、夹马口、交口等。程龙渊等根据水库区水文总站调查及实测资料,估算了各年库区灌溉引水引沙量[1]。从其统计中可以看出,库区提灌的水量和沙量都是逐步增加的,但所占来水来沙量的比例较小。黄河下游引水灌溉的涵闸及虹吸工程,截至 1990 年底统计,分别有 76 座及 24 处。设计引水能力达 3 930m^3/s。据佟二勋统计❶,从 1952 年开始引黄灌溉,到 1990 年,共引水量达 2 595 亿 m^3,引沙量达 49.8 亿 t。如以五年为一个时段,统计各时段不同季节的引水引沙量,如表 14 所示。可以看出,近 10 年内春季 3~6 月引水量约占全年引水量的 55%,而同期引沙量仅为全年引沙量的 28%。

从各年的资料还可以看出,黄河下游沿河灌溉引水引沙数量占来水来沙量的比例是很大的。统计 1974~1988 年资料,引水与引沙量占来水及来沙量的比例分别为 26%及 16%。春季 3~6 月的引水量占同期来水量平均为 56%,1974 年以后由于水库实行蓄清

❶　佟二勋,三门峡水库春灌水量调节初步分析.黄委会河务局,黄河水沙变化研究基金项目,1992。

排浑运用,非汛期下泄沙量很小,灌溉引水所引走的沙量主要系来自上一河段河床及边滩的冲刷。从发展过程来看,年引水量或春季引水量都是逐步增长的。引水量占来水量的比例也有增长的趋势。随着来水的丰枯,这一比例也在变化。丰水年比例较小而枯水年比例较大。这将进一步减少中、枯水年的水量,对河道排沙不利。

表 14 不同季节引水引沙情况

时段(年)	年均引水量(亿 m^3)	各月引水百分率(%)				年均引沙量(亿 t)	各月引沙百分率(%)			
		7～9	10～12	1～2	3～6		7～9	10～12	1～2	3～6
1960～1964	39.6	42	16	7	36	0.74	61	4	8	28
1965～1969	27.6	34	13	4	48	0.61	78	3	1	18
1970～1974	64.3	34	4	3	58	1.56	71	1	1	27
1975～1979	92.8	36	8	4	52	1.89	82	2	1	15
1980～1984	98.4	32	9	4	55	1.32	67	3	2	28
1985～1989	115.3	27	13	7	56	1.30	66	4	3	28

综合以上情况,可以得出以下几点认识:

(1)近 25 年来,库区及下游灌溉引水量增长迅速。1986～1990 年下游引水量占同期来水量的比例已达 36.6%,控制运用期(1974～1988 年)15 年内共引走沙量近 22.4 亿 t,平均每年 1.50 亿 t,占同期来沙量的 16%,已超过同期河道淤积量。灌溉引水所引起的水沙变化十分显著,对下游河道的冲淤演变将产生重大影响。

(2)每年春季 3～6 月的引水量约占同期来水量的 56%,1986～1990 年平均已达 64%,说明灌溉引水对水量年内分配所起的作用。

(3)流域来水来沙的变化也影响灌溉引水的发展。由于水库的调蓄,提高了灌溉引水,特别是春季引水的保证率,并可能使引沙量有所减少。这也增加了灌溉引水对引起水沙变化所起的作用。

5.2 引黄灌溉与河道冲淤演变的关系

黄河下游引黄灌溉的一个主要特点是多口门分流引水。全下游共有引黄涵闸 76 处,平均每 10km 就有一处引水口门。在游荡剧烈的河段,有的引水口门距河道主流远达数千米,不得不在滩面开挖引水渠道引水至口门。

佟二勋初步分析了黄河下游河道分流分沙对河道冲淤的影响❶。认为分水分沙对河道冲淤的影响与原河道是否处于冲淤平衡有很大关系。在冲淤平衡河段,分水分沙后河道淤积将会增加。在处于堆积状态的河道,分水分沙后不一定都会增加河道淤积,而是视来沙量的大小和分流比的大小而定。来沙量愈大,分流比愈大,则可以减少河道淤积。从黄河下游资料导出的经验关系,说明来沙比(来水含沙量与河道输沙能力之比)与分流比之间存在着减少和增加淤积的界限。例如,当来沙比为 1.5 时,分流比大于 0.74 可以减少淤积。原作者所进行的上述分析是根据假定分流前后引水的含沙量与大河含沙量相等而作出的。实际情况远较此复杂。上述分析只能从定性方面帮助说明一些问题。

---

❶ 佟二勋,黄河下游河道分流分沙河道淤积影响分析,黄委会河务局,黄河水沙变化研究基金项目,1992。

6 进入下游河道的水沙条件

6.1 来水来沙量及其年内分配

统计三门峡、黑石关、小董三站历年资料并绘制图 5 及图 6,代表进入下游河道年水沙量的过程及累计水沙量关系。可以看出,近 30 年来水沙量的变化是很大的。其原因,一方面是自然条件如降雨量的变异,另一方面也是上中游各种人类活动包括水利工程及水保措施等作用的结果。如以五年为一单元统计年平均水沙量及其年内分配的比例,其成果示于表 15。与建库前相比,70 年代以后不仅水量较小,沙量的减少更为显著,而且自 1974 年水库实行控制运用以后,非汛期来沙基本上被水库拦蓄。进入下游河道的沙量很少。

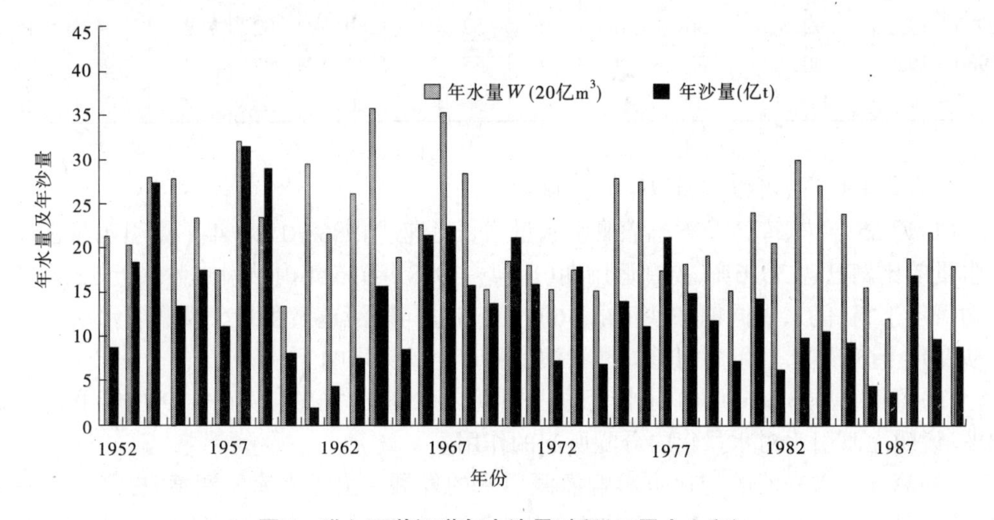

图 5 进入下游河道年水沙量过程(三黑小之和)

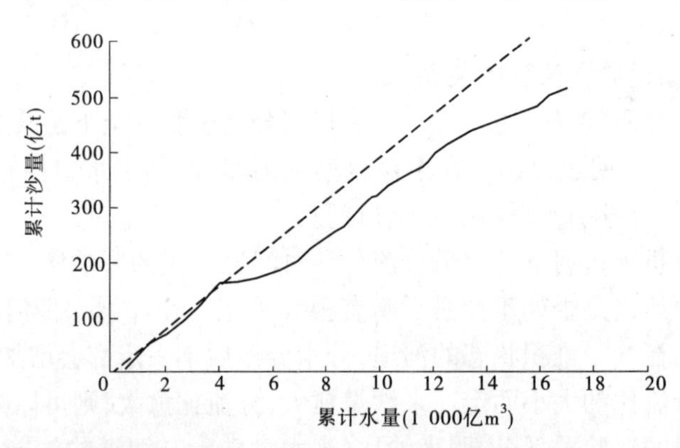

图 6 三黑小三站和的累计水沙量关系

6.2 洪峰流量

由于三门峡水库的运用,进入下游的洪峰流量有所削减。不同运用时期三门峡水库洪峰流量削减程度不同(见表 16),也反映了不同运用方式的滞洪作用。

应当指出,1974 年以后水库泄流设施已经过改建和增建,但由于启闭设施不足,在实际运用中全部泄流能力未能得到充分利用。1988 年以后已有所改进，预计在一般洪水条件下，水库的滞洪作用将进一步减小。

表 15　进入下游河道年平均水沙量及年内分配

时段（年）	水量（亿 m^3）	沙量（亿 t）	灌溉引沙（亿 t）	汛期占全年比例		利津沙量（亿 t）	来沙系数 S/Q
				水	沙		
1951～1955	505	15.75	0	0.61	0.82	13.80	0.020
1956～1960	438	19.16	2.24	0.61	0.85	12.32	0.031
1961～1965	538	6.94	0.18	0.53	0.67	11.00	0.008
1966～1970	481	18.42	0.99	0.56	0.82	14.32	0.031
1971～1975	371	11.48	1.60	0.51	0.88	9.27	0.030
1976～1980	400	12.14	1.97	0.59	0.99	8.44	0.030
1981～1985	485	9.26	1.22	0.61	0.96	9.52	0.011
1986～1990	329	7.25	1.58	0.47	0.95	4.61	0.021

表 16　三门峡水库的滞洪作用

运用方式	蓄水运用	滞洪运用	控制运用
代表年份	1960～1964	1965～1973	1974～1990
统计洪水次数	12	32	43
流量级（m^3/s）	削峰比 = $(Q_i - Q_0)/Q_0$		
<4 000	0.15	0.04	
4 000～6 000	0.27	0.23	0.06
6 000～9 000	0.37	0.28	0.19
>9 000	0.63	0.44	0.33

6.3　各级流量历时统计

按上述三个运用时段统计各级流量出现的日数及其频率，可以看出，在控制运用条件下出库流量在 1 000～3 000m^3/s 范围的历时小于进库同流量级的历时。但是用统计时段的总历时来衡量，各级流量出现频率的改变仍然是很小的。

6.4　各级流量输沙统计

统计了不同运用期各级流量潼关及三门峡两站的水沙量。可以看出，在 1965～1975 年滞洪运用期间，由于冲刷前期淤积物，在 1 000～3 000m^3/s 流量级出库的沙量较进库沙量大，平均每年增加约 2 亿 t，占同流量级来沙量的 32%。而控制运用期间仅增加约 0.3 亿 t，仅占同流量来沙量的 6%。

如以反映河流造床能力并具有所谓地貌功概念的输沙率与相应的某级流量出现的频率的乘积，即 $Q_s \cdot f$ 作为纵坐标，以各级流量作为横坐标绘制图 7。可以看出，对应于最大 $Q_s \cdot f$ 值的流量级在滞洪运用（1965～1973 年）期间仅为 1 500m^3/s，而在控制运用期已提高到 2 500m^3/s 左右。

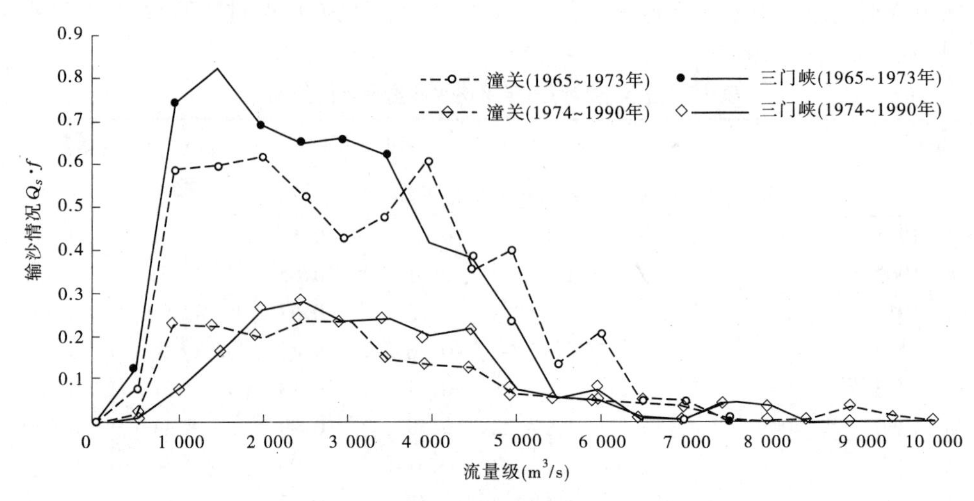

图 7 不同运用期各流量级进出库输沙情况变化

6.5 泥沙级配

以龙临河洑四站、潼关、三门峡、利津等站实测年平均悬移质级配，按年沙量加权平均求得不同运用期的平均级配，列于表 17，可以看出经水库调节后级配的变化情况。

以上各点概括地说明了经三门峡水库调节后进入下游河道的水沙条件。

表 17 各运用期悬移质分组泥沙百分数

测站	时段(年)	分组泥沙百分数(%)				测站	时段(年)	分组泥沙百分数(%)			
		泥沙粒径(mm)						泥沙粒径(mm)			
		<0.025	0.025~0.05	0.05~0.10	>0.10			<0.025	0.025~0.05	0.05~0.10	>0.10
“四站”	1960~1964	44	27	19	10	三门峡	1960~1964	77	14	8	1
	1965~1973	41	25	21	13		1965~1973	45	25	22	8
	1974~1988	48	25	18	8		1974~1988	50	27	18	5
潼关	1960~1964	46	25	20	9	利津	1960~1964	60	21	16	3
	1965~1973	42	25	23	10		1965~1973	55	25	17	4
	1974~1988	49	25	19	7		1974~1988	51	26	21	2

7 下游河道冲淤情况

7.1 冲淤量及其分布

三门峡水库自 1960 年 9 月开始蓄水以来，由于水库淤积问题曾几次对泄流建筑物进行改建和增建,并改变运用方式。30 年内按改建及运用情况可分为若干时段。各时段下游河道冲淤情况见表 18。

表 18 下游河道冲淤量 (单位:亿 m^3)

时段(年)	小浪底—花园口	花园口—高村	高村—艾山	艾山—利津	利津—渔洼	小计
1952～1959	5.48	8.23	5.28	-0.16	0.18	19.01
1960～1964	-6.65	-7.27	-2.30	-2.91	-0.09	-19.23
1965～1973	5.89	12.98	4.86	4.44	0.59	28.77
1974～1990	-1.67	4.55	4.96	2.71	0.28	10.83

建库初期有的河段断面较少,采用了一部分水位站根据同流量水位($Q=3\ 000m^3/s$)估算的主槽冲淤量作为插补值。从资料分析可以看出同流量水位的变化与主槽冲淤量的变化大体上是相应的。高村以上宽浅河道主槽冲淤量变化达 1 亿 m^3 时同流量水位升降值将为 28cm。如按单位河长冲淤量即每公里河长主槽冲淤量 100 万 m^3 计,则铁谢至高村、高村至艾山、艾山至利津三个河段同流量水位的升降值将分别为 23cm、57cm 及 71cm。

对各河段汛期和非汛期的冲淤量按划分的主槽和滩地进行了统计,如图 8、图 9 所示。可以大致看出不同运用期上游河道冲淤量的时空分布。

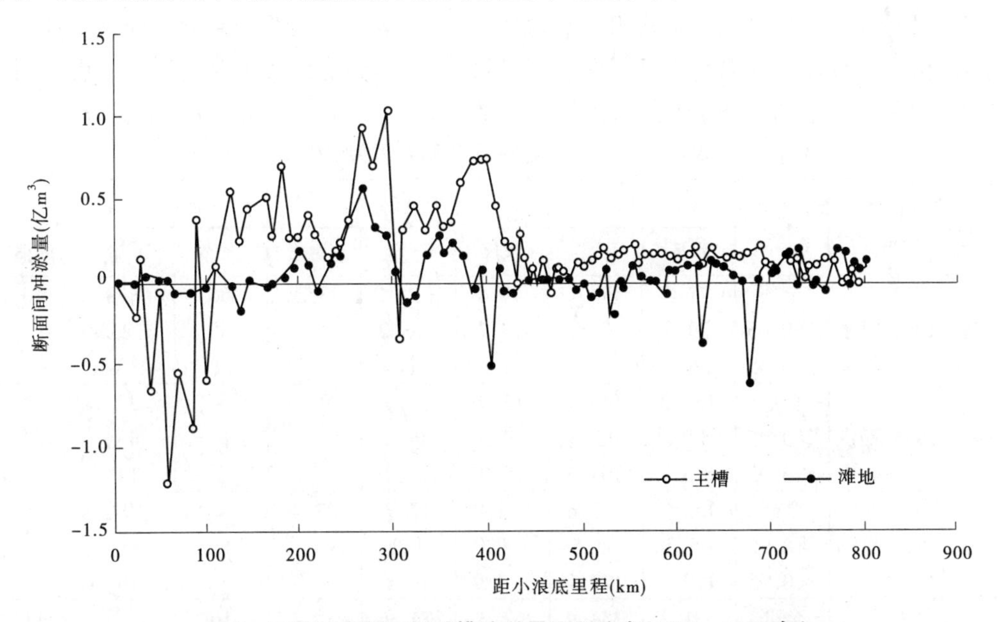

图 8 下游河道断面间滩槽冲淤量沿程分布(1960～1990 年)

图中主槽是指包括深槽及嫩滩在内的河槽,滩地则是较大洪水能漫溢的滩地,汛期与非汛期的划分是以测量时间为准,与水沙量统计所用日期不同。可以看出,非汛期高村以上河段主槽为冲刷,高村以下河道主槽淤积,汛期则反之。这些现象反映了冲积性河流随来水来沙情况而进行冲淤调整的情况。

还分析了粗细两组泥沙在水库及下游河道的冲淤情况,如表 19 所示,其中还列出了

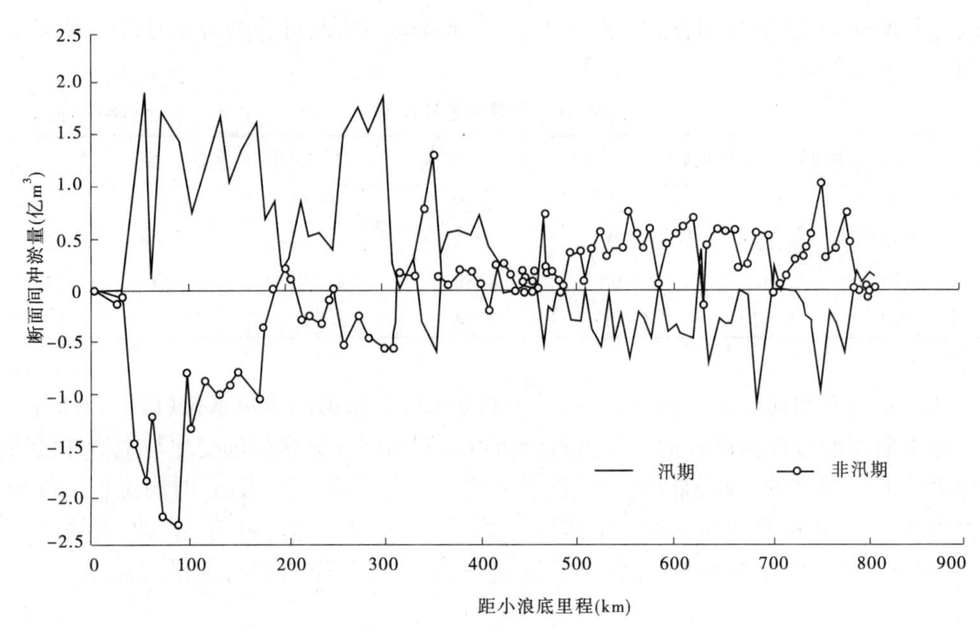

图9 下游河道断面冲淤量年内分布(1960～1990年)

各组泥沙淤积量来沙量的百分比,可以大体上看出水库及下游河道均在不同程度上有拦粗排细的作用。各粒径组沙量是用月平均级配按运用时段乘以各月沙量求出的。此处所用的"四站"及利津站沙量均进行了修正,所列数字与其他统计表不完全一致。表中列出的冲淤量是以上下两站沙量差扣去灌溉引沙量求出的,只能近似地反映冲淤情况。

表19 水库及下游河道粗细泥沙冲淤情况

时段(年)/运用方式	粒径(mm)	来沙量(亿t)		冲淤量(亿t)			冲淤量占来沙量(%)		
		水库	下游	水库	下游	灌溉	水库	下游	灌溉
1960～1964/蓄水	全部	77.0	30.6	49.4	-24.3	3.2	66	-79	10
	>0.05	20.5	3.5	17.7	-8.2		85	-233	
	<0.05	56.5	27.1	31.6	-16.1		58	-59	
1965～1973/滞洪	全部	161.3	146.7	15.9	32.5	9.9	8	22	7
	>0.05	47.5	42.2	5.6	18.5		19	43	
	<0.05	113.8	104.5	10.3	14.0		3	14	
1973～1988/控制	全部	152.9	157.6	-2.9	13.7	22.4	-2	9	14
	>0.05	35.2	35.5	-0.0	1.2		13	3	
	<0.05	117.8	122.1	-2.9	12.4		-7	10	
1960～1988/小计	全部	391.2	334.9	62.3	21.9	35.4	16	7	11
	>0.05	103.1	81.3	23.3	11.6		30	14	
	<0.05	288.1	253.7	39.1	10.3		10	4	

潘贤娣等对三门峡水库修建后黄河下游河道演变进行了较详尽的分析[2]。此处不再赘述。本文所进行的几个统计,只有力图提供一些主要情况,以了解上中游来水来沙变化后引起下游河道冲淤量的变化。水沙条件变化后下游河床演变的特点请参阅文献[2]。

上中游流域来水来沙，首先需经过三门峡水库的调节才能进入下游河道。由于水库在不同时期采取的运用方式不同，调节水沙的程度也随之而异。进入下游的水沙条件也较进入水库的水沙条件有较大的改变。图 10 反映了各运用时期河道冲淤情况。表 20 则用根据水位差计算的河道纵比降、水文站断面宽深比及床沙组成中 D_{65} 的变化来反映下游河道在冲淤过程中的调整作用。

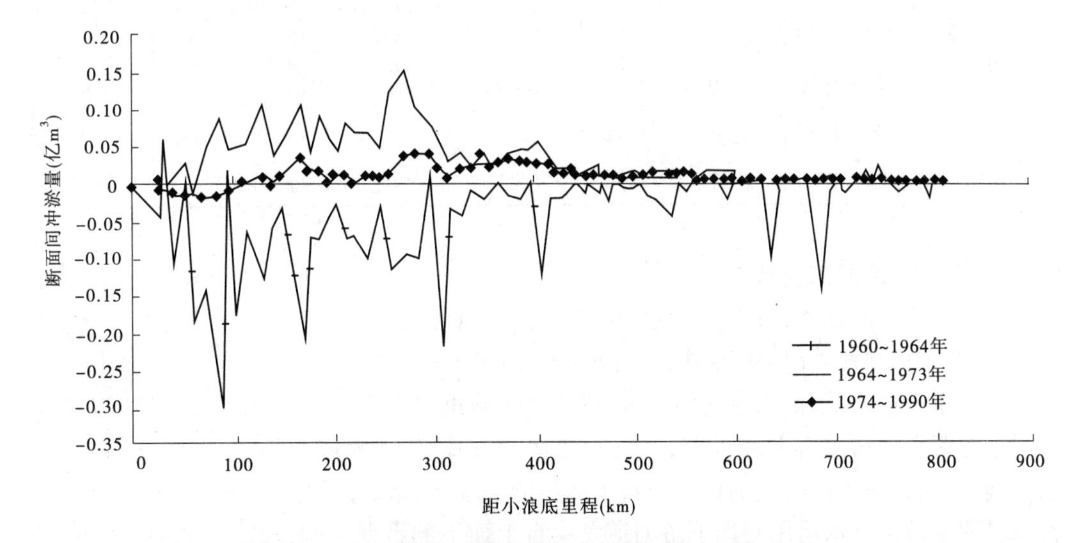

图 10　各运用期断面间冲淤量沿程分布

表 20　不同时期下游各站床沙粒径、宽深比、比降变化

项目	时段(年)	花园口	夹河滩	高村	孙口	艾山	泺口	利津
床沙 D_{65} (mm)	1958～1960	0.104				0.077	0.085	
	1963～1964	0.174	0.137	0.133		0.091	0.105	0.098
	1965～1966	0.141	0.134	0.125	0.109	0.103	0.125	0.114
	1970～1973	0.130	0.101	0.098	0.106	0.101	0.095	0.093
	1974～1980	0.167	0.103	0.133	0.094	0.096	0.102	0.087
	1980～1985	0.152	0.133	0.170	0.122	0.113	0.117	0.110
	1986～1988	0.143	0.127	0.088	0.084	0.079	0.082	0.077
宽深比	1958～1960	822 .				182	80	
	1963～1964	1 229	729	750		154	66	199
	1965～1966	1 528	511	555	421	159	70	183
	1970～1973	712	507	794	313	187	82	167
	1974～1980	522	711	358	280	140	73	173
	1980～1985	862	1 077	304	257	124	76	176
	1986～1988	422	405	227	257	108	88	206

续表 20

项目	时段(年)	小—花	花—夹	夹—高	高—孙	孙—艾	艾—泺	泺—利
比降(‱)	1958～1960	2.77	1.78	1.52	1.09	1.32	1.01	0.92
	1963～1964	2.68	1.77	1.49	1.09	1.26	1.00	0.89
	1965～1966	2.49	1.84	1.46	1.13	1.21	1.00	0.87
	1970～1973	2.54	1.80	1.47	1.14	1.13	0.99	0.92
	1974～1980	2.40	1.75	1.49	1.14	1.14	0.96	0.94
	1980～1985	2.35	1.78	1.42	1.14	1.13	0.98	0.97
	1986～1988	2.37	1.79	1.43	1.14	1.11	0.97	0.97

7.2 下游河道冲淤演变特点

就三个不同时期而言,下游河道冲淤演变的特点可以概括如下。

7.2.1 蓄水运用时期(1960 年 9 月～1964 年 10 月)

水库蓄水运用,下泄水流或为清水,或为通过异重流形式排出的、含沙量较小、以细颗粒为主的浑水。1964 年来水偏丰,虽已改变运用方式,但泄流能力不足,滞洪作用大,中水持续时间长,对下游河道的作用与蓄水运用的 1961 年相似,因此将 1963～1964 年并入蓄水时期分析。蓄水运用时期下游河道发生自上而下的沿程冲刷,较短时间内就已发展到距三门峡约 900km 的利津。床沙组成粗化、比降调平较为明显。据潘贤娣等分析[2],河势变化较大,滩地坍塌约 327km^2,主要发生在高村以上河段。河床形态也相应地发生了一些变化,花园口至高村河段主槽平均展宽约 1km。

7.2.2 滞洪运用时期(1964 年 11 月～1973 年 10 月)

由于水库的滞洪作用,洪峰流量有所削减,并改变了天然水流的水沙搭配情况,一次洪水过程的泥沙在较小的流量级排出水库。同时,在这一期间,改建的泄流设施逐步投入运用,特别是底孔的投入,使前期淤积在库内的泥沙 10 余亿 t 重新被冲刷出库,增加了进入下游的沙量。与此相应,床沙组成也调整细化。

黄河下游河道的平面形态上宽下窄,大体上以艾山为分界。在天然情况下,艾山以上宽河道有削峰滞沙作用,如洪水含沙量不太大,则滩淤槽冲,如遇含沙量较大的洪水则滩槽均将发生淤积。长期发展过程中滩槽相互调整同步抬高,滩槽高差及形态不会发生根本性的转变。进入下游窄河段的洪水流量和泥沙均将因宽河段的上述调整而有所变化。水库进行滞洪运用,宽河段的这种调整作用减小了,进入窄河段的水沙条件也因之变化。遇到一般洪水,进入窄河段的洪水流量和泥沙都会较前有所增加。同时,由于水库滞洪作用大,减少了使窄河段发生大水冲刷的机会。因此,滞洪时期艾山以下窄河段淤积有所加重。

由于河道的强烈堆积,河道变得宽浅散乱,在整治工程控制性较差的铁谢至高村游荡河段,主流线平均摆动范围达 3 360m,在高村至陶城铺过渡性河段主流平均摆幅也超过了 1 000m。

7.2.3 控制运用时期(1973 年 11 月～1988 年 10 月)

由于水库实行蓄清排浑控制运用,全年泥沙集中于汛期排出。这一时期上中游来沙量减少很多,下游淤积大大减缓(见图 10)。非汛期水库下泄清水,下游河道发生冲刷,但流量较小,冲刷范围有限,一般均在高村以上。汛期则视来水情况发生一些冲淤变化。就整个时段而言,花园口以上仍略有冲刷,花园口以下沿程淤积,但较集中于高村至艾山河段。

由于三门峡水库在一般洪水时尽量不滞洪,下游河道的冲淤与上中游来水来沙条件的关系更为明显。1974～1979 年期间,年平均水沙量均略小于多年平均值,但出现了 1977 年的两次高含沙洪水。1981～1985 年期间,来水偏丰而来沙较多,年平均值偏小约 38%,出现了 1982 年的一次较大洪水。1986 年以后水沙偏枯 50%～70%,洪水次数少,洪峰流量也小,水量年内分配也发生了一些变化。这些水沙条件都对下游河道冲淤演变起到了主要作用。

分析下游河道的冲淤演变特点,可以看出以下几点:

(1)上中游流域来水来沙经过三门峡水库和区间流域的调节才进入下游河道。铁谢以下河道沿程灌溉引水引沙,进一步使进入每一河段的水沙量及其过程发生一定程度的变化。40 年来,河道整治工程不断修造,不仅艾山以下河道的河势已得到控制,而且高村至艾山的过渡段的主流摆动也逐步受到制约。高村以上的游荡摆动也在减小。这些水沙条件及河床边界条件的变化对下游河道的冲淤演变均起到了一定的作用。

(2)按运用时期统计,1974 年控制运用以来下游河道总平均的冲淤数量是较小的,这和上中游流域自 70 年代以来来水来沙有较大幅度的减少是相应的。但是,即使在控制运用时期,遇到有利的水沙系列,如 1981～1985 年全河发生冲刷,不利的水沙系列,如 1986～1989 年,大部分河段发生淤积,特别是艾山以下的窄河段,同流量水位年平均淤长的幅度甚至超过 0.1m。这和后一系列流域来水来沙较枯、洪水峰量均较小有主要关系。可见在水库调节作用较小的控制运用时期,下游河道的冲淤及其分布情况主要受来水来沙的影响。

(3)三门峡水库在控制运用初期有一定的减淤作用,这一点以后还会讨论。但是,由于潼关高程限制,三门峡目前控制运用方式的调节水沙的能力是有限的。在小浪底水库投入运用以后,做好三门峡水库的控制运用仍然是必要的。

(4)随来水来沙的变化,下游河道会调整其边界条件以适应这种变化。根据已有资料分析,随着冲淤变化,床沙的调整还是很显著的。比降的调整则主要表现在铁谢至花园口河段。有的断面 1974 年以后宽深比变小,趋势明显,除受水沙条件影响而自行调整外,也与河道整治控制了游荡摆动有关。

8 水沙变化对河口的影响

8.1 进入河口区的水沙条件

以利津站作为河口区的入流站,统计其年水沙量如表 21 和图 11 所示。可以看出,进入河口的水沙量均有减小的趋势。与 50 年代累积水沙量关系的趋势比较,从 1960 年起 30 年内进入河口区的沙量减小了约 40 亿 t。与建库前比较,水库实行蓄清排浑运用期间非汛期水量所占比例看不出明显变化，但平均含沙量有所减小。

表 21　利津站年水沙量统计

时段（年）	水量（亿 m^3）	非汛期（%）	沙量（亿 t）	非汛期（%）	含沙量（kg/m^3）		
					全年	汛期	非汛期
1952～1959	474.0	38	13.68	15	28.1	38.7	9.9
1960～1969	501.2	42	10.89	22	21.6	29.2	9.5
1970～1979	311.2	41	8.98	17	29.4	41.5	10.5
1980～1989	286.0	36	6.39	11	21.6	29.2	5.5

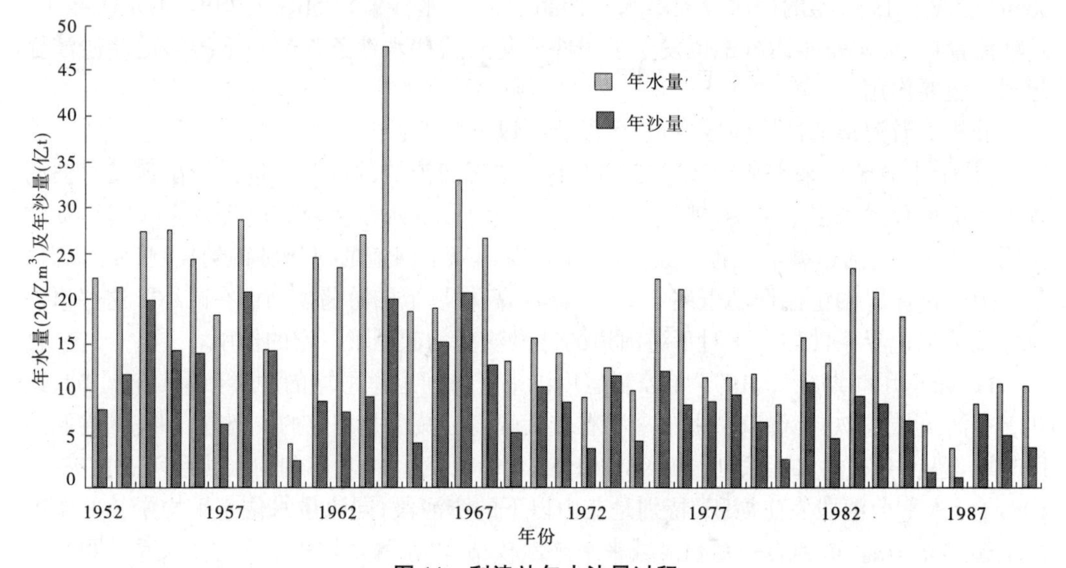

图 11　利津站年水沙量过程

按 5 年一个时段统计了某级流量的年平均历时日数。可以看出，随着灌溉引水的发展，70 年代以后，利津站经常出现断流或流量极小的情况，每年平均可达 12～14 天。近 5 年，流量大于 3 000m^3/s 的天数很少，一年内绝大部分时间平均流量均小于 3 000m^3/s。流量小于 1 000m^3/s 的天数也较建库前及建库初期增加了很多。

试比较利津站流量及三黑小三站流量和在各级流量出现的日数，可以看出，利津站在近 15 年来小于 1 000m^3/s 的流量出现的日数较三站平均增加了 57 天，而 1 000～2 000 m^3/s 流量级出现的日数减少了约 46 天。这种小流量出现频率的调整主要是沿程灌溉引水所造成的。

利津站的悬移质泥沙级配已列入表 21。可以看出，尽管三个运用时期自水库下泄的泥沙级配有较大变化，经过下游河道长距离的调整，到达利津站的泥沙级配已无很大的变化。

进入河口区的这些水沙条件的变化，既与自然水文情况包括降雨的差异有关，也在一定程度上受上中游水利工程和水保措施的拦滞与调节作用以及下游沿河灌溉引水引沙的发展影响。这些变化也会对河口冲淤发展产生影响。

8.2 河口冲淤情况

河口区包括利津以下河道、河口三角洲陆上部分(指大沽基面零米线以上部分)及滨海部分(指三角洲前坡)。自利津至河口共长约100km。河口区泥沙冲淤既受来水来沙的影响又受河口侵蚀基面的制约。由于淤积,河道不断向海域延伸,三角洲不断扩大,但同时又受风浪及潮流所产生的沿岸流作用不断发生岸蚀使岸线后退。河口区泥沙冲淤情况十分复杂,既受控于上游来水来沙条件,又受潮流作用影响。

新中国成立以来,河口经历了三次人工改道。第一次是1953年7月在小口子改道,入海流路由三股并为一股,经神仙沟入海。第二次是1964的1月,在罗家屋子改道,经由刁口河入海。第三次是1976年5月在西河口改道,经由清水沟入海。三次改道点至利津的距离依次为43km、51km、47km。人工改道缩短了改道点以下入海流路的长度,对于某一固定断面或河段而言,其作用相当于降低了局部侵蚀基面,对其冲淤发生了重大影响。从河口区几个水位站同流量水位的变化情况可以看出,1976年的改道,由于与上游来水引起的沿程冲刷相结合,对降低水位的影响可延伸到泺口以上。

引用文献[3]所列举的材料,将河口冲淤情况列于表22。

表22 河口泥沙淤积分布

时段 (年·月)	来沙量 (亿t)	陆上		滨海		输往外海		说明
		淤积量 (亿t)	占来沙 (%)	淤积量 (亿t)	占来沙 (%)	淤积量 (亿t)	占来沙 (%)	
1958.10～1960.10	19.62	0.70	3.6	8.92	45.5	10.00	50.9	神仙沟后期
1964.1～1973.9	113.2	27.50	24.0	45.10	40.0	40.60	36.0	刁口河
1976.5～1991.10	105.96	27.89	26.36	64.92	61.31	13.15	12.4	清水沟

尹学良❶ 等分析了来水来沙条件对河口演变的影响。就一年内的水文过程而言,河口区河道的冲淤变化主要受流量大小的影响,一般表现为汛期冲刷、非汛期淤积,而汛期中非洪水期淤积、洪水期冲刷。冲淤分界的流量大致为1 800m^3/s。水流大小还通过河道冲淤使河道比降得到调整,也影响到河道水流的通畅程度。流量大于分界流量时,河道主槽发生冲刷,断面变得较为窄深,比降调平,窄深断面水流集中也会增加进入海域的泥沙。

在讨论河口演变的一般特性的基础上,尹学良等还对水沙变化可能引起的河口演变进行了粗略的估算。用设计2000年水平的利津站水沙系列进行了连续31年的计算,得出了以下几点认识:

(1)来水量减少淤积加快、来沙量减少淤积减缓。来沙量减少64%时,计算的河长延伸仅减少32%,沙量减少的影响不如水量减少影响明显。

按设计2000年水平的水沙系列进行计算,31年平均利津河床每年淤高4.7cm,稍大于1950～1985年的平均值4.0cm。

(2)水沙按同比例减小时,计算的比降和淤高都明显增大。

(3)水量关系即如在小流量均按同一比率减小,则淤积期的平均淤积率和冲刷期的平

❶ 尹学良,陈金荣,黄河水沙变化对河口演变的影响,黄河水沙变化研究基金项目,1991。

均冲刷率都减小,但冲刷率的减小较明显。长系列计算的总淤积量随水量的减小而增加。

河口区河床演变的情况较为复杂,上述估算只是从定性上帮助说明了一些由于水沙变化可能引起河口冲淤变化的概念。

8.3 河口区冲淤演变特点

近 30 年内黄河水沙变化对河口区冲淤演变的影响,尚未见有系统深入的分析。根据上述各方面情况可以初步归纳为以下几点:

(1)近 30 年内进入河口区的水沙条件有不少变化。除自然条件外,造成这些变化的主要原因有:上中游流域各支流水利工程和水保措施的减水减沙作用;干支流大型水库的调节;沿河灌溉引水引沙的发展及进入河口以前下游长距离冲积性河道的调整。

(2)水沙变化的一个明显特点是来沙量的减少。60 年代初三门峡水库开始运用到 60 年代末已累计淤积近 55 亿 m^3。70 年代开始到 80 年代末由于改建和增建了泄流设施以及运用方式的改变,库区淤积很少。但上中游各支流的治理已开始发挥拦沙作用,平均每年减沙 2.5 亿~3 亿 t。这一期间,下游沿河灌溉引水引沙也发展迅速。来沙量的减少,减缓了河口区淤积发展速率。

(3)来水量减少和各级流量在年内持续情况的变化,根据河口区冲淤演变的一般规律推断,将会加剧河口区的淤积。它与由于来沙量减少而减缓河口淤积是两个互相矛盾而又相关联的事物。自然条件下来水量和来沙量的变化是一致的、同步的。这可以从双累积曲线的特性看出来。上面提到的几种人类活动的影响也会造成来水量和来沙量的变化差异。

从宏观上分析,从 60 年代以来,来沙量减少的影响大于来水量减少的影响。可以说,对河口区的冲淤演变而言,上述各种人类活动因素的总的效应是有利的。

9 水库控制运用对下游河道的减淤作用

三门峡水库自 1974 年实行控制运用以来,在一般的水沙的条件下,每年库区冲淤量在一定幅度内变化,基本上保持了较长时段内的冲淤平衡,从而保持了一定的可用库容并限制了淤积上延的发展。这些均可从实测资料中得到明确的回答。但是水库的调节泥沙作用对下游河道冲淤产沙影响就不能直接从实测资料中得到答案。图 12 为实测水库及下游河道累计冲淤量的过程。

如以三黑小三站的水沙条件作基础,统计三门峡建库前后各年“三站”总和的年平均含沙量与年平均流量的比值,即来沙系数 S/Q,并与下游河道冲淤量点绘相关关系如图 13 所示。从点群趋势看,它们遵循的规律略有不同。如以 D 代表冲淤量,回归后可得如下表达式:

建库前:$D=23.74+5.548\ln(S/Q)$

建库后(1965~1988 年):$D=14.71+3.451\ln(S/Q)$

建库前的上述经验关系可大致反映天然情况。无水库时,用潼关、黑石关、小董三站总和的相应数值统计来沙系数代入上式,计算求得 1960~1988 年总减淤量为 36.1 亿 m^3,平均每年 1.25 亿 m^3。蓄清排浑 15 年来总减淤量 6.9 亿 m^3,平均每年减淤量 0.46 亿 m^3。

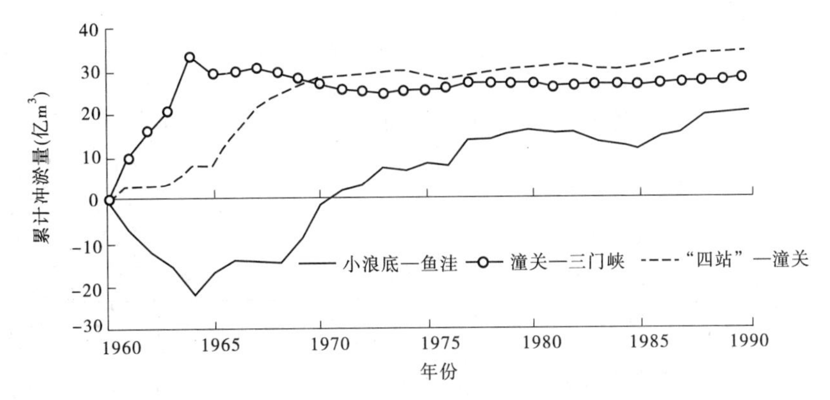

图 12 水库及下游河道累计冲淤量过程

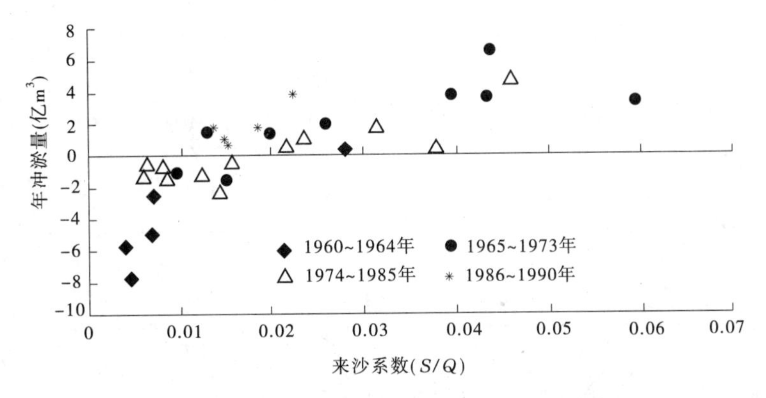

图 13 下游河道来沙系数与冲淤量关系

采用清华大学王士强建立的数学模型❶,用1974～1988年资料进行下游河道冲淤计算,以分析有无三门峡水库下游河道的作用。1974～1985年平均减淤量为0.51亿t,1974～1988年平均为0.30亿t。

采用数学模型与用简略方法分析三门峡水库的减淤作用的定量结果还有差异。但从定性上来说,在给定的水沙系列下,三门峡水库调水调沙运用,多数年份有减淤作用,少数年份为增淤,总计仍有减淤作用,并且初期的减淤作用较大。

分析计算的结果可以看出水库控制运用对下游河道的减淤作用与来水来沙条件有密切关系。而在一定的来水来沙条件下,由于采用蓄清排浑控制运用方式,非汛期进入下游的总水量没有大的变化,但沙量几乎等于零,汛期则增加了来沙量。目前所采用的运用方式主要是调节了水沙量在年内的分配。上述计算结果只是反映了在1974～1988年特定的水沙系列下通过水库调节改变了水沙量在年内分配的结果。

进一步分析在控制运用各不同时段内下游几个大河段的减淤情况,如表23所示。从表中可见,控制运用期三门峡水库的减淤作用主要发生在1974～1985年,后几年还有一些增淤作用。对艾山以下河段而言,1974～1985年期间略有增淤作用。就整个时段而言,主要减淤作用在高村以上,而艾山以下则略有增淤。

❶ 王士强,黄河下游河床变形数学模型及减水减沙对下游河道冲淤影响,黄河水沙变化研究基金项目,1992。

表 23　各河段减淤情况(时段内年平均值以亿 t 计)

时段(年)	河段			
	小浪底—高村	高村—艾山	艾山—利津	小计
1974～1979	1.22	-0.02	-0.20	1.00
1980～1985	-0.17	0.11	0.09	0.03
1986～1988	-0.49	-0.08	0.03	-0.54
小计	0.56	0.01	-0.08	0.49

10　水沙条件变化对下游河道冲淤的影响

根据基金会所列课题,清华大学、武汉水电学院及中国水科院等三个单位均研制了适用于黄河下游河道冲淤计算的数学模型❶❷❸,并用这些模型对一些假设的水沙条件进行系列计算。表 24 列出了这些模型验证和计算方案所采用的系列。为区别其他用于黄河的模型,表中将以上几个模型分别命名为 QW－1、WW－1、WW－2、SL－1 模型。名中第一字母代表单位,第二个字母代表模型第一作者。

表 24　各数学模型采用水沙系列

模型名称	QW－1	SL－1	WW－1	WW－2
验证用系列(年)	1965～1973	1969.5～1975.6	1965～1983	1965～1983
计算用系列(年)	1974.7～1987.6	1969.5～1978.6	设计系列	1950～1959 翻番
平均年水量(亿 m^3)	420	339	319	506
平均年沙量(亿 t)	10.6	12.7	12.3	18.0
研制者	清华大学王士强	水科院梁志勇	武汉水电学院韦直林	武汉水电学院韦直林

表 25 列出了各模型计算的主要结果。从表中可以看出,尽管各家模型的构制思路及外理方法各不相同,采用的系列也各异,但计算结果从定性上来说是基本一致的。归纳起来有以下几点:

(1)下游河道的减淤作用随沙量减少的程度而增减。粗泥沙(>0.05mm)减少得愈多,减淤的作用愈大。虽然各家模型采用的计算系列不同,不能对计算结果直接进行对比,但定性的结果是完全一致的。

(2)水量不变沙量增加(如方案Ⅴ)或沙量不变而水量减少(如方案Ⅲ)都会增加下游河道的淤积。其中沙量增加的作用似大于减少水量的作用。如沙量不变而增加水量则会对下游河道的减淤起到积极的作用(如方案Ⅵ)。

(3)水沙量同步减少对下游河道仍有一些减淤作用。

---

❶ 王士强,黄河下游河床变形数学模型及减水减沙对下游河道冲淤影响,黄河水沙变化研究基金项目,1992。

❷ 梁志勇,曾庆华,周文浩,黄河下游河床演变准二维数学模型的研究及其应用,黄河水沙变化研究基金项目,1992。

❸ 韦直林,谢鉴衡,付国岩,尹小玲,黄河下游河床变形长期预测数学模型初步研究,黄河水沙变化研究基金项目,1992。

表 25　各数学模型计算结果

方案	模型	系列年均水量(亿 m^3)	系列年均沙量(亿 t)	沙量增减(%)		水量增减(%)	下游河道年均减淤量(亿 t)					说明
				全部	粗泥沙		小—花	花—高	高—艾	艾—利	小计	
Ⅱ-1	QW-1	420	10.6	-10			0.17	0.25	0.14	0.16	0.62	其中粗泥沙减20%，中泥沙减12%，细泥沙减4%
	SL-1	339	12.7	-20			0.66	0.40	0.44	0.16	1.66	
	WW-1	319	12.3	-35			0.46	1.11	0.26	0.08	1.92	
	WW-2	506	18.0	-20			0.16	0.45	0.30	0.07	0.90	含沙量＞100 kg/m^3 时，减 40%，30～100 kg/m^3 时，减 30%
Ⅱ-2	QW-1	420	10.6		-10		0.25	0.44	0.21	0.07	0.97	
	WW-1	319	12.3		-20		0.32	0.64	0.12	0.03	1.10	
	WW-2	506	18.0		-30		0.26	0.75	0.39	0.08	1.47	
Ⅲ	SL-1	339	12.7			-20	-0.21	-0.14	0.05	-0.06	-0.35	
Ⅳ	SL-1	339	12.7	-20		-20	0.30	0.40	0.29	0.03	1.02	
Ⅴ	WW-1	319	12.3	+14			-0.28	-0.42	-0.08	-0.02	-0.80	
Ⅵ	WW-2	506	18.0			+8	0.17	0.33	0.08	0	0.58	在 Q = 800～3 500 m^3/s 时加水，年均 40 亿 m^3

11　结语

近 40 年来黄河流域的水沙情况发生了较大的变化。本文简略地对进入三门峡水库及下游的水沙变化进行了分析，并对由于水沙变化引起水库和下游河道及河口的冲淤情况进行了一些统计，引用了本届基金所列有关课题的成果，初步分析了三门峡水库的减淤效果和流域来水来沙发生变化后可能引起下游河道的冲淤变化。

根据本文的统计和分析，可以得出以下几点认识。

(1)进入水库及下游河道的干支流年水沙量，自 20 世纪 70 年代以来均呈减小的趋势，沙量的减少尤为明显，其中粗泥沙减少较多。沿河灌溉引水发展迅速。水量在年内的分配和各流量级出现的频率也都有一些变化。洪峰流量也较自然情况有所削减。这些水沙情势的变化必然会对水库、河道及河口的冲淤带来一定的影响。

(2)除自然条件引起的来水来沙变异外，上中游流域治理、大型水库的水沙调节及沿河灌溉引水的增长是形成水沙条件变化的主要原因。

(3)与建库前比较，下游河道的冲淤情况有所缓和。但在现行运用条件下，三门峡水库的减淤作用是有限的。由于三门峡水库初期运用使下游河道不发生累计淤积的年份，就全部泥沙而言，约为 11 年，就大于 0.05mm 的粗泥沙而言，年限将较长。

(4)如按三门峡水库不同运用方式的几个时段将水库淤积、下游河道及河口淤积、灌溉引沙等综合进行统计见表26。表中所列数字均按运用年数平均,反映了按年平均的均值,其中淤积量按干容重折合为以重量计的淤积量可以看出,从水库到河口滨海区的总淤积量占总来水来沙的75%~87%。流入深海海域的泥沙为13%~25%。通过这一宏观分析,可以看出来沙量的减少将是使下游淤积减缓的主导因素。

表26 黄河三门峡水库及下游泥沙去向统计 (单位:亿t)

时段(年)	来沙量	冲淤量			灌溉引沙	挖沙淤背	2~6总计	占来沙(%)
		水库	河道	河口三角洲				
	1	2	3	4	5	6	7	8
50年代建库前	17.5		4.15	11.08			15.23	87
1960~1964蓄水期	17.0	13.28	-7.10	5.81	0.77		12.76	75
1965~1973滞洪期	18.1	1.62	4.60	8.72	1.10		15.74	87
1974~1990控运期	10.6	0.38	1.14	6.02	1.40	0.32	8.94	84

注:1.来沙量系龙门、临潼、河津、洑头四站合计,建库前为陕县站,均根据原水文年鉴统计,未用历审成果。
2.河口冲淤量系参考文献❶中数字再进行估算求得。

(5)利用数学模型初步分析不同水沙条件可能对下游河道减淤作用的结果表明,只在保持来水量的条件下进一步减少泥沙来量,特别是减少粗泥沙的来量,才能继续延缓下游河道的淤积。

(6)继续深入探索黄河流域水沙变化的原因并预测其发展趋势,做好水沙情势及水库、河道河口的监测;利用数学模型分析水沙变化及河道、河口边界条件对冲淤的影响,对治黄决策有重要意义,必须继续进行。

本文在编写过程中,除吸收了黄河水沙变化研究基金有关项目成果外,主要使用了黄委水文局编制的数据库,并参考和采用了文献[4]的分析成果。本文原编写于1993年,此次仅对少数统计数字根据黄委水文局1998年历审成果进行了修改,并对原文作了适量删减。

参考文献

[1] 程龙渊,席占平,高德松,等.三门峡水库淤积测量方法初步分析.见:黄河三门峡水利枢纽运用研究文集.郑州:河南人民出版社,1994
[2] 潘贤娣,赵业安,李勇,等.三门峡水库修建后黄河下游河道演变.见:黄河三门峡水利枢纽运用研究文集.郑州:河南人民出版社,1994
[3] 庞家珍.河口演变及对黄河下游的影响.见:黄河水利科学技术丛书——黄河泥沙.郑州:黄河水利出版社,1996
[4] 丁六逸,龙毓骞,缪凤举,等.三门峡水库的调度运用.见:黄河三门峡水利枢纽运用研究文集.郑州:河南人民出版社,1994

❶ 山东黄河河务局规划设计室,关于延长河口现行流路使用年限的技术咨询报告,1986。

黄河输沙资料数据库

1　目的和用途

我国水利系统水文部门在建立全国水文资料数据库时曾提出以全国基本水文资料数据库为中心、以各专项数据库为外围的水文数据库集的设想。黄河输沙资料数据库就是为实现这一设想而建立的一个专项数据库。它的主要目的是汇集多年来通过日常测验及实验研究所收集的黄河干支流一些水文站实测资料,用数据库管理系统加以管理,并与其他适用的数据处理软件相结合,可以较便利地用于研究黄河河道泥沙输送的有关问题。

2　黄河输沙资料数据库内容

黄河输沙资料数据库内容,主要为以实测输沙率为基础的资料。每一组资料包括:日期、流量(Q)、河宽(w)、水深(d)、水面比降(J)、水温(T)、实测断面平均悬移质含沙量(S)、床沙及悬移质断面平均级配(P_{bm}、P_{ss})。级配均用小于某粒径重量百分数表示。粒径分级参照目前的习惯,用0.005、0.01、0.025、0.05、0.10、0.25、0.50、1.0、2.0mm等。一般为9组,超过时适当增列。均采用公制单位:如 Q—m^3/s; w—m; d—m; T—℃; S—kg/m^3; Q_s—t/s; 等等。本数据库的各水文站位置参见图1。

根据资料的情况可以分为下列几类。

2.1　黄河下游干流水文站日常测验资料

共录入了2 398组,如表1所示。

录入的实测输沙率有关资料,并不一定是河段处于输沙平衡状态的资料。根据水文站的要求,在现有测验手段下实测输沙率的目的,主要是建立断面单断沙关系,并通过整编求得逐日、月、年的输沙量。每年测次不等,一般地说,为10~20次。分布在各流量级。洪水流量大时,受条件限制,往往测次较少。

2.2　三门峡库区各水文站日常测验资料

龙门、临潼、华县、沙王(或渭南)、华阴、朝邑、上源头、潼关、大禹渡(或太安)及建库前陕县等10个站2 491组资料(见表2)。其中一部分资料含沙量较高。有些站是为研究库区水文泥沙因子变化而设立的,因此资料的年份不一定连续。

有些虽属基本站但实测输沙率的有关级配资料未在年鉴内刊印,本数据库也未录入。

2.3　黄河上游各水文站日常测验资料

头道拐、巴彦高勒、石嘴山等站80年代的资料共61组(见表3)。

作者:龙毓骞、梁国亭。黄委水科院研究报告黄科技94001号。

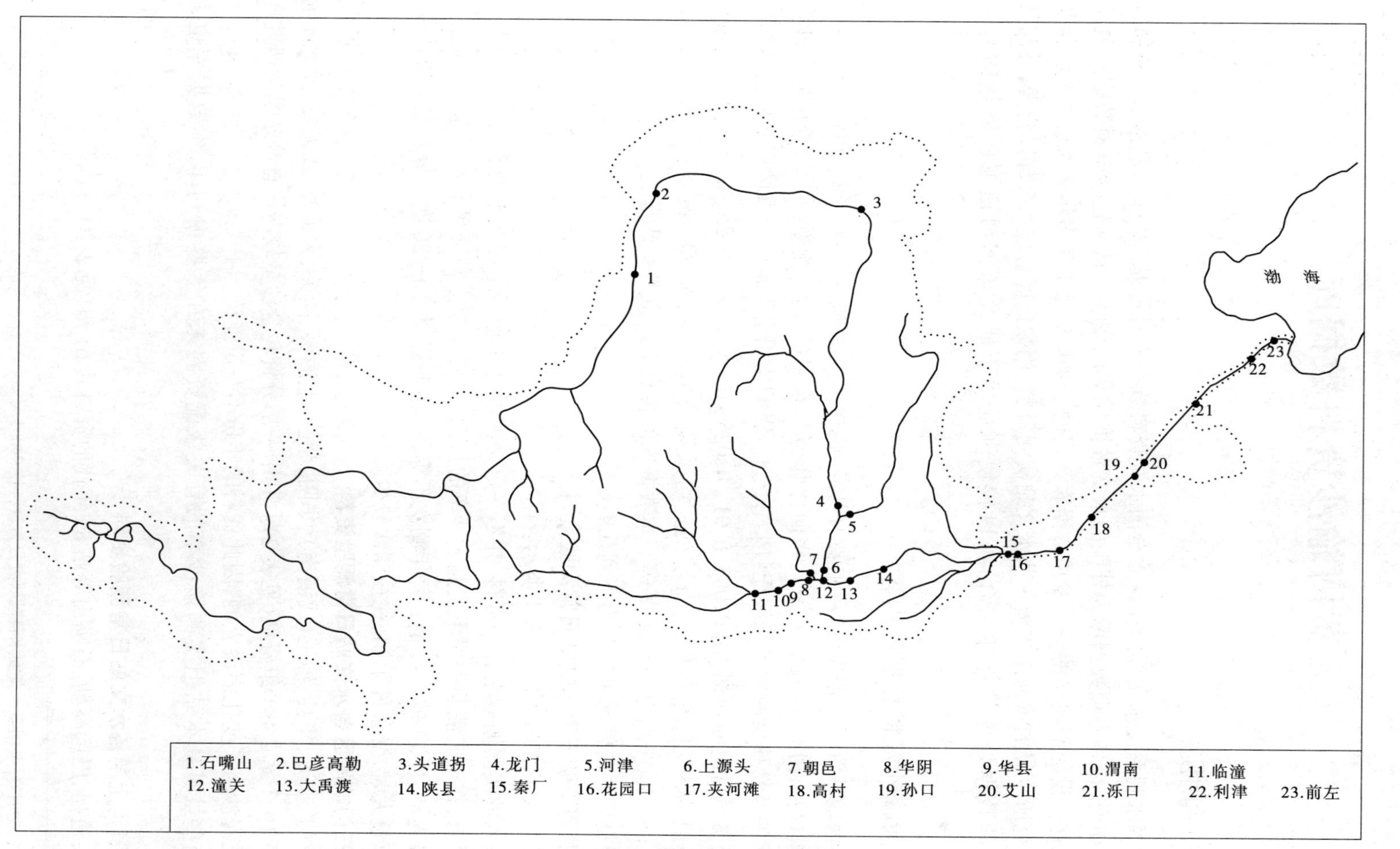

图1 黄河测站位置示意图

表 1　各站起讫年份及组数

站名	代码	组数	起讫年份	流量(m^3/s)		河宽(m)		含沙量(kg/m^3)	
				最大	最小	最大	最小	最大	最小
花园口	HYK	339	1958～1990	12 400	118	3 190	132	244	1.82
夹河滩	JHT	254	1963～1990	13 600	199	3 110	176	126	1.48
高村	GC	305	1963～1990	7 300	61	2 240	144	201	0.71
孙口	SK	311	1965～1990	6 770	63	2 300	98	191	0.65
泺口	LK	353	1956～1990	7 500	47	312	55	736	0.37
利津	LJ	368	1963～1990	7 570	30	555	73	164	0.16
秦厂	QC	48	1952～1954	4 460	468	1 420	252	112	4.80
前左	QZ	24	1954	3 820	503	790	443	41	1.72

表 2　各站资料的组数

站名	代码	资料组数	变幅							
			流量(m^3/s)		河宽(m)		水深(m)		含沙量(kg/m^3)	
			最大	最小	最大	最小	最大	最小	最大	最小
龙门	LM	250	8 930	107	376	74.0	6.10	0.84	630	1.21
上源头	SYT	149	6 610	166	2 010	111	5.78	0.47	125	3.49
临潼	LT	237	2 950	13.3	436	2.9	3.77	0.41	894	0.35
沙王	WN/SW	145	2 650	2.2	431	32.0	5.20	0.52	858	0.36
华县	HX	192	5 300	17.3	2 580	47.5	5.90	0.63	719	0.45
华阴	HY	357	3 420	26.9	8 380	1.5	6.00	0.67	755	0.15
朝邑	CY	150	859	1.7	350	11.5	7.80	0.42	894	0.23
潼关	TG	704	9 180	113	984	79.3	6.80	0.50	605	0.08
大禹渡	DYD	287	6 410	119	3 490	146	5.60	0.67	228	1.82
陕县	SX	10	2 410	410	254	176	3.71	1.19	29.4	10.8

表 3　各站资料组数

站名	代码	组数	起讫年份	流量(m^3/s)		河宽(m)		含沙量(kg/m^3)	
				最大	最小	最大	最小	最大	最小
石嘴山	SZS	20	1980～1985	3 630	872	364	263	17.7	2.08
巴彦高勒	BYGL	18	1980～1985	3 240	518	527	316	10.8	2.02
头道拐	TDG	23	1980～1985	4 870	236	727	245	11.5	0.93

2.4 花园口及位山河段河床演变试验观测资料

共录入了花园口河段河床演变试验观测资料 304 组,1961～1964 年位山河段河床演变试验观测资料 169 组,1957～1958 年土城子挟沙能力测验资料 33 组(见表 4。)

表 4 观测河段及站名、组数

河段	站名	代码	资料组数	变幅							
				流量(m^3/s)		河宽(m)		水深(m)		含沙量(kg/m^3)	
				最大	最小	最大	最小	最大	最小	最大	最小
游荡河段	铁谢	TX	60	5 210	38.4	1 850	197	3.79	0.48	69.0	0.08
	裴峪	PY	30	4 940	34.5	2 690	205	1.89	0.63	43.6	0.12
	官庄峪	GZY	62	5 570	56.5	1 500	272	2.55	0.59	114	0.14
	花园口	HYK	86	7 160	18.0	3 780	296	2.34	0.54	145	0.61
	来童寨	LTZ	7	3 420	805	2 180	324	2.55	0.99	28.8	4.32
	辛寨	XZ	59	5 750	100	3 400	249	4.02	0.59	121	0.48
弯曲河段	1		137	5 570	104	2 140	119	7.40	0.79	52.7	0.80
	2		32	5 220	655	737	247	3.42	0.91	28.3	5.31
弯曲河段	土城子	TCZ	33	3 980	88.8	807	279	1.91	0.59	82.2	0.68

注:(1)陶城铺、孙口、十里阜、杨集(TCP、SK、SLP、YJ);

(2)王坡、黄渡、殷庄、潘庄、艾山 (WP、HD、YZ、PZ、AS)。

除黄河有关资料外,作者还收集了永定河官厅水库库首新八号桥站的 120 组资料,长江新厂站的 40 组资料以及美国一些河流的资料,也收集了一些实测推移质的资料。

3 数据库的应用

本数据库可用于分析河道阻力、输沙能力、河相关系及多年床沙或悬沙级配的变化等有关泥沙运动问题。

1960～1979 年的原刊印级配资料均系用粒径计分析的成果,采用了水文局刘木林同志提出的改正方法进行了改正,特此说明。

说明:

(1)原文附有本项目编制的 GDBMS 数据库管理系统,此处从略。

(2)数据库中还包括了用 MEP(Modified Einstein Procedure)计算的对应于每一组实测资料的全沙资料,以及计算比降等资料,可供参考。

(3)黄河下游的资料较多。曾用测时前后同流量水位法衡量或判断 80 年代某组资料是否处于或接近平衡状态,从而选出 300 多组接近平衡状态的资料,可供检验河道输沙能力公式时参考使用。

(4)本文系后补打印,对原报告作了删减,特此说明。

用黄河资料对输沙能力公式的验证之一

1 验证用实测资料

利用黄河中下游河道实测资料对梁国亭、吴保生、张红武、舒安平、曼茨(美)及作者等公式进行系统的验证,采用的实测资料取自黄河输沙资料数据库,包括:

(1)黄河下游花园口至利津等7个站1980～1990年的实测资料;

(2)黄河下游土城子段1957～1958年的实测资料;

(3)花园口及位山河床实验站各断面1960～1967年及1960～1964年的实测资料;

(4)黄河中游三门峡库区潼关站1980～1989年及大禹渡站1975～1986年的实测资料;

(5)黄河中游三门峡库区龙门、朝邑、华阴等站部分实测资料。

这里所说的实测资料是指各站进行输沙率测验所收集的资料。各组资料中均包含实测的水力因子如流量、平均水深、河宽、水面比降、水温等及实测的断面平均悬移质含沙量、床沙及悬移质泥沙级配等(其中一部分资料未测水面比降)。

进行验证用的实测资料是将上述实测悬移质输沙资料采用黄河输沙资料数据库中提出的全沙计算程序即MEP程序计算求出的全沙输沙率或全沙含沙量,包括各分粒径组的上述数值。从MEP程序的计算原理而言,计算的全沙输沙率仅仅是对实测资料的修正,还是属于实测值的性质。

对于第一组资料,即黄河下游7个站的资料,采用了不同流量级的同流量水位变化来判断实测点所处的冲淤状态。在80年代647组资料中选出了共311组某站断面基本上处于冲淤平衡或微冲微淤的资料。

土城子站的资料19组系1957～1958年期间专门为研究输沙能力的实测资料。每一组资料是该河段几个断面的平均值,代表了冲淤基本平衡的资料。

库区各站资料则未经挑选。

各组资料变幅范围如表1所示。

2 输沙能力公式及其验证

2.1 梁国亭公式

黄委水科院泥沙所梁国亭在建立黄河龙门至潼关段泥沙冲淤数学模型时采用下列武汉水院公式形式的输沙能力公式,此处简称梁式。

$$C_* = K[(u^3/(gd\omega_m)]^m = \sum P_{ib}K[u^3/(gd\omega_i)]^m \tag{1}$$

式中 C_*——床沙质输沙能力,kg/m^3;

作者:龙毓骞、梁国亭、吴保生、林斌文。黄委水科院研究报告黄科技94038号。

u——流速，m/s；

d——水深，m；

ω_m——床沙质泥沙平均沉速，m/s；

K、m——系数及指数，用所选用的实测资料经回归分析求得。

表 1　各组资料水力泥沙因子变幅

资料代号	组数	最大值/最小值	流量(m^3/s)	河宽(m)	水深(m)	含沙量(kg/m^3)	中值粒径(mm)	
O 黄河下游	311	max	7 540	3 110	7.80	140.3	0.056	0.158
		min	30	73	0.55	0.8	<0.005	0.025
D 黄河下游	167	max	6 260	2 990	5.20	169.4	0.063	0.148
		min	55	55	0.67	0.8	<0.005	0.036
E 黄河下游	169	max	13 600	3 090	6.90	183.0	0.053	0.156
		min	63	95	0.53	0.6	<0.005	0.013
TCZ 土城子	19	max	3 980	807	1.91	86.0	0.045	0.070
		min	89	279	0.59	1.2	0.011	0.053
HKEX60 花园口河床站	236	max	7 160	3 780	4.35	150.1	0.110	0.526
		min	18	197	0.48	0.1	<0.005	0.025
HKEX65 花园口河床站	163	max	5 980	2 370	3.65	490.1	0.067	1.061
		min	118	225	0.62	2.5	<0.005	0.045
WSEX 位山河床站	159	max	5 570	2 140	7.40	56.2	0.066	0.114
		min	104	119	0.79	0.9	<0.005	0.032
TG80 潼关	173	max	6 590	960	3.21	425.2	0.058	0.181
		min	120	177	0.65	1.7	<0.005	0.043
DYD80 大禹渡	110	max	6 410	808	5.60	216.9	0.060	0.161
		min	267	159	1.17	3.9	<0.005	0.035
LM80 龙门	114	max	4 830	274	4.16	536.0	0.056	0.680
		min	107	74	0.84	1.2	0.010	0.079
HY 华阴	173	max	3 420	308	6.00	756.0	0.034	0.157
		min	32	61	0.91	0.6	<0.005	0.005
CY 朝邑	150	max	859	350	7.80	894.0	0.060	0.085
		min	2	12	0.42	0.2	<0.005	0.024
XC 长江新厂	40	max	41 200	1 530	13.30	3.8	0.148	0.174
		min	4 080	1 210	3.56	0.1	0.011	0.122

在含沙量较高时，不仅水力因子如流速、水深等是决定输沙能力的因素，而且浑水的

性质也对泥沙输移有很大影响。原作者采用了费祥俊提出的方法，先根据浑水中泥沙级配求出极限浓度，并据此求出浑水黏滞系数，用 Ruby 公式求出各粒径组的沉速 ω_1，再求出床沙质泥沙的平均沉速，代入式(1)，以便用回归分析求出系数 K 及指数 m。计算时则直接采用分组床沙级配的比例 P_{ib} 及分组沉速求出各分组输沙能力，其总和即床沙质输沙能力。具体使用的公式如下：

$$S_V = C_* / 2\,650 \tag{2}$$

$$S_{Vm} = 0.92 - 0.2\lg\left[\sum(P_{is}/d_i)\right] \tag{3}$$

$$\mu_r = (1 - K' S_V / S_{Vm})^{-2.5} \tag{4}$$

$$K' = 1 + 2(S_V/S_{Vm})^{0.3} \cdot (1 - S_V/S_{Vm})^4 \tag{5}$$

$$\upsilon_0 = [0.017\,75/(1 + 0.033\,7T + 0.000\,221T^2)] \times 10^{-4} \tag{6}$$

$$\delta_r = [1\,000 + C(1 - 1/2.65)]/1\,000 \tag{7}$$

$$\upsilon_m = \upsilon_0 \cdot \mu_r / \delta_r \tag{8}$$

$$\omega_i = [\mathrm{sqrt}(10.99 \times D_i^3 + 36\upsilon_m) - 6\upsilon_m] / D_i \tag{9}$$

$$\omega_m = 1/\left[\sum(P_{ib}/\omega_{im})\right]^{1/m} \tag{10}$$

式中　S_V——体积比含沙量；

C_*——以 kg/m³ 计的含沙量(或输沙能力)，泥沙颗粒的密度采用 2 650 kg/m³；

S_{Vm}——体积比极限含沙量；

P_{is}——全部泥沙中相应于分组平均粒径 d_i(以 mm 计)的比例；

μ_r——相对黏滞系数，式中 K' 值由式(5)求出；

υ_0——清水运动黏滞系数，m²/s；

T——水温，℃；

δ_r——浑水与清水密度比值，此处清水密度取作 1 000；

υ_m——浑水运动黏滞系数，由式(8)求出；

ω_i——对应于床沙质粒径 D_i 的沉速，m/s；

D_i——床沙质分组平均粒径；

ω_m——非均匀沙平均沉速，m/s；

m——输沙能力公式中的指数。

用这一方法计算求得的平均沉速代入输沙能力公式中求出的总含沙量(输沙能力)与分粒径组求出各组含沙量的总和相等。

式(10)中 P_{ib} 为相应于所求的床沙泥沙级配中各粒径组(D_i)所含的比例。例如，如确定床沙质与冲泻质的分界粒径为 0.025mm 时，则 P_{ib} 为全部床沙级配中大于 0.025mm 的那一部分泥沙中各分组级配占大于 0.025mm 的泥沙的比例。

原作者采用了悬浮指标作为划分床沙质与冲泻质的标准，即 $Z = \omega_c / ku_* = 0.06$；沉速大于 ω_c 的粒径组为床沙质，小于 ω_c 的粒径组为冲泻质。

根据上述可知，当考虑浑水特性对输沙能力的影响时，采用的是全部含沙量即 S_V；在计算床沙质输沙能力时,则根据不同的条件区分床沙质与冲泻质;式中 P_{ib} 就是根据这一划分标准求出的。计算的床沙质输沙能力加上冲泻质部分的含沙量即为全部泥沙在相应河段的输沙能力。

原作者分析了库区 5 个站的实测资料,并分别进行回归分析,求出的条件系数 K 和指数 m 的变化范围: $K=0.19\sim1.22$, $m=0.61\sim0.96$,其平均值分别为 0.52 及 0.81。用实测资料确定系数和指数,由于资料本身反映了有一定冲淤幅度的情况,因此公式只能代表河道输沙能力的平均情况。

用于黄河下游,必须重新确定公式的系数和指数。用黄河下游 80 年代冲淤接近平衡时段的资料 311 组回归分析的结果(如表 2 所示)。表 2 中计算值与实测的比值称为 DR。

表 2　黄河下游资料回归分析结果(梁式)

床沙质区分标准	D_5	>0.01mm	>0.025mm	$Z=0.06$
K	0.348 2	0.416 8	0.374 5	0.569 6
m	0.704 8	0.707 4	0.693 0	0.472 7
相关系数	0.835	0.801	0.768	0.547
资料分布情况				
$DR<0.2$ 的组数	1	1	1	2
0.2～0.3	8	7	6	9
0.3～0.5	35	36	34	30
0.5～1.0	113	111	118	119
1.0～2.0	115	114	116	112
2.0～3.0	26	31	24	23
3.0～5.0	10	8	8	9
$DR>5.0$	3	3	4	7
DR0.5～2.0(%)	74.3	72.3	75.2	74.3
DR0.3～3.0(%)	93.9	93.9	93.9	91.3
$DR<1.0$(%)	50.5	49.8	51.1	51.4
DR 平均值	1.22	1.22	1.22	1.27

经比较,可以看出,对于黄河下游而言,以 D_5 作为区分床沙质的标准较用 $Z=0.06$ 的方法略好。同时,选用 D_5 作为划分标准较能适应于研究床沙级配变化对输沙能力的影响。

用土城子、花园口及位山河床实验站以及黄河下游80年代处于微冲或微淤状态的资料，分别用梁式进行验算，以 D_5 作为划分床沙质与冲泻质的标准，结果见表3。

表3　各组资料计算与实测值比较

编号	1	2	3	4	5	6	7
代码	O	TCZ	D	E	HK60	HK65	WS
组数	311	19	167	169	233	163	159
点据分布情况							
$DR<0.2$ 组数	1	0	4	3	5	17	1
0.2～0.3	8	0	3	4	10	19	4
0.3～0.5	35	0	12	9	15	39	15
0.5～1.0	113	6	68	66	77	69	38
1.0～2.0	115	13	68	69	72	15	68
2.0～3.0	26	0	7	15	23	2	27
3.0～5.0	10	0	4	3	23	0	6
$DR>5.0$	3	0	1	0	8	2	0
DR0.5～2.0(%)	74.3	100	81.4	79.9	63.9	51.5	66.7
$DR<1.0$(%)	50.5	31.6	52.1	48.5	45.9	88.3	36.5
DR 平均值	1.22	1.24	1.14	1.14	1.71	0.78	1.40

从表3中可以看出：

(1)第2组土城子资料是冲淤接近平衡的资料，验证结果，100%的数据计算值与实测值的比值 DR 均在0.5～2.0以内。

(2)第5、7两组资料为1960～1964年期间花园口及位山河床实验站内一些断面的实测资料。当时河道处于冲刷过程，较多的点实测值小于计算值。第6组资料为1965～1967年花园口河床站内一些断面的实测资料，当时河道处于回淤过程，较多的点实测值大于计算值。

(3)第3、4两组资料为80年代微淤(D)或微冲(E)的资料，较多的点据趋向于偏大或偏小。总的趋势仍围绕平衡线，有80%左右的点 DR 均在0.5～2.0以内。

综合分析，可以认为用第1组(O)通过回归分析确定 K、m 以后，公式计算的结果能大体上反映冲淤平衡的输沙能力。

2.2　吴保生公式

黄委水科院泥沙研究所吴保生在选择输沙能力公式用于三门峡水库及下游数学模型时，利用了黄河下游七个站1 160组资料，验证了下列武汉水院公式形式：

$$C_* = K[(\delta_m/\delta_S - \delta_m)(U^3/gd\omega_m)]^m \tag{11}$$

式中　δ_m、δ_s——浑水及泥沙的密度，kg/m^3，δ_s 取作2 650，则

$$\delta_m = 1\,000 + C_*(1 - 1/2.65) = 1\,000 + 0.622\,6\,C_* \tag{12}$$

C_* 为以 kg/m^3 计的含沙量(输沙能力)。

原作者用原水文规范中采用的史托克和岗恰洛夫公式计算清水沉速 ω_i,并用:

$$\omega_{mi} = \omega_i(1 - S_V)^7 \tag{13}$$

计算受含沙量影响的分组沉速 ω_{mi},然后用:

$$\omega_m = [\sum(P_{is} \cdot \omega_{mi}{}^m)]^{1/m} \tag{14}$$

计算平均沉速。将此值代入式(11)并通过回归分析确定系数和指数。计算时则采用下式:

$$C_* = \sum P_{is} \cdot K[(\delta_m/\delta_s - \delta_m) \cdot (U^3/gd\omega_{mi})]^m \tag{15}$$

原作者利用黄河下游 1 160 组资料回归分析确定的 K 和 m 值分别为 0.451 5 及 0.741 4。

本文作者利用前述黄河下游 311 组资料(O),并用床沙级配 P_{ib} 加权求平均沉速的方法,回归分析的结果如表 4 所示。

表 4 黄河下游资料回归分析结果(吴式)

床沙质区分标准	D_5	$D>0.01$mm	$D>0.025$mm
K	0.494 7	0.587 5	0.520 4
m	0.703 5	0.705 8	0.693 2
相关系数	0.837	0.807	0.777
资料分布情况			
$DR<0.2$ 组数	1	2	1
0.2~0.3	8	7	6
0.3~0.5	35	38	33
0.5~1.0	114	107	119
1.0~2.0	114	114	116
2.0~3.0	26	31	24
3.0~5.0	10	9	8
$DR>5.0$	3	3	4
DR0.5~2.0(%)	73.3	71.1	75.6
DR 平均值	122	122	122

在黄河下游资料中最大一组的含沙量为 $140kg/m^3$,而且含沙量较大的资料不多,因此在吴式中增加清浑水密度比一项与梁式中没有这一项的计算结果,在实质上没有显著的差别。用其他各组资料验证结果也与表 3 类似,此处不再赘述。

利用式(11),对三门峡库区潼关至三门峡河段潼关及大禹渡两站 80 年代 282 组资料回归分析的结果:$K=0.784\ 8$,$m=0.763\ 3$,相关系数 0.814,90.8%点据的 DR 值在

0.5~2.0以内,平均为1.12。用1965年以后潼关及大禹渡80组资料进行验证计算,有66.3%点据的 DR 值在0.5~2.0以内,这也大体符合该河段的情况。如果不重新进行回归分析以确定 K 和 m 的值,而直接采用表4中所用的数值来计算潼关及大禹渡的输沙能力,计算结果将与实测值有较大的差异。

2.3 舒安平公式

清华大学舒安平推导并建立了下列输沙能力公式:

$$S_{V*} = K[t_1 \cdot t_2 \cdot t_3 \cdot t_4]^m \tag{16}$$

式中包含的四个因子为

$$t_1 = \lg(\mu_r + 0.1)/K^2 \tag{17}$$

$$t_2 = (fm/8)^{1.5} \tag{18}$$

$$t_3 = \delta_m/\delta_s - \delta_m \tag{19}$$

$$t_4 = U^3/gd\omega_m \tag{20}$$

其中,μ_r 用费祥俊方法即本报告(2)、(3)、(4)、(5)各式求出。所用符号除前已说明者外,S_{V*} 为以体积比计的输沙能力;K 为修正后的卡门常数,用下式计算

$$K = 0.4[1 - 1.5\lg\mu_r \cdot (1 - \lg\mu_r)] \tag{21}$$

f_m 为阻力系数:

$$f_m = 0.11\alpha \cdot [D_{65}/4d + 68/Re_m]^{1/4} \tag{22}$$

其中

$$\alpha = 1 - 0.41\lg\mu_r + 0.2(\lg\mu_r)^2 \tag{23}$$

D_{65} 为床沙级配中有65%的泥沙较之为小的粒径,以m计;Re_m 为有效雷诺数,原作者指出在以悬移质运动为主的高含沙紊流可用下式计算有效雷诺数:

$$Re_m = 4ud/[V_m + (1 + \tau_B \cdot d)/(2\mu_m \cdot U)] \tag{24}$$

其中 τ_B 为以 N/m^2 计的宾汉切应力:

$$\tau_B = 0.098\exp[8.45(S_V - 1.265S_{Vm})/S_{Vm} + 1.5] \tag{25}$$

本报告暂忽略 τ_B 的影响,用下式计算 Re_m:

$$Re_m = 4ud/V_m \tag{26}$$

对非均匀平均沉速的计算,原作者提出了两种计算方法。一种是直接用 P_{is} 加权,即

$$\omega = \sum P_{is} \cdot \omega_{mi} \tag{27}$$

另一种是用韩其为方法,即

$$\omega = (\sum P_{is} \cdot \omega_{mi}{}^m)^{1/m} \tag{28}$$

韩其为方法中 P_{is} 系指挟沙能力级配中的相应分组比例,式中 m 值即输沙能力公式中的指数。

式中考虑含沙量影响的分组沉速 ω_{mi} 的计算公式如下:

$$\omega_{mi} = \mathrm{sqrt}(4/3C_d) \cdot \mathrm{sqrt}[(\delta_s - \delta_m)/\delta_m \cdot gD_i] \tag{29}$$

为了求出阻力系数 C_d,可以用下列判别式:

$$C_d \cdot Re_d^2 = [4g/3 \cdot (\delta_s - \delta_m)/\delta_m \cdot D_i^3/V_m^2] \tag{30}$$

$$当\ C_d \cdot Re_d^2 \leqslant 3\,000\ 时, Re_d = 0.048 \times (C_d Re_d)^{0.8}$$

$$当\ C_d \cdot Re_d^2 \geqslant 3\,000\ 时, Re_d = 0.238 \times (C_d \cdot Re_d)^{0.65}$$

据此，先算出 $C_D \cdot Re_d^2$ 后即可求出 C_d 值，代入式(16)即可求出各分组粒径的相应沉速。

原作者用实验资料确定式(19)的系数和指数

$$K = 0.355\,1, m = 0.72$$

本文作者仍采用前述的黄河下游 80 年代 311 组资料(O 系列)进行了验证计算。如不考虑划分床沙质与冲泻质，计算结果显著偏小。计算与实测值的比值 $DR<1.0$ 的点据占 96.5%，平均值仅为 0.35。用土城子资料验算，结果也相似。可以认为直接用原公式进行计算时将会产生较大误差。

我们仍采用舒安平研究的公式结构，但作了以下几点改动：

(1)划分床沙质与冲泻质；

(2)采用床沙级配加权求平均沉速，或用 P_{is} 加权。

对黄河下游 311 组资料重新进行回归分析，其结果见表 5。

表 5　黄河下游资料回归分析结果(舒式)

床沙质区分标准	D_5	D_5	$D>0.01$mm
ω_m 的加权因子	P_{is}	P_{ib}	P_{ib}
K(注)	676.86	990.66	1 140.70
m	0.646 0	0.673 7	0.665 5
相关系数	0.745	0.859	0.868
资料分布情况			
$DR<0.2$ 组数	1	1	1
0.2~0.3	6	9	3
0.3~0.5	43	40	41
0.5~1.0	123	131	120
1.0~2.0	93	85	101
2.0~3.0	19	17	30
3.0~5.0	17	20	7
$DR>5.0$	4	4	4
DR0.5~2.0(%)	70.6	70.4	72.0
DR 平均值	1.22	1.25	1.25

注：(1)含沙量单位为 kg/m³，如为体积比表示，则应除以 2 650。

(2)统计中未包括试算不成功的 5 组资料，资料总数 306。

用上述重新回归分析确定 K、m 值以后的舒式计算土城子资料，有 94.7% 点据的 DR 值在 0.5~2.0 以内，计算值略偏大，但较原式有很大的改善。验证的结果也说明经重新确定 K、m 值后，该式也可用于黄河下游河道的输沙能力计算。

应用该式对库区潼关资料进行计算，和梁式或吴式一样，计算值偏小，DR 平均值为 0.75，说明需要用库区实测资料重新回归分析并确定适用的 K 和 m 值。

还有一点应当提及的是，如用黄河下游同一组资料，并采用同一方法计算平均沉速时,用舒式回归分析的相关系数略大于用梁式回归分析的相关系数。我们认为这是合理的。因为舒式较深入地考虑了清浑水阻力系数的判别和浑水黏滞系数的影响。

2.4 张红武公式

黄委会水科院泥沙所张红武推导的输沙能力公式如下:

$$C_* = 2.5[T_1 \cdot T_2 \cdot T_3 \cdot T_4]^{0.82} \tag{31}$$

式中包含的四个因子:

$$T_1 = (0.002\,2 + S_V)/K \tag{32}$$

$$T_2 = \ln(d/6D_{50}) \tag{33}$$

$$T_3 = \delta_m/(\delta_s - \delta_m) \tag{34}$$

$$T_4 = U^3/gd\omega_m \tag{35}$$

所用符号除已标明者外,D_{50}为床沙中径,以 mm 计。

式中有关因子用下列各式计算

$$K = 0.4 \cdot [1 - 4.2\mathrm{sqrt}(S_V) \cdot (0.365 - S_V)] \tag{36}$$

$$\omega_m = \omega_0[1 - (S_V/2.25\mathrm{sqrt}D_{50})3.5 \cdot (1 - 1.25S_V)] \tag{37}$$

ω_0 为相应的清水平均沉速。

原作者应用了大量野外及实验室资料对公式进行了验证,取得了满意的结果。

本文作者仍用黄河下游 311 组资料(O 系列)对张式进行验证计算,说明为仍采用原式的系数和指数,则计算值略小,69.1%点据的 DR 在 0.5~2.0 以内,平均为 0.945。如利用上述资料重新回归分析,并区分床沙质和冲泻质,相关关系有较大改善,如表 6 所示。

表 6 黄河下游资料回归分析结果(张式)

床沙质区分标准	$D>0.01$mm	$D>0.025$mm
K	3.036	2.442
m	0.507	0.477
相关系数	0.906	0.867
资料分布情况 DR0.5~2.0(%)	89.7	87.8
DR 平均值	1.17	1.15

原作者提出的公式主要用于全部泥沙输沙能力的计算,报告中未提出分组泥沙计算的问题,此处不再对此展开讨论。

原公式右侧第一项包含有$(0.002\,2 + S_V)$这一因子,在进行回归分析时,公式两侧两个因子之间相关程度很高,这是可以理解的。

2.5 Mantz(曼茨)公式

曼茨根据拜格诺(Bagnold)水流功率理论研究输沙能力,认为单位面积输沙率与水流的 0.5 次方和悬移质粒径的乘积与水流功率损耗之间存在着合理的相关关系。此相关关系和在室内水槽试验中供沙充分、准平衡条件下的相关关系相似。原作者认为可表明黄河输送的泥沙都已接近或达到实际上可能的最大值。

曼茨采用的相关关系可表达如下：

$$I_S \cdot \omega / U \cdot d^{0.5} D_S = K(rqJ)^m \quad (38)$$

式中，I_S 为以水下重量计的单位河宽悬移质输沙率，如泥沙颗粒的质量密度为 2 650，则

$$I_S = 1.65/2.65 \cdot gCUd \quad (39)$$

式(38)中 ω 为相应于悬移质级配的平均沉速；C 为以 kg/m^3 计的含沙量；D_S 为悬移质的代表粒径，以 mm 计。

原作者用黄河潼关、花园口、泺口三个站的部分资料 167 组，通过回归分析求出的 K 和 m 值分别为 1.32×10^{-6} 及 0.99。而根据实验室试验资料（细颗粒）所求出的关系，K 和 m 值分别为 1.73×10^{-7} 及 2.31，其关系如图 1 所示。

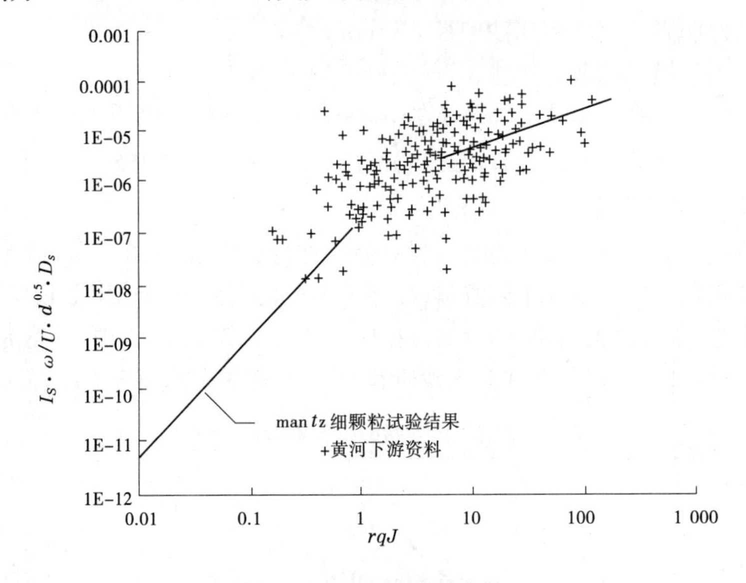

图 1　输沙率与水流功率关系

原作者未区分床沙质与冲泻质，也未涉及分组计算的问题。本文作者用黄河下游 80 年代 311 组资料，划分床沙质与冲泻质，并以相应的悬移质 D_{50} 作为代表粒径 D_S，重新进行回归分析，结果见表 7。

表 7　黄河下游资料回归分析结果（曼茨公式）

床沙质区分标准	全部泥沙	$D>0.01$mm	$D>0.025$mm
K	9.17×10^{-7}	2.59×10^{-8}	3.70×10^{-8}
m	0.760 9	0.838 4	0.863 7
相关系数	0.564	0.726	0.761
资料分布情况 DR0.5~2.0(%)	40.5	57.9	61.7
DR<1.0(%)	53.1	53.1	50.5

从图 1 可以看出,就全部泥沙而言,点群分布的情况与原作者分析的结果相似。从表 7 中可以看出,划分床沙质后相关程度将有显著改善。

2.6　作者的公式

作者在研究床沙组成变化对输沙能力影响时曾用因次分析归纳出下列形式的输沙能力公式:

$$C_* = K(U^2/gd)^m(U/\omega)^n(d/D_{65})^P \tag{40}$$

事实上，早在 50 年代，麦乔威等就运用这一方法推导出可用于黄河干流及渠系的输沙公式。作者仅仅是利用新的资料重新进行回归分析。在回归分析时，伏氏数一项增加了密度比，平均沉速则采用床沙级配作为加权因子的方法求出。公式的形式如下：

$$C_* = K[\delta_m/(\delta_s-\delta_m)\cdot U^2/gd]^m(U/\omega_m)^n(d/D_{65})^P \tag{41}$$

用黄河下游 311 组资料回归分析结果见表 8。

表 8　黄河下游资料回归分析结果(作者公式)

床沙质区分标准	$D>0.01$mm	$D>0.025$mm
K	0.012 62	0.010 23
m	0.711 0	0.603 8
n	0.547 5	0.664 3
P	0.467 1	0.376 5
相关系数	0.842	0.811
资料分布情况 $DR<0.2$ 组数	3	2
0.2~0.3	8	8
0.3~0.5	21	19
0.5~1.0	114	118
1.0~2.0	139	135
2.0~3.0	18	21
3.0~5.0	7	6
$DR>5.0$	1	2
DR0.5~2.0(%)	81.4	81.4
$DR<1.0$(%)	46.9	47.3
DR 平均值	1.17	1.18

用这一公式计算土城子 $D_b>0.01$mm 及 $D_b>0.025$mm 的床沙质输沙能力,计算结果与实测值比较,全部数据的 DR 值均在 0.5~2.0 以内,平均值略偏大。用这一公式计

算库区朝邑站的输沙能力，总的趋势和用梁式计算结果的趋势完全相似，即计算值偏小，78%点据的$DR>1.0$，平均值为0.65~0.74。这也说明将该式用于库区时应重新确定系数及各参变量的指数。

原作者用因次分析法所建立的关系式中虽然各个因子均有一定的物理意义，但组合的形式是纯经验性的。组合因子与含沙量的相关性也较好。原作者在前期工作中曾采用另一种形式的经验公式：

$$q_s = K(rqJ)^m (U/\omega)^n (d/D_{65})^P \tag{42}$$

用黄河下游311组资料回归分析结果，相关系数可达0.92以上，80%点据的DR值均在0.5~2.0以内(见图2)。

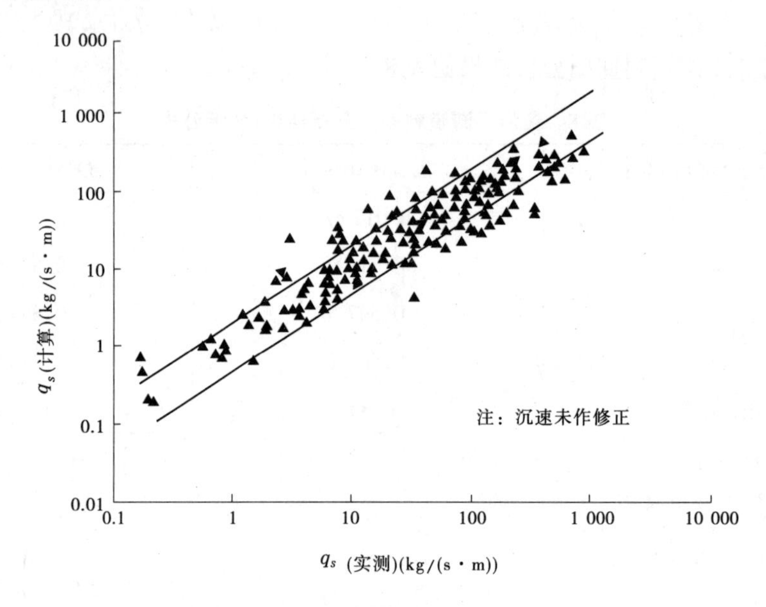

图2 实测与计算单宽输沙率比较

3 讨论

3.1 区分床沙质与冲泻质的问题

冲积性河流中，一个河段的输沙能力通常是指在一定河床边界和水流条件下床沙质的输送能力。在研究输沙能力时不区分冲泻质和床沙质的做法和泥沙运动力学的一些概念是不互相协调的。舒安平的报告讨论了这一问题。曹如轩曾提出浑水输沙能力的概念，认为在含沙量较大时，细颗粒泥沙与清水形成的浑水特性是影响床沙质输沙能力的重要因素；在研究输沙能力时也应划分床沙质和冲泻质。本文作者在进行上述各公式验证工作时，曾用同一组资料对区分与不区分床沙质和冲泻质用同一公式进行比较，如图3所示。图3(a)的纵坐标即计算值，是直接用全部泥沙进行回归分析求出K和m值以后的结果，图3(b)的纵坐标则是计算的床沙质含沙量与实测的冲泻质含沙量之和，横坐标均为实测的全部泥沙含沙量。可见，区分床沙质以后，对全部泥沙含沙量的计算精度可大大提高。

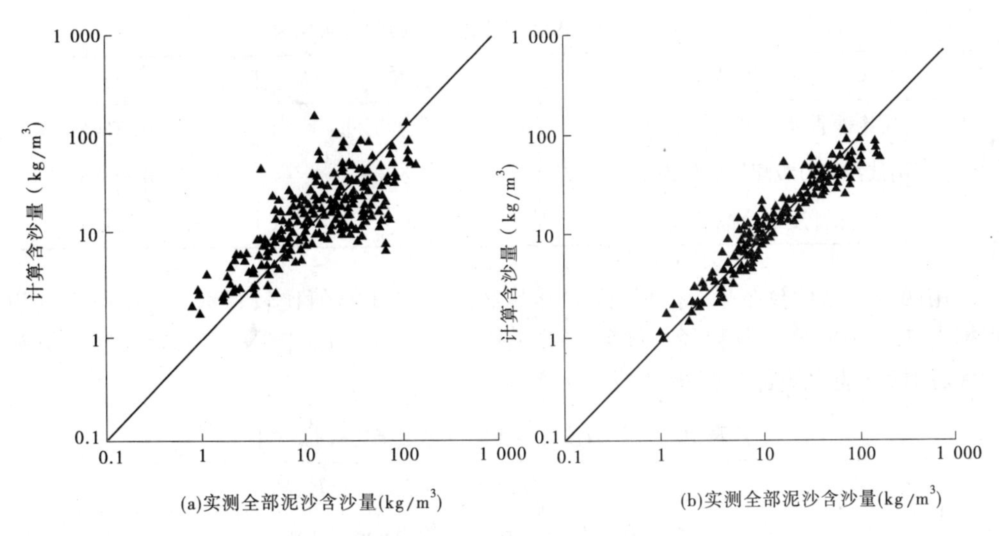

图 3　实测全部泥沙含沙量(kg/m³)与计算值比较

本文应用了三种区分床沙质与冲泻质的方法，即 D_5、$Z=0.06$ 及以某一固定粒径 $D=0.01$mm或 $D=0.025$mm 的方法。就黄河下游资料而言，采用 D_5，即床沙级配中相应于累积百分数 5% 的粒径，作为区分标准较好。对于龙门至潼关河段，梁国亭认为可用 $Z=0.06$ 作为区分标准。

3.2　计算分粒径组输沙能力与非均匀沙平均沉速的问题

一个河段的输沙能力与本河段的水力因子、河床边界条件及泥沙特性有关，河段的冲淤情况正是取决于本河段的输沙能力与来沙条件的对比关系。不同的粒径组泥沙输移规律有所不同，在分析某一河段输沙能力时要求能计算分组泥沙的输沙能力才能了解各分组泥沙的冲淤情况。

在利用已知的处于冲淤平衡或准平衡条件下的资料通过所建立的输沙模式来确定公式中有关系数或指数时，含沙量和级配都是已知的。但在利用这一公式计算某一河段的输沙能力时，含沙量和级配都是待定的未知数。用一个公式不能同时求解两个未知数，因此必须解决如何确定级配的问题。

解决平均沉速和级配的问题有两种途径。李义天和何明民、韩其为等分别提出了挟沙能力级配概念，并提出了通过床沙组成和水力因素以确定这一级配的办法(可参见有关文献)。在计算出分粒径组的沉速以后，即可用挟沙能力级配的分组比例，即 P_{is}，作为加权因子，按式(14)求出平均沉速；式中 m 值即为输沙公式中包含沉速这一因子的指数。这样，利用输沙能力公式即可计算悬移质总的和分组的输沙能力。

本文作者之一梁国亭在处理这一问题时采用了用床沙质组成直接作为加权因子求平均沉速的方法，即式(10)。

为比较这两种处理方法，利用黄河下游 80 年代 311 组资料用上述两种途径求平均沉速并按梁式进行回归分析，求出的系数和指数见表 9。

表 9　不同平均沉速计算方法回归分析结果

项目	K	m
用床沙质级配作加权因子	0.348 2	0.704 8
用挟沙能力级配作加权因子	0.248 3	0.699 1
床沙质划分标准	D_5	D_5

用两种方法计算结果,床沙质总含沙量相近。与实测值比较,DR 在 0.5～2.0 以内点据占 71%～73%。分粒径组计算结果,用床沙级配作为加权因子时,粗粒径组计算值偏大;用挟沙能力级配时偏小,如表 10 所示。

表 10　两种方法计算平均沉速结果比较(梁式)

比值 DR	点据组数占总组数百分数(%)				
	总量	<0.025mm	0.025～0.05mm	0.05～0.1mm	>0.1mm
按床沙级配加权					
<0.5	14	66	37	12	13
0.5～1.0	36	12	33	20	24
1.0～1.5	26	6	16	25	17
1.5～2.0	11	6	7	16	14
>2.0	13	10	7	21	32
平均值	1.22	0.68	0.91	1.60	2.40
按挟沙能力级配加权					
<0.5	15	60	26	23	78
0.5～1.0	36	13	30	33	12
1.0～2.0	23	7	20	19	5
1.5～2.0	12	5	11	9	3
>2.0	14	15	13	16	2
平均值	0.93	1.19	1.31	0.43	1.25

还有一点应注意的是,确定公式的系数与指数时所采用的计算平均沉速方法应与利用公式计算某一河段输沙能力时使用的分组比例取得一致。否则,用平均沉速计算的总含沙量将与按分组比例计算的分组含沙量的总和不相等。换言之,如按第(10)式计算平均沉速,就应用 P_{ib} 计算分组含沙量;如按式(14),就应用 P_{is} 计算分组含沙量。

3.3　浑水特性对输沙能力的影响

据梁国亭分析,浑水黏滞系数不仅和含沙量有关还和泥沙级配有关。仅仅考虑含沙量的影响是不够的,应用于非平衡输沙公式也将带来不少问题。含沙量较大时,不同来沙组成的输沙规律是不同的,采用费祥俊方法计算浑水黏滞系数并据以修正沉速较为合理。

舒安平也采取了费祥俊方法计算浑水黏滞系数，还进一步考虑了浑水阻力系数和卡门常数等因子对输沙能力的影响。所推导的公式的结构有较好的理论和实践的根据。张红武通过分析采用了含沙量和悬沙中径来修正浑水黏滞系数，在推导的公式中也考虑了阻力因子和卡门常数等影响。对于含沙量较大的河流，不仅仅考虑含沙量对黏滞系数的影响而修正沉速，而是考虑含沙量和级配对浑水特性的影响，并且，除修正沉速外，还以某种形式将反映浑水特性的因子和水力因子结合起来直接与输沙能力建立关系。这种做法无疑是一种合理的、有益的尝试。

黄河下游的资料中，含沙量大于 100kg/m^3 的组数不多，最大的一组资料含沙量仅为 140kg/m^3，因此利用黄河下游资料计算的结果对于浑水特性对输沙力影响的效果不易明显地得到反映。库区朝邑站的资料含沙量大的点据较多，最大的含沙量达894kg/m^3，大于 100kg/m^3 的资料占 31%，因此用朝邑站资料进行回归分析，其结果见表 11。

表 11　朝邑站资料回归分析结果

利用公式	梁　式	吴　式	舒　式
床沙质划分	D_5	D_5	D_5
K	0.070 7	0.152 2	5.979
m	1.311 7	1.270 5	0.945 5
相关关系	0.89	0.90	0.96

计算结果绘于图 4。图中还列出了不考虑沉速修正的原公式回归分析结果，原公式的形式为 $C = K(U^3/gdw_m)_m$，图中纵坐标均为实测的床沙质含沙量，横坐标为各公式的水力泥沙因子。比较各相关关系的点群趋向可以看出，如不对沉速进行修正，则在含沙量超过某一限度后，点群趋向于向左弯曲，随着考虑浑水特性影响程度的加大，含沙量较大的点据逐渐向右移动，在双对线图上呈线性相关关系。作者还没有实测的在含沙量大的条件下处于冲淤平衡状态的资料可用以判断计算值是否反映了河段的输沙力。但从点群的变化趋势来说，考虑浑水特性影响的计算成果较接近实际情况。根据几个公式的结构形式来推断，将舒式应用于含沙量大的河段较为合理。当然，计算结果能否完全正确地反映河段的输沙特性，尚有待取得更多的资料来进行检验。

3.4　计算需要迭代的问题

对于像黄河这样来水含沙量和级配变幅很大、河段冲淤剧烈的河道，其输沙特性更多地表现为不平衡输沙。对于河段出口断面来说，其输沙率与流量或其他水力因子的关系直接受来水含沙量的影响。但这并不是说河段的输沙能力主要受本河段的水力条件、河床边界条件和浑水特性所制约。但是，来水来沙条件变化后，经过一个时段的调整，本河段的各种条件会发生变化而使输沙能力发生变化。因此，进入河段的水沙条件对河段输沙能力的影响是间接的。对于上述这些公式，含沙量或输沙能力与水力因子(包括浑水特性等)的关系是一个隐函数，应该通过试算才能求得含沙量。

本文作者用黄河下游 311 组资料进行试算与不进行试算的结果作一比较，采用吴式进行计算并以试算的含沙量作标准，不进行试算的误差大于 ±10% 的点据数占 3%～

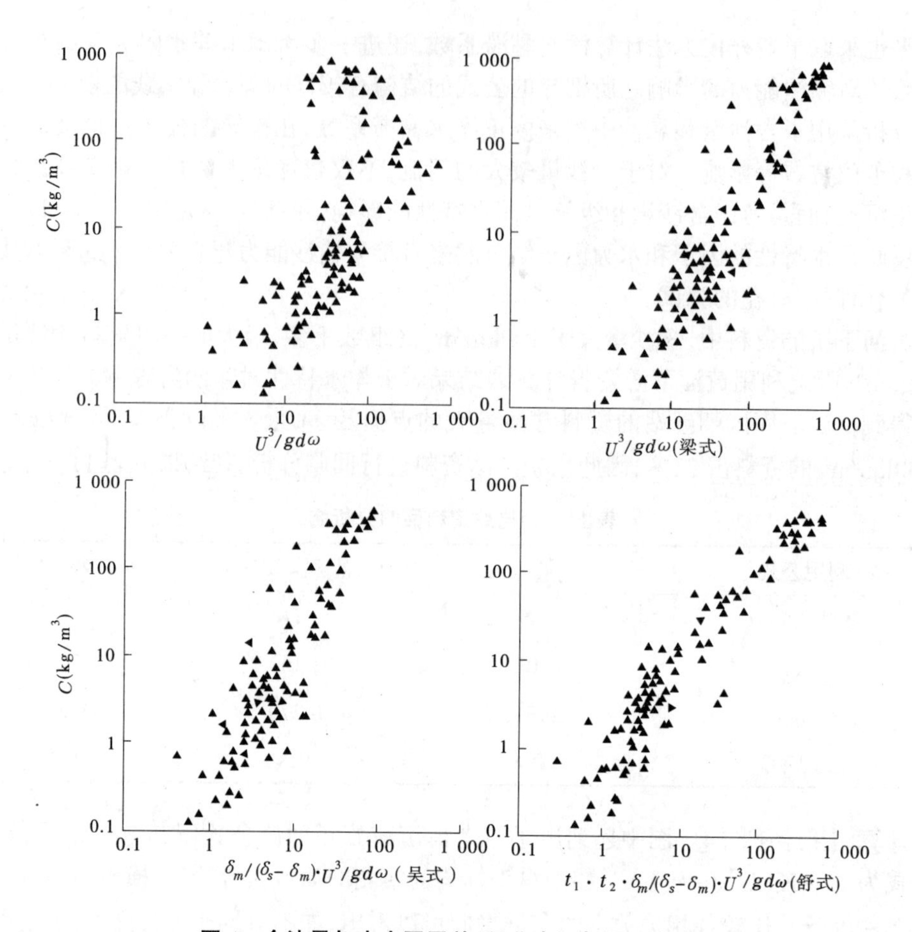

图 4 含沙量与水力因子关系(北洛河朝邑站资料)

9%,误差在±(5%～10%)的占3%～13%,80%的点据不试算的结果均偏大。用其他公式计算均有类似现象。此外,进行试算,即不直接用河段进口的含沙量代入公式右侧时,有少数资料虽迭代多次其误差均超限,或出现不合理的结果。这一问题尚有待进一步分析其原因。例如用朝邑站资料进行回归分析时即出现这种现象。

此外,在用费祥俊方法计算浑水黏滞系数时,也需要用悬移质泥沙的级配,即公式(3)中的对数项。本文进行验证计算时均借用了来沙级配。在计算一个河段输沙能力时,来沙级配与本河段的悬沙级配并不完全相等,因此也会产生一些误差。但是,考虑到对公式(3)中有关级配比例的一项将取对数值,借用来沙级配所引起的误差不会很大。

将输沙能力公式用于数学模型时,由于一般情况下均将计算时段和计算河段的长度分得很小,一个时段内河段的冲淤幅度也不会很大,因此即使不进行试算可能引起计算的该时段输沙能力的误差也不会很大。但是,如果试算与不试算存在系统误差,它将直接影响到计算的河段冲淤量。作者认为这一问题应该引起数学模型研制者的注意。

3.5 输沙能力公式的通用性问题

本报告所验证的几个公式基本上属于有一定物理意义的经验公式。原公式所采用的系数和指数是根据一些实测资料通过回归分析求出的,因此在应用时根据研究河段情况利用实测资料进行回归分析,检验或修改所采用的系数及指数也是必要的。舒安平公式的结构形式是由理论推导的并有一定的实验基础,但也作了一些必要的经验处理。总之,在利用这一类输沙公式计算不同河流或者不同输沙特性的河段在某一水力及河床条件下的输沙能力时,可以允许使用不同的 K 和 m 值,以便使计算值能较好地反映其输沙特性。

本文所采用的资料分为三组:一组为黄河下游花园口至高村三个站的资料,代表下游游荡性河段;一组为黄河下游孙口至利津三个站的资料,代表弯曲性河段;另一组为库区潼关及大禹渡站资料;分别用梁式进行回归分析,其结果见表 12。

表 12　用不同资料回归分析结果

资料内容	代表河段	K	m	相关系数	m 值标准差
花园口—高村	游荡河段	0.532	0.603	0.75	0.043
孙口—利津	弯曲河段	0.248	0.798	0.89	0.032
潼关—大禹渡	库区	0.785	0.763	0.81	0.033
全下游各站		0.348	0.705	0.84	0.026

从表中可以看出,同一河流不同特征的河段 K 和 m 值有些差异。如采用同一 K 和 m 值还不能完全反映各河段的输沙特性。对不同特性河段采用不同的 K、m 值将可提高计算值的可靠性。

3.6　公式中 K 和 m 值的稳定性问题

公式中系数 K 和指数 m 值是从一定的实测资料回归分析求得的,因此采用的资料组数不同,K 和 m 值会有变化。以梁式和舒式为例,分析结果见表 13。

表 13　不同组数资料回归分析结果

采用公式	梁　式		舒　式	
资料代号	L－2	O－2	L－2	O－2
组数	605	289	605	289
K	0.379	0.386	667.9	742.3
m	0.692	0.690	0.619	0.629
相关系数	0.886	0.870	0.884	0.872
m 标准差	0.015	0.023	0.013	0.021
DR0.5～2.0	81.5	78.5	76.7	76.5
0.3～3.0	99.5	99.3	93.4	92.0
<1.0	49.8	49.1	52.7	54.3
平均值	1.12	1.13	1.18	1.29

可以看出,用于回归分析的资料数相差约一倍,系数和指数值还是相当稳定的。

3.7　输沙能力公式的选用

本文所验证的公式除因次分析求出的经验公式外其主要因子都是能量损耗原理推导而得的。较多的公式采用了以 $U^3/gd\omega$ 为主要因子,而曼茨公式采用了反映水流动率的因子如 rqJ 或 UJ/ω 作为主要因子。从这些公式所依据的理论推导过程来看,这两类主要因子也是可以互换的。从实用的角度来看,实测比降的可靠性不如平均流速及水深等资料,因此很多研究者倾向于前者。如果基础资料的基础一致,两者并无本质的区别。本文验证曼茨公式时使用了实测比降资料,如采用计算比降则回归分析的相关程度还可以稍好一些,与用梁式分析的结果并无显著的差别。

含沙量较大时,许多研究者都认识到浑水特性对输沙能力的影响。换言之,含沙量和级配对水流的黏滞性、密度和沉速等产生影响,含沙量愈大影响也愈大。另一方面,清水与浑水水流阻力特性的差异也对输沙能力有影响。这一点在武汉水院编写的《河流泥沙工程学》中已有详尽的分析。从我们的验证过程可以看出,如果采用同样的资料作基础并采用同样方法处理混合泥沙的代表沉速,对于含沙量不太大的河流或河段,使用经过实际资料检验或重新回归分析确定 K 和 m 值的输沙能力公式如梁式或吴式,都可达到一定的计算精度。对于含沙量较大的河流或河段,则使用经过实际重新回归分析确定 K 和 m 值的舒式较好。

作者认为鉴于泥沙运动的复杂性,目前还没有完全用理论推导的并有可靠的实验基础、能反映各种类型河流输沙特性的通用型公式可以直接应用。本文所验证的几个公式,结构有繁有简,但在推导过程中都作了一些经验性处理,只要合理地划分床沙质与冲泻质、进行分粒径组的计算、考虑浑水特性的影响,都是可以选用的公式。

用因次分析法建立的经验公式,可以包含较多的水力泥沙因子,也具有较密切的相关关系。在经验资料范围内它可以反映各个因子与输沙能力的关系,用于分析输沙能力在水力及河床条件下变化的趋向。

4 结语

利用黄河实测资料对几个输沙公式进行了验证和分析,有助于在实际应用中选用适宜的公式和合理的计算方法。在使用这些公式时,还应注意这些公式在推导或建立过程中的条件,对公式中一些因子的处理计算方法取得一致。

计算分粒径组的输沙能力和在高含沙量条件下的输沙能力是输沙能力研究中两个重要问题。本文侧重对此进行了一些比较,取得了一些初步认识。

本文所验证的输沙能力公式仅限于以能量损耗原理为基础的公式。利用黄河资料,更广泛地验证一些其他类型的公式,将有助于更深入地了解输沙能力和水力泥沙因子的关系。

用黄河资料对输沙能力公式的验证之二

为研究黄河下游河道床沙组成变化对输沙能力的影响，作者曾对影响黄河下游河道输沙能力变化的几个主要因子进行分析，并收集和建立了可供河流输沙研究的数据库。

本文的研究，一方面是进一步研究影响输沙能力变化的因子，另一方面是将经过验证能达到一定准确度要求的输沙能力公式，用于河道冲淤数学模型。

1 实测资料的收集和处理

目前已编入数据库的资料，是黄河下游各站在实测悬移质输沙率时所记载的全部数据，包括日期、流量、河宽、水深、比降、水温、悬移质含沙量、悬移质泥沙级配、床沙级配等。1960～1979年期间悬移质泥沙级配系用粒径计法求得，级配编组，均修正为相当于吸管法的成果。这种方法较适用于较长时段平均级配的修正，对逐次资料进行修正可能有一些误差。此外，现有比降观测河段太短，测得比降数据欠准。有的年份还缺此项目，在使用中采用根据流速公式反推求出计算比降。

实测输沙率时系采用多点法求垂线平均含沙量，水深较小时常采用三点法或二点法。用这类方法计算垂线平均含沙量时，常会存在由于未考虑近河床底部含沙量分布梯度而引起的误差。颗粒愈粗误差愈大。根据以往的分析，本文使用的验证资料均用修正爱因斯坦方法(简称MEP法)进行了修正。修正爱因斯坦方法是将实测悬移质资料，修正计算为全沙(包含悬移质和推移质)，实质上仍为实测资料。据对472组资料分析，对全部泥沙的修正值平均约为10%，对大于0.025mm资料的修正值平均为19%，对大于0.05mm资料的修正值平均为37%。

对用于验证的资料未经任何筛选，换言之，没有对取得上述资料时河道冲淤情况进行鉴别。一般来说，在三门峡水库几个不同运用方式的时期，下游河道也相应地有累积性的冲刷或淤积变化。例如建库前总的趋势是微淤的，1960～1964年期间是冲刷的，1965～1973年期间一般是淤积的，而1974年到现在，下游河道总的趋势是微淤的。

综合起来考虑，我们选用了80年代即1980～1983年的472组资料作为验证用的基本资料，一则在这一阶段内河道无剧烈冲淤变化，二则颗分资料系用吸管法或光电法求得，不必修正。这一时段中大部分资料无实测比降，可用计算比降来代替。用这一组资料进行回归分析求出相应的系数以后，再用以计算其他时段的资料。

应该指出，实测输沙率的数值只是某一时刻通过断面的输沙率，并不代表该断面所在河段的输沙能力。如断面实际上处于冲淤交替的河段，则实测输沙率将围绕平衡条件下的输沙能力而变化。采用河流测站实测输沙率资料对输沙能力公式进行验证，是假定这些资料反映了测站所在河段的水力泥沙因子与含沙量之间的关系，将几个站的资料合起

作者：龙毓骞、梁国亭、吴保生、林斌文。黄委水科院研究报告黄科技94038号。

来使用,也只是反映了所在河段的平均情况,只能是一种近似的方法。

2 流量与输沙率相关关系

表达一个站断面输沙率与水流因子之间相关关系的最简单形式是流量和输沙率之间的相关关系。

$$q_s = \alpha \cdot q^{\beta} \tag{1}$$

式中 q_s、q——单宽输沙率及单宽流量;

α、β——系数及指数,用实测资料回归求得。

此外实测输沙率是根据实测数据用修正爱因斯坦方法计算后的全沙输沙率。

用80年代472组资料回归分析后的结果如表1所示。

表1 回归分析结果

输沙率内容	α	β	相关系数
全部泥沙	6.83	1.79	0.87
$D>0.025$mm	3.52	1.75	0.89
$D>0.05$mm	1.87	1.81	0.88

3 输沙公式

用因次分析法分析输沙能力与各有关因子的关系,如略去次要因子,可表达为

$$C = f\left(\frac{U^2}{gd}, \frac{d}{D_{65}}, \frac{U}{\omega_0}, \frac{B}{d}\right) \tag{2}$$

$$\omega_0 = \sum_{i=0}^{n} P_i \omega_i \tag{3}$$

(在此基础上,根据所采用的主要参变数不同,可以组合为表达形式略有不同的输沙能力公式。常用的主要参变数形式有$\frac{U^3}{gd\omega}$、$\frac{UJ}{\omega}$、rqJ 等几种)。

式中 U——断面平均流速,m/s;

g——重力加速度,m/s^2,采用9.8;

d——断面平均水深,m;

D_{65}——床沙组成中相应于累积质量百分数小于65%的粒径,mm;

ω_0——悬移质泥沙平均沉速,鉴于黄河下游河道床沙组成中小于0.025mm泥沙粒径的含量甚少,可取0.025mm为床沙质与冲泻质的分界粒径,因此,此处ω_0均为悬移质中大于0.025mm各组泥沙的平均沉速;

B——水面宽,m;

r——浑水容重,暂取$r=1\ 000$kg/m^3;

q——单宽流量,m^2/s;

J——比降,系无因次数;

C——床沙质含沙量,kg/m^3,即大于0.025mm部分的含沙量。

为了研究各因子输沙能力的影响，采用了上述几种主要参变数，并逐步增加一些参变数以了解对计算结果的影响。现依次说明如下。

3.1 武汉水院公式

武汉水院公式的基本形式如下：

$$C = K_1\left(\frac{U^3}{gR\omega_0}\right)^m \tag{4}$$

式中：C 为平衡条件下的水流挟沙力，此处借用这一形式并用水深 d 代替水力半径 R，用大于 0.025mm 泥沙的平均沉速作为 ω_0，用经修正计算的全沙输沙率推求的大于 0.025mm 泥沙的含沙量作为 C。经回归分析求出的系数及指数见表 2。

表 2　回归分析求出的系数及指数

采用资料	K_1	m	相关系数	说明
实测悬沙资料	0.22	0.76		原作者分析
用 1980～1983 年实测悬沙资料修正计算为全沙	0.568	0.615	0.82	

逐步增加参变数后回归分析结果见表 3。表中 R_r 为相关系数，P_0 为在给定的比值 r_0 范围内资料组数的百分数，M 为计算值与实测值比 r_0 小于 1 的资料组数的百分数，N 为对比值取对数后其绝对值的平均值，即 $|\lg r_o|/n$，可反映计算值与实测值的离散程度。此外，计算值均系根据回归公式计算的 C 值，实测值均系以修正计算后的实测 C 值。

表 3　增加参变数后回归分析结果

公式形式	R_r	P_0 r_0 值变化范围			M	N
		0.2～5	0.33～3	0.5～2		
$C=0.568\left(\frac{U^3}{gd\omega}\right)^{0.615}$	0.823	100.0	97.5	83.1	48.3	0.172
$C=0.149\left(\frac{U^3}{gd\omega}\right)^{0.640}\left(\frac{d}{D_{65}}\right)^{0.438}$	0.876	100.0	98.3	90.5	49.8	0.143
$C=0.045\,5\left(\frac{U^3}{gd\omega}\right)^{0.594}\left(\frac{d}{D_{65}}\right)^{0.608}\left(\frac{B}{d}\right)^{0.164}$	0.885	100.0	98.9	91.1	49.2	0.139

3.2 以单位水流功率为主要参变数的公式

这一类公式的基本形式为：

$$C = K_2\left(\frac{UJ}{\omega_0}\right)^n \tag{5}$$

式中：J 为比降，此处采用了根据流速、水深、床沙组成中代表粒径反推的比降，K_2、n 均为待定的系数及指数。为研究影响输沙能力的参变数，依次增加了 d/D_{65} 及 B/d 两项，回归结果见表 4。

表4　回归结果

公式形式	R	P			M	N
		0.2~5	0.33~3	0.5~2		
$C=38.35\left(\frac{UJ}{\omega}\right)^{0.813}$	0.795	100.0	96.8	80.3	47.7	0.185
$C=9.68\left(\frac{UJ}{\omega}\right)^{0.888}\left(\frac{d}{D_{65}}\right)^{0.841}$	0.875	100.0	98.3	90.5	49.2	0.145
$C=2.35\left(\frac{UJ}{\omega}\right)^{0.821}\left(\frac{d}{D_{65}}\right)^{0.896}\left(\frac{B}{d}\right)^{0.188}$	0.882	100.0	98.9	90.3	49.8	0.140

3.3　Yang(杨志达)公式

杨志达公式所用的主要参变数也是 UJ/ω，其形式如下：

$$\lg C=\left(a+b\lg\frac{U_*}{\omega_0}+C\lg\frac{\omega_0 D_{50}}{\nu}\right)+\left(h+e\lg\frac{U_*}{\omega_0}+f\lg\frac{\omega_0 D_{50}}{\nu}\right)\lg\left(\frac{U-U_0}{\omega_0}J\right) \tag{6}$$

在原作者的著作中，公式右边各参变数均为无因次数，公式左边含沙量以 1×10^{-6} 计。公式中各符号的意义除前已说明者外，U_* 为摩阻流速，以 m/s 计；D_{50} 为输送泥沙的中值粒径，此处仍采用大于 0.025mm 悬移质泥沙的中值粒径；ν 为动黏滞系数，根据水温求出，以 m^2/s 计；C 为含沙量，采用 kg/m^3 为单位。

U_0 为临界起动流速，根据下式确定

$$\begin{cases}\dfrac{U_0}{\omega_0}=\dfrac{2.5}{\lg\left(\dfrac{U_* D_{50}}{\nu}\right)-0.06}+0.66 & 0<\dfrac{U_* D_{50}}{\nu}<70\\ \dfrac{U_0}{\omega_0}=2.05 & \dfrac{U_* D_{50}}{\nu}\geqslant 70\end{cases} \tag{7}$$

J 为比降，无因次。

这一公式基本上也属于以单位水流功率为基本参变数的公式。

与前述做法相同，仍采用黄河下游大于 0.025mm 的资料回归分析求出系数指数。其结果见表5。在分析中有 10 余组资料 $u-u_0$ 出现不合理的负值，均取 $u_0=0$，回归时含沙量单位为 kg/m^3，D_{50} 单位为 mm。

表5

公式形式	R	P			M	N
		0.2~5	0.33~3	0.5~2		
杨志达公式用黄河资料回归各系数值 $a=-2.00$，$b=1.04$，$c=0.78$，$h=0.75$，$e=-0.49$，$f=-0.07$	0.859	100.0	98.5	86.9	46.8	0.156

3.4 以水流功率为主要参变数的公式

Mantz 在对黄河 167 组资料进行分析以后结合对实验室水槽试验资料的分析提出了两组适用于悬移质泥沙输送的公式：

$$I_S \frac{\omega_0}{U} = 0.046(rqJ) \tag{8}$$

$$I_S \frac{\omega_0}{U} d^{0.5} D_S = 1.32 \times 10^{-6}(rqJ)^{0.99} \tag{9}$$

Mantz 的做法保留了基本变量因子的形式，用实测资料回归分析求出系数及指数。现仿照 Mantz 的做法，即采用相同的基本变量，用前述资料通过回归分析求出系数与指数，仍作为一种经验公式以检验其适用性。选用了下列几种形式：

(1)
$$I_S \frac{\omega_0}{U} = K_3(rqJ)^a \tag{10}$$

此处，
$$I_S = \frac{1.65}{2.65} gCU = 6.106CU \tag{11}$$

(2)
$$I_S \frac{\omega_0}{U} = K_4(rqJ)^a D_{65}^b \tag{12}$$

(3)
$$I_S \frac{\omega_0}{U} = K_S(rqJ)^a d^b D_{65}^c \tag{13}$$

这是 Mantz 所采用的另一种形式输沙公式。Mantz 利用试验资料用回归分析求出各系数及指数，然后取整，形成上述形式。Mantz 系用悬移质中值粒径 D_{50} 作为代表粒径，此处用床沙 D_{65} 作为特微粒径 D。

仍采用黄河下游 7 个站 1980～1983 年 472 组大于 0.025mm 资料用经过修正计算的全沙输沙率及相应的含沙量。回归分析结果见表 6。

表 6　回归分析结果

公式形式	R	P			M	N
		0.2～5	0.33～3	0.5～2		
$I_S \frac{\omega}{U} = 0.240(rqJ)^{0.649}$	0.848	99.8	97.5	87.1	48.1	0.167
$I_S \frac{\omega}{U} = 0.084(rqJ)^{0.675}(D_{65})^{-0.60}$	0.869	99.8	97.5	89.2	48.9	0.152
$I_S \frac{\omega}{U} = 0.092(rqJ)^{0.694} d^{-0.154} D_{65}^{-0.611}$	0.873	99.8	97.7	89.2	49.8	0.151

3.5 作者的公式

作者在讨论床沙组成对输沙能力影响的分析中曾采用下列形式的经验公式：

$$q_s = K(rqJ)^a \left(\frac{d}{D_{65}}\right)^b \left(\frac{U}{\omega_0}\right)^c \tag{14}$$

这一公式也属于以水流功率为主要参变数的公式。由于目前所用修正实测悬沙资料方法较前一报告所用方法略有改动，重新按上述资料进行回归分析。式中 q_s 是粒径大于 0.025mm 的床沙质单宽输沙率，其余各物理量意义与前述相同。其结果见表 7。

表 7

公式形式	R	P			M	N
		0.2~5	0.33~3	0.5~2		
$q_s=0.821(rqJ)^{0.944}\left(\frac{d}{D_{65}}\right)^{0.806}\cdot\left(\frac{U}{\omega}\right)^{0.308}$	0.956	100.0	98.7	88.6	50.2	0.146

由表 7 可以看出,用这一形式公式所得的相关系数及资料密集程度是较好的。分粒径组输沙率可采用公式:

$$q_s = K(rqJ)^a\left(\frac{d}{D_{65}}\right)^b\left(\frac{U}{\omega_0}\right)^e \tag{15}$$

计算式中 ω_0 为床沙质泥沙的加权平均沉速。用下式推求:

$$\omega_0^e = \sum_1^n P_1\omega_1^e \tag{16}$$

式中 P_1——经修正计算后全沙各分组所占百分数,用小数表示;

ω_1——各粒径组平均沉速;

n——粒径组组数;

e——式(6)中 U/ω_0 的指数。

仍用本文前几节所采用的方法,即用黄河下游 7 个站 1980~1983 年实测资料,通过回归分析求出系数及指数如下:

$K=0.617\ 7$　$a=0.927\ 5$　$b=0.781\ 1$　$c=0.358\ 5$

相关系数　$R=0.956\ 6$

求出计算的 q_s 值后,再乘以各分组 P_i 即可求得各粒径组的输沙率。计算原资料的误差分布如下,此外 r_0 值仍为实测值与计算值之比。

全部床沙质泥沙(大于 0.025mm)及各分组计算结果的误差分布情况相同,如表 8 所示。表中$\overline{r_0}$为实测值与计算值比值的平均值,其他符号意义同前。

表 8

计算对象	R	P			$\overline{r_0}$	M (%)	N
		0.2~5	0.33~3	0.5~2			
1980~1983 年下游 7 站资料 472 组	0.957	100	98.7	88.8	1.096	49.8	0.145
1984~1988 年下游 7 站资料 577 组	0.94	98.1	94.5	77.8	1.276	67.2	0.200

可见,用式(15)计算其他时段资料也均能达到一定的准确度。式(14)与式(15)主要不同之处是混合沙的沉速计算方式。即

$$\omega = \sum_{1}^{n} P_i\omega_i, \omega_0 = \left[\sum_{i}^{n} P_i\omega_i^e\right]^{1/e}$$

如采用全沙级配中 P_i 值,ω 与 ω_0 的关系可表达如下:

$$\omega_0 = 0.000\ 55 + 0.6\omega \tag{17}$$

也可用指数方程表示:

$$\omega_0 = 0.28\omega^{0.823} \tag{18}$$

两者相关系数可达0.97。

如将1980～1983年与1984～1988年资料全部利用共1 049组,进行回归分析求出的系数指数见表9。

表9 回归分析求出的系数指数

项目	K	a	b	C	相关系数 R
全部资料1 049组	0.628 3	0.928 2	0.779 5	0.356 6	0.957
1980～1983年资料472组	0.617 7	0.927 5	0.781 1	0.358 5	0.957

可见,系数与指数还是相当稳定的,采用较多资料后没有明显变化。同时,用全部资料回归的公式,计算本组时其误差分布见表10。

表10 误差分布

r_0 值范围内资料组数(%)			r	M	N
0.2～5	0.33～3	0.5～2		%	
99.0	96.4	82.8	1.192	59	0.176

平均来说,计算值略偏小。

4 分析和讨论

4.1 影响输沙能力的参变数

从以上对三类型公式验算的情况来看,在保持主要参变数的前提下,增加 d/D_{65} 及 B/b 两个参变数以后,计算与实测值的相关程度、离散程度均有所改进,可以看出,这两个因子,特别是反映水深与糙率代表粒径的 d/D_{65} 确是影响输沙能力的一个参变数。

三种类型公式中的主要参变数,虽各有其物理意义,但用同一资料验证计算结果,说明尽管各公式表达方式略有不同,但所反映的计算值与实测值的相关关系都是十分接近的。

将几种类型公式计算与实测值回归分析结果,摘要重新并列于表11以便于比较。

比较表中数字,就黄河下游资料而言,以第Ⅴ式相关程度最好,第Ⅲ式较差,其余各式居中,但各式并无很显著的差别。可以说,所列出的各种形式的公式对于黄河下游来说,其适应程度也是十分接近的。

表 11　回归分析结果

编号	公式形式	R	P		M	N
			0.33~3	0.5~2		
Ⅰ	$C=0.455\left(\frac{U^3}{gd\omega}\right)^{0.594}\left(\frac{d}{D_{65}}\right)^{0.608}\left(\frac{B}{d}\right)^{0.184}$	0.885	98.9	91.1	49.2	0.139
Ⅱ	$C=2.35\left(\frac{UJ}{\omega}\right)^{0.821}\left(\frac{d}{D_{65}}\right)^{0.895}\left(\frac{B}{d}\right)^{0.158}$	0.882	98.9	90.3	49.8	0.140
Ⅲ	$C=K\left(\frac{U-U_{or}}{\omega}\cdot J\right)^{a}$ K,a 为 $u_*/\omega,\omega_o/r$ 的函数	0.859	98.5	86.9	46.8	0.156
Ⅳ	$I_S\frac{\omega}{U}=0.092(rqJ)^{0.894}d^{-0.154}D_{65}^{-0.611}$	0.873	97.7	89.2	49.8	0.151
Ⅴ	$q_s=0.821(rqJ)^{0.944}\left(\frac{U}{\omega}\right)^{0.808}\left(\frac{d}{D_{65}}\right)^{0.808}$	0.956	98.7	88.6	50.2	0.146

4.2　无因次的输沙能力关系式

钱宁在《泥沙运动力学》一书中取 U、h 及 r 为基本变量，用量纲分析方法，并忽略水流黏性及两壁的影响，得出输沙能力的函数关系如下：

$$C = f\left(\frac{U^2}{gd},\frac{U}{\omega},\frac{d}{D}\right) \tag{19}$$

作者在另一文中用黄河下游80年代1 018组资料，采用较简单的表达形式，即

$$C = K(U^2/gd)^a\cdot\left(\frac{U}{\omega}\right)^b\left(\frac{d}{D_{65}}\right)^c \tag{20}$$

进行回归分析，求出的系数及指数为

$$K = 0.025\,7\qquad a = 0.80\qquad b = 0.48\qquad c = 0.44$$

相关系数为0.87。88.1%点子的计算与实测值的比值在0.5~2之间。式中各符号及单位均与前述相同。从这一分析，可以更明确地看出各因子对输沙能力的影响。

4.3　计算其他年份资料的结果

用1980~1983年资料回归分析求出的公式计算其他时段资料的结果如表12所示。可以看出，用回归的公式计算处于冲刷时期的1960~1964年资料，计算值均较实测值大，而计算处于微淤时期的1974~1979年资料，计算值均较小。各公式计算结果也是大同小异。说明用1980~1983年回归的公式接近平衡输沙情况。

4.4　含沙量对沉速的影响

曾用公式(6)对三门峡水库内潼关、大禹渡(太安)等站资料进行验算。1 002组资料中粒径大于0.025mm、含沙量大于30kg/m³的组数为143组，最大可达544kg/m³。验算结果说明，用该公式计算的单宽输沙率，当含沙量大于30kg/m³时较实测值偏小，而当含沙量小于30kg/m³时计算值与实测值较为接近。说明必须考虑含沙量对沉速的影响，而

对公式中的沉速进行修正。

表 12

计算对象	采用公式	P			M	N
		0.2～5	0.33～3	0.5～2		
1974～1979 年 387 组	Ⅰ	96.9	92.5	79.3	70.5	0.202
	Ⅱ	96.9	92.0	78.6	70.5	0.205
	Ⅲ	97.4	93.0	77.0	77.5	0.210
	Ⅳ	95.3	89.1	74.7	76.2	0.237
	Ⅴ	98.2	94.6	81.4	62.3	0.187
1960～1964 年 231 组	Ⅰ	98.7	93.1	75.3	30.3	0.220
	Ⅱ	98.7	93.5	76.2	29.4	0.221
	Ⅲ	99.1	93.1	78.3	31.6	0.205
	Ⅳ	97.4	92.6	72.7	35.5	0.232
	Ⅴ	98.3	91.3	68.8	26.8	0.245

4.5 计算比降与实测比降

由于黄河下游河道较宽，如河段较短则用上下断面水位以推求水面比降的数值可能有较大误差。根据平均流速、平均水深、床沙代表粒径等反求的能坡比降也只适用于平整河床、沙波作用可以忽略不计的情况。为比较两者对计算结果的差异，用 1956～1988 年 542 组有实测比降的资料进行回归分析，其结果见表 13。

表 13

采用公式	R	P			M	N
		0.2～5	0.33～3	0.5～2		
实测比降	0.860	96.5	89.3	75.6	45.4	0.231
计算比降	0.909	98.7	94.5	80.4	45.9	0.191

用实测比降 $q_s = 0.010\,3(rqJ_m)^{0.631}\left(\frac{U}{\omega}\right)^{1.252}\left(\frac{d}{D_{65}}\right)^{0.166}$

用计算比降 $q_s = 2.808(rqJ_c)^{0.880}\left(\frac{U}{\omega}\right)^{0.266}\left(\frac{d}{D_{65}}\right)^{0.407}$

4.6 计算分组粒径输沙率

从上述分析可知，如采用式(16)计算混合沙的沉速，则式(15)可用于计算分粒组输沙率。

经分析，如仍采用一般混合沙的沉速计算方法，则在用式(14)作分粒径组计算时应乘上一个经验系数 α，α 值随粒径大小不同而变化(见表 14)。

表 14

组别	4	5	6	7
D(mm)	0.025～0.05	0.05～0.10	0.10～0.25	0.25～0.50
α	0.82	1.16	1.58	2.00

用这一方法计算结果与实测值比较，r 在 0.5～2 之间可达 88.3%，M = 59.7%，N =

0.152。也具有一定的准确度。但需指出 α 值是纯经验性的。

5 结语

上述结果初步表明,在选定了几个影响输沙能力的主要参变数或参变因子以后,可以用实测资料通过回归性分析求出系数、指数以建立带有经验性质的输沙公式在工作中应用。就本文所使用的几个参变因子而言,所建立的经验公式的计算值与实测值的相关程度基本相同。

已发表的一些输沙能力公式也往往是先建立一些有物理意义的关系式,然后用实验室水槽试验成果及野外实测全沙的资料来确定或验证关系式中的一些待定系数或指数。本文所进行的这项工作也指出了有可能选用一些物理意义比较明确的输沙能力公式,用黄河资料进行验证计算,修订公式中一些系数或指数,反过来用于黄河而达到一定的准确度。由于不少公式中的原系数指数是应用水槽试验成果确定的,不一定能完全符合野外河流的情况。因此,用野外资料经过验证计算后对原公式系数、指数作某些调整是提高输沙能力计算准确度的一条途径。

本文是受黄委治黄科技开发基金支持的一项研究课题"床沙组成对输沙能力影响"的继续。

参 考 文 献

[1] 梁国亭.黄河中游一维泥沙冲淤数学模型:[硕士学位论文].清华大学水利系,1994
[2] 吴保生,龙毓骞.黄河水流输沙能力公式的若干修正.人民黄河,1993(7)
[3] 舒安平.高含沙水流挟沙能力及输沙机理的研究:[博士学位论文].清华大学水利系,1994
[4] 张红武,张清.黄河水流挟沙力的计算公式.人民黄河,1992(11)
[5] Mantz P A(曼茨).黄河泥沙输送资料分析.人民黄河,1987(1)
[6] 龙毓骞,林斌文,梁国亭.黄河下游河道床沙组成实测资料分析研究.见:美国第四次泥沙会议论文集,1989
[7] 李义天.冲淤平衡状态下床沙质级配初探.泥沙研究,1987(1)
[8] 何明民,韩其为.挟沙能力级配及有效床沙级配的概念.水利学报,1989(3)
[9] 麦乔威,赵苏理.黄河水流挟沙能力问题的初步研究.泥沙研究,1958,3(2)
[10] 武汉水电学院河流泥沙工程学教研室.河流泥沙工程学.北京:水利电力出版社,1982
[11] 龙毓骞,林斌文,梁国亭.黄河下游床沙组成的变化(英文).见:美国第五届联邦机构泥沙会议论文集,1990
[12] 龙毓骞,林斌文,熊贵枢.输沙率测验误差的初步分析.泥沙研究,1982(4)
[13] Bechteler W, Vetter M. Comparison of Existing Sediment Transport Models 4 ISRS Beijing, 1989
[14] Yang C T. Sediment Transport and Unit Stream power. Handbook of civil Engineering, Technomic publishing, 1987
[15] 张瑞瑾,等.河流泥沙动力学.北京:水利电力出版社,1988
[16] 钱宁,万兆惠.泥沙动力学.北京:科学出版社,1983

黄河下游输沙率修正方法和应用

1　修正输沙率问题的提出

积深法测量时，取样器在垂线上以均匀速度提放，连续采取整个垂线上的水样，将取得的混合水样内沙重除以水样体积即可得垂线平均含沙量，由于取样器管嘴位置离河底有 Δd 距离，因此该 Δd 区域内沙样被漏取，从而使测量得到的垂线平均输沙率偏小。逐点法测量根据垂线上各独立测点处的流速与含沙量乘积加权平均再乘以水深得到垂线平均输沙率。以往研究表明，逐点法测量输沙率确实存在系统偏小的现象。

熊贵枢等根据沙量平衡，以 1961～1980 年实测资料求得黄河下游小浪底、花园口、利津站实测输沙率相对三门峡站分别偏小 2.0%、8.2%、3.6%。三门峡站取样断面垂线含沙量分布很均匀，所测含沙量能代表断面平均含沙量，而且由于紊动程度很高，全部泥沙均处于悬移状态，所测含沙量实际上即为全沙含沙量，故三门峡站实测输沙率系统误差可忽略不计。文献[1]中统计花园口、泺口、潼关共 118 组实测推移质资料得到黄河下游推移质量不足总沙量的 1%，在以上偏小误差中扣掉 1% 的推移质误差，悬移质输沙率偏小误差仍达 3%～7%，在利用实测悬移质输沙率进行冲淤分析时带入这种误差，便会将这部分偏小量误算成了冲淤量，将得出不切实际的结论，在这种情况下，必须对输沙率进行修正。

20 世纪 50 年代中期美国的 Colby 和 Hembree 提出了根据部分实测资料计算全沙输沙率的方法，该方法在美国经过多年的实践和修正，已基本形成了一套比较完善的以改正实测输沙率为目的的修正爱因斯坦方法，即利用爱因斯坦全沙计算方法根据实测资料予以修正计算冲积河流断面全沙输沙率，美国政府已建议将其作为输沙率改正的国际标准。1985 年美国的 Stevens 将计算方法编成计算机程序。林斌文、梁国亭 1987 年引进在美国已有广泛应用基础的上述全沙计算方法，结合黄河的实际情况进行了大量深入细致的分析研究，提出了全沙输沙率计算方法的修正和应用并将其计算程序化。本文的分析工作是在充分肯定其研究方法和成果的前提下进行的。

Colby 修正爱因斯坦方法主要的特点是尽量利用实测资料，需要流量、水面宽、平均水深、水温、测验垂线的平均水深、最低测点距河床的距离、实测悬移质含沙量、悬移质级配、床沙级配。可见它是对实测资料进行修正以求出通过全断面全部泥沙输沙率的一种方法。正因为修正爱因斯坦方法对实测资料要求较全，特别是要求有床沙级配，因此在直接应用该法修正逐日输沙率时难以实现。可以在实测资料中挑选出满足计算要求的若干组数据进行计算，若能从计算结果中找出某种修正途径并能方便地直接应用于修正输沙率则既可促成修正方法的实现且又充分体现出修正爱因斯坦方法的理论依据，此亦即本

作者：李松恒、龙毓骞，原载《泥沙研究》1994 年第 3 期。

文的目的。

2 修正系数的理论表达式

爱因斯坦全沙计算方法得到的单宽全沙输沙率为

$$i_t q_t = i_B q_B (1 + PI_1 + I_2) \tag{1}$$

式中：$i_t q_t$、$i_B q_B$ 分别为某粒径范围的单宽全沙输沙率与推移质输沙率；$P = 2.303 \lg(30.2 d\chi / D_{65})$，$d$ 为水深，χ 为校正系数，是 D_{65}/δ 的函数，δ 为光滑床面近壁层流边界层厚度；I_1、I_2 为积分式，是 $A = 2D/d$ 及悬浮指标 $Z = \omega/(0.4u_*)$ 的函数，ω 为沉速，u_* 为摩阻流速。爱因斯坦在文献[6]中评价修正爱因斯坦方法(The Modified Einstein Procedure，简称 MEP)时认为，Colby 和 Hembree 采取了与爱因斯坦全沙计算方法相同的进程，只是进行了四方面的修正，并一一作了评论。爱因斯坦以下式作为输沙率修正系数。

$$\frac{i_t q_t}{i_{sm} q_{sm}} = \left(\frac{E}{A}\right)^{z-1} \cdot \left(\frac{1-A}{1-E}\right)^{z} \cdot \frac{(1 + PI_1 + I_2)_A}{(PI_1 + I_2)_E} \tag{2}$$

式中：$i_{sm} q_{sm}$ 代表积深法可量测区域内的悬移质输沙率；P、I_1、I_2、A 意义同前；E 为未量测区高度与水深的比值，表达的物理意义为全沙输沙率理论计算值与实际可量测区域内悬移质输沙率理论计算值之比，由式中可见，修正系数为 Z、A、P、E 的函数。

逐点法根据垂线上若干点的悬沙浓度与水流流速的乘积加权平均再乘以垂线水深得到平均输沙率，记为 Q_{sm}，则可用下式作为输沙率修正系数

$$\frac{i_t q_t}{Q_{sm}} = \frac{(1-A)^2}{A^{z-1}} \cdot \frac{4.648(1 + PI_1 + I_2)}{\sum_{i=1}^{N} W_i \left(\frac{1-x_i}{x_i}\right)^{z} \cdot (P + \ln x_i)} \tag{3}$$

式中：N 为测点数目；x_i 为各测点相对水深；W_i 为各测点权重；其余符号意义同前。在 W_i、x_i 确定后(如三点法、五点法等)，修正系数是 Z、A、P 的函数。

垂线平均含沙量即某垂线上单位水体中所含泥沙的平均质量，可推导成如下表达式

$$\overline{S} = \frac{S_{2D}}{d} \cdot \left(\frac{A}{1-A}\right)^{z} \cdot \frac{\int_A^1 \left(\frac{1-y}{y}\right)^2 \cdot (P + \ln y) \cdot \mathrm{d}y}{(P-1)(1-A) - A \cdot \ln A} \tag{4}$$

式中：$\overline{S}$ 为平均含沙量；S_{2D} 为 $2D$ 处含沙量，D 为粒径；其余符号意义同前。

同样可推导得到逐点法平均含沙量如下：

$$\overline{S}_1 = S_{2D} \left(\frac{A}{1-A}\right)^{z} \cdot \frac{\sum_{i=1}^{N} W_i (P + \ln x_i) \left(\frac{1-x_i}{x_i}\right)^{z}}{\sum_{i=1}^{N} W_i (P + \ln x_i)} \tag{5}$$

式中各符号意义同前。

可见，$\overline{S}$ 为 Z、A、P、d、S_{2D} 的函数，$\overline{S}_1$ 在确定 x_i、W_i 时是 Z、A、P、S_{2D} 的函数。

式(2)、式(3)即为修正系数的理论表达式，代入各参数即可求其值。以上各式推导中

均采用了Rose分布、对数流速分布。本文分析的目的不在于根据理论表达式求修正系数，因此对于含沙量分布、流速分布等黄河下游的适用性以及推导而得的修正系数理论表达式能否作为输沙率漏测修正的依据本文中不予讨论。从以上推导可见，可通过 Z、A、P 这些公共因子将修正系数与含沙量联系起来，因此本文试图从建立修正系数与含沙量的关系这一途径来修正输沙率。

3　黄河下游输沙率的修正方法

修正输沙率方法不是一般的输沙能力公式，而是在实测资料基础上对输沙率予以修正，基本原理是将全部水深的输沙率计算值(全沙)与实际量测区域的计算值的比值乘以实际可量测区域的输沙率从而得到输沙率的修正值。

记修正爱因斯坦全沙计算程序计算得到的全沙输沙率为 Q_{smep}，并定义

$$K = \frac{Q_{smep}}{Q_{sm}} \tag{6}$$

为输沙率修正系数，式中 Q_{sm} 为实测悬移质输沙率。

各测站 MEP 计算基本资料如表1所示。

表1　MEP 计算基本资料

站名	花园口	高村	艾山	利津
时间范围(年)	1958～1988	1963～1988	1959～1988	1963～1988
数据组数	278	266	350	328
流量(m^3/s)	118～12 400	61～7 300	25～7 470	30～7 470
河宽(m)	132～3 190	144～2 240	75.2～417	73～555
水深(m)	0.55～3.42	0.57～5.3	1.02～7.0	0.67～6.1
水温(℃)	0.5～31.1	0～31.7	0～30.4	0～32
实测断面平均含沙量(kg/m^3)	1.82～244	0.71～201	0.46～217	0.16～164

注：床沙级配、悬沙级配、输沙率 MEP 值分为9组；比降可用实测值或亦可用计算值。

花园口、高村、艾山、利津站的 $K \sim S$ 关系见图1～图4。由图可见，修正系数 K 随含沙量的增大而减小且趋向于1.0。修正系数是一个多影响因素量，同一含沙量 S 下 K 值有一范围，整体较密集，反映出的规律性较强。

3.1　全沙修正方法

灰色理论始创于1982年，发展至今已渗透到众多领域，有不少研究成果，灰色系统着重研究内涵不明确、外延明确的对象。现在研究的是修正系数 K 与含沙量 S 的关系，而非别的什么关系，所以该被研究的问题外延明确；图1～图4表明，同一含沙量 S 下，修正系数 K 有一取值范围，具体等于多少并不清楚，所以该被研究的问题内涵不明确，因此该被研究的问题具有灰色系统处理对象的特点。

将同一含沙量 S 下修正系数 K 取值范围视为一个灰区间，K 视为该灰区间内取值

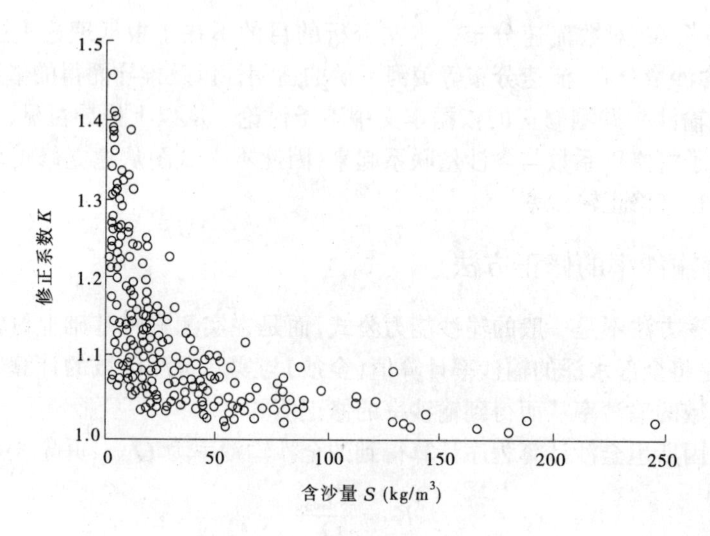

图 1　花园口站的 $K \sim S$ 关系

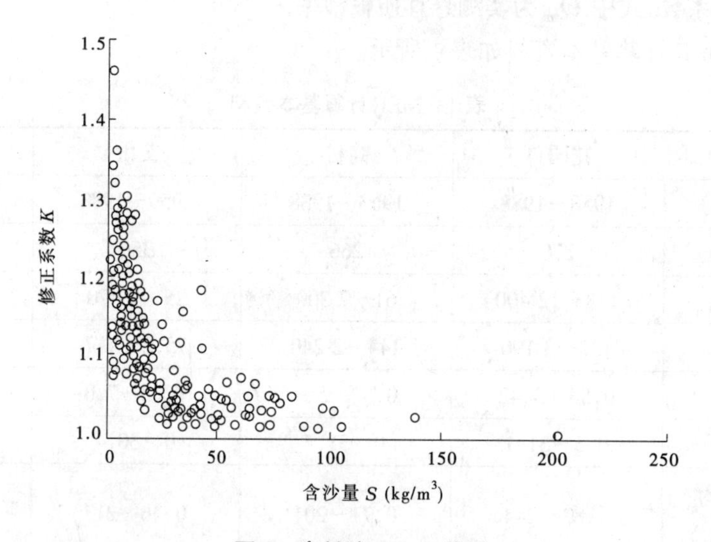

图 2　高村站 $K \sim S$ 关系

的灰数，记为⊗，即只知大概范围而不知其准确值的全体实数。将这种关系记为

$$\tilde{\otimes} \in [\alpha, \beta] \tag{7}$$

式中：$\tilde{\otimes}$表示灰量⊗的白化值；α、β 分别代表灰区间的上限和下限。

因为灰数是一个区间数，一个集合数，在处理问题时需进行白化，所谓白化是指将取值不确定的灰数按照白化权函数取一确定值。本文采取权重 ρ 按下式白化灰数

$$K = \rho \cdot d + (1 - \rho) \cdot \beta \tag{8}$$

ρ 是一可调值，满足约束条件 $\rho \in [0,1]$。

根据各站的 $K \sim S$ 关系图，可确定灰区间的上下包络线（即上下限）表达式，通过调算可确定权重 ρ 值，利用式(8)求得 K，再乘以实测输沙率便可得到修正值。

ρ 值调算是以分河段及全下游冲淤量、累积冲淤量与相应的断面法测量结果相比较

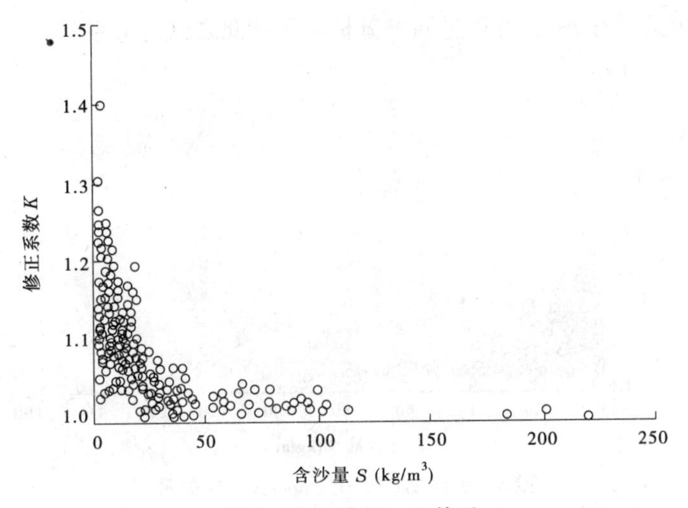

图 3　艾山站 $K \sim S$ 关系

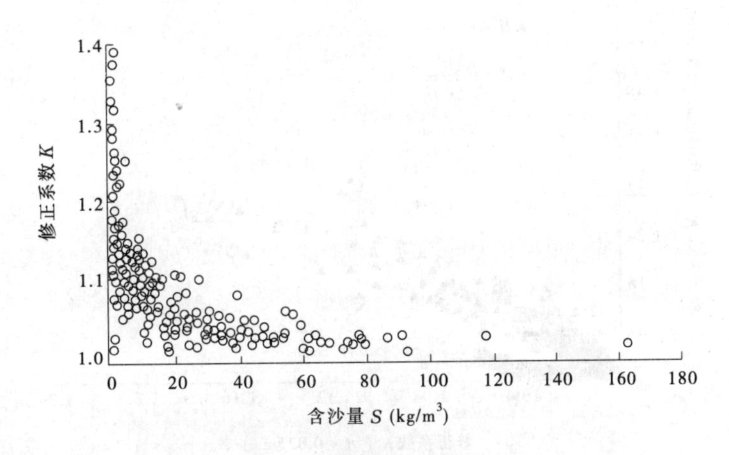

图 4　利津站 $K \sim S$ 关系

而进行的,认为断面法测量结果是可靠的。各个站上下包络线的取定以及 ρ 值的取定并非唯一,会因人有所不同,这正体现了灰的特点。

由以上过程可见,从实测资料中挑选出若干组满足 MEP 计算要求的数据,通过 MEP 计算求得 K 值,利用 $K \sim S$ 关系确定上下包络线方程,根据断面法实测结果,通过试算可选定权重 ρ,便可根据 S 求得 K 值,从而可求得输沙率修正值。本方法可方便地进行逐日输沙率的修正。

3.2　分组泥沙修正方法

参照全沙修正方法同样定义分组泥沙修正系数为

$$K(i) = \frac{Q_s(i)_{mep}}{Qs(i)_m} \tag{9}$$

式中:$Q_s(i)_{mep}$、$Q_s(i)m$ 分别为第 i 粒径组输沙率的 MEP 值与实测值。

级配分为 0.005、0.01、0.025、0.05、0.1mm 五组。点绘各站 $d<0.1$mm 粒径组泥沙的 $K(i) \sim S$ 关系,发现与全沙规律一致,以利津站为例(见图 5)。各粒径组间 K 值关系

仍以利津站为例见图6、图7,可通过回归分析确定彼此之间的关系。

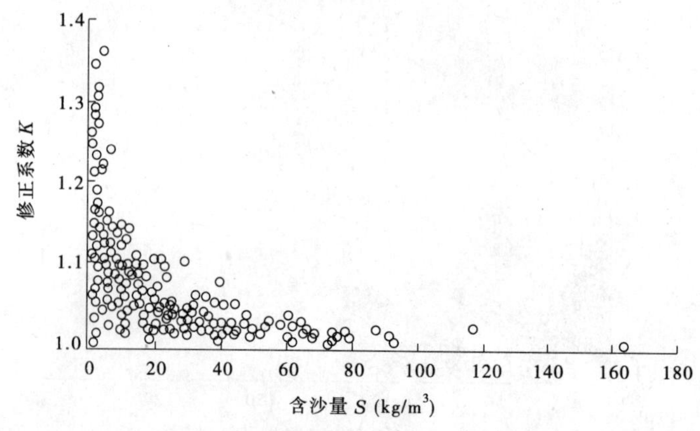

图5 利津站($d<0.1$mm)$K\sim S$ 关系

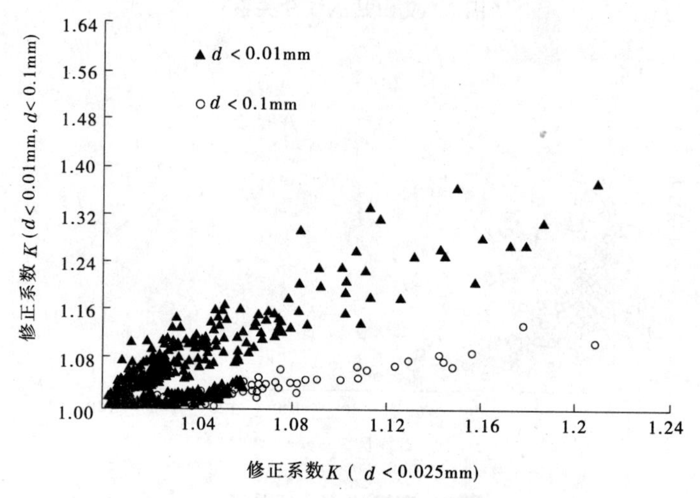

图6 利津站分组泥沙修正系数关系

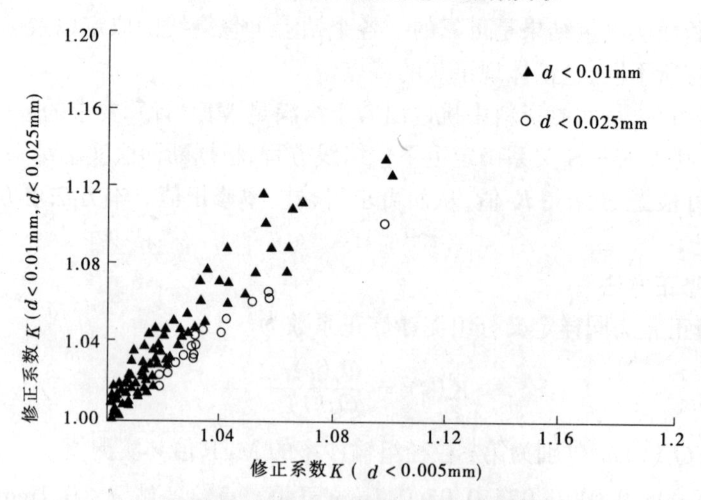

图7 利津站分组泥沙修正系数关系

计算步骤为：首先确定 $d<0.1$mm 粒径组泥沙的 $K(i)\sim S$ 图中 $K(i)$ 值的上下包络线，取与全沙相同的 ρ 值，根据 S 便可求得 $K(d<0.1\text{mm})$，然后依次求得 $K(d<0.05\text{mm})$、$K(d<0.005\text{mm})$、$K(d<0.01\text{mm})$。

各级泥沙修正系数数值大小排序为 $1.0\leqslant K(d<0.005\text{mm})<K(d<0.01\text{mm})<K(d<0.025\text{mm})<K(d<0.05\text{mm})<K(d<0.1\text{mm})<K$(全沙)。当 K(全沙)取为1.0时各项应均为1.0。

4 修正方法验证

本文所提出的修正方法源于对MEP计算结果的分析、理论推导、灰色系统基本概念。现将修正输沙率以后计算的冲淤结果和同期断面法实测成果进行比较。计算河段划分为三门峡至花园口、花园口至高村、高村至艾山、艾山至利津，时间为1963～1988年，采用"黄河泥沙数模专用数据库"提供的流量、输沙率、级配以及断面法实测资料。

各河段累积冲淤总量见表2。三门峡至利津1963年5月至1988年9月，断面法及修正输沙率法累积冲淤量分别为30.39亿、30.53亿 m^3。从表2可看出，如果输沙率不修正，铁谢至花园口淤积量是断面法的9倍多，这种情况下不修正输沙率得出的冲淤规律就难以反映真实面目。

表2 各河段累积冲淤量

河段	时段(年·月)	断面法(亿 m^3)	输沙率法(亿 m^3)	容重	修正输沙率法
铁谢—花园口	1963.5～1988.9	2.20	20.77	1.51	1.81
花园口—高村	1963.5～1988.9	14.63	9.96	1.51	14.61
高村—艾山	1963.5～1988.9	9.43	2.36	1.43	9.23
艾山—利津	1963.5～1988.9	4.13	5.43	1.35	4.88
铁谢—利津	1963.5～1988.9	30.39	38.53		30.53

注：冲淤量=上站沙量-下站沙量-区间引沙量。

各河段断面法与修正输沙率法累积冲淤量过程均较好地符合，以三门峡至利津为例见图8。

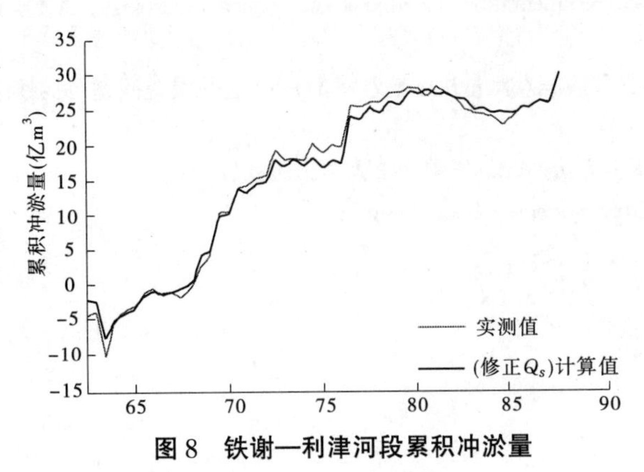

图8 铁谢—利津河段累积冲淤量

5 结论

(1)黄河下游输沙率存在偏小的误差,在进行输沙率法冲淤分析时带入这种误差,可能会得出不切实际的结论,在某些河段尤显突出,需对输沙率进行修正。

(2)经推导得出积深法输沙率修正系数理论表达式是 Z、A、P、E 因素的函数,逐点法输沙率修正系数理论表达式是 Z、A、P 等因素的函数,垂线平均含沙量与逐点法平均含沙量均与 Z、A、P 等因素有关,因此可以通过 Z、A、P 因子将修正系数与含沙量联系起来,并据此建立 $K \sim S$ 关系。

(3)定义 $Qsmep$ 与 Qsm 的比值为修正系数 K,点绘 $K \sim S$ 关系表明,S 增大,K 减小且趋向于 1.0,点据密集成一包络带。

(4)引进灰色系统中灰数的概念,将 $K \sim S$ 图中包络带视为灰区间,视 K 为该灰区间内的灰数,用权重 P 将灰量白化便可求得某一 S 下的 K 值。

(5)各站 $K \sim S$ 图中上下包络线表达式的确定以及根据断面实测结果调算的 P 值可能会因人而异,这正体现了灰的特点。

(6)修正输沙率得出的各河段冲淤总量及累积过程与断面法均较好地符合。

(7)通过 $K \sim S$ 关系修正输沙率,其方法简单,有一定的理论依据,能对逐日输沙率进行修正。本文研究表明,此方法对黄河下游各站输沙率进行修正是可行的、合理的。

参 考 文 献

[1] 熊贵枢,孙桐先,朱清雪.黄河下游输沙量及冲淤量测量资料的误差分析.见:第二次河流泥沙国际学术讨论会论文集.北京:水利电力出版社,1983

[2] 龙毓骞,林斌文,熊贵枢.输沙率测验误差的初步分析.泥沙研究,1982(4)

[3] Colby B R, Hembree C H. Computations of Total Sediment Discharge. Niobrara River Near Cody, Nebraska, USGS Water-Supply paper 1357,1955

[4] Stevens h H Jr.Computer Program for Computation of Total Sediment Discharge by Modified Einstein Procedure. Water Resources Investigation Report 86-4047, USGS,Lakewood,colrado 1985

[5] H.A.爱因斯坦.明渠水流的挟沙能力(中译本).北京:水利出版社,1956

[6] H.A.Einstein. River Sedimentation. Handbook of Applied Hydrology, A Compendium of Water-resources Technology

[7] 钱宁,万兆惠.根据悬移质积点测量决定输沙率时所引起的误差问题.见:钱宁论文集.北京:清华大学出版社,1990

[8] 邓聚龙.灰色系统基本方法.武汉:华中理工大学出版社,2005

[9] Deng Julong,et al.Grey System. China Ocean Press,

三门峡水库改建与运用研究提要

三门峡水库自建成并开始运用迄今已30余年。枢纽泄流建筑物改建并采取蓄清排浑运用也已20余年。为总结枢纽工程改建和多年运用的经验，组成了专题研究，各专题研究成果《三门峡水库运用研究论文集》已于1993年汇编出版。在此基础上项目组编写了总结性报告，即《黄河三门峡水利枢纽运用与研究》并已于1995年出版。报告回顾了三门峡枢纽工程修建、改建的过程及其经验教训；分析了水库上下游河床冲淤演变；总结了泄流建筑物改建过程中设计和施工的经验，水工建筑物管理和大坝安全监测的经验，水电站发电运行的经验；评价了水库修建对环境的影响和工程经济效益。报告重点对蓄清排浑控制运用方式进行了总结，研究了在水沙条件变化的情况下必须合理地、灵活地进行调度运用，选用水位的问题。

1　工程规划及改建

三门峡枢纽原工程规划系以淹没大片土地换取库容进行蓄水运用。对水土保持的发展速度和支流水库的拦沙效益估计过于乐观，脱离了实际。规划中也没有考虑充分利用黄河下游河道的泄洪输沙能力，而是单纯依靠水库的有限库容拦沙。1960年9月建成并开始运用4年，水库淤积迅速发展，335m以下库容已损失43%。1962年3月以后，虽改变蓄水拦沙运用方式为单纯滞洪运用，但由于泄流能力太小，淤积继续上延，渭洛河库区淹没和盐碱化面积不断扩大。原设计的综合利用效益无法实现。1964年底决定增建两条隧洞和改建四条发电引水钢管以加大泄流能力。1969年又决定打开原施工导流用的8个底孔以增加低水位的泄流能力，并决定改装5台低水头发电机组。第一阶段改建的土建工程于1973年底完成。此后，5台机组也陆续投入运用。水库开始实行蓄清排浑控制运用。

底孔投入运用几年，闸门门槽磨损汽蚀严重影响正常启闭。汛期发电，水轮机过流部件汽蚀磨损也很严重。1980年决定汛期暂不发电，仅作调相运行。同时，经大量试验研究，开始对底孔再次进行改建(称为二期改建)，并新打开9、10两个底孔以弥补由于扩建装机压缩底孔出口而减少的泄量。改建施工的全部过程，水库基本上保持了正常运用。

2　水库淤积及泥沙调节

2.1　水库淤积与保持库容

自1960年9月至1990年10月水库共淤积泥沙近61亿m^3。三个不同运用时期的

作者：龙毓骞。本文为《三门峡水库运用研究》一书的摘要，原著由三门峡水库运用研究总结课题组完成，1995年河南人民出版社出版。

冲淤情况见表1。

表1　三门峡水库淤积情况

采用方式	统计时段(年·月)	年数	库区淤积量(断面法实测)(亿 m^3)				
			全库区	潼关以下	潼关以上		
					干流	渭河	北洛河
蓄水	1960.5~1964.10	4	45.4	36.5	6.5	1.8	0.5
滞洪	1964.10~1973.10	9	11.7	-9.2	12.0	8.1	0.8
蓄清排浑	1973.10~1990.10	17	4.2	1.5	2.5	0.1	0.1
总计			61.3	28.8	21.0	10.1	1.4

可以看出,在蓄水运用期以及改建以前的一段时间,虽采取滞洪运用,但泄流能力不足,库内淤积仍很严重。1966~1968年改建工程陆续投入运用,降低了坝前运用水位,但由于在变动回水区的前期淤积引起河床自动调整,淤积向上延伸。1970年,库区淤积达58亿 m^3,潼关河床较建库前抬高近5m。改建的底孔陆续投入运用后,坝前水位进一步降低,溯源冲刷与沿程冲刷相结合,使库容进一步得到恢复,潼关高程开始降低。到1973年底潼关高程降低了约1.8m,335m以下库容恢复到60.6亿 m^3。

经过改建扩大了各级水位的泄流能力如表2所示。

表2　各级水位泄流能力

水位(m)	原设计泄流能力(m^3/s)	目前泄流能力(不计电站)(m^3/s)
300	0	3 360
305	612	4 870
310	1 730	6 940
315	3 080	9 040

1974年起实行蓄清排浑控制运用以来,库区淤积大为缓和。1974~1990年全库区仅淤积了4.2亿 m^3,其中潼关以下1.5亿 m^3,潼关以上2.7亿 m^3。保持了可供长期使用的库容,330m以下约31亿 m^3。由于水沙条件差异和年内冲淤变化引起的库容变化为1.3亿~1.9亿 m^3。水库库容的变化见图1。三门峡水库改建与运用的一条基本经验,就是对于修建在黄河中下游这样多泥沙河流上的工程要在各级水位都有足够的泄流能力,通过合理运用,可以保持一定的库容供长期使用。

2.2　潼关高程与控制水库淤积上延

水库修建后在变动回水区形成淤积。由于冲积河流自动调整作用,淤积体将向上游延伸。三门峡水库初期蓄水时期潼关以上汇流区处于变动回水区。此处渭河比降十分平缓,床沙组成又较细,淤积上延现象十分显著。1967年黄河发生较大洪水与北洛河高含沙洪水遭遇,顶托倒托渭河,造成8.8km长河段主槽全部淤塞,更加加剧了渭河淤积上延。

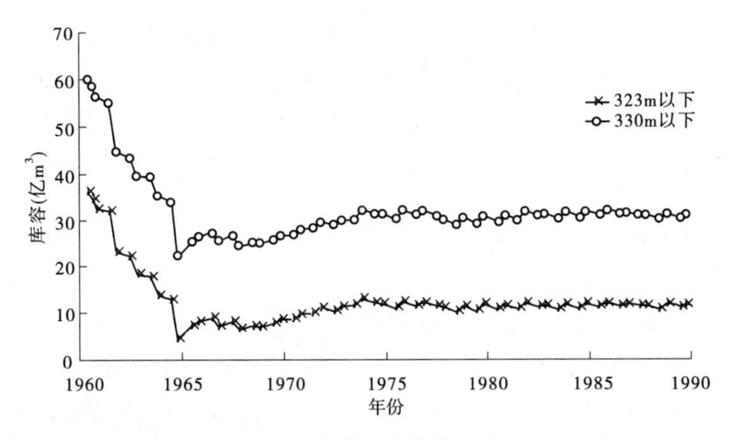

图1　水库库容变化过程

潼关位于黄渭河汇流区的下端，对汇流区的干支流起着局部侵蚀基面的作用。三门峡水库改建规划提出要保持潼关河床高程的稳定，以控制淤积上延的发展。

控制运用以来库区的冲淤及潼关高程的变化见图2。库区冲淤发展可分为三个时段：第一个时段，1973年11月至1979年10月，非汛期各阶段运用水位偏高，高水位持续时间过长，防凌运用以后水位未及时降低，因此淤积部位偏上。汛期虽有一定水量，仍未能将非汛期淤积完全冲刷出库，潼坫段比降变小，潼关高程上升约1m，库区累计淤积达1亿m^3。第二个时段，1979年11月至1985年10月，降低了非汛期运用水位，又值汛期水量较丰，非汛期淤积及潼关高程均得以冲刷恢复到控制运用前的水平。第三个时段，1986年11月至1990年10月，汛期来水量显著减小，洪水次数也较少，库区又发生累积性淤积约3.7亿m^3，潼关高程又有抬升。

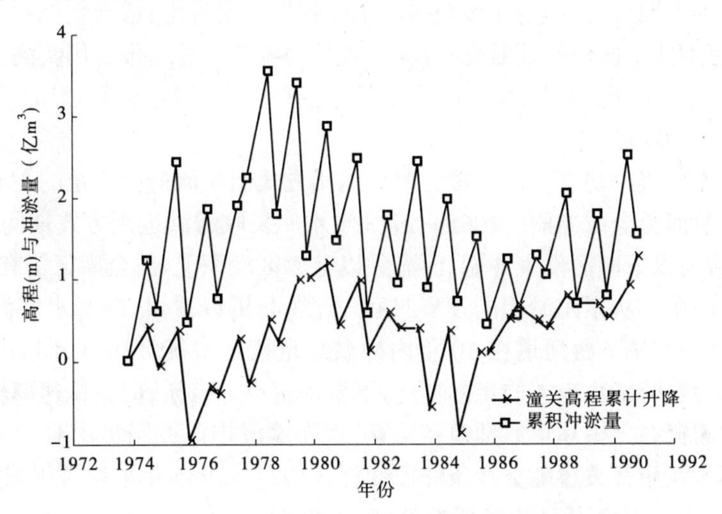

图2　潼关高程累计升降值与累积冲淤量变化

潼关高程的演变既有水库运用产生的直接及间接的回水影响，又有小北干流淤积向下延伸和潼关上下游河道河势演变的影响。从有记载的多年资料分析，在天然情况下潼关河床是微淤的。从长远来说，通过水库运用只能在一定程度上延缓其发展。水库变动回水区淤积的消长变化是在前期淤积基础上冲积河流随来水来沙条件自动调整的结果。因此,控制水库淤积上延必须控制潼关高程的持续抬升。改建后运用20余年的经验表明,在正常的水沙条件下,合理运用可以实现这一目标。但在持续不利的水沙条件下,不仅运用水位应进行调整,而且还应辅以必要的机械疏浚手段以保持潼关高程的稳定,达到控制淤积上延的目的。

渭河下游河道主槽淤积末端位置变化见图3。

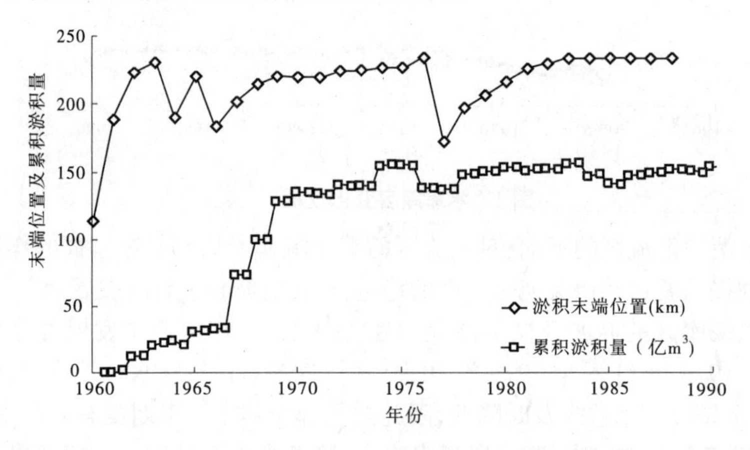

图3 渭河淤积末端位置及累积淤积量

2.3 水库调节与下游减淤

水库实行控制运用的冲淤情况既与年内运用水位有关,也与汛期来水情况有密切关系。水库泄流建筑物经过改建,增强了水库调节泥沙的能力,具体表现在4个方面:即非汛期来沙调节到汛期排出;汛期泥沙较多地集中到洪水期排出;适当地控制了小流量时大量排沙,使出库水沙量能较好地匹配;对泥沙级配的调节。总结报告用实测资料分析了这4个方面的调节作用。显然,在基本保持库区冲淤平衡下,经过这种调节,下泄水沙将较适宜于下游河道的输送。

三门峡水库建成后初期蓄水和虽已改变运用方式但泄流能力不足的1962~1964年,库区淤积而下游河道全线冲刷。1965~1973年水库采取滞洪运用方式期间,改建工程陆续投入运用,潼关以下库区发生冲刷,而潼关以上库区淤积上延,全库区仍有累积性淤积,下游河道开始回淤。从累积淤积的发展过程(见图4)可以看出,由于水库淤积减少了进入下游河道的泥沙,使下游河道在10年内冲淤总量接近平衡。1974年以后实行控制运用,库区淤积甚微,随来水来沙的年际变化,下游河道有冲有淤,但淤积速率较之建库前有所减缓。据实测资料分析和用数学模型估算,水库蓄清排浑控制运用对下游河道的减淤作用不仅和水库运用有关还随水沙条件而变化。1974~1985年平均每年减淤量约为0.3亿t。1986年以后有的年份还有增淤的效应(见图5)。

三门峡水库的来水来沙条件和前期淤积在库区形成的高滩深槽的地貌条件以及改建后的泄流规模,为水库实行控制运用蓄清排浑准备了可能和必要的条件。但是,库区的特殊地理位置和潼关高程升降对渭洛河下游冲淤的影响,又形成了对这种运用方式的一种制约因素,限制了水库调节泥沙的能力。

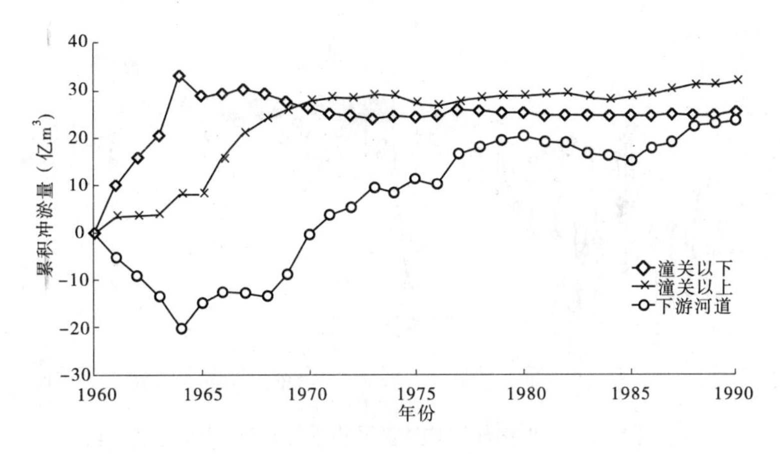

图 4　累积冲淤量过程

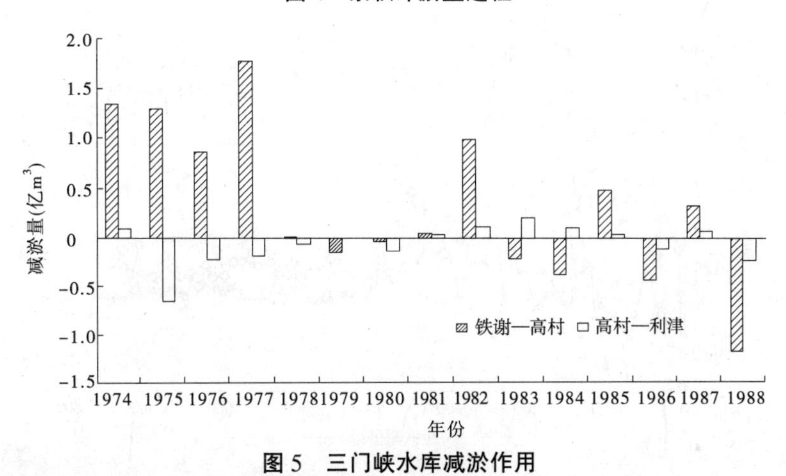

图 5　三门峡水库减淤作用

表 3 说明建库以来不同运用时期黄河下游河道的冲淤量。图 6 显示了在不同时期下游河道各断面年平均冲淤面积的沿程分布,有助于说明水沙条件和水库运用对下游河道冲淤的影响。

表 3　黄河下游各河段冲淤量　（单位:亿 m³）

时段(年·月)	年数	铁谢—花园口	花园口—高村	高村—艾山	艾山—河口	全下游
1951.10～1960.10(建库前)	9	4.3	10.5	8.2	2.9	25.9
1960.10～1964.10	4	-6.5	-9.4	-2.9	-1.7	-20.5
1964.10～1973.10	9	5.8	14.3	4.9	5.2	30.2
1973.10～1979.10	6	-2.3	4.1	3.1	4.9	9.8
1979.10～1985.10	6	-0.04	-3.4	0.9	-2.1	-4.6
1985.10～1990.10	5	1.6	3.4	0.8	2.7	8.5
1960.10～1990.10(建库后)	30	-1.4	9.1	6.7	9.0	23.4

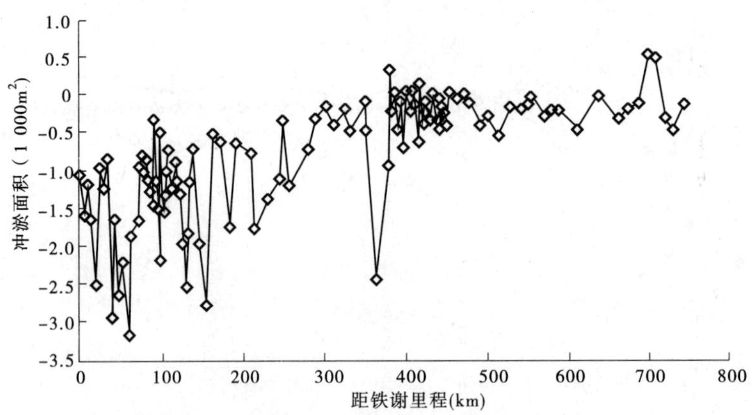

图 6(a)黄河下游河道年平均冲淤面积沿程分布(1960～1964)

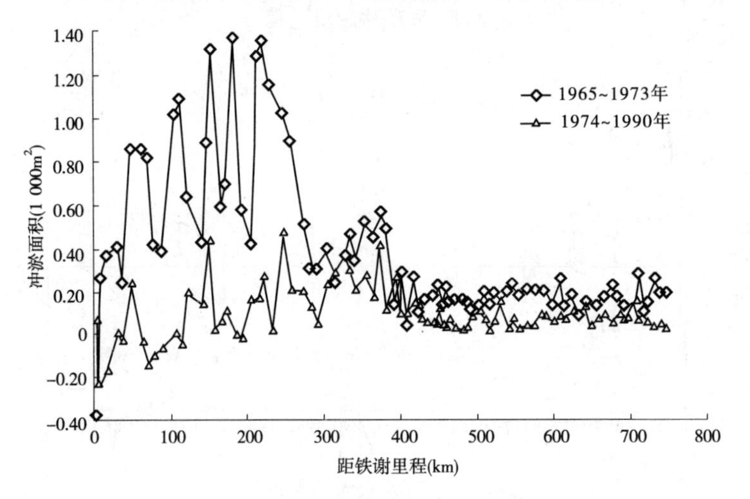

图 6(b)黄河下游河道断面年平均冲淤面积沿程分布

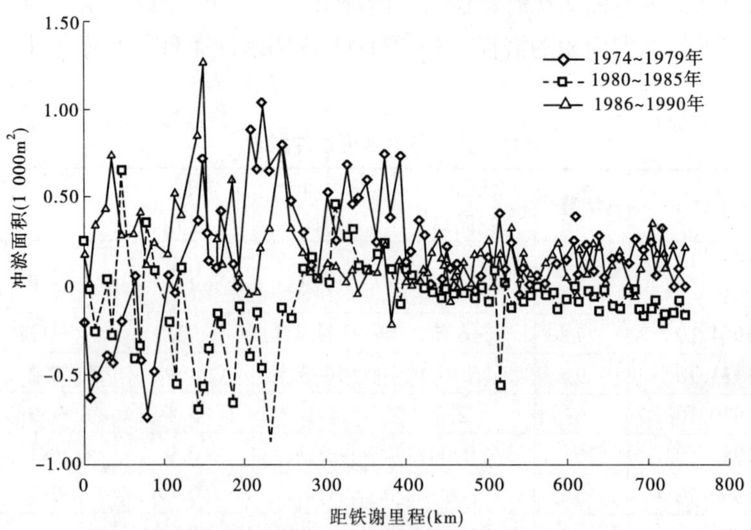

图 6(c)黄河下游河道年平均冲淤面积沿程分布(1974～1990)

3 泄流建筑物的二期改建

初次改建后的泄流建筑物,特别是底孔,经 10 余年的运用出现了磨损汽蚀等影响正常运用的问题。主要有底孔闸门门槽导轨和过流面的磨损汽蚀问题。为了进行修复工作,对底孔破坏机理进行了大量试验研究和原型观测,说明造成破坏的主要原因是大含沙量高速水流的磨损和局部汽蚀。对修复改建方案进行了多次水力学试验和抗磨材料的研究,决定采用将出口的压缩并改变门槽体型的方案。为了在不影响正常运用的条件下进行修复和改建,设计和创造性地研制了用软袋混凝土作止水的钢叠梁围堰,保证了施工的顺利进行。改建后底孔单孔泄量较前有所降低,为弥补泄流能力的不足,又新打开了 9、10 两个底孔。水库泄流曲线如图 7 所示。

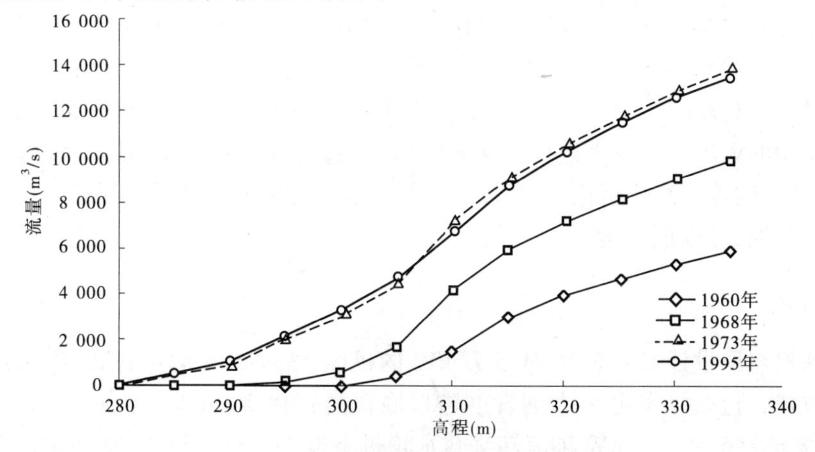

图 7 三门峡水库泄流曲线

在水利枢纽工程泄流建筑物运行中出现的这些问题是水工建筑史上前所未有的。在含沙量很大的水流条件下的泥沙磨损与高速水流条件下可能出现的空化现象相互伴随发生,使过流部位在极为不利的工况下运行。通过二期改建工作,在工程设计和施工方面取得了一些新的认识和经验。根据三门峡水库的经验,泄水建筑物的设计既要使过流部分的体型适合高速水流的特点,又要对过流面进行必要的抗磨材料的保护。为减免磨蚀要控制建筑物过流的流速,例如,对于高强混凝土,不超过 25m/s;对于一般混凝土,不超过 12m/s 等。

为解决水工建筑物抗磨蚀问题,进行了大量抗磨蚀材料的试验研究。对不锈钢等金属材料和高强混凝土、钢纤维混凝土、环氧砂浆等脆性材料进行了抗磨损及耐空蚀的试验,从材料性能、施工要求、造价等综合考虑,在二期改建工程中选用高强混凝土(或砂浆)作为基本材料,大面积使用;在受冲击的局部使用钢纤维混凝土作抗磨层;在水流复杂易受空蚀的部位采用环氧砂浆护面。这些经验,对新建工程有很重要的参考价值。

底孔是水库泄流排沙的主要建筑物,要求能够启闭灵活。原工程改建设计要求安装一门一机。管理部门通过改造现有启闭设备,精心组织,优化运用,可以在 8 小时内完成全部泄流建筑物的开启工作,达到了原设计防洪运用的要求,并经水利部批准,不再安装未安的六台一门一机。

此外，对坝区的水流泥沙运用、漏斗形态、不同高程泄流孔排沙和过机泥沙都进行了一些观测研究，为研究枢纽工程总体布置积累了一些经验。

4 工程管理与大坝安全监测

与新建工程不同，三门峡枢纽的改建工程是在工程主体已经建成并投入运用的条件下进行的。边运用边施工，30余年从未间断。在这种情况下要保证枢纽工程的正常运用就更需要加强和健全工程管理工作。80年代初正式成立了三门峡枢纽管理局，统一了对水工建筑物和水力发电的管理，建立健全了工程管理机构和一整套的工程管理制度。不仅水工建筑物及时得到了养护与维修，设备得到及时维护与更新，而且为进一步提高管理运用水平而实施的技术改造创造了条件。

大坝安全监测是工程管理的重要工作。三门峡枢纽工程在修建时就已布设了一些工程监测系统如大坝变形监测系统、渗流监测系统等。枢纽管理局成立后对整个大坝安全监测系统进行了更新改造，制订了大坝安全监测规程，加强了对建筑物设备的养护管理，并对多年累积的大坝监测成果进行了深入分析，如温度、应力、应变，基岩及坝体变形，渗流，改建底孔结构等。经分析论证，三门峡枢纽大坝及泄流建筑物是一座符合各项安全监控指标的正常坝，可以正常运行。

5 水力发电

三门峡枢纽原设计安装8台14.5万kW的机组，水库改变运用方式，电站部分也相应地进行改建。包括将发电引水钢管的进口底槛高程由300m降至287m并于1974～1978年陆续安装5台5万kW轴流转桨式水轮机组投入运行。至1979年累计发电量达35.8亿kW·h。由于机组汛期运行，含沙水流对水轮机叶片、主轴、中环、过流等部位汽蚀及磨损十分严重。进水口拦污栅也易被堵塞。机组运行不正常，大大增加了检修工作量，缩短了检修周期，增加了维修费用。1980年开始改变为非汛期发电，汛期仅进行调相。

由于汛期不发电，机组运行工况得到改善，相对地减少了检修工作量，每台机组大修耗用的焊条量也由原来的约6.5t减少为2.7t。由于加强了管理，也提高了检修质量。

根据近20年非汛期发电运行的经验，非汛期来水含沙量小，总的来说，适当抬高运行发电是有利的。但防凌运用期常因控制下泄流量而降低发电出力。电力调度与水量调度有一定的矛盾。3～4月期间，一般来水量大于发电用水，机组可以满发。5～6月，发电与下游供水的要求多数情况下是一致的，少数年份来水量过小，水库向下游大量泄水，库水位下降过快，影响后期发电任务的完成。一般情况下每年11～2月的月发电量约为1.2亿kW·h，3～6月的月发电量为1.6亿kW·h。机组按目前水平多年平均的发电量约为10亿kW·h。

三门峡水电站机组运行的主要问题是含沙水流对水轮机过流部位汽蚀和磨损联合作用所造成的破坏以及转轮对叶片根部产生裂纹影响正常发电。为此，进行了大量原型观测。包括对过机含沙量的系统监测、停机时各过流部件的直接观测，进行了大量试验研究探明造成破坏的原因以便寻求对策。根据研究结果对主要过流部件的易受磨损表面采用了环氧金刚砂涂层，对易受汽蚀部分则试验了多种堆焊材料，改变了机组运行情况，取得了显著的经济效益。叶片根部产生裂纹的主要原因则是应力集中和疲劳破坏。目前暂采取补焊或更新叶片的办法来解决。此外,还对一些陈旧的设备如叶片枢轴密封装置,可控硅励磁装置、机组调速器等进行了更新的技术改造。同时建立了一系列管理制度,加强了技术监督工作,大大提高了电站安全及稳定运行的程度。与有关部门合作研制了水电站运行参量监测装置,编制并开始分阶段实施了枢纽综合自动化规划。

目前电站的水轮机组在设计制造工艺和材质方面都不能适应在多泥沙河流中运行,必须进一步进行技术改造。为此,已制定方案开始分期实施。

近几年又开始进行了汛期浑水发电试验。除继续进行抗磨蚀汽蚀材料的研究以外,从运用方式而言,每年汛期7、8月含沙量较大的洪水多发时期仍按照排沙减淤要求进行运用。汛期后期,利用坝区作为冲洗式沉沙池,在一定时间内适当抬高水位,利用底孔泄流后,底孔高程比发电孔低7m,减少过机含沙量,不定期地降低水位冲走在近坝段淤积的泥沙。初步试验结果表明,这种调节方式可以进一步发挥水库的效益,并为多泥沙河流发电运用取得了有益的经验。

6 枢纽工程环境影响的回顾评价

三门峡枢纽工程建成后对环境带来一些影响。库区潼关以上地势开阔,水库蓄水运用期间,两岸地下水位升高,渭河下游华县、华阴境内,夹槽地带盐碱化面积从建库前1.3万hm^2扩大到1.6万hm^2,出现沼泽化面积约1万hm^2。滞洪排沙期盐碱化面积减少为1.3万hm^2,沼泽化面积减少为0.13万hm^2,蓄清排浑期盐碱化面积进一步减少为0.8万hm^2。这一变化,一方面与水库各时期运用水位有关,另一方面二华夹槽地带实施的排水工程,发展井灌、栽培水稻和经济作物等也起到一定的作用。

由于淤积上延,引起库区上游原来不受回水影响区域洪水位抬高,一旦发生较大洪水,将造成淹没损失。蓄清排浑运用以后,淤积上延现象渐趋稳定,洪水位的变化也渐趋稳定。

三门峡水库潼关以下库区属河谷型或峡谷型水库,蓄水初期,运用水位高,库周水井坍毁严重,影响到库区居民生活。改变运用方式后未再发展。库岸主要系由黄土覆盖的三门系组成,水位抬高后,由于黄土湿陷及风浪淘刷引起多处库岸坍塌,蓄水初期,这种现象时有发生。据测算,三个运用时期的坍岸量达8亿m^3,其中以蓄水初期最多。库岸坝塌不仅增加库区淤积量,而且影响库周沿岸居民的生产和生活安全。水库经过蓄水及滞洪运用两个时期,潼关以下库区已形成高滩深槽,蓄清排浑控制运用时期,非汛期蓄水,库岸仍有坍塌,在变动回水区以上河道河势游荡摆动,塌滩现象时有发生。为此,潼关以下已修建了一些护岸工程,以控制其发展。

建库前库区水质良好,进入70年代以来库周工矿企业发展迅速,“三废”排放量剧增,全库区接纳废污水总量高达7.9亿t,其中工业废水量5.93亿t,多数来自渭汾河流域。干流龙门的水质良好,属一级水,潼关受渭汾河入流影响为二级水,三门峡出库恢复到一级水,说明虽有污染水体进入水库,但库区水体环境容量大,稀释自净能力强,水库起到了调节水量、净化水质的作用。

在库区不同部位进行深层取样以分析库区淤积物组成成分和多种污染物含量,研究是否会产生次生污染问题。分析结果表明，细颗粒泥沙，除本底含砷和重金属(Cu、Pb、Zn、Cd)外，还对外来的重金属类物质有较强的吸附性，有一定的净化水体的作用。泥沙所吸附的这类物质只有在酸性水环境的条件下才能被释放出来，而黄河水一般均呈碱性，pH值大于7.5，因此淤积泥沙所含重金属不会释放造成次生污染。目前入库水质已有明显污染，必须严加控制，使接纳的污染物不致超出环境容量，改变水环境条件而发生次生污染。

水库采取不同运用方式，对水库水温和库周水气候的效应均有所不同。蓄水运用期湖泊效应明显，但历时很短，而蓄清排浑期水库蓄泄频繁，热能调蓄作用很小，对库周小气候的影响也不显著。

在对环境影响的评价工作中还对库区农业生态环境、动植物及水生物的状况进行了调查分析。

按照原工程规划设计，高程335m以下移民31.3万人，初期运用因浸没及塌岸影响，已后靠迁移9.3万人，共40.5万人。对移民的安置则分为远迁和近迁两种方式。由于补偿标准低，安置工作不完善，移民机构匆忙撤消，移民工作长期处于放任自流状态，造成不少移民返库，影响社会安定。近年中央及地方政府认真研究和采取了一些措施，如：拨出国营农场土地约2万hm^2供返库移民耕种，制定高处定居低处生产等方法，在生产生活安置上给予大力扶持，遗留的移民问题正在逐步解决。

7 三门峡枢纽工程的国民经济评价

国民经济评价是从国民经济综合平衡的角度分析某一项目对国民经济的净效益，据此判别建设项目的经济合理性。三门峡枢纽工程的国民经济评价采用了折算为同一价格基础，考虑资金时间价值的动态经济分析方法。资金时间价值折算的基准确定为1990年初。国民经济评价的社会折现率按水利经济计算规范(SD139—85)规定采用7%。

根据实际资料统计，从1956～1989年34年内共完成静态投资额(包括大坝年运行费)10.17亿元，水库移民费用1.70亿元，水电站年运行费用(1974～1989年)累计0.81亿元，库区年运行费累计0.48亿元，考虑资金时间价值、物价上涨率和工程残值等因素，三门峡枢纽工程历年投资额及年运行费用折算至基准年的现值总额在社会折现率为7%的情况下为73.6亿元，其中历年投资额包括大坝运行费，占70.8%，水电站和库区年运行费占4.9%，水库移民费占24.3%。

三门峡枢纽工程的综合利用经济效益，据分析为129.85亿元，其中防洪、防凌、灌溉、发电和减淤的效益分别占总效益的51.0%、8.7%、14.9%、13.7%、11.7%。水库在发挥上述效益的同时，也产生了一些负效益。据分析估算，负效益总计为12.59亿元，其中由于库周塌岸而增加的治理费用占38.1%，土地浸没盐碱化造成的减产占23.2%，由于水库淤积影响，1967年渭河淤塞处开挖及渭河下游修建防护堤等费用占25.3%，黄河下游滩地坍失造成农业损失占7.2%，其他占6.2%。

根据上述计算，三门峡枢纽工程的经济净现值为总效益减去总投资和负效益，即129.85－73.60－12.59＝43.66亿元，经济内部收益率为11.37%。可见当社会折现率取7%时，三门峡枢纽的国民经济评价指标是较好的。

在评价分析中还进行了敏感性分析。

8 蓄清排浑控制运用

8.1 非汛期运用

水库非汛期运用一般分为防凌和春灌两个阶段。防凌运用又可分两个时段。第一时段称为防凌前期蓄水,是在下游河道封冻前(11月中旬至12月底)预蓄一部分水量,调匀因黄河上游封河初期下泄的小流量过程,避免下游河道小流量封河及推迟封冻时间。下泄流量一般为500m³/s,补水约2亿m³。第二时段是1~2月的防凌蓄水,根据下游凌情控制下泄流量避免武开河。防凌蓄水后经过3月下旬至4月初由于上游开河形成的桃汛,水库适当调蓄一部分桃汛和4月上中旬来水量,补充5~6月的来水以供下游沿河灌溉引水需要称为春灌。

每年非汛期进入水库的泥沙为1.2亿~2.2亿t。水位较高,全部来沙均将在水库内淤积。淤积部位取决于各时段运用水位。第一段时期1974~1979年,凌前蓄水运用水位317~321m,多数年份防凌蓄水最高水位均超过320m,最高曾达325.99m,桃汛起调水位多数超过320m,春灌最高水位均超过324m。高水位持续时间过长淤积部位靠上,潼关高程也上升了约1m。第二段时期,即1980~1985年,总结了经验,控制凌前蓄水位一般在315~317m,降低了桃汛起调水位并限制春灌最高蓄水位不超过324m,尽量缩短高水位历时,使淤积部位能限制在坫垮以下便于利用汛期洪水冲刷出库。这一段时期汛期来水较丰,不仅将前期非汛期淤积冲刷出库,潼关高程随之冲刷下降,基本上恢复到控制运用前水平。第三段时期,即1986~1990年,非汛期各时段运用水位较低,但汛期来水太小,平均只有148亿m³,大于3 000m³/s的洪水平均每年历时只有8天,与1981~1985年来水情况进行比较,前者平均每年汛期水量达270亿m³,大于3 000m³/s的洪水历时达42天,两者非汛期运用水位相近,前者汛期运用水位还较高,不仅实现了库区冲淤平衡还冲走了前一时段形成的累积性淤积,下游淤积率也较小;后者库区和下游均出现了累积性淤积。这一情况说明了目前所采用的控制运用水位指标,还不能适应水沙条件的变化情况,应该进行一些必要的调整。

8.2 汛期运用

实测资料表明,非汛期淤积能否冲刷出库,潼关高程能否保持不持续抬升,主要有赖于利用洪水时期自上而下的沿程冲刷和降低坝前水位自下而上的溯源冲刷的联合作用。同时,适当控制汛期运用水位限制小流量排沙,使水沙搭配情况较有利于下游河道输送。前述三个时期汛期7~8月的实际平均运用水位依次为304.58、303.32、301.44m,9~10月平均运用水位略高于7~8月,水位在0.6~1.2m。就整个蓄清排浑控制运用时期而言,水库排沙情况有两个明显变化:一是相应于最大输沙量的流量级由滞洪期的2 000~3 000m³/s提高到3 000~4 000m³/s;二是不发生滞洪淤积的流量级提高到5 000~6 000m³/s。这两个变化说明了汛期控制水位调节水沙的实际效果,在一定程度上可以兼顾水库排水和对下游河道的减淤作用。

为减轻水库淤积保持长期可用库容并充分发挥下游河道洪水输沙能力,改建后水库只拦滞超过下游河道设防标准的大洪水。1974年以来,只有两次分别因减轻下游滩区漫滩损失和施工需要在洪水时期蓄水控制下泄流量，最高水位达 318.5m 及 317.2m，但为期很短，对库区影响很小。汛期排沙则采取了平水控制洪水敞泄的运用原则。

8.3 对下游河道的减淤作用

目前所采取的蓄清排浑控制运用方式就库区而言基本上保持了一定的可用库容，对下游河道的主要影响是改变了年内冲淤过程和调整了淤积部位。非汛期下泄清水，流量较小，冲刷范围多限于高村以上。汛期排沙，下游河道回淤。对一般常遇洪水，水库的削峰作用减少了夹河滩以上洪水漫滩的机会，滩槽淤积量均有所减少，也同时减小了洪水对艾山以下河道的冲刷作用。遇来水较枯年份，水库的调节能力十分有限，无法避免小水时河道主槽的严重淤积。因此，就整个下游河道而言，在目前条件下，三门峡水库控制运用对下游河道的减淤作用是有限的。

8.4 蓄清排浑控制运用方式

三门峡水库的来水来沙年内分布和前期淤积在库区形成的高滩深槽的地貌条件，以及改建的泄流规模为水库实行蓄清排浑控制运用具备了可能和必要的条件，但是库区的特殊地理位置，例如潼关高程升降对渭洛河下游冲淤的影响，又形成了对这种运用方式的一种制约因素，限制了水库调节泥沙的能力。30 余年的实践已经证明，三门峡水库采取蓄清排浑运用方式是在当前条件下唯一可以采取的运用方式，它适合多泥沙黄河的水沙特点，保持了一定的可用库容，保证了控制较大洪水的需要，通过控制潼关高程而控制淤积上延的发展，并在一定程度上发挥了兴利和对下游河道减淤的效益。同时，实际资料也表明，在这种运用方式下，库区冲淤与各时段的水沙条件和运用水位的相互关系。换言之，如前一时段来沙较多、运用水位较高，则必须在后一时段降低运用水位，以便在较好的来水条件下将前期淤积冲刷出库以保持冲淤平衡。在蓄清排浑运用原则下，不仅年内各时段的运用水位，而且年际的运用水位必须根据来水来沙情况和水库上下游的冲淤情况予以必要的调整，正是多泥沙河流运用与一般少沙河流水库运用不同的一个鲜明特点。

9 对水库运用的建议

(1)报告回顾了三门峡水库工程规划和建设的全过程，主要总结了实行蓄清排浑控制运用方式以来，在工程改建、管理、发电和调度运用的基本经验。1969 年四省会议确定了合理防洪、排沙放淤、径流发电的运用原则。经过 20 余年的实践，说明三门峡水库的改建和运用是成功的，为在多泥沙河流上修建和运用水库发挥综合利用效益，取得了有益的经验。今后应在“合理防洪、调水调沙、优化调度、综合利用”的运用原则指导下做好水库运用，以继续发挥水库的效益。

(2)为适应黄河水沙条件的变化，水库各年的年内各时段的运用水位指标(控制水位)应作必要调整。近期的目标是在小浪底水库投入运用以前基本保持潼关以下库区冲淤平衡和潼关高程稳定的前提下，发挥水库的综合利用效益。

非汛期水库继续承担防凌、春灌和发电任务。运用的关键是控制淤积部位，尽量减轻蓄水对潼关高程的影响。凌前最高蓄水位控制在 315m 左右。防凌期结合下游沿河冬季引水，一般年份控制最高水位 322m。下游防凌严重年份仍可适当提高到 326m。桃汛起调水位应控制在 315m 左右，春灌蓄水位一般不超过 322m。

汛期防洪运用对上大洪水采取敞泄与控制相结合的方式；对于下大洪水可根据预报适当将水库关闸的时间提前。7～8月控制运用水位300m，在洪水时期如有必要可降低到300m以下。根据库区前期淤积冲刷情况确定汛期后期运用水位。

(3)潼关高程问题是水库运用的一个重要而特殊的问题。除通过运用，在洪水期降低运用水位使潼关高程能在溯源冲刷和沿程冲刷结合下得以冲刷恢复外，还应进行河道整治和采取清淤疏浚方法以尽量维持其稳定。

(4)水库汛期发电运用仍是一项尚未完善解决的问题。近几年进行的浑水发电试验初步结果表明，根据汛期入库水沙特性，利用近坝段槽库容作冲洗式沉沙池，通过水沙调节进行发电，可以在不增加水库负担和不影响潼关高程的前提下增加发电量，发挥效益，是一项有意义的科学试验，应该继续进行。

(5)三门峡水库的高度运用要服从上下游的需要，兼顾各方面利益。随着黄河治理工作的不断发展，全河水资源利用的统一调度日益重要。三门峡水库在实施水沙调节过程中如何考虑对下游河道的影响；上游大型水库水量调节和灌溉引水对三门峡水库水沙量调节和进入下游河道水沙条件的关系；三门峡与小浪底水库联合调度运用的方案等都是需要进行深入研究的问题。三门峡枢纽工程的改建实践为在像黄河这样多泥沙河流上修建水库、发挥综合利用效益取得了经验，也极大地提高了我们对黄河的认识。今后还必须遵循实践—认识—再实践—再认识的思想，继续进行改造黄河的研究。

三门峡水库的泥沙调节

三门峡水库是修建在多沙的黄河干流上的一座以防洪为主的综合利用大型水库。由于泥沙问题,水库改变了原设计的运用方式,改建了泄流设施以扩大其泄流能力,实行综合水沙调节。作者和他的同事曾在文献(龙毓骞,1986;张启舜,1980;龙毓骞,1979)中加以叙述。Nordin 也曾以实行泥沙调节的可行性加以论述(Nordin,1991)。

三门峡水库调节水沙的目的是在保证水库对大洪水的控制作用的前提下,保持水库有一定的可用库容,以发挥防凌、春灌、发电等综合利用效益。在泥沙调节方面使水库在一般年份保持冲淤平衡,控制水库淤积上延并使下泄的水沙有利于河道输送以减缓下游河道的淤积。自 1974 年水库实行蓄清排浑运用以来,上述目标基本上得以实现,实践证明进行综合水沙调节是在现有条件下取得一定的综合效益的一个科学方法。本文利用实测资料回顾三门峡水库的冲淤历程并进一步论述进行泥沙调节的必要性和所受到的限制。水库所处地理位置如图 1 所示。

1 水库的泥沙调节

水库不同运用方式时期水沙调节的特点和冲淤情况如表 1 所示。

表 1 水库各时期水沙调节和冲淤情况

时段(年·月)	进入水库水沙条件		主要运用方式	非汛期		汛期		全年
	平均年水量(亿 m^3)	平均年沙量(亿 t)		水沙调节	平均冲淤量(亿 m^3)	水沙调节	平均冲淤量(亿 m^3)	平均冲淤量(亿 m^3)
1960.9～1964.10	474	15.2	蓄水	蓄水拦沙	1.96	降低水位主要异重流排沙	9.19	11.15
1964.11～1973.10	394	17.2	滞洪	除防凌外泄空	−1.06	敞泄排沙汛后泄空	2.39	1.33
1973.11～1990.10	372	9.6	控制运用	蓄水进行防凌和春灌、发电	0.79	洪水期排沙低水头发电	−0.53	0.26

注:1962 年 3 月～1964 年 10 月,水库运用方式已改变为滞洪,但由于泄流能力不足,汛期水位较高,仍起到拦沙作用,故并入蓄水时期统计。

第三个运用时期,称之为蓄清排浑控制运用时期,水库非汛期进行防凌和适量蓄水调

作者:龙毓骞、李松恒。英文版在 1995 年北京国际水科学会议发表,中文版为黄委水科院黄科技 94016 号。

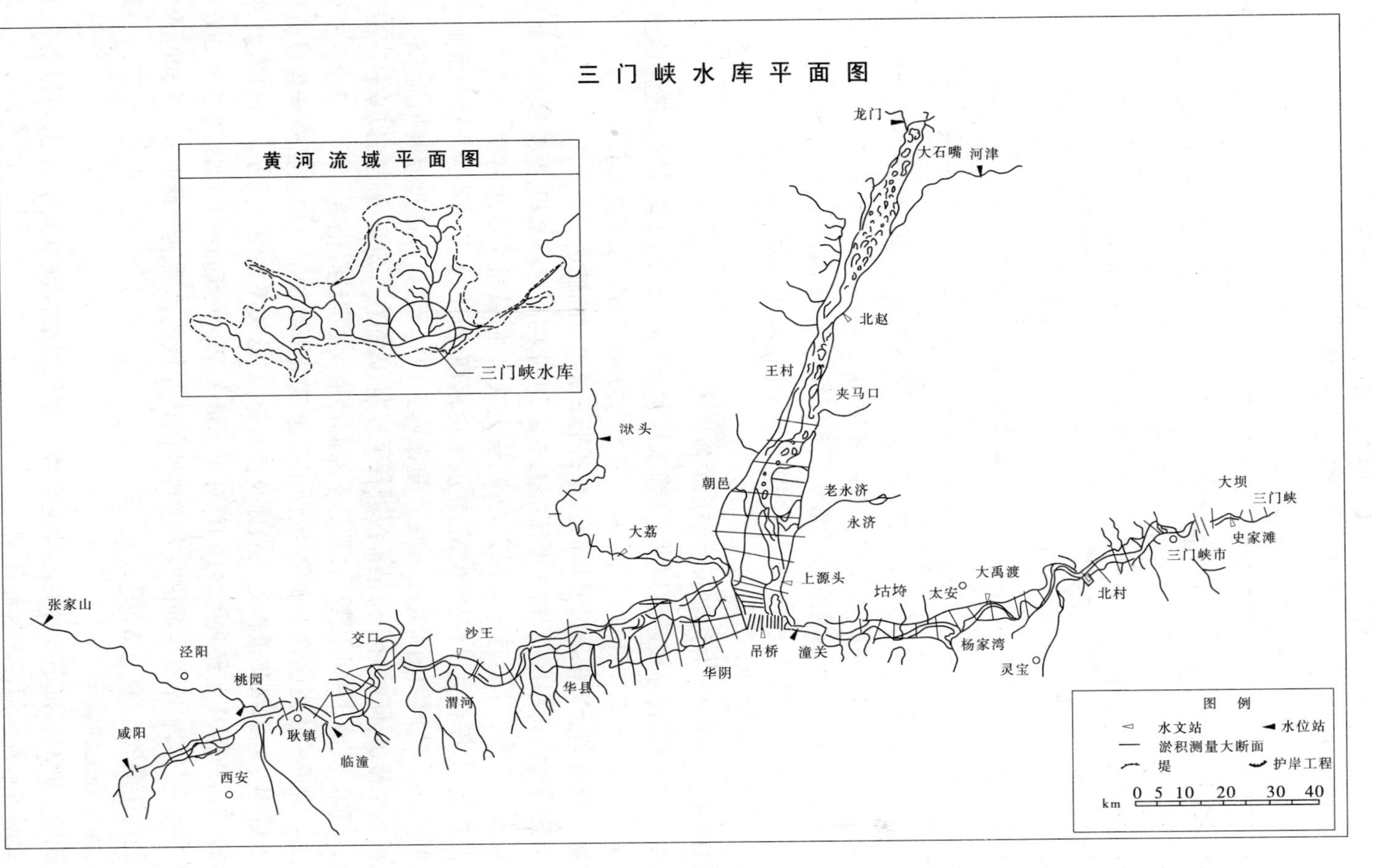
三门峡水库平面图
黄河流域平面图
三门峡水库
龙门
大石嘴
河津
北赵
王村
夹马口
洑头
朝邑
老永济
永济
大荔
上源头
坫埒
太安
大禹渡
大坝
三门峡
史家滩
三门峡市
北村
张家山
交口
沙王
泾阳
桃园
咸阳
耿镇
临潼
西安
渭河
华县
华阴
吊桥
潼关
杨家湾
灵宝
图 例
水文站
水位站
淤积测量大断面
堤
护岸工程
km 0 5 10 20 30 40

图1 水库地理位置

节下游春灌水量，汛期降低水位，控制运用，防洪排沙。对泥沙的调节有以下四种情况。

1.1 非汛期进入水库的泥沙，汛期排出，即利用汛期来水排泄全年泥沙

对1974～1990年实测资料进行统计如表2所示。表中洪水时段是指洪峰流量大于3 000m^3/s的洪水时段，冲淤量是汛期前后用断面测量实测的冲淤数量。

表2 时段水沙量统计(1974～1990年)

来水特点	年数	全年平均		汛期平均		洪水时段平均			冲淤量	
		来水量(亿m^3)	来沙量(亿t)	来水量(亿m^3)	来沙量(亿t)	天数	来水量(亿m^3)	来沙量(亿t)	非汛期(亿m^3)	汛期(亿m^3)
枯水少沙	5	271	5.62	121	4.17	16.8	28.6	1.59	1.22	-0.79
枯水丰沙	1	333	22.13	166	20.66	17.0	53.7	16.67	1.14	0.35
中水平沙	5	358	10.57	203	9.07	41.6	103.9	6.08	1.24	-1.41
丰水少沙	6	478	9.89	298	8.18	80.3	238.6	6.97	1.27	-1.48

从实测资料的统计可以看出，来水正常或较丰年份，水库都能达到年内冲淤平衡甚至略有冲刷。当来水偏枯，特别是汛期来水偏枯，洪水次数少，洪水流量小或汛期含沙量很大，采取现行运用方式，非汛期淤积不能在当年汛期冲完，库内将发生累积性淤积。可见，当汛期运用水位相近时，水库能否保持冲淤平衡，汛期来水量是一个主要因素，还与洪峰大小、洪水发生次数有关。

1.2 汛期利用洪水排沙并控制长时期小流量排沙

据统计，在蓄清排浑控制运用期，洪峰流量大于3 000m^3/s的洪水时段进库沙量占全年沙量平均为53.8%，出库沙量占全年沙量平均为63.5%。较多的沙量集中于洪水时期排出水库不仅有利于减缓库区淤积而且有利于下游河道的输送。

水库进行滞洪运用期间，由于泄流能力不足，洪水期间滞洪淤积，退落期水库泄空，流量较小而大量排沙。采取这种运用方式，除较大洪水外，就整个洪水时期而言，水库不会产生永久性淤积，库容可以保持，但是，在洪水退落期，由于较长时间小流量大量排沙，下游河道特别是下游下段的河道，会发生严重淤积。1974年以后，通过控制坝前水位，较多泥沙在洪水期排出，同时对小流量排沙进行了控制，因而在一定程度上可以减轻下游河道的淤积。当然，从统计中可以看出，受到水库调沙能力的限制，仍有一部分泥沙在流量较小时排出。为进一步说明这一现象，统计了各级流量排沙情况。如以相应于各级流量的出库输沙量 W_S 与该级流量作为纵坐标及横坐标，点绘关系如图2所示。可以看出，控制运用期的1974～1991年经过泥沙调节，对应于最大 W_S 的流量级有所提高，从1 500m^3/s提高到2 500m^3/s，水库发生冲刷并大量排沙的流量级已由滞洪时期的0～3 500m^3/s提高到控制运用期的1 500～5 500m^3/s。

1.3 对泥沙级配的调节

龙毓骞(1993)曾按不同时期统计进出库各粒径组的冲淤量列于表3，可以看出不同运用方式对各粒径组泥沙的拦滞作用。

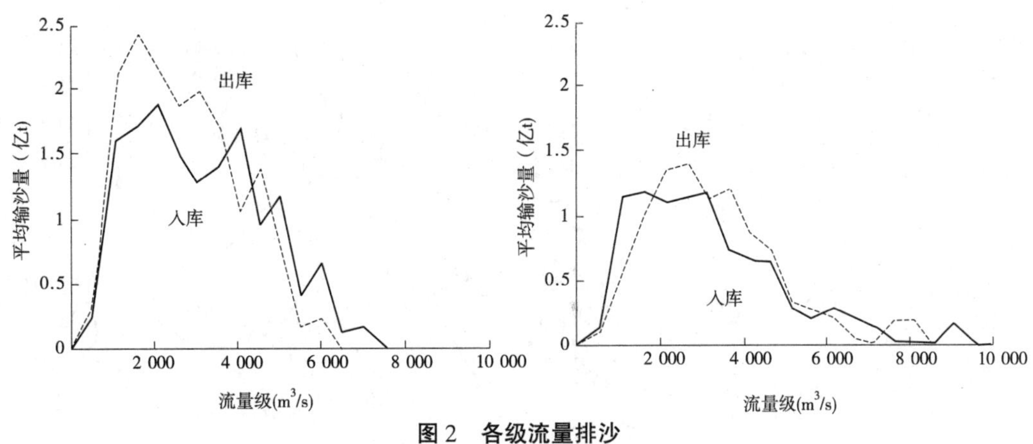

图 2　各级流量排沙

表 3　水库不同运用时期各粒径组冲淤量

时段(年)	年均进库沙量(亿 t)	各粒径(mm)组的冲淤量(亿 t)			
		＜0.025	0.025～0.05	0.05～0.10	＞0.10
1960～1964	15.2	2.84	3.17	2.70	1.90
1965～1973	17.2	0.02	0.38	0.25	0.68
1974～1988	9.6	−0.76	−0.39	0.15	0.74

比较各时期进出库各粒径组沙量，可以看出，就大于 0.05mm 的粗泥沙而言，蓄水运用期有 81％淤在库内，滞洪时期及控制运用时期分别为 24％及 18％。对于大于 0.10mm 的泥沙，三个时期分别为 93％、46％及 44％。可见，即使水库进行蓄清排浑运用，水库也有一定的拦粗排细作用。

钱宁曾指出，大于 0.05mm 及 0.10mm 的泥沙是形成下游河道淤积的主要成分。水库拦粗排细作用对减缓下游河道淤积是有利的。

1.4　对水沙搭配进行的调节

经过长距离冲积河道的调整，进入水库的流量和含沙量过程一般是搭配得较好的。滞洪运用改变了出库水沙搭配情况，控制运用水沙搭配情况有所改善。图 3 举出了两个运用时期，即 1966 年(滞洪期)及 1976 年(蓄清排浑期)洪水退落时期的过程线，可以看出这种差别。

2　水库泥沙调节对控制淤积上延的作用

坝前壅水在回水影响范围以内必然产生淤积。运用水位的高低不仅是影响淤积数量的一个决定性因素而且还直接影响库内淤积分布。抬高水位将发生溯源淤积，降低水位将发生溯源冲刷。处于直接受回水影响库段上游的变动回水区河道，将随着来水来沙和库区河道的边界条件的变化而不断自行调整以输送来自上游的水沙，通常称之为沿程冲刷或沿程淤积。水库库区的淤积就是由于这种溯源与沿程性质的冲淤作用交替发生而形成的。坝前运用水位的高低和来水来沙的大小分别是影响溯源和沿程冲淤的主要因素。

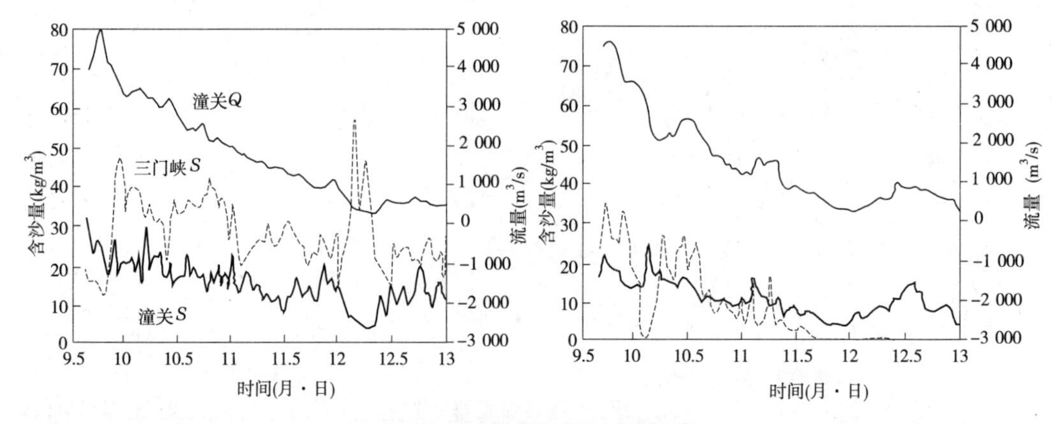

图3　不同运用期入库水沙搭配

本文以后还会提到,非汛期淤积在库内的泥沙必须依靠汛期溯源和沿程冲刷的综合作用排出水库。水库调节泥沙不仅要在汛期冲走全年的泥沙,保持冲淤平衡,而且要通过这种综合作用使淤积在库首的泥沙得以冲刷下移,以控制淤积上延。

何国桢曾用洪水时段平均流量(Q)与坝前约40km的水面比降(J)点绘关系,指出判断水库冲淤的分界线在 $QJ=0.3$ 左右(何国桢,1981)。作者用1960～1990年各次洪水资料点绘上述关系见图4。图中未绘出冲淤量较大的点子。可以看出判别洪水时段冲淤的分界带为 $QJ=K=0.25 \sim 0.45$。$K>0.45$ 时库区为冲刷,$K<0.25$ 时为淤积,介于两者之间为微冲或微淤。从这一关系可以定性地看出库区冲淤与洪水期来水流量和运用水位的相互关系。洪水期来水较小时可以降低水位增大比降以增加库区的冲刷能力。

此外,蓄清排浑控制运用时期确定水库运用水位的原则之一是尽量保持处于变动回水区末端的潼关高程不致淤积抬高以控制淤积上延的发展。从上述关系可以看出,通过水库运用控制潼关高程上升的作用是有一定限度的。不利的来水来沙条件,即流量过小、含沙量较大将不可避免地在变动回水区以上河道产生淤积而使潼关高程上升。分析历年调查和实测资料说明潼关以上河道在历史上就是轻微堆积性河道(焦恩泽,1993)。1974年控制运用以来的潼关高程的升降情况如图5所示。据作者分析,第一个时段即1974～1979年潼关河床上升的主要原因是非汛期蓄水位较高,高水位历时较长, 淤积在变动回

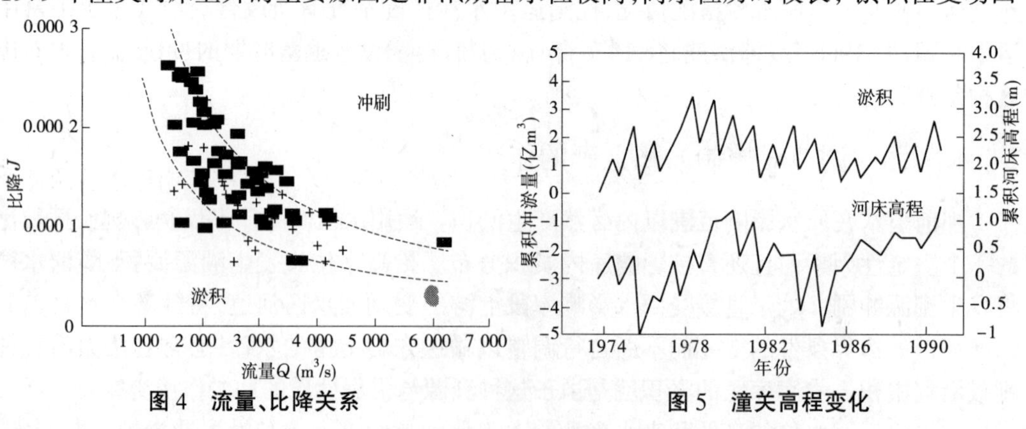

图4　流量、比降关系　　图5　潼关高程变化

水区及其上游的泥沙未能在汛期冲刷下移。第三个时段,即1987～1990年则主要是汛期来水流量小、洪水次数少。

近20年来主要由于流域治理,包括上游大型水库的投入运用和上中游水土保持和灌溉发展,流域水沙条件正在发生较大变化。近5年来汛期来水量减少甚至不足150亿m^3,一般中等洪水发生次数少,峰量均有所削减,库首潼关附近已出现累积性淤积。从运用而言,补救措施之一是进一步降低坝前运用水位,加大比降和冲刷能力。此外,必要时还可以采取工程措施如局部河段的拖淤以缓解潼关河段河床的上升。

3 水库泥沙调节对下游河道的减淤作用

3.1 下游河道冲淤情况

水库实行泥沙调节,出库的水沙条件发生了一些变化,下游河道也随之调整以适应这种变化。钱意颖曾论述三门峡水库控制运用对下游河道的调整作用。作者曾叙述了下游河道在水库三个运用时期的冲淤情况,摘录如表4所示。

表4 黄河下游河道冲淤情况

时段(年·月)	进入下游河道的水沙条件		平均年冲淤量(亿m^3)				
	平均年水量(亿m^3)	平均年沙量(亿t)	总计	铁谢—高村 287km	高村—艾山 198km	艾山—利津 282km	利津以下河口段 >78km
1960.9～1964.10	546	5.74	-5.63	-3.70	-1.01	-0.87	-0.05
1964.11～1973.10	425	16.3	3.41	2.25	0.57	0.49	0.10
1973.11～1990.10	426	10.8	0.85	0.13	0.39	0.14	0.18

综合分析表1及表4资料,蓄水运用时期水库大量淤积,下游河道普遍发生冲刷;滞洪运用,水库大量排沙,水沙峰不相适应,下游河道严重淤积,并且主要集中于主槽;蓄清排浑运用,库区及下游河道淤积均有所减缓。据分析,下游河道的淤积与上中游水土保持,上游大型水库的拦蓄,下游沿河灌溉引水引沙的增长,河口条件及河道整治均有关系(龙毓骞,1993)。采取现行运用方式以来淤积有所减缓,主要是流域治理减少了来沙量所致,三门峡水库的泥沙调节也起了一定的作用。其作用正如前一节所述,集中地表现在提高了对造床起主要作用的流量级。

3.2 对下游河道的减淤作用

借助于数学模型,采用同一起始条件并用1974～1988年实测三门峡出库水沙条件及假定无三门峡水库时用潼关水沙条件,计算有无三门峡水库时下游河道的冲淤量,进行比较,有助于分析水库对下游河道的减淤作用,图6是计算的有无三门峡水库的下游河道冲淤过程。

从图6中可以看出,在计算的15年期间,多数年份有减淤作用,少数年份为增淤。如将控制运用期分为三个时段,统计各时段的平均减淤情况见表5。

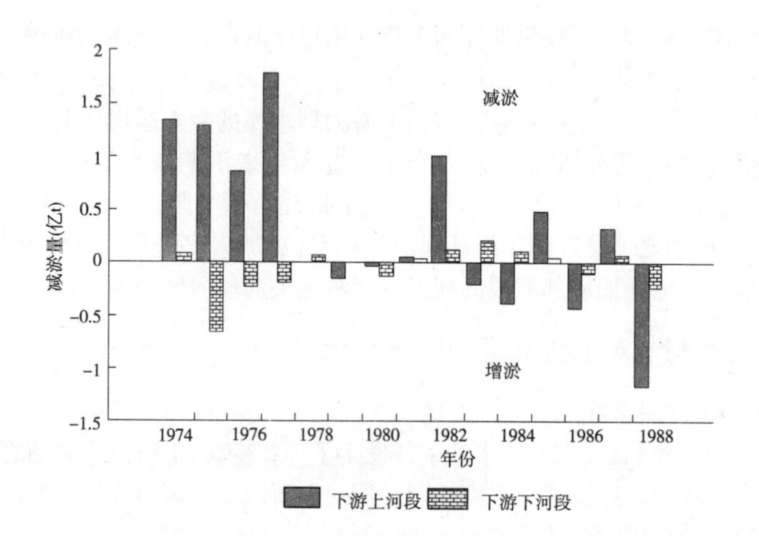

图 6　下游河道冲淤过程

表 5　控制运用下游各河段平均减淤情况

时段(年)	下游河道总计减淤量平均(亿 t)	河段年均减淤量(亿 t)		
		铁谢—高村	高村—艾山	艾山—利津
1974～1979	1.00	1.22	-0.02	-0.20
1980～1985	0.02	-0.17	0.11	0.09
1986～1990	-0.54	-0.49	-0.08	0.03
1974～1990	0.30	0.32	0.02	-0.04

注:正号为减淤,负号为增淤。

可见,三门峡水库的减淤作用主要是在前期,近几年还有一些增淤,并且减淤作用主要是在高村以上河段。就整个下游河道而言,多年平均的减淤量约为 0.30 亿 t。

4　水库实行泥沙调节的条件和限制

三门峡水库在前两个运用时期库区已发生大量淤积,又泄空水库,库区已形成高滩深槽的条件下采取了蓄清排浑控制运用方式。分析进行泥沙调节的条件和限制有以下几点。

4.1　非汛期有水可供调蓄,汛期有水可用于排沙

处于干旱或半干旱半湿润地区河流的水库,非汛期蓄水,可供调蓄利用的能力主要受到非汛期来水量的制约。具体到三门峡水库,非汛期 8 个月来水量为 160 亿～180 亿 m^3,占全年水量的 41%～51%。因此,有水可蓄是实行这种运用方式的一个必要条件。另一方面,全年泥沙要求在汛期 4 个月期间排出水库,排沙又要求一定的水量和较大的洪水流量。这也是实行这种运用方式的另一个必要条件。

4.2　水库地形条件应当基本上是峡谷形

非汛期泥沙全部或绝大部分淤积在主槽以内,才能在汛期通过降低水位的溯源冲刷

和洪水的沿程冲刷的联合作用排出水库。具体到三门峡水库,距坝约120km的潼关以下的大部分库区,经过前期蓄水和滞洪运用已形成相对高滩深槽,而潼关以上的汇流区库面宽浅,一旦淤积不易冲刷恢复。因此,确定非汛期蓄水水位必须使回水不影响到潼关以上地区,才能做到控制淤积部位以便于汛期冲刷。减缓潼关高程的上升以限制淤积向上游发展是三门峡水库实行蓄清排浑运用方式的一个限制条件。

4.3 必须使各级水位有足够的泄流规模,及灵活操作的启闭设施

改建前后水库泄流能力如图7所示。可以看出,改建后各级水位的泄流能力均有大幅度增加,特别是低水位的泄流能力。具备这一能力就能大大地降低洪水期水位,适应洪水排沙的要求。在正常情况下,下游河道有一定的行洪能力。水库防洪的任务主要是削减下游河道各河段不能安全宣泄的洪水,而对一般洪水则应尽量不进行滞洪,减少库区淤积以充分利用下游河道的行洪输沙能力。三门峡水库改建后,水位305m时不发生滞洪作用的流量级已提高到5 000~6 000m^3/s,大体上相当于下游河道的平滩流量。低水位295~300m时总泄流量一般为2 500~3 500m^3/s。下游河道排沙比与洪峰流量的关系见图8,可以看出,对应于排沙比最大时的流量为5 000~6 000m^3/s,流量大于2 500m^3/s时下游河道下段也不致发生淤积。因此,可以认为经过改建后的泄流规模大体上适应了黄河库区和下游河道的冲淤特性。只要灵活运用,就能实现泥沙调节的目标。

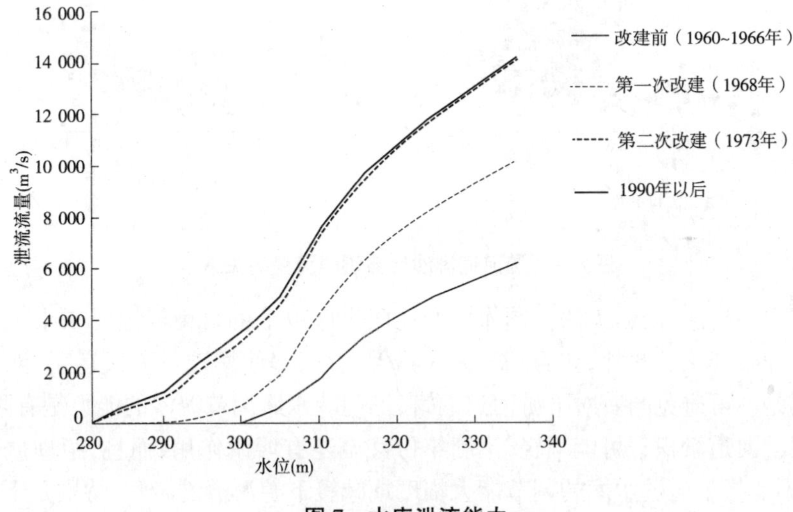

图7 水库泄流能力

5 小结

(1)多泥沙河流修建的以防洪为主要目标的综合利用水库必须考虑保持长期可用库容并尽可能减缓下游河道的淤积。三门峡的经验说明,采取合理的运用原则,可能实现这一目的。

(2)水库和下游河道的冲淤情况与流域来水来沙条件有密切关系。水库具备一定的调节水沙的能力并合理运用,对控制水库及减缓下游河道淤积有一定的作用,但是,这种作用是有限度的。就水库而言,通过合理运用,在一般来水条件下,可以控制由于壅水而

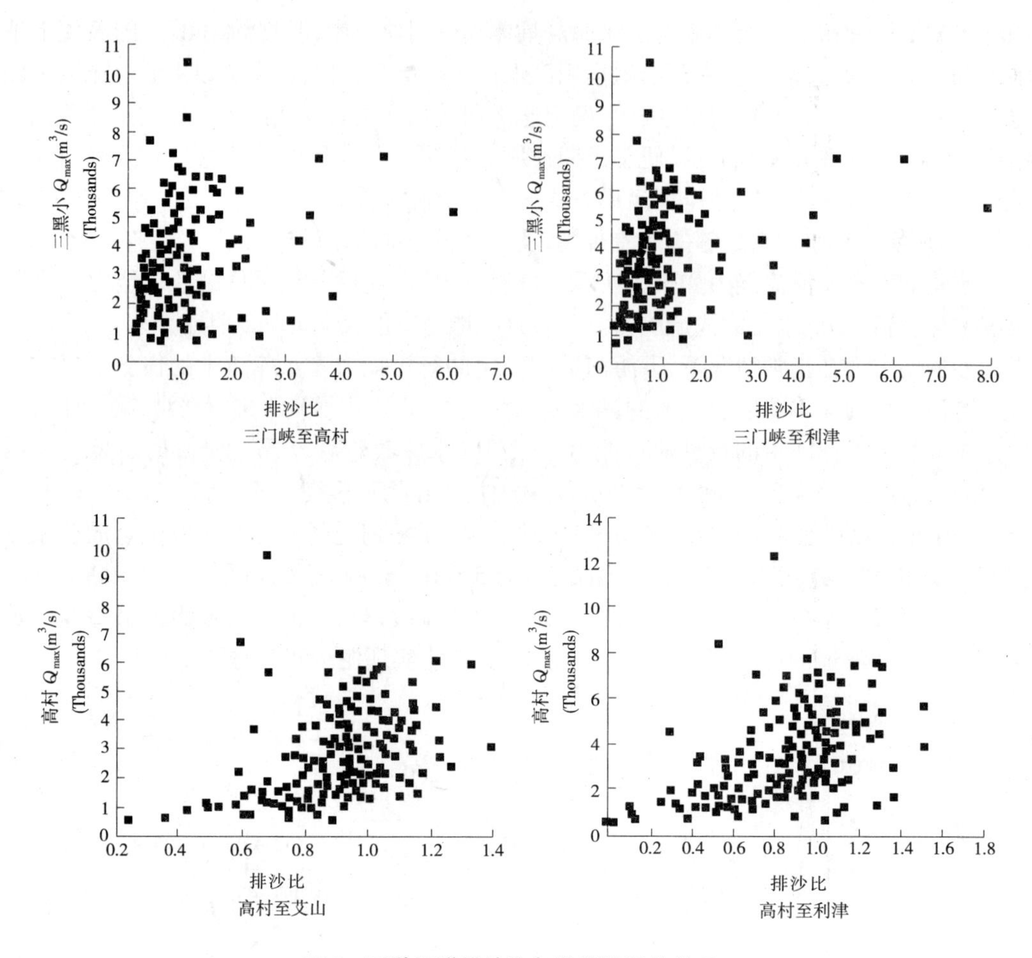

图 8　下游河道排沙比与洪峰流量的关系

产生的淤积面保持库容,但无法控制库区变动回水区以上的自由河道受来水来沙条件影响而出现的冲淤变化。此外,如遇到较大或特大洪水,即使按现行方式运用,滩地发生永久性淤积仍是不可避免的。对下游河道而言,三门峡水库调节泥沙的能力是有限的,遇到有利年份下游河道淤积有可能减轻,不利年份甚至还有增淤作用,而且,距坝愈远影响愈小。因此,不能指望通过水库的调节能大幅度地减缓下游河道的淤积,特别是下游河道下段的淤积。河口条件,例如河口河道淤积延伸引起的溯源性质的淤积对这一段河道的影响是不能忽视的。

(3)天然情况下,来水有丰有枯,呈现出周期性的变化。受流域治理的影响,近 20 余年来黄河的水沙条件发生了较明显的变化,呈现了减少的趋势(龙毓骞,1993)。水库上游发生较大暴雨洪水,或下游出现严重凌汛的可能性仍然存在。为了达到保持库容防洪的目的,水库的运用必须适应这一水沙变化的形势,及时对年内各时段的运用水位指标作出必要的调整。参考图 4 给出的 $Q-J$ 关系,枯水年份应降低坝前运用水位以控制淤积部位便于汛期冲刷。汛期来水流量较小时应降低坝前运用水位以加大冲刷能力。丰水年份来水流量较大可以适当提高运用水位。换言之,应允许有一定的变化幅度,根据每年来水条件和前期淤积情况在每年调度运用时灵活掌握，争取做到库区年内冲淤平衡并使下泄水沙有利于下游河道输送。

参考文献

[1] 龙毓骞，钱宁.黄河流域侵蚀及泥沙输移（英文）.见：国际泥沙研究杂志（第一卷），国际泥沙中心，北京，1986

[2] 张启舜，龙毓骞.三门峡水库泥沙问题研究.见：第一届国际河流泥沙讨论会论文集.北京：光华出版社，1980

[3] 龙毓骞，张启舜.三门峡工程的改建和运用.见：黄河的研究与实践—论文选集.北京：水利电力出版社，1979

[4] Nerdin C F, Stevens J C. The Silt Probiem—A Review International, Journal of Sediment Research, vol 6, no.3, International Research and Training Canter on Erosion and Sealinant-atim(IRTCES), Beijing, 1991

[5] 龙毓骞.黄河流域水沙变化对三门峡水库及下游河道的影响.见：黄河水沙变化研究论文集（第一卷），国际泥沙中心，北京，1993

[6] 钱宁，等.黄河中游粗泥沙来源及对黄河下游冲淤的影响.见：第一届国际河流泥沙讨论会论文集.北京：光华出版社，1980

[7] 何国桢，等.三门峡水库调水调沙及其冲淤特点.见：黄河的研究与实践—论文选集.北京：水利电力出版社，1981

[8] 钱意颖，等.三门峡控制运用对下游河道的调整作用.见：黄河的研究与实践—论文选集.北京：水利电力出版社，1984

Reservoir Sedimentation Data Collection Programs in China

1 Evolution of Reservoir Sedimentation Survey

In early 1950's, reservoir surveys were initiated at the Guanting Reservoir on the Yunding River, at Laodehai Reservoir on tributary of Liaohe River and later at the Sanmenxia Reservoir on the Yellow River in order to have a better understanding on reservoir sedimentation problems related to planning and design of new projects. In 1962, 12 reservoirs, most of which situated in the north, northwest and northeast part of China were designated by the Ministry of Water Resources as key reservoirs to do experimental observation works insitu on reservoir sedimentation. Later in 1978, the number of reservoirs had increased to 20, including some reservoirs situated in the Yangtze River basin. A sketch of the location of these reservoirs is shown in attached Fig. 1. Most of these reservoirs have a capacity exceeding 100 million m^3 and were built for various purposes with different modes of operation. A coordination group was organized and assigned to work out a planning of the experimental observations and to sponsor workshops, conferences as well as short term training courses to exchange the experimental results and experiences in the monitoring works. A tentative guideline was issued to serve as a reference for reservoir sedimentation surveys.[1]

Reservoir sedimentation data collection programs were planned and implemented in these reservoirs. Besides the routine work at the entrance and exit gaging stations and the regular reservoir surveying works, specific topics were studied in these reservoirs as listed as follows:

(1)movement of density currents in form of turbidity underflow;

(2)fluvial process in reaches frequently influenced by backwater;

(3)upstream extension of backwater deposits;

(4)flow pattern in vicinity of dam;

(5)bank slide;

(6)dry density of deposits;

(7)retrogressive erosion during reservoir drawndown;

(8)impact on downstream alluvial reaches;

(9)methodology and instrumentation;

(10)non-equilibrium transport of sediment load;

(11)role of sediment in transport of pollutants in the reservoir;

(12)method of preservation of usable capacity in the reservoir;

作者:龙毓骞。在1995年美国旧金山 International Workshop on Reservoir Sedimentation 发表。

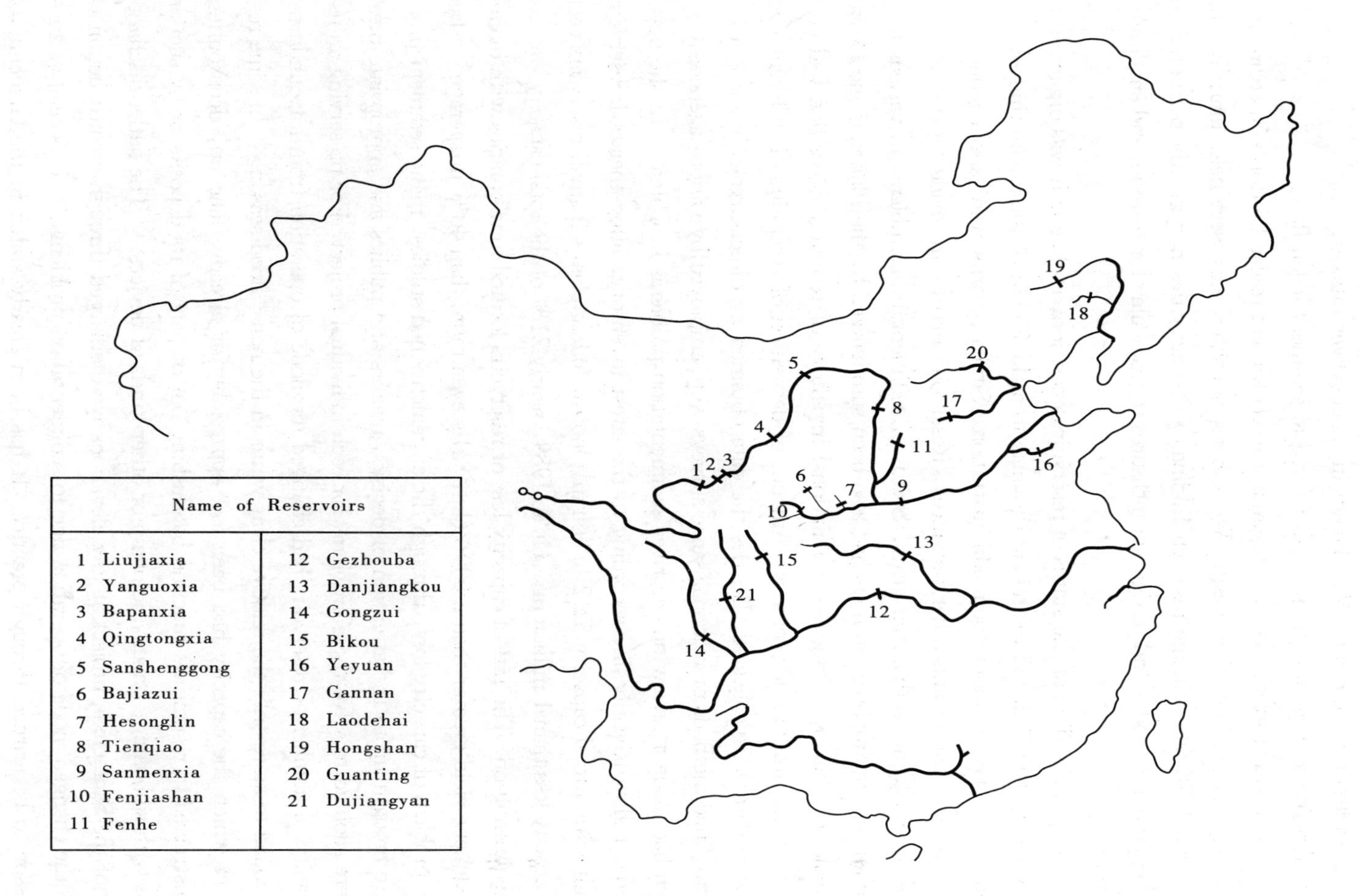

Name of Reservoirs	
1 Liujiaxia	12 Gezhouba
2 Yanguoxia	13 Danjiangkou
3 Bapanxia	14 Gongzui
4 Qingtongxia	15 Bikou
5 Sanshenggong	16 Yeyuan
6 Bajiazui	17 Gannan
7 Hesonglin	18 Laodehai
8 Tienqiao	19 Hongshan
9 Sanmenxia	20 Guanting
10 Fenjiashan	21 Dujiangyan
11 Fenhe	

Fig. 1 Sketch of the location of 20 reservoirs

(13)status of water temperature, ice and evaporation etc. in the reservoir;

(14)variation of water level in the reservoir;

(15)prevention or reduction of sediment input at power intakes;

(16)abrasion and cavitation problems related to sediment laden flow.

In 1974, another group was also organized to coordinate research efforts on sedimentation studies in the Yellow River basin. Workshops or conferences were held annually from 1974 through 1978 to exchange research findings. The activities had greatly promoted the study of operational modes and mitigation measures in particular for medium and small sized reservoirs.

For an understanding of the status of reservoir deposition, mobile unit was organized by District Hydrometric Office of Shandong Province to make circuit of the monitoring work of deposition in reservoirs under their administration. Similar works were also conducted in Shanxi, Shaanxi, Gansu and other provinces. Reservoir surveys are made repetitively in a period of several to more than ten years. Status of sedimentation problems in various large and medium size hydropower stations had also been summarized by the Planning and Design Institute of the Ministry. Programs for national inventory of reservoir deposition had been organized several times in our country. Amount of deposition of reservoirs of different sizes and relevant data were collected. Besides the data obtained by directsurveys in some reservoirs, simplified methods or reconnaissance surveys were employed by various agencies.

Qian had made a review on the river sedimentation problems in China[2]. In the upper and middle Yellow River basin, according to the latest inventory, altogether 601 reservoirs were built with a total capacity 52.2 billion m^3, not including class s-2 small reservoirs each with a capacity less than 1 million m^3. Up to 1989, nearly 21% of the total capacity was lost due to sedimentation. The rate of capacity loss of reservoirs located in tributaries with modulus of sediment yield greater than 2 000t/(km^2·a)is even more than 40% in average[3]. Besides the problem of capacity loss, through the aforementioned studies, many sediment problems were brought up to the attention of decision makers and publics and appropriate measures were adopted to solve these problems for each individual project. For preserving an usable capacity, a number of reservoirs had changed its mode of operation from impoundment all year round to store only the relative clear water in the non－flood season.[4] In some reservoirs, in which the capacity had been lost appreciably or already filled up, deep outlets were constructed to resume its function by flushing out of part of its deposits or by suction dredging with siphoning, pneumatic pump or other kinds of devices.[5] The outlet discharge capacity of the Sanmenxia project at low elevations were enlarged through reconstruction to adapt to the changed mode of operation due to sedimentation problems.[6] It is really a profound lesson to be learned through practice. It has been clearly stated in the Guideline of Planning and Design of Hydro－project that sediment problems have to be very well considered and estimated and appropriate measures be designed before the submission of the design documents for final approval.

2 Measurement of Reservoir Sedimentation in a Reservoir

2.1 Guideline for general layout of the monitoring work

Deposition in the reservoir is an important item to be considered in the feasibility study and in various phases of planning and design of a hydro – project. In general, a rough estimate of the total amount of deposition and the distribution are made in the design based on the assumed amount of inflow. For key projects located on sediment – laden rivers, more detailed studies are carried out including studies by mathematic or physical models. It has been put forward in the relevant standards or guidelines issued by the State or relevant Ministries, that deposition in the reservoir should be carefully studied and calculated in level of details compatible with the design phases. A comprehensive planning of the reservoir sedimentation survey should be worked out and to be included in the design documents. The contents include: data needs; control networks for elevation and horizontal positions; gaging stations for discharge, water level, rainfall monitoring and layout of ranges; facilities for taking measurements such as cableways, bench marks, monuments and signal poles, surveying vessels; instruments; cost estimate; establishment of task force and implementation plan etc.. Data obtained through reservoir survey are used not only for verification of design but are also indispensable for improvement of operation in development of benefits for multi – purposes. In fact, many problems that may not be properly dealt with in the original design are made known to public attention through the monitoring works.

Guideline for the general layout of the monitoring work is based on principle of sediment (water) balance in a reservoir. To put it in a simplified term, the equation of sediment balance in a reservoir may be written as follows:

$$W_{si} - W_{so} = \gamma \times \Delta D$$

in which, W_{si} is the input of sediment load into the reservoir, including the inflow from the main river and that from the tributaries or intermediate watersheds, bank erosion (bank collapsed or slide) and others; W_{so} is the output of sediment load including the outflow through outlets and the sediment load diverted from the reservoir along with water for irrigation; γ is the dry density of deposits; ΔD is the amount of deposition or erosion in volummetric unit. Method of evaluation will be discussed in following paragraphs.

2.2 Sediment load measured at entrance and exit gaging stations

For a key reservoir located on sediment laden river, gaging stations located at upstream of a reservoir should be able, or otherwise be established, to control 80% of the inflow, or at least 60% for ordinary reservoirs as stipulated in the Tentative Guide for Reservoir Survey. The rest part of inflow is to be interpolated by rainfall – runoff – sediment correlations obtained at representative stations. For most stations located on alluvial reaches, due consideration must be given to the possible systematic error inherent in the conventional measuring methods such as the unmeasured zone, or as a result of simplification of measurement as well as computation methods. Methods for correction of the measured suspended load were proposed by some authors. Another method was also proposed to compute the total load by the measured data of suspended load.[7] In the Sanmenxia Reservoir (SMX) located on the main stem of the Yellow River, ratio of the total sediment load to the measured suspended load (k) could be correlated to the measured sediment concentration (S) as illustrated in Fig. 2. The former may be estimated by experience or may be computed by means of the Modified Einstein Procedure (MEP, further modified to suit our condition) using data obtained in taking measurements of sediment discharge of suspended load, in which all the data needed in computation of total load by MEP are available[8]. Hence, with this relation, daily, monthly or yearly sediment load could be corrected.[9] Total corrections of the sediment load amounts only in a range of few percent in average, however, it is a systematic error and would induce discrepancies in sediment balance it were not taken into consideration. For exit station, sampling is carried out at the exit of stilling basin where sediment is well mixed up and has no vertical gradient and no corrections are needed. All the sampling works for suspended sediment of the gaging stations in the SMX Reservoir are carried out by conventional methods.

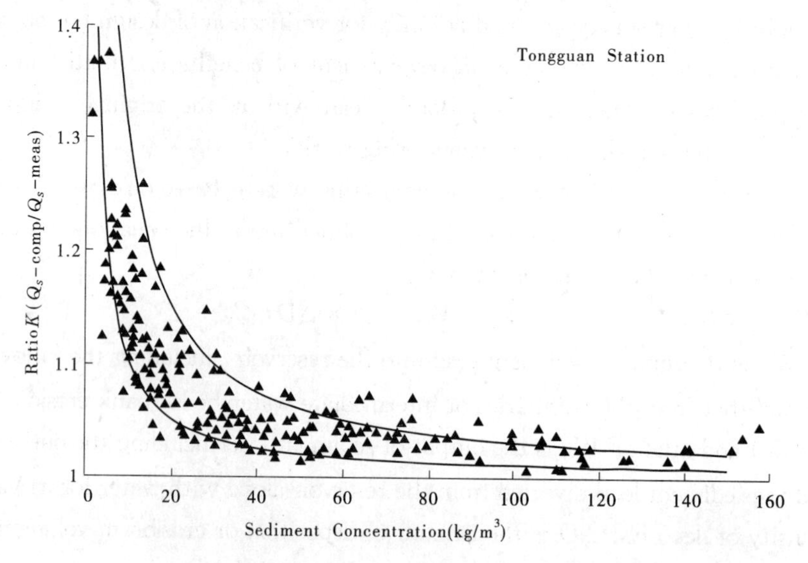

Fig. 2 Relation of the ratio of computed and measured sediment discharge with sediment concentration

2.3 Bed load

Best way of evaluating sediment input of bed load would be the direct measurement insitu of the bed load. Reliability of the measured data depends on the method of taking samples and the performance of bed load sampler as well as the calibration for its sampling efficiency. Basically basket type samplers are used for gravel or pebble bed load in the tributary and main stem of the upper Yangtze River, and pressure difference type samplers are used for sand bed rivers such as the middle reaches of the Yangtze River, the Hanjiang and Ganjiang Rivers, etc. Sampling efficiency of the basket type samplers was quite low. In recent years, a new version of bed load sampler, which incorporated the merits of these two types of samplers and assumes a higher sampling efficiency (around 55% varying slightly with the transport rate of bed load), has been developed jointed by several agencies and tested at several places in the field.❶ Besides, methods for taking measurements have also been extensively studied.[10] For evaluation of the daily or annual bed load, the measured transport rate is correlated with hydraulic parameters such as the stream power, velocity or discharge. In Shandong Province, small reservoir was used to trap all the sediment input, amount of bed load may be evaluated by extracting from the total amount of deposition the measured suspended load. Methods of dune tracking or lithologic analysis of gravel deposits had been used in studies of specific bed problems in a few cases but had not been put into conventional use.

2.4 Size analysis

Samples taken for either suspended sediment, bed load or bed material are analyzed for its size distribution. Since early 1980′s, photo - sedimentation apparatus developed in our country has been used together with the pipet method for size analysis of silt and clay materials of the samples at a number of stations, which greatly alleviates from the labor and time consuming process for the size analysis of large quantity of samples.[11] For fraction of suspended sediment sample with sizes ranging from 0.05~0.5 mm, siltmeter method (a method based on direct settling in a tube similar to the Visual Accumulation Tube method used in U.S.A.) is used. In the Yellow River, variation of the size composition is rather large in a year, in particular in a flood event. Needless to say, information of the sediment size gradation is very important in dealing with sediment problems in a reservoir.

2.5 Dry density

Dry density of the deposited material is an important property of reservoir deposits and is used in converting the measured quantity in volume to weight or vice versa. Besides the ordinarily used samplers, undisturbed sampler of soft mud where the dry density was rather small was developed.[12] Isotope gages were developed and used for insitu measurement of the dry density in stratums of deposits.[13] During a reservoir sedimentation survey, surface bed material at different localities are sampled and empirical relations between the dry density and the fraction of sizes of sand, silt and clay are established so that the dry density could be

❶ Gao Huaijin et al. Technical Report on Development of New Version of Gravel Bed Load Sampler, 1995 Working Group on Measurement and Study of Sediment Transport.

computed by the size composition of samples. Variations of the bed material size in the Gongzui Reservoir and in the Sanmenxia Reservoir are cited here respectively as examples as shown in Fig. 3. [14,15]

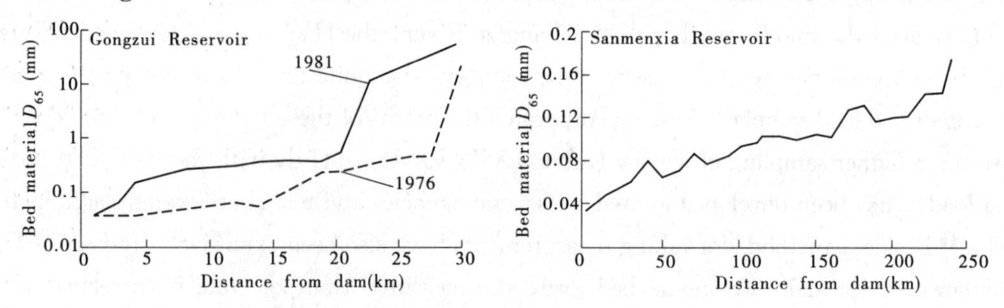

Fig. 3 Variation of bed material size in the reservoir

2.6 Monitoring sediment passing turbine runners

Abrasion and cavitation are two major causes for maintenance and repair of turbine sets in a hydropower station built on sediment laden rivers. In SMX project, research program was initiated for years in attempting to tackle this problem and some promising results were already obtained. Besides the effectiveness of different coating materials to be applied to the runner blades or other parts in contact with the running water, the sediment concentration passing the turbine set has been monitored for several years by vibrating – tube type gage developed by Institute of Hydraulic Research, YRCC, with successful results. [16] In addition, gages for recording the water level at front and rear of the trash rack, in the reservoir behind the dam and at the tailrace by sensing not in direct contact with the water surface are also used and interfaced into a monitoring system with the data displayed instantly at the control center of the power house.

Mineral composition of sediment particles is also one of the important properties related to abrasion problems. For a number of projects, sediment samples were taken and analyzed for its mineral composition together with the size analysis.

2.7 Reservoir sedimentation survey

The way of approach for organization of the reservoir sedimentation survey may be classified into three categories:

(1) For key reservoirs. Fixed ranges or topographic surveys are to be carried out repetitively at certain intervals, once or twice a year, or once in several years, in order to monitor the whole process of development of the reservoir deposition. Number of ranges or the density of the layout of the ranges depends on the required accuracy, which, in general, should be within ±5% as compared with the topographic survey data.

(2) For ordinary medium and small size reservoirs. A circuit of the surveying work of

the reservoirs is generally made once in a decade or more years. Sometimes, reconnaissance surveys are conducted with simplified methods.

(3) For some hydro-projects such as runoff hydropower plants or irrigation diversion works, where the amount of deposition is not a problem, only relevant data are observed.

Methodology used in reservoir survey has been described by the author in reference[17,18]. In the aforementioned key reservoirs, monuments were used to be installed on each banks to identify the fixed ranges or trigonometric points. Conventional surveying techniques were generally employed. In recent decade, new instruments have been developed such as the River Surveying System, of which, positioning is done by microwave or laser apparatus, depth by echo sounding, navigation and data processing by interfaced computers, etc.❶ The system could also be interfaced with the GPS system. Progress in this field has already made the surveying work less expensive and less labor consuming, and would greatly speed up the data collection if it were wide-spreadly employed.

2.8 Computation of sediment balance

Data collected in a reservoir survey are to be further processed and used in obtaining a sediment budget by equation of sediment balance. An example is cited here to illustrate the computation of sediment balance in a reservoir as shown in Fig. 4.[15]

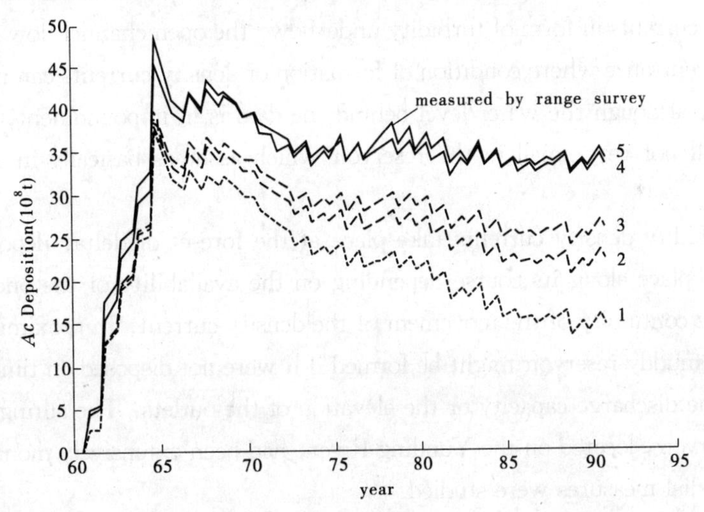

note: 1 computed by difference of measured sediment load at entrance and exit stations;
2 computed by 1 but corrected for the measured load;
3 computed by 2 considering inflow from intermediate area;
4 computed by sediment balance.

Fig. 4 Cumulative deposition in SMX reservoir

❶ Zhou Jiazhong et al: Changjiang River Surveying System, Research Report, 1990 Bureau of Hydrology, Yangtze River Commission.

It is seen that the computed accumulative deposition in the SMX reservoir by sediment balance did not vary greatly or systematically with that obtained through direct repetitive range surveys. It is also indicated in computation that the sediment input from the intermediate watersheds, the amount of bank corruption and the amount of unmeasured part of sediment load at entrance stations are relatively not large for a single year, however, if it was neglected, systematic errors might be induced and accumulated to an appreciable amount as shown by the dotted lines in Fig. 4. Sediment budget estimated or computed by equation of sediment balance in a reservoir could be used in many respects. It could be used to indicate the relative importance of items involved in the equation for certain specific reservoir that will be helpful in deciding what items that should be directly measured and items that could be estimated. Sediment budget as well as water and heat budgets in a reservoir are of great concern in engineering practice of river basin planning and management as well as in the geographical and environmental sciences.

3 Data Analysis and Physics of Sedimentation Process in a Reservoir

The perceptual and rational knowledge of the physics of sedimentation in a reservoir was basically acquired and enhanced by large – scale extensive reservoir sedimentation survey carried out in our country. Three basic types of flow patterns may be found in a reservoir. That is, the density currents in form of turbidity underflow, the open channel flow and the dispersed flow at the entrance where condition of formation of density currents can not be fulfilled. In many cases, although the water level behind the dam is in impoundment, the velocity of approach is still not very small in the reservoir which assumes basically in a form of open channel flow.

When turbidity density currents take place at the foreset of delta, deposition (or erosion) may take place along its course depending on the availability of the oncoming flow in maintaining the continuity of the movement of the density current. In proximity to the dam, an underwater muddy reservoir might be formed if it were not disposed on time, or if it were restricted by the discharge capacity or the elevation of the outlets. The silting process of the Guanting Reservoir, located on the Yunding River, had been extensively monitored and proposals for remedial measures were studied. [19]

When open channel flow predominates in major part of a reservoir, or on the topset of a delta formed in the reservoir by previous deposits, four types of erosion and deposition may take place in different reaches of the reservoir as shown in the sketch diagram (Fig. 5).

As shown by analysis of field data collected in a number of reservoirs, when the flow pattern in the reservoir is predominantly in type of open channel flow, backwater curve varies in accordance with the variation of reservoir stage in front of the dam. Associated with a stable rise in the stage, deposition would gradually extend upstream called as retrogressive deposition. While reservoir drawndown, or, in other words, with a rapid descending of the reservoir stage, local water surface slope might become very large, and erosion would take place and propagated in direction towards upstream called as retrogressive erosion. In the process of development, the slope would gradually become milder and the bed material composition become coarser. Hydraulic drop might even occur in localities where the bed was composed mainly of cohesive material such as clay. In upstream reaches beyond the direct backwater influence, the river is still in a form of natural open channel flow. Deposition or erosion would take place in accordance with the oncoming water and sediment flow conditions in relation with the sediment transport capacity of the river reach and the boundary conditions. The phenomena is called as deposition or erosion along the river course, which is characterized by gradually increase in the gradient and by becoming finer in the bed composition in case of deposition and vise versa in case of erosion.

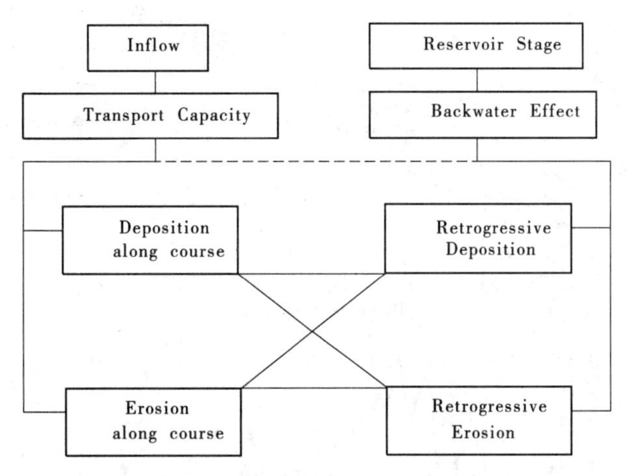

Fig. 5 Four types of sedimentation process

The cyclic process of deposition and erosion may take place under the alternate function of retrogressive deposition or erosion associated with the deposition or erosion along the river course. The rate of propagation of the retrogressive erosion depends mainly upon the magnitude of discharge. If it happens in a flood event and the sediment concentration is not excessive and even smaller than the transport capacity of the upstream reaches, then the whole reservoir will be in a state of erosion. If the sediment concentration in the oncoming flow exceeds the transport capacity of the upstream reaches, deposition will take place in these reaches although the downstream reaches in the reservoir are still in a process of retrogressive erosion. The process is called as an upstream extension of the backwater deposits.

An understanding of these processes of deposition and erosion in a specific reservoir under different oncoming flow and operation conditions can be acquired through analysis of the observed data. The knowledge is important in the study of remedial measures in reservoirs where the amount of deposition is intolerable. In general, sedimentation survey in a reservoir can only be carried out once or twice in a year but not be able to do as a daily work. To overcome this shortcoming, water levels along the course may be gaged frequently that may reflect the evolution process of sedimentation together with the daily observation of discharge and sediment concentration at entrance and exit stations. As an example, the process of retrogressive erosion taken place in the SMX reservoir during flood recession period in 1964 is shown in Fig. 6, in which, variation of sediment concentration of the outflow relative to the that of inflow is clearly shown. With the variation of water surface profile drawn by the observed water levels along the reservoir, the nature of retrogressive erosion could be very well demonstrated.[15]

Examples of the upstream extension of the backwater deposits are shown in Fig. 7.[15,20] It could be easily perceived that, in reaches in the fluctuating backwater area, deposition or erosion may take place along the river course depending on the relative magnitude of the sedi

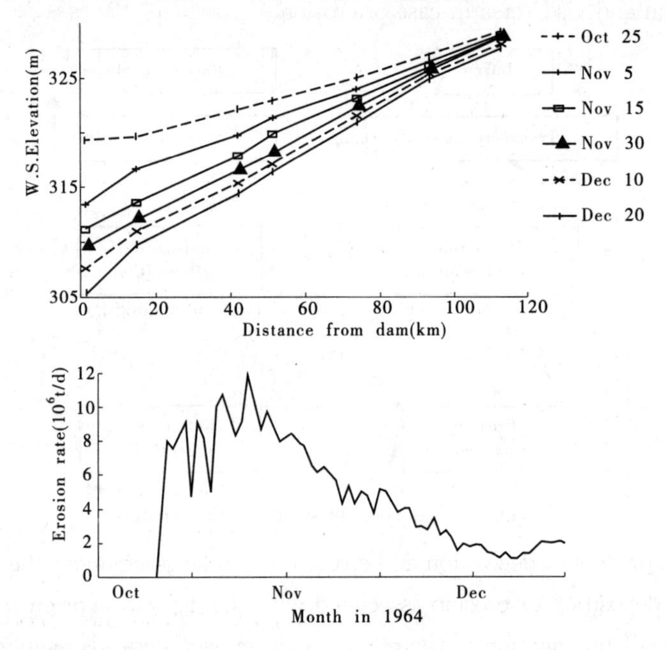

Fig. 6 Retrogressive erosion in SMX reservoir

ment transport capacity and the sediment input no matter whether or not the reaches under direct backwater influence are in a state of deposition or erosion. The reaches beyond direct backwater effect tend to adjust itself in its morphology, bed material composition and its conveyance capacity in accordance with the inflow. In consequence, deposition in these reaches may still develop and extend farther upstream even the reaches in the direct backwater zone is in a state of erosion.

Sedimentation process of the Gongzui Reservoir has also been very well monitored. Since the project commenced its impoundment in 1971 for hydropower development, a delta has formed at the head of the reservoir and propagated towards the dam progressively. The average annual suspended load amounts to nearly 30 million tons while the bed load, com

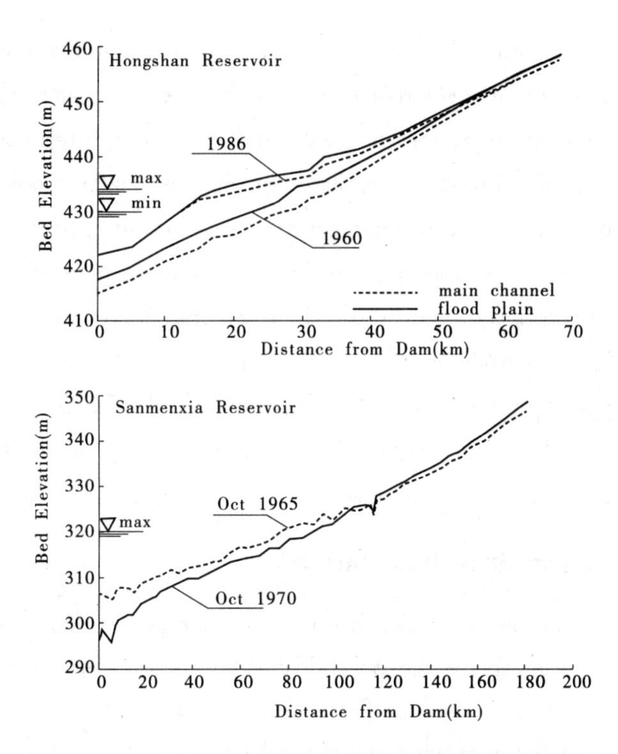

Fig. 7 Upstream extension of backwater deposits

posed mainly of coarse sand and gravel, is estimated in an amount of 510 to 1 350 thousand tons per year. The observed size composition of the deposits along the longitudinal profile had a tendency of becoming coarser indicating that the coarse material had migrated into the reservoir. (Fig. 3) The problem is revealed by analysis of the field data and is now being studied by the relevant design agency for adopting appropriate measures.[14] Degradation of the river channel below Danjiangkou Reservoir was studied by field reconnaissance survey and investigations. Sedimentation in the fluctuating backwater reach and the armoring process of the bed material in the downstream reaches are analyzed and checked with the prediction made on basis of non-equilibrium transport of sediment.[21]

An understanding of the basic physics involved in these phenomena cited here as examples would be useful in predicting the future trend of deposition and for study of proper remedial measures. For the first case, progress of the development of retrogressive erosion could be made slower by properly controlling the release from the reservoir in order to be able to minimize deposition in the downstream channels. For the second case, prevention measures against the additional flood hazards brought up by the upstream extension of the backwater deposits may be adopted after a better prediction of the distribution of deposition in the reservoir, or, river regulation works might be constructed to adopt to the situations created by the extension of backwater deposits.

Main purposes of data analysis are to identify sediment problems in existence, to evaluate the impacts both upstream and downstream and to propose possible remedial measures. In the SMX reservoir and a number of other reservoirs, on basis of clear recognition of the phys ics in the reservoir sedimentation, idea of preservation of a long-term usable capacity and the adaptation of an operation mode to regulate not only the water runoff but also the sediment were developed and improved through practice. For example, in the SMX reservoir, by using the available capacity over the main channel in reaches in proximity to the dam, sediment concentration of the flow passing the turbine sets may be reduced by regulating the inflow sediment through properly operation of the outlets.

The law of sediment movement in a reservoir as a result of analysis of large amount of field and laboratory data has been documented in various text books and literatures. Some of these publications are listed in the references.[4][22~25]

4 Modelling of Reservoir Sedimentation

Either mathematic or physic models are used frequently to predict the future trends of reservoir deposition accounting for the variability of the inflow and for study of operational modes. Models are also used to simulate flow pattern in the neighborhood of hydraulic structure of a hydro-project for improving the general layout proposed in the original design in the effectiveness of excluding coarse sediment from entering the power or irrigation intake, or for solving navigation problems in approaching and exit channel of a lock system. In our experience, the models have to be carefully calibrated and verified before they can be used with confidence. Data observed in the field provides basis for the calibration and verification. For instance, in the planning and design of Gezhouba Project on the Yangtze River, several physical models were built to study sedimentation problems either in the fluctuating backwater reaches or in the neighborhood of dam in the late half of 1970′s. The project commenced its operation in 1981. Prior and after the construction of the project, systematic hydrologic and sediment observations have been carried out, of which, the data were used both for calibration and for verification of the model. Comparisons were made between the model and prototype studies showing satisfactory results.[26,27] In the study of the world renowned Three Gorge Project, an extremely long model (stretching 800 m) based on total load similarity theory was built and used to study the rather complicated sedimentation problems in the fluctuating backwater area.[28]

In the development of mathematic models to be used for the Yellow River, for simulation of the sedimentation process, concept of non-equilibrium sediment transport is used instead of equilibrium transport, in which deposition or erosion is evaluated directly from comparison of the sediment transport capacity and the inflow. Sediment transport formula is also verified with field data before it is selected for use in the model. Some of the parameters used in the model has to be calibrated and adjusted by using a long series of observed data in the verification. Basic physics or physical pictures observed in the field are able to be simulated reasonably well although perfect coincidence with the field data could not be attained. For study of sediment problems in reservoirs with complicated topographic features, or in vicinity of the dam, such as the Xiaolangdi project now under construction, physical models are used. Great progress in the modelling techniques has been made in recent decades. Reliable results could be expected by means of these models. In this respect, data observed in the Sanmenxia Reservoir are to be used as a basis in the judgement of the reasonableness of the modelling results and for improvement of the simulation techniques.

In the study of operational schemes of the SMX Reservoir in recent years, series of observed and processed data sets including the inflow and outflow in series of years, initial boundary conditions, measured deposition process, are compiled for verification purposes. Through inter – comparison of several models in the verification, shortcomings involved in each individual model could be revealed and improved. However, sediment transport problem is so complicated in the Yellow River, the already developed models have to be further improved in particular for simulating the deposition or erosion in flow with hyperconcentration of sediment. Verification results of one of the models developed for SMX reservoir are shown in Fig. 8.[29]

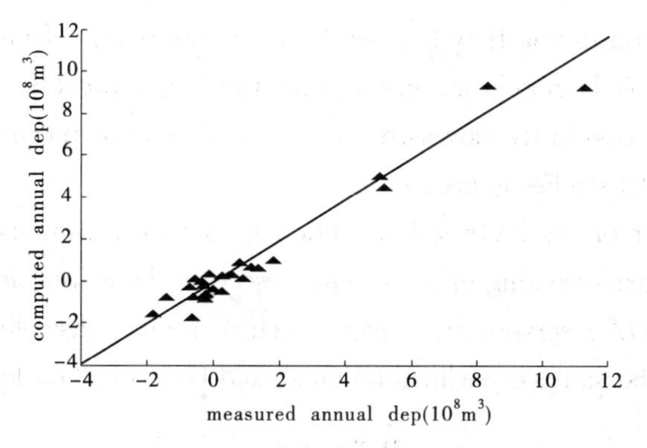

Fig. 8 Verification of mathematic models

5 Data Needs

In the exploitation of water resources in China, reservoir sedimentation is still a problem of great concern not only in the North China but also in the South China where water is relatively abundant with much less sediment. Observations in the past had provided database for identification of existing problems and for evaluation of the effectiveness of the adapted remedial measures, however, new problems have already been brought up and remain to be solved. On the one hand, variability of water and sediment inflow from the drainage basin becomes increasingly noticeable, while on the other hand, impacts of reservoir operation on the downstream alluvial reaches have brought new problems in flood control, water supply, irrigation and water power developments. Monitoring work in the field is still indispensable. As far as the monitoring work is concerned, improvement in following respects is needed:

(1) A reliable evaluation of the sediment input to the reservoir from major rivers is important in the study of reservoir sedimentation problems. In rivers with appreciable amount of bed load, direct measurement of bed load should be conducted. In alluvial reaches composed mainly of sand and silt, total load instead of only suspended load should be evaluated. Inflow to the reservoir will vary due to natural variation of rainfall and also the intensive human activities carried out in the upland watersheds, not to mention that may be caused by climatic changes. Monitoring of inflow will provide data to evaluate the overall impact of variability of watershed management and the natural variations.

(2) Study on instrumentation and methodology used in the reservoir sedimentation survey is needed in order to develop more inexpensive and less – labor consuming way to do the monitoring work. In the study of reservoir sedimentation problems, application of a model could be trusted with reliable results only when the model were tested and verified with variety of inflow conditions. In this respect, field observation has played and will continue to play an important role.

(3) The alluvial reaches downstream of a reservoir or system of reservoirs will response to the variation of the oncoming flow released from the reservoir. Management of water and sediment in the reservoir is closely associated with the fluvial process in the lower reaches. Study of the fluvial process in the downstream alluvial channel by means of field observations incorporated with model studies is necessary.

(4) Measurement of reservoir sedimentation is generally conducted in orientation of solving sediment problems existing in the specific reservoir. However, impact of construction of a reservoir or series of reservoirs in a river system is multi – disciplinary. For key reservoirs, monitoring of the status of sedimentation should be worked on long – term basis.

References

Ministry of Water Resources. Tentative Guideline for Monitoring Sedimentation in Reservoir. (in Chinese), Water Resource Press, China, 1979

Qian Ning(N. Chien), Dai Dingzhong. The problems of River Sedimentation and the present status of its Research in China. Proc. of the First Intern. Symp. on River Sedimentation, vol. 1, Guanghua Press, China, 1980

Working Group on Inventory of Reservoir Sedimentation in Yellow River Basin. Report on Status of Reservoir Sedimentation in Yellow River Basin, (in Chinese) YRCC, Zhengzhou, China, 1994

Northwest Research Institute of Water Science & Sediment Research Institute of Tsinghua University. Reservoir Sedimentation (in Chinese), Water Resource Press, China, 1978

Bureau of Water Conservancy and Soil Conservation of Shaanxi Province. Reservoir Desilting Techniques, (in Chinese) Water Resources Press, China, 1989

Zhang Qishun & Long Yuqian. Sediment problems in Sanmenxia Reservoir. (in Chinese) Proc. of First Intern. Symp. on River Sedimentation, vol.2, Guanghua Press, China, 1980

Tan Yunnan & Zhou Min. Study on Method of Correction of Measured Suspended load and its application. Jour. of Hydrology vol.6, (in Chinese) China, 1993

Lin Binwen & Liang Guoting. Modification of Method of Total Load Computation and its Application. (in Chinese) Research Report 87 - 021 IHR YRCC, China, 1987

Li Songhen & Long Yuqian. Correction of the Measured Sediment Discharge in Lower Yellow River and its Application. Jour. of Sediment Research vol. 3 (in Chinese), Sedimentation Committee, CSHE, China, 1994

Huang Guanghua, Gao Huanjin, Wang Yucheng. Study on Sampling Techniques of Bed Load in Yangtze River. Proc. of Second Intern. Symp. on River Sedimentation, (in Chinese) Water Resources Press, China, 1983

Lu Yongsheng, Wang Xidi, Wang Gaoyuan. Automatic Particle Size Analysis of Fluvial sediment by Photo - electric Technique. (in Chinese) Proc. of Second Intern. Symp. on River Sedimentation, Water Resources Press, China, 1983

Bajiazui Reservoir Experiment Station. Preliminary Analysis of Measured Dry Density of Deposits in the Bajiazui Reservoir, Selected Works of Sediment Research in the Yellow River Basin, (in Chinese), Coordination Group on Yellow River Sediment Research, China, 1979

Chen Dekun. Isotope Gage for Measuring the Unit weight of Reservoir Deposits. Jour. of Sediment Research, vol.4, Sedimentation Committee CSHE, China, 1988

Wang Minsheng, Wang Sancai, Bei Ronglong, Tan Weimin. 1983. The Way of Operation and Sedimentation of the Gongzui Reservoir. Jour. of Sediment Research, vol. 1 (in Chinese), Sedimentation Committee CSHE, China, 1988

Long Yuqian. Management of Sediment in Sanmenxia Reservoir. in Advances in Hydro - Science and Engineering, Proc. of Second Intern. Symp. on Water Science and Engineering, Tsinghua University Press, China, 1995

Ma Jinsong & Zhao Yunzhi. Development and application of Computer - aided Measurement MDS 51 - 100 for Measurement of Sediment Concentration. Proc. of First Intern. Symp. on Hydraulic Measurement, Institute of Water Conservancy and Hydroelectric Power Research, China, 1994

Long Yuqian. Manual on Operational Methods for the Measurement of Sediment Transport. Operational Hydrology Report no.29, WMO no.686, Switzerland, 1989

Long Yuqian. Measuring Techniques of Reservoir Sedimentation. in Lecture Notes of the Training Course on Reservoir Sedimentation, International Research and Training Center on Erosion and Sedimentation (IRTCES), China, 1985

Feng Ying, Zhang Qishun, Jiang Naisen, etal. A Study of Sediment Problems at Guanting Reservoir. Proc. of 4th Intern. Symp. on River Sedimentation, vol.2, IRTCES, China, 1989

Zhao Baoxin. Bed Adjustment and Upstream Progression of Accretion in Fluctuating Backwater Reach of the Hongshan Reservoir. Proc. of 4th Intern. Symp. On River Sedimentation, vol.2, IRTCES, China, 1989

Han Qiwei, Wang Yucheng, Xiang Xilong. Deposition in Danjiangkou Reservoir and Degradation of Downstream River Channel, (in Chinese) Proc. of First Intern. Symp. on River Sedimentation, vol.2, Guanghua Press, China, 1980

Sedimentation Committee of CSHE. Handbook on Sedimentation. (in Chinese) China Environmental Science Press, Beijing, 1992

Qian Ning & Wan Zhaohui. Mechanics of Sediment Transport. (in Chinese) Science Press, China, 1983
Qian Ning, Zhang Ren, Zhou Zhide. Fluvial Processes. (in Chinese) Science Press, China, 1987
Zhang Ruijin & Xie Jianheng. 1993. Sedimentation Research in China. Water Resources Press, China
Wang Guixian, Chen Zhicong & Zhang Ren. Comparison between Results of Model Tests and Observed Data for the Fluctuating Backwater Region of the Gezhouba Reservoir. Intern. Jour. of Sediment Research, IRTCES, China, 1997
Tang Richang & Lin Wanquan. A Study on Sedimentation Problems of the Gezhouba Project. Intern. Jour. of Sediment Research, IRTCES, China, 1987
Dou Guoren, Wang Shenggan, Lu Changshi, et al. Studies on the Sedimentation Problem in the Varying Backwater Zone of the Three - Gorge Project by Sediment - laden Flow Model. Proc. of Fourth Intern. Symp. on River Sedimentation vol. 1, IRTCES, China, 1989
Qu Shoujun. Mathematic Model for Sanmenxia Reservoir. Research Report 92077, (in Chinese) IHR, YRCC, China, 1992

三门峡水库水沙调节及其对下游河段的影响

1　水库建设概况

三门峡枢纽位于黄河中游下段，是根据黄河流域规划兴建的第一座以防洪为主要目标的综合利用工程，控制流域面积 68.8 万 km^2，占全流域面积的 91.5%，水库平面图见图 1。

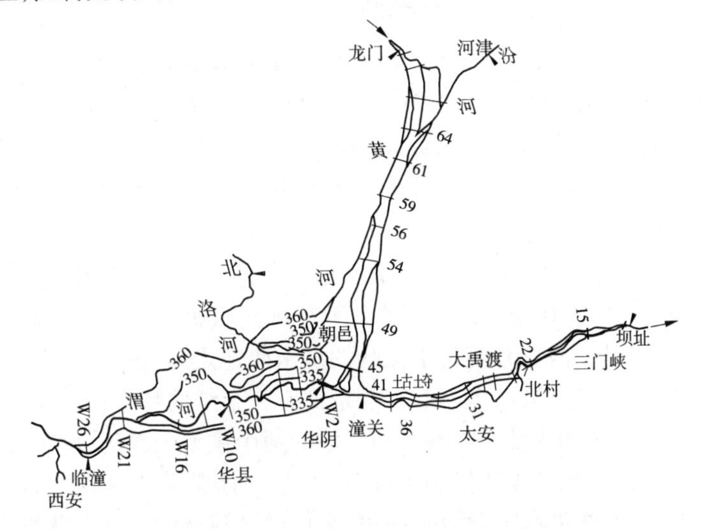

图 1　三门峡水库库区平面示意图

枢纽工程于 1957 年开始修建，1960 年 9 月开始蓄水运用，1962 年 3 月由于泥沙问题决定将运用方式改为滞洪排沙。1964 年丰水多沙，由于泄流能力不足，水库淤积仍发展迅速。1964 年底及 1969 年两次决定对大坝泄流建筑物进行改建，以扩大其泄流能力，随后陆续增建了两条隧洞，改建了四根原发电用钢管（后为三根），打开导流用的八个底孔，并改装机组以便低水头发电。1973 年底改建工程竣工，1974 年起开始实行蓄清排浑控制运用，五台机组也陆续投入运行。进入 80 年代，由于底孔门槽过流部件磨损汽蚀严重，影响到正常运用，对底孔又进行了一次改建，并增开了两个底孔以补偿由于改建而减少的泄量。改建前后枢纽工程立视示意图见图 2。

蓄清排浑控制运用是根据黄河水沙特点制定的一种运用方式。水库于非汛期（每年 11 月至次年 6 月）来沙量少时存蓄部分水量并适当调节下泄流量进行防凌和春灌、发电，

作者：龙毓骞、程龙渊、杜殿勖、缪凤举。原文系英文，1996 年在美国 Colovado 大学召开的国际水库泥沙会议上交流，中文版刊载于 1996 年黄河水利出版社出版的《黄河泥沙》。

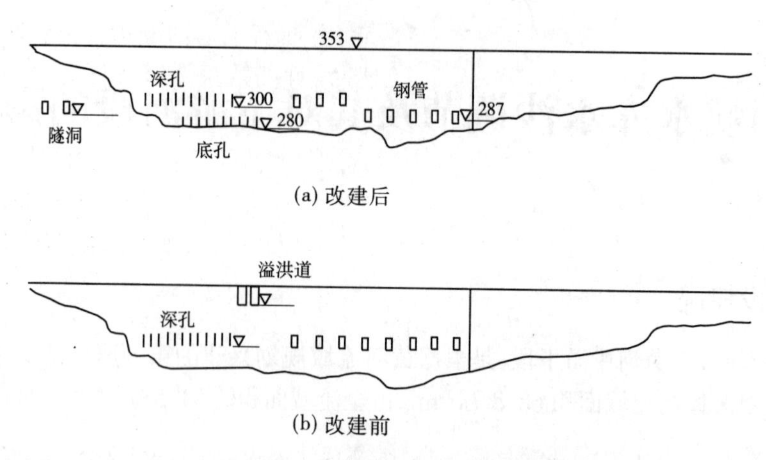

(a) 改建后

(b) 改建前

图 2　改建前后枢纽工程立视示意图

来沙基本上在库内淤积；汛期(7～10 月)降低水位控制运用泄洪排沙，冲走非汛期淤积在库内的泥沙，使水库能基本上保持年内冲淤平衡。

根据建库前实测资料统计，进入水库的多年平均年水量为 428 亿 m^3，年沙量为 16 亿 t，汛期水沙量分别占全年的 60% 及 85%。

建库前，库区原河道的平面形态如表 1 所示。自进库站(龙门、临潼、河津、洑头)至大坝的区间流域面积为 20 500km^2，其中潼关上下流域面积比约为 7∶3。潼关以上汇流区河道宽浅游荡，渭河下游比降较小，蜿蜒于宽阔的洪水滩地之间；潼关以下河道宽窄相间，逐步过渡到坝址的峡谷河段。进入水库的水沙条件有三个鲜明特点：其一，黄河中游河口镇至龙门区间以及泾、渭河流域是入库洪水和泥沙的两个主要来源区，由于降雨强度和笼罩面积的差异，同一流量下来水含沙量和级配变化很大，还常常出现含沙量超过 400kg/m^3 的高含沙洪水；第二，入库洪水一般历时甚短，类似山区河流的暴涨暴落洪水，河床演变非常剧烈；第三，由于汇流区渭河河口段比降十分平缓，当渭河来水较小时，干流洪水对渭河河口段的顶托倒灌作用时有发生。这几个特点对水库淤积的形成和分布有重要影响。

表 1　三门峡库区干支流河道形态特征

河　段	比　降(‰)	河床形态			$\bar{D}_{50}$(mm)	河　型
		主槽河宽(m)	洪水最大河宽(m)	$\sqrt{B}/H$		
潼关以上干流	3.5～3.8	2 000～5 000	18 000	20～50	0.13	游荡
潼关以下干流	3.0～3.5	600～900	3 200	5～30	0.10	过渡到峡谷
渭河下游	1.5	100～500	11 000	3～4	0.08	弯曲
北洛河下游	2.3	30～50	4 000	2～4	0.07	弯曲

三门峡水库原规划设计的指导思想是蓄水拦沙，以淹没大量土地为代价，来减缓下游河道淤积，原设计过于乐观和不切实际地认为依靠在水库以上干支流修建拦沙水库和进行水土保持，就可以使来沙量在不足 10 年的短期内减少 50%，同时，对移民问题的难度也估计不足。黄河泥沙数量巨大，国家经济力量有限，不可能在短期内修建大量工程拦蓄泥沙，使来沙量大幅度地减少。库区淹没的土地十分肥沃，人口众多，蓄水拦沙的方式也

不符合我国国情。为此，对枢纽工程进行了改建，并改变了运用方式。实践证明，改建以后的枢纽工程虽然在发电、灌溉等方面达不到原设计的效益，但是它符合黄河的实际情况。目前所采用的运用方式，也为多泥沙河流修建大型枢纽工程提供了有益的经验。

水库建成以来，不少人对水库泥沙问题进行过分析研究，由几个单位联合进行带有总结性质的分析研究工作有三次，先后提出了保持可用库容、淤积上延及其控制以及适应水沙变化的运用原则等问题[1,2]❶ 在前人工作的基础上，本文仅就水库淤积的基本物理图形和水库淤积引起的泥沙问题进行讨论。

2 水库淤积量

2.1 库区冲淤情况分析

为研究水库水文泥沙问题，在库区范围内开展了水文泥沙观测研究，其内容包括进出库站的日常水沙测验；每年多于两次的河道及水库断面测量及每10～15年一次的地形测量；区间流域的降水量观测；少数代表性区间小河水文站的水沙量观测；库岸坍塌；水面蒸发；地下水观测；库区一些断面水流泥沙要素的测验；坝区水沙测验等。这些观测研究为检验水库规划设计和制定合理的运用方案提供了重要的基础资料，也为研究水库泥沙问题积累了宝贵的资料。

1960～1990年各不同运用时期水库的冲淤情况列于表2。全库共淤积61.3亿 m^3，其中潼关以上约占53%。可以看出，自1974年采用蓄清排浑控制运用方式以来，库区虽略有淤积，但基本上处于冲淤平衡。为了较确切地评价水库的冲淤状况，对库区进行了沙量平衡的分析计算，蓄清排浑控制运用以后，汛期水库的回水影响一般不超过潼关，非汛期蓄水位较高的短时期内，潼关以上汇流区略受影响。

表2 不同运用时期水库冲淤情况统计 （单位：亿 m^3）

运用方式	统计起讫年月（年·月）	库区冲淤量（断面法）					
		全库区	潼关以下	潼关以上			
				小计	北干流	渭河	北洛河
蓄水	1960.5～1964.10	45.37	36.52	8.85	6.52	1.85	0.48
滞洪排沙	1964.11～1973.10	11.71	−9.23	20.94	12.03	8.11	0.80
蓄清排浑	1973.11～1990.10	4.22	1.54	2.68	2.47	0.09	0.12
	1973.11～1979.10	1.00	1.30	−0.30	−0.22	−0.19	0.11
	1979.11～1986.10	−0.52	−0.74	0.22	0.39	−0.21	0.04
	1986.11～1990.10	3.74	0.98	2.76	2.30	0.49	−0.03
小计	1960.5～1990.10	61.30	28.83	32.45	21.00	10.05	1.40

2.2 水库沙量平衡分析计算

根据三门峡水库的实际情况，沙量平衡方程可列为如下形式：

❶ 三门峡水库泥沙问题基本经验总结小组，三门峡水库泥沙问题初步总结，黄委会水科院，1970年。

$$S_t + S_i - S_w + S_b \times r_1 \pm r_2 \times V = S_0$$

2.2.1 进库水文站输沙量(S_t)

实测悬移质输沙量系根据每年15～25次全断面输沙率测验求出的断面平均含沙量与每年400余次的单位水样含沙量所建立的单断沙关系,经过整编求出逐日、月、年输沙量。输沙率和单样含沙量均系用选点法进行测验。由于未能包括推移质以及计算断面平均含沙量方法的局限性,求出的输沙量存在一些系统误差,特别是$d>0.05$mm粗泥沙的误差较大,必须进行修正❶ 按50年代实测资料统计,各站推移质约占悬移质沙量的0.2%～0.9%。文献[4]讨论了用含沙量与修正值和实测值的比值建立关系,并以断面法所测冲淤量为根据以修正逐日输沙率的方法,以潼关站为例,修正后输沙量与实测值的差在1.9%左右。本文参照上述方法对进库站及潼关站的实测资料进行了修正。

2.2.2 区间支流来沙量(S_i)

建库初期曾设有几处代表性小河站,并在所控制的流域内设立若干雨量站,利用这些实测资料建立雨量和径流及产沙量关系,以后各年则用实测雨量推求没有实测资料的径流量及沙量。对于没有设站的区间流域,则利用流域面积或有实测资料流域的输沙模数推求[3]。

2.2.3 库岸坍塌沙量(S_b)

潼关至三门峡段库岸线总长近300km,两岸均系黄土阶地,蓄水后受水浸及波浪作用,多处坍塌。对建库前后共三次实测地形图进行套绘,据以对塌岸量作出估算。

2.2.4 灌溉引沙量(S_w)

根据提灌站实测及调查资料估算灌溉引沙数量。

2.2.5 水库冲淤量(V)

库区设有固定端点的大断面供重复测量确定冲淤量之用。全库共有145个大断面,其中潼关以下共41个,平均间距3.3km。在正常运用水位高程以下用同一时段断面法与地形法计算的库容进行比较,误差在±5%以内,可以认为用断面法计算的冲淤量基本上能反映某一时段的冲淤情况。用于断面和地形的测量方法都是常规使用的方法,随着技术进步,每次完成全部断面测量工作的时间不断有所缩短,测量精度也有所提高。

2.2.6 淤积泥沙容重(r)

建库初期有实测淤积泥沙级配及干容重资料。据分析,可利用实测资料建立的干容重与淤积物中沙、粉土、黏土的比例经验关系,根据各次实测库区河床表层泥沙级配资料计算干容重。计算结果表明,淤积与冲刷时段干容重有差异。大部分床沙样品干容重的变化范围为1.25～1.55g/cm^3[5]。

2.2.7 出库沙量(S_0)

系采用出库站(三门峡站)经整编后的实测资料。该站含沙量系在尾水下端水流充分紊动处取样求得,纵横向分布均匀,没有梯度,所求的含沙量可代表全沙含沙量,不需修正。取样次数也较多,可以反映含沙量的变化过程。

❶ 林斌文、梁国亭,全沙输沙率计算方法的修正和应用,黄委会水科所,1987年。

2.3 对沙量平衡计算结果的分析与讨论

用上述方法对全库区及潼关以下库区计算的结果如表3所示。

表3 沙量平衡计算结果 （单位：亿t）

区间	统计起讫年月（年·月）	进库沙量	区间	灌溉	库岸坍塌	水库冲淤量	出库沙量	
							实测	沙量平衡差
四站—三门峡	1960.5～1964.10	73.85	1.61	−0.05	7.31	60.53	27.65	−5.47
	1964.11～1973.10	156.32	2.40	−0.32	2.89	16.99	145.04	−0.74
	1973.11～1990.10	163.71	4.02	−1.03	3.62	3.26	173.43	−6.37
	小　计	393.88	8.03	−1.40	13.82	80.78	346.12	−12.57
潼关—三门峡	1960.5～1964.10	65.23	0.86	−0.01	6.84	48.62	27.65	−3.35
	1964.11～1973.10	129.95	0.92	−0.03	2.29	−15.05	145.04	3.14
	1973.11～1990.10	163.87	1.99	−0.05	2.90	0.33	173.43	−5.05
	小　计	359.05	3.77	−0.09	12.03	33.90	346.12	−5.26

图3表示了潼关以下库区实测的和用沙量平衡方程计算的累积冲淤量多年变化过程。可以看出，用沙量平衡方程计算的累积冲淤量基本与断面法实测值相近，除少数年份外，两者系统性误差很小。图中还表示了如不考虑平衡方程式中某些因子，会导致计算冲淤量的系统误差。例如，从30年沙量平衡计算结果的统计表明，不考虑区间小支流来沙量所引起的系统误差占进库沙量1.9%；不考虑塌岸量导致的系统误差占3.3%。分析计算结果还表明，如果不考虑冲淤时段容重差异而采用平均容重也将导致很大的误差。

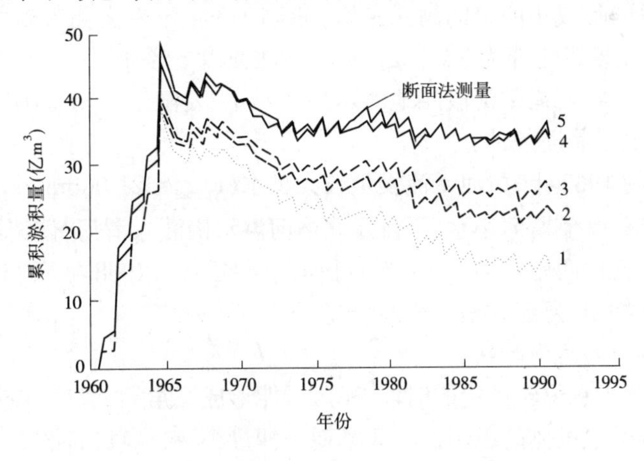

图3 沙量平衡方程计算结果与断面法测量结果比较

1—端点站沙量差；2—不考虑塌岸量；3—不考虑区间沙量；
4—沙量平衡计算；5—断面法实测

据我们分析，如直接用进出库水文站实测输沙量的差值来反映河段冲淤量，其可靠程度受以下各项因素的制约：①两端水文站泥沙测验的综合误差；②区间加入或引出量占进库沙量的比例;③冲淤量占进入河段总沙量的比例;④采用干容重的相对误差。分析表明,只有当河段冲淤量占进入河段总沙量的比值较大,足以补偿两端水文站实测沙量存在的误差时,才能近似地用两端水文站输沙量的差值来反映水库的冲淤情况。

熊贵枢曾分析了黄河下游断面测量计算冲淤量的可能误差[6]。文献[7]也曾分析了潼关及下游某些站用输沙率法测验资料计算河段冲淤量的可能误差。通过对水库进行沙量平衡计算分析,使我们认识到对水库(包括库区河道)进行重复的断面或地形测量是测定水库冲淤数量的主要和不可替代的方法,定期或不定期地重复测量工作是多泥沙河流水文站网测验工作的重要组成部分。沙量平衡也是指导资料收集工作和确定冲淤数量的重要原则。

3 水库淤积分布及保持可用库容

3.1 不同运用时期水库淤积纵横向分布特征

3.1.1 蓄水运用时期

自1960年9月至1962年3月,水库初期蓄水运用,非汛期水位较高,最高曾达332.58m,汛期水位较低,大量泥沙在库首淤积,形成明显的三角洲。顶坡比降1.5‱～1.7‱,约为原河床比降的50%,前坡比降为6‱～9‱。这一时期淤积沿横断面分布比较均匀。

3.1.2 滞洪运用时期

为缓和库区淤积,1962年3月将水库运用方式改为滞洪运用,由于泄流能力有限,遇丰水多沙的1964年,汛期洪水期水位仍高达326m,除发生异重流排出少量泥沙外,水库淤积仍十分严重,其纵剖面形态由三角洲逐步转变为锥体。改建及增建的钢管、隧洞及底孔分别于1966、1967～1968、1970年投入运用后,降低了坝前水位,库区一部分前期淤积物逐步被冲刷出库,形成了明显的高滩深槽。据1973年汛末实测大断面资料分析,滩面比降约为1.2‱,主槽纵比降为2‱～2.3‱。在滩面以下形成了有一定容积的河道主槽,除遇大洪水水流漫滩,或局部河段滩地坍塌外,冲淤主要限于主槽范围,这就为以后实行蓄清排浑运用提供了前提条件。

滞洪运用期的1967年,黄河干流发生较大洪水($Q_{max}=21\ 000m^3/s$,龙门站),与北洛河高含沙洪水遭遇,又值渭河小水,干流及北洛河洪水倒灌入渭河,使渭河口约8.8km河段全部淤塞,水流漫溢两岸滩地,并引起淤积向上游延伸。1968年春季在淤塞河段开挖引河,经汛期来水冲刷,河道主槽才逐渐恢复。

3.1.3 蓄清排浑控制运用时期

水库非汛期蓄水水位较稳定的时段,库区可能形成三角洲,或在不同部位形成的三角洲相互叠加,形成类似锥体的纵剖面。非汛期来沙量小,粒径较粗,淤积主要发生在主槽,一般情况下降低水位即可冲刷恢复。如遇当年非汛期运用水位较高,淤积部位靠近上段,汛期洪水较小时,淤积在水库上段的泥沙有时不能完全冲刷下移,则库区当年冲淤不能平衡。剩余的淤积物有待于下一年度洪水较大时冲刷出库。

汛期水库运用的直接回水范围,在一般中小洪水时不会超过距坝42km的北村断面(黄淤22断面);非汛期运用的直接回水范围一般不超过距坝98km的坫埼断面(黄淤36

断面)。因此,根据水库目前所采取的运用方式和库区受回水影响的情况,可将库区分为三段,中间一段即北村至坫埼可看成是在目前运用和一般来水条件下的变动回水区,在变动回水区上段河道的纵比降主要是在冲刷非汛期淤积物的条件下形成,其稳定值大体在2.2‱~2.3‱。变动回水区以下的比降主要是在滞洪运用淤积的条件下形成,其稳定值在1.7‱~2‱之间变化。水库纵剖面比降的沿程变化也是蓄清排浑运用方式水库纵剖面形态的一个特点。

水库淤积泥沙的粒径自上游向下游逐渐减小,其沿程级配随运用方式的改变而变化。在水库蓄清排浑运用期间,河床表层的级配也随着年内运用情况不同所发生的冲淤而变化,图4显示了这种变化。

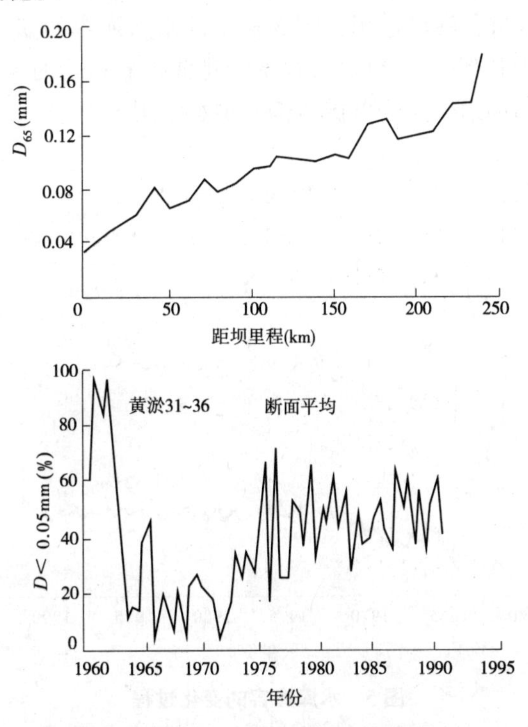

图4 水库淤积泥沙级配沿程及随时间变化

3.2 水库库容特征和可用库容问题

水库蓄清排浑运用时期的冲淤分布有一个明显的特点,就是淤积和冲刷主要发生在主槽。非汛期大部分时间水位不超出滩面,即使在短期内坝前水位超过近坝段的滩面,滩地以上淤积也极少,一般洪水时期的滞洪水位也不会超过滩面高程。淤积在主槽内的泥沙,在水库水位降低后,即可通过溯源冲刷和沿程冲刷的联合作用被冲刷出库,主槽内这一部分冲淤交替的容积也就是水库的调沙库容。

当然,遇到大洪水,滞洪水位有可能超过滩面,回水影响也将延伸到潼关以上,滩地将发生永久性淤积而损失部分库容。但是,主槽部分的库容,仍可在洪水后通过降低水位而得到冲刷恢复。据对1973年汛后(即水库实行控制运用以前)实测大断面资料分析,潼关至大坝滩面以下主槽部分容积约为11.6亿m^3,1974~1990年各年调节泥沙的数量最大约为2亿m^3。

水库地形的一个显著特点是潼关以上汇流区主槽宽浅游荡。很明显，在多沙的洪水时期，一旦回水直接影响超过潼关，则滩地淤积不可避免，为避免库容损失，运用水位的控制原则之一是在一般洪水期以及非汛期尽可能不使回水直接影响到潼关以上，这个地形特点也是水库调节水沙的一个重要制约因素。

在蓄清排浑运用条件下年内各不同时期可以提供使用的水库库容不同。1974年以来，在目前控制运用的限制水位范围以内(310～326m)，水库平均有17.6亿±0.8亿m^3库容可供防凌使用。下游凌汛特别严重的年份，还可提高运用水位以增加必要的库容。汛初，为了不使潼关直接受回水影响，在运用水位305～323m内可提供10.5亿±0.6亿m^3库容，供对一般洪水进行滞洪运用。图5显示的水库库容的变化过程说明，在经历了前两个运用期库容减少和部分恢复以后，在蓄清排浑控制运用时期已保持了一定的可用库容(330m以下约有30.6亿m^3)，可供防御大洪水使用。

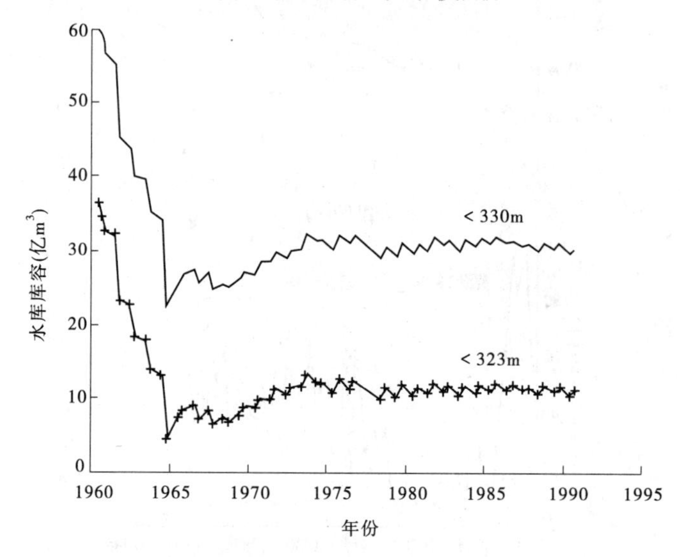

图5　水库库容的变化过程

水库采取蓄清排浑的运用方式之所以能保持一定的可用库容，除由于水库已具有高滩深槽的断面形态外，还由于在改建以后增大了各级水位的泄流能力。坝前水位为300m时的敞泄流量已超过3 300m^3/s，坝前水位为305m时敞泄流量为4 870m^3/s。图6为根据历年洪水资料绘制的潼三段比降与泄流量关系[1]。图中冲淤平衡范围可用$QJ=0.25\sim0.45$来表示，式中Q、J均为洪水平均值。可见，如该河段发生了淤积，在一定的来水流量下，降低水位运用所形成的比降均足以冲刷并输送相应的沙量以恢复库区的冲淤平衡。从另一个角度来说，建库前潼三河段的比降为3‱～3.5‱，属侵蚀性河道。建库后，河道主槽比降有所调平，床沙组成也有所细化，可以在较小的比降条件下输送全部来沙。换言之，该河段具有一定的富裕输沙能力。可以在一定限度内通过控制运用来调节

[1] 龙毓骞、李松恒，三门峡水库的泥沙调节，见：第二届水科学与工程讨论会论文集，国际泥沙研究培训中心，1995年。

河段的冲淤变化。

4 库区河床演变及淤积上延问题

4.1 潼关以下库区冲淤演变及潼关高程

4.1.1 基本特点

目前采用的运用方式，年内坝前水位的变幅可达25m以上。水位较高时，在一定的水沙条件下会形成潜入库底运行的浑水异重流，潜入点的位置符合修正佛汝德数 $Fr=0.6$ 的条件。据分析，水库初期运用的洪水时期，通过异重流形式排出水库的泥沙约占同期进库泥沙的26.5%，如按全年沙量统计，则排出水库的泥沙仅占约6%。

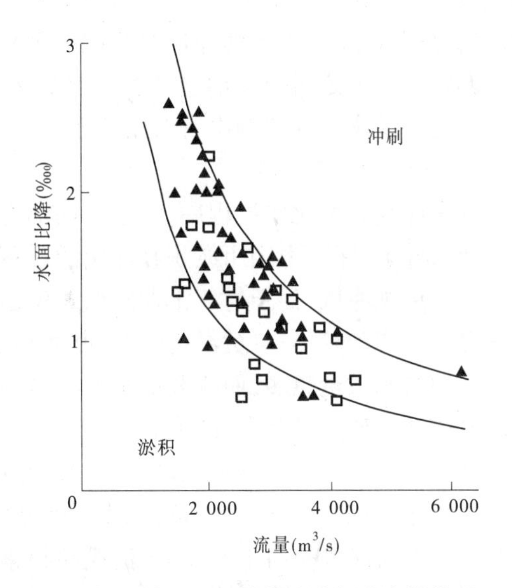

图6 潼关—三门峡段比降与泄流量关系

汛期水库水流流态在更多情况下属于明渠水流，根据坝前水位变化，回水曲线也发生变化。水位稳定上升时期水库壅水，产生溯源淤积；水库水位骤降，局部比降增大，产生冲刷，逐步向上游发展，形成溯源冲刷，在发展过程中，冲刷段比降逐步变缓，床沙粗化。当河床出现前期淤积的黏土层时，还会形成局部跌水。在不直接受回水影响的上游河段，仍属于天然明渠流，随来水来沙的变化与河床边界条件相互适应的情况而发生冲淤变化，此处称之为沿程冲淤。其特点是沿程淤积使河段比降逐步增大，床沙细化；沿程冲刷使河段比降逐步变小，床沙粗化。

水库采取蓄清排浑运用时期库区的年内冲淤变化，正是在这种溯源性质的冲淤与沿程冲淤的交替作用下发生的。库水位降低，近坝河段将发生溯源冲刷，冲刷向上游发展的速率与范围取决于来水流量的大小。如遇洪水，当来水含沙量不很大并小于上游河段的输沙能力时，则上游河段也将发生沿程冲刷，这样，整个库区均将处于冲刷状态。反之，则将发生沿程淤积，这时，即使坝前段处于冲刷状态，回水淤积体仍将向上游延伸。本文将这种由于冲积河流自动调整作用引起的淤积发展称之为淤积上延。

潼关以下库区的高滩主要是在初期蓄水和滞洪运用时期形成的。在上述主槽的冲淤变化过程中，除由于直接靠流的库岸及高滩受水流或风浪冲击，或由于主流摆动而发生坍塌外，滩地不会冲刷。滩地淤积是否继续发展将取决于主槽过洪能力及来水流量的对比，因此在一般情况下只有较大洪水在变动回水区以上河段发生漫滩时，滩地淤积才会继续发展。至于一般洪水形成的较低的滩地，冲淤变化则时有发生。在高含沙洪水过程中，主河槽两侧均会形成新滩，使 $\sqrt{B}/H$ 减小。洪水过后，由于滩地淤积增高，主槽刷深，滩槽的过洪能力也会随之而调整，使洪水漫滩的机会有所减少。

库区河道主槽因比降变化引起的淤积上延，以及高含沙洪水时期的滩槽冲淤，都是冲积河流自动调整作用的表现。钱宁等在文献[8]中曾对黄河自动调整作用进行了讨论。冲积性河流的自动调整趋势是使河道恢复其输沙和过洪能力的准平衡状态，力求适应来自流域的水沙条件。由于黄、渭等河流来沙十分丰富,这种调整往往十分迅速,在较短时间内就可完成,例如由于河床冲淤引起的床沙粗细化现象,或在一次高含沙洪水过程中的宽度调整等。但是对于滩槽过洪能力的调整,则只能在发生大洪水时才能进行,完成这类调整则与大洪水发生的频次有较大关系。

4.1.2 河道的平面演变

在水库冲淤变化的过程中,河道平面形态也在演变。一个运用年度内,即使在一般来水来沙条件下,库区都经历淤积和冲刷的过程,河床演变迅速而剧烈。非汛期黄淤 22 断面以下的近坝库段,处于每年汛期降低水位运用所导致的溯源冲刷的直接影响范围,河道的平面位置变动较小;自黄淤 22～36 断面约 56km 的河段,属于主要的变动回水河段,不仅非汛期淤积数量较多,而且溯源性质与沿程性质冲淤交替发生,河床演变也较剧烈。这一段河道平面变形具有两个特点:一是河段下段即黄淤 22～31 断面间河段,曲流发育,在未受到两岸护岸(滩)工程约束之处,常常导致一岸库岸或高滩的坍塌而在对岸形成边滩,引起主流移位;二是河段上端黄淤 31～36 断面,以及黄淤 36～41 断面之间河段,在上下游两个节点间河势趋向于游荡,主流摆动频繁。从河流地貌观点,这两个演变特点与水库三角洲顶坡上河道的平面演变趋势极为相似。图 7 显示了在 1977 年以后黄淤 27～31 断面间河道平面位置的演变情况。

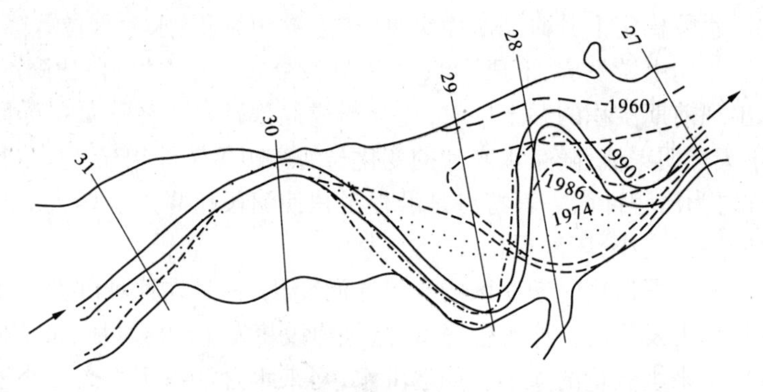

图 7 黄淤 27～31 断面间河道平面位置的演变

4.1.3 潼关高程

位于渭河北洛河与干流交汇点附近的潼关河床或水位,实际上对渭河北洛河下游起着局部侵蚀基面的作用。因此,水库运用的一个重要限制就是要保持潼关高程在一定幅度内变化,力求不致连续抬高以控制淤积上延。图 8 为潼关高程变化过程。可以看出,1974～1985 年潼关高程基本上保持在 ± 1m 范围内变化。近几年入库水沙条件变化较大,汛期水量减少很多,洪水次数较少,库区出现累积性淤积,潼关高程也出现累积性抬高的趋势。

建库以前多年的资料表明潼关河床是微淤的,其演变特点一般是非汛期和汛期流量较小时发生淤积,流量较大时发生冲刷,汛期洪水过程则表现为涨冲落淤。建库以后,除初期蓄水运用时期以外,潼关河床高程或同流量水位受坝前运用水位壅高的直接或间接影响而变化,另一方面也受制于来水来沙条件。据实测资料分析,当坝前运用水位达到 323m 左右时,壅水将直接影响到潼关断面;当坝前水位达到 320m 左右时,壅水将影响到

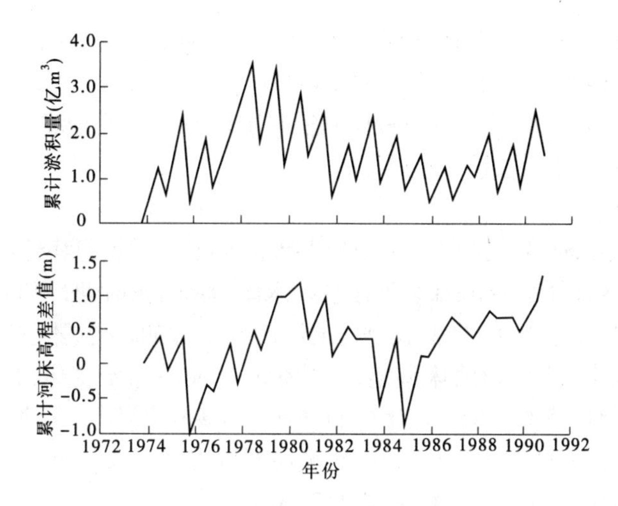

图8　潼关高程变化过程

潼关下游约20km处的断面。运用水位继续上升，将使潼关—坫垮段水面比降逐步变小，发生淤积。当潼关—坫垮河段壅水作用消除以后，还会由于前期淤积引起河床自动调整而发生冲淤。潼关以上河段在一定来水来沙条件下所发生的沿程冲淤，也将影响到潼关河床的变化。因此，潼关河段的冲淤实质上是来水来沙条件与根据河段水流及河床边界条件所确定的输沙能力对比的结果。如取潼关上下各约20km的范围(即黄淤45～36断面)作为一个大河段，上下两段冲淤量与相应河段内各断面河床升降的平均值的对应关系如图9所示。可以看出，相应于±0.1亿m^3的冲淤量，平均河床高程升降值大体上可达±1m。

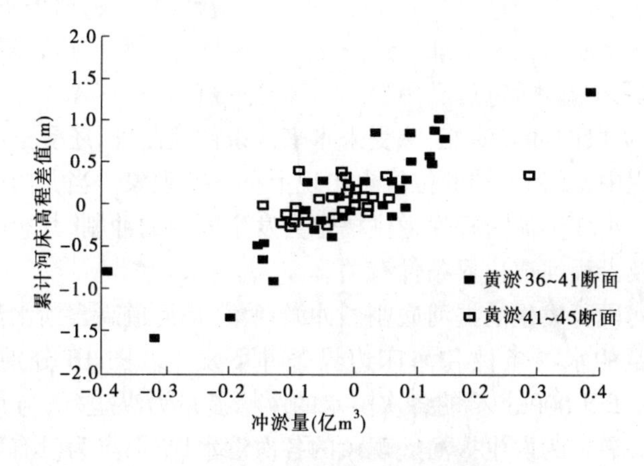

图9　冲淤量与平均河床升降值的对应关系

孙绵惠曾分析了由于曲流发育所引起的水面线变化和对潼关高程的影响❶，由于曲流发育引起了河道长度的变化，对潼关高程的影响可达0.3～0.4m。

水沙条件对潼关高程影响的一个特例，就是潼关以上河道在高含沙洪水时段河道滩淤槽冲的剧烈冲淤现象。1977年经历了来自干流的几场高含沙洪水，整个汛期黄淤45～

❶　孙绵惠，三门峡库区河势变化及对潼关高程影响(讨论稿)，三门峡水文水资源局，1995年。

36 断面间河段淤积约 0.72 亿 m^3,而这一河段的主槽河床平均高程却下降了约 0.8m(潼关高程下降了约 0.6m)。

潼关高程是三门峡水库的一个特殊问题,目前已有很多关于潼关高程演变规律的研究成果,此处不再一一引述。

4.2 小北干流库区

黄河龙门至潼关河段,简称小北干流,是严重堆积性河段,河势迁徙不定,主流游荡摆动,河道冲游演变主要取决于来水来沙条件。水库初期蓄水时期,河道下段曾处于坝前壅水的回水范围。1964 年以后,除少数年份的防凌蓄水时期以外,本河段均已脱离直接回水影响,但由于前期淤积引起河床调整,仍发生了相应的冲淤变化,在一个运用年度内,9～10 月至次年 5 月,河道一般均发生冲刷,6～8 月多发生淤积。汛期龙门站常出现高含沙量洪水,据实测资料统计,1960～1990 年潼关站曾出现洪峰流量大于3 000m^3/s的洪水 136 次,其中有 35 次龙门站的洪峰流量大于 6 000m^3/s,相应洪水的最大含沙量平均为 437kg/m^3。洪水对河道冲淤的作用可分为三种情况:其一,在一定的河床边界条件下发生高含沙量大洪水时,可能发生“揭河底”的剧烈冲淤现象;其二,当河床边界条件和水沙条件不具备发生揭河底条件,而含沙量又较大时,则滩槽均将发生淤积;其三,洪峰流量大,持续时间长,但含沙量较小,则河道将发生明显冲刷,河床以塌滩展宽为主,同时冲刷下切。整个汛期第二、三两种情况出现的几率较多。

综观河道冲淤演变的基本物理模式为:随着来水来沙周期性的变化,河床调整存在一个往复性演变过程。在一定的河床边界和水沙条件下,发生揭河底冲刷,主槽刷深束窄,滩地淤高,形成高滩深槽,河势趋于规顺,洪水漫滩机遇减少,削峰滞沙的作用减小。以后,在一般来水来沙条件下,滩地坍塌,主槽回淤,河槽趋向宽浅,河势游荡摆动,平滩流量和输沙能力减小,洪水漫滩几率增加。这一水文周期性循环和河道往复性演变,是小北干流河道冲淤演变的一个基本特点。

小北干流河道下段的冲淤演变,除受来水来沙条件控制外,还受三门峡水库运用的影响,在河床调整过程中,淤积末端的位置也出现上移下挫现象。当龙门站出现高含沙量洪水的揭河底现象时,小北干流沿程河道主槽也会发生剧烈的冲刷,其影响范围与洪水水流强度、持续时间以及沿程河道边界条件有关。

龙门站上、下河段所发生的揭河底剧烈冲淤现象,是河道高含沙水流泥沙运动的特殊现象,它只能在一定的水沙条件和河床边界条件下发生。图 10 分别以龙门站 1960～1991 年洪峰流量大于 5 000m^3/s 的各次洪水的洪峰流量为纵坐标,与其相应洪水的最大含沙量作为横坐标,黑点为发生揭河底现象的各次洪水,空白点为没有发生揭河底现象的各次洪水,图中还列上了 1951 年及 1954 年两次洪水。从图上可粗略地看出产生这种剧烈冲淤现象的水沙条件。此外,据焦恩泽分析[1],在全部泥沙中 $d<0.01$mm 泥沙的含量必须大于 100kg/m^3 也是一个必要条件。河床边界条件则包括前期河床淤积抬高的程度和纵比降以及组成河床淤积物的密实程度等等。根据实测发生揭河底现象的洪水资料,可以列出有关河床边界条件和水沙条件的经验数据,作为判别是否产生揭河底现象的依据。

---

[1] 焦恩泽,河口镇至龙门河段冲淤特性研究,“八五”攻关项目子专题报告,黄委会水科院,1995 年。

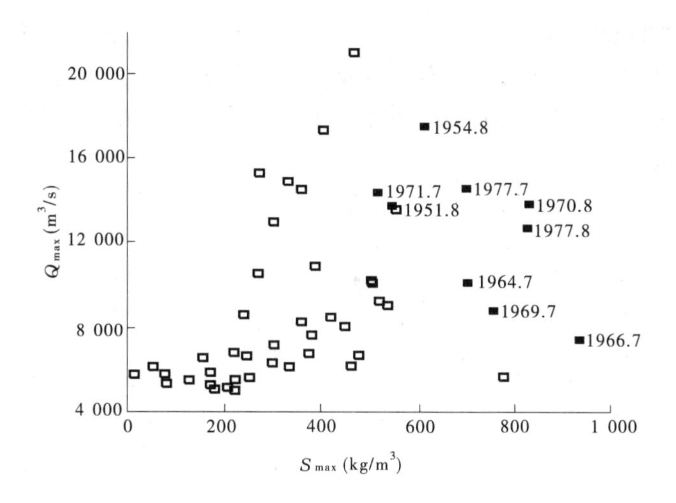

图 10　龙门站 1960～1991 年洪峰流量及最大含沙量

小北干流河段对来自河龙区间的粗泥沙也具有一定的调整作用。据分析，在龙门、华县、洑头及河津四站至潼关区间的全部淤积泥沙中，$d>0.05$mm 的泥沙约占 66%，而 $d<0.025$mm的细泥沙仅占约 13%。龙门至河口镇的区间是黄河流域的主要粗泥沙来源区，据多年平均悬移质泥沙级配统计，龙门站来沙年内级配分布差异很大，粗泥沙所占百分数 6～8 月为 24%，12 月至翌年 2 月为 65%。华县站来沙的年内级配分布差异较小，相应的数值仅为 11%及 15%[9]。可见，上述粗泥沙的调整主要发生在小北干流。

4.3　渭河和北洛河库区

泾河和渭河在临潼以上约 13km 处交汇，泾河上游马莲河和北洛河上游也是一个粗泥沙来源区，来自这些地区的洪水，泥沙组成较粗，与来自本流域内其他地区泥沙组成较细的洪水汇合，常常会形成含沙量较大的洪水。据统计，1960～1990年潼关站洪峰流量大于3 000m³/s的 136 次洪水中，渭河华县站洪峰流量大于 3 000m³/s 的洪水有 33 次，其中有 13 次洪水的最大含沙量平均为 527kg/m³，最大一次达 795kg/m³。

库区渭河、北洛河下游，比降较小，曲流发育，建库前遇漫滩洪水则滩地发生淤积，主槽则视水沙条件有冲有淤；水库初期蓄水时期，一部分河段曾一度处于坝前壅水的回水范围发生淤积；1964 年以后，除少数年份防凌蓄水期河口段受回水影响外，河道均已脱离回水影响，但是，由于前期淤积，河床调整引起的淤积上延现象较为显著。截至 1990 年，渭河、北洛河库区的淤积量为 11.4 亿 m³，占潼关以上总量的 1/3；渭河华县断面以下为 7.4 亿 m³，华县同流量水位（$Q=200$m³/s）较建库前上升了 1.5～3m，1970 年最高时曾达到 3.1m，1974 年以后大多时间在 1.5～2.5m 间变化，近几年为 2～2.5m。

由于泾、渭河水沙特性和遭遇情况不同，对渭河下游冲淤产生不同的影响。当泾河出现高含沙量的较大洪水时，渭河将产生剧烈冲刷，包括揭河底冲刷，主槽淤积末端下移；当泾、渭河出现含沙量较大的小洪水时，河道主槽将发生显著淤积；当洪水主要来自渭河林家村以上（占 40%以上）时，河道以淤积为主；当洪水主要来自渭河南山各支流时（占 40%以上），河道以冲刷为主。

用建库后各年河道主槽同流量水位（$Q=200$m³/s）水面线与建库前相应的水面线交

点来代表河道主槽的淤积末端位置，其变化过程见图 11。目前，河道主槽淤积末端位置在渭淤 26 断面上下变动，它的变化反映了在前期淤积影响下，冲积河流河床在各不同年份来水来沙条件下自动调整的结果[20]。渭河 10 断面(华县)滩槽冲淤变化以及滩面以下 $\sqrt{B}/H$ 及面积的变化见图 12。

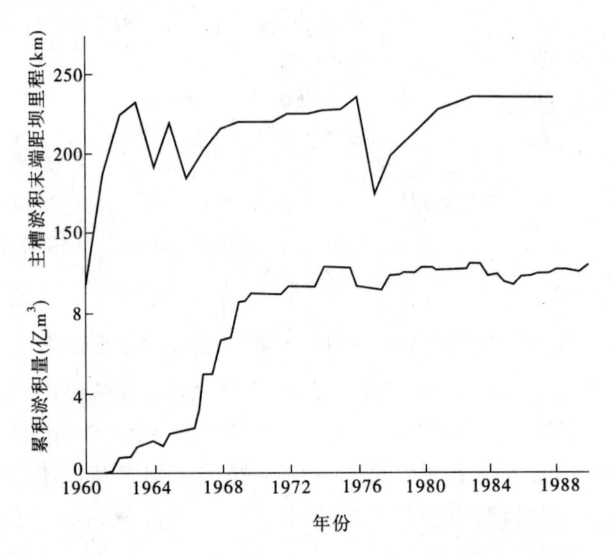

图 11　渭河淤积末端位置变化及 1960～1990 年累积淤积量

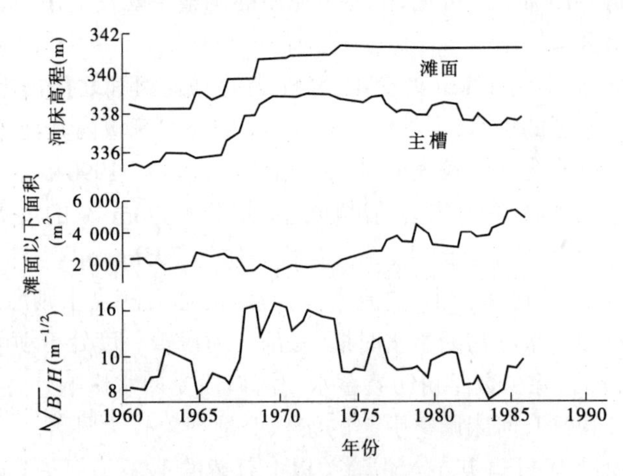

图 12　渭河 10 断面(华县)滩槽冲淤变化

赵文林等对渭河下游河槽调整及输沙特性曾进行了较详细的分析[11]。河床受前期淤积影响而进行的调整，既包括在已经发生的来水来沙条件下对河床边界条件如床沙组成、河床形态和河床纵比降的调整，也包括对某一河段平滩流量、滩槽高差等滩槽过洪能力的调整，调整的趋向是力求使河道的行洪和输沙能力适应来水来沙条件。此外，近 10 余年来渭河沿程还修建了不少桥渡和抽水灌溉的工程，这些工程修建后所发生的局部河道冲淤，也将引起河床调整，有些河段的冲淤演变也同时受到上述这两种调整作用的影响。60 年代初渭河下游沿河滩地上还修建了生产堤，淤积发展的结果，在赤水(渭淤 16)

以下逐渐形成了堤内滩面和水位高于堤外滩地的情况。

三门峡水库建库前北洛河下游就是一条具有宽阔滩地和窄深河槽的河道,建库初期受水库壅水影响滩槽均发生大量淤积,1965 年以后已脱离回水影响,河道冲淤主要受控于来水来沙条件的变化,在前期淤积的边界条件下河床仍不断进行调整,经多次洪水塑造,形成了高滩深槽的河道。高含沙量洪水塑造的窄深河槽有很大的输沙能力,即使流量较小(例如只有 $100m^3/s$)也能使洪水顺利地通过而不致发生淤积[12]。

4.4 库区淤积上延的控制问题

从前几节的分析可以看出,三门峡水库淤积特点之一是淤积上延十分显著。淤积末端的位置超出坝前最高水位与原河床交点以上 80~120km,影响范围远远超出正常回水影响的范围。前节已经提到,潼关高程对潼关以上河道起到局部侵蚀基面的作用,黄河小北干流及渭河下游河道河床高程既随着潼关高程的变化而相应地发生变化,同时又受本身水沙条件的影响发生冲淤。为了控制水库淤积上延,一方面要控制潼关高程的升高;另一方面,水库上游流域干支流已修建了大量工程,来水来沙条件已经在一定程度上受到这些工程运用的影响。在研究如何控制淤积上延问题时应考虑由于水沙条件变化所带来的影响,同时还应充分注意利用大流量冲刷河道主槽前期淤积的作用。

5 近坝库段冲淤形态及工程泥沙问题

5.1 近坝库段冲淤形态

近坝库段是指在控制运用时期汛期水位变幅很大所主要影响的河段。枢纽工程在施工过程中修建了围堰,即已在近坝库段产生一些淤积,数量虽不大,但覆盖着原为砂砾石或大卵石组成的河床,渗透系数小($k=2.9\times10^{-8}\sim1.5\times10^{-7}$),起到一些防渗铺盖的作用。经过蓄水和滞洪运用,近坝库段形成高滩深槽,滩面高程 318m 左右,沿纵深方向淤积泥沙组成粗细相间[13],河道主槽则是在前期淤积的基础上,改建的底孔投入运用后经泄空冲刷而形成的。蓄清排浑运用时期,每年均经历幅度很大的冲淤变化,相应于每年汛期 7~8 月运用水位下近坝库段的纵剖面形态可概化为三个底坡不同的河段。泄水建筑物前的一个河段是受泄水孔前三维水流影响而形成的冲刷漏斗,其顶点一般均在距坝2.5km 范围内,河宽则取决于泄水孔开启的孔数、泄量大小和淤积物组成,大体上在 420m,纵剖面多呈上凸形,纵向坡度为 2‰~53‰;漏斗以上为过渡段,河宽约 540m,长度约 5 400m,水深自上而下逐渐增加,属渐变流,底坡 5‱;过渡段上端相当于水库内所形成的锥体淤积的顶点,顶点以上锥体淤积的纵坡大致在 1.7‱~2.3‱,河宽平均约为 617m。

库区近坝库段河床形态随水库泄流建筑物运用情况的不同而发生变化,上述只是一种概化的图形。在运用水位 305~310m 以下有 0.5 亿~1.0 亿 m^3 的库容可以用于调节水沙,进行日调节发电。

5.2 不同高程泄流建筑物泄流能力与排沙比

改建前后枢纽工程的泄流能力如图 13 所示,可以看出,经过改建,大幅度地增加了各级水位,特别是低水位的泄流能力,为进行水沙调节提供了条件。目前,坝前水位 315m

的泄流能力约为 9 000m³/s(不计电站),305m 的泄流能力为 4 870m³/s,300m 的泄流能力为3 360m³/s。由于水流含沙量垂向分布有一定的梯度,因此利用位于不同高程的泄流设施泄流的含沙量也有差异,前人试验研究结果见表 4。

改建后的发电引水口底槛高程 287m,高出底孔 7m,因此利用底孔泄流也将减少过机含沙量。据实测资料分析,机组过流的含沙量仅相当于出库含沙量的 75%左右。

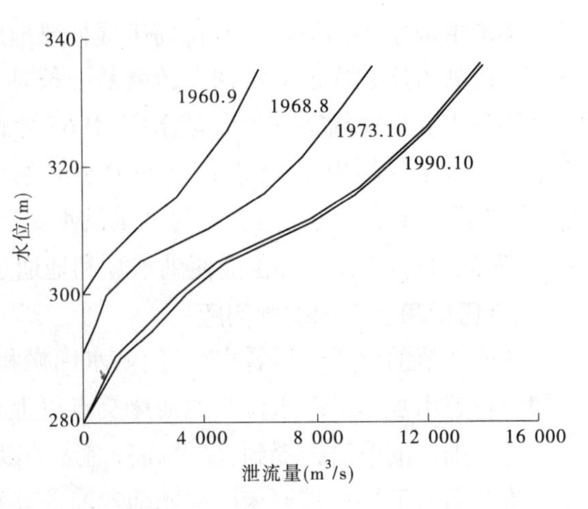

图 13 改建前后枢纽工程泄流能力

5.3 枢纽水工建筑物泥沙问题

近坝库段特别是漏斗段的水流和泥沙运动,以及含沙量较大的水流通过各种泄流建筑物以及机组,将引起许多泥沙问题,本文统称之为水工建筑物泥沙问题。前两节已简略地论述了近坝库段的河床形态和不同高程泄流建筑物的排沙特点,应当说,坝区的水流流态十分复杂,和水工建筑物的总体布局有密切的关系,在对枢纽工程各建筑物进行总体设计时,还必须考虑坝区水流和泥沙运动的特点,这也是多沙河流枢纽工程设计不同于少沙河流的一个特点。

表 4 泄流建筑物排沙能力差别

名 称	底 孔	隧 洞	深 孔
进口底槛高程(m)	280	290	300
相对含沙量	1.35	1.08	1.00
相对中值粒径比	1.43	1.12	1.00

含沙量较大的水流通过水工建筑物机组时引起的泥沙问题,大体上可分为几类:一类是水工建筑物过流部件的磨损与汽蚀问题;另一类是机组过流部件如叶片、中环等的抗磨损与汽蚀问题;其他还有如闸门启闭力问题、泄水孔出口消能问题、机组冷却水问题、拦污栅问题等等。其中有些问题在少泥沙河流工程设计中也都存在,但由于黄河水流含沙量较高,甚至引起水流性质的变化,使问题的严重程度大为增加,文献[14,15]中对此已有较详细的介绍,本文将不对此进行论述。应当指出,工程泥沙问题也是影响水库正常运用的一个重要问题,三门峡水库在设计、施工和运行中取得了一些经验教训,还须继续研究探索解决的方法,使现有工程能发挥更大的效益。

6 控制运用时期的水沙调节

6.1 水量调节

水库实行蓄清排浑控制运用与滞洪运用的主要差别就是在非洪水期可以在一定的运用水位范围内进行水量调节,每年 12 月至次年 2 月的防凌运用期间,水库可以调蓄一部分水量在下游河道行将封冻之时下泄，以推迟封河日期，避免小流量封河，增大冰盖下过流能力。封冻期间根据需要控制下泄，避免武开河。水库控制凌汛的能力取决于允许运用水位的上限以及可用库容的大小，而在这一期间水库淤积的部位以及其相应的数量又是对后者一个主要的制约因素。

水库对每年3月下旬桃汛进行调节的主要目的是利用桃汛洪水的沿程冲刷作用，降低潼关高程并调节在防凌期间淤积的部位，使其尽可能搬运到近坝库段，以便在汛期洪水时期降低水位排出水库。每年桃汛历时约10天，水量平均约12.3亿m^3，最大流量一般为2 000～3 000m^3/s。据分析，桃汛开始时运用水位应限制在315m，以有利于淤积在库首的泥沙搬家下移。3～4月份的部分水量，包括桃汛的部分水量，经过水库调蓄，在5～6月下泄，可补充春灌用水需要。据1974～1990年实测资料统计，每年水库为春灌而调蓄的水量达11亿～16亿m^3，平均为12亿m^3。

从上述可见，水库在非汛期的运用主要是对天然径流的时程分配进行了调节，同时，通过运用水位的变化使部分库首淤积物能被搬运到近坝库段以利于汛期降低水位时排出水库。但是，由于受潼关高程的制约，无论防凌期还是春灌期，最高水位以及高水位持续的时间都有一定的限制。

三门峡水库的主要任务是防洪。汛期水库的运用主要是控制下游河道不能安全宣泄的较大洪水。遇一般洪水则力求敞泄，以冲刷前期非汛期淤积物，避免滞洪淤积和排沙出库。汛期的非洪水时期，则适当抬高运用水位以限制在流量较小时期排出过多泥沙，淤积下游河道主槽。可见水库的水量调节，是在保证水库有足够的防洪库容以控制较大洪水并使下泄水流有利于减缓下游河道淤积的前提下进行的水量调节，通过这种调节，可在一定限度内发挥水库的综合利用效益。在一个运用年度内，不仅各运用时段的控制水位因来水来沙条件的差异而有所不同，而且，还可视前期淤积的情况而允许运用水位有较大的变幅，与少沙河流修建的水库相比，这是修建在多沙河流水库在水量调节方面一个极为鲜明的特点。控制运用时期水库在一个典型年内水沙量的调节过程如图14所示。

6.2 水库调节泥沙的作用

6.2.1 利用汛期来水排泄全年泥沙

对1974～1990年实测资料进行统计见表5。表中洪水时段是指洪峰流量大于3 000m^3/s的洪水时段。

由表5可以看出，来水正常或较丰年份，水库都能达到年内冲淤平衡甚至略有冲刷；来水偏枯，特别是汛期来水偏枯，洪水次数少，洪水流量小或汛期含沙量很大时，采取现行运用水位，非汛期淤积不能在当年汛期全部冲走，库内将发生累积性淤积。可见，当汛期运用水位相近时，水库能否保持冲淤平衡，汛期来水量是一个主要因素，同时还与洪峰大小、洪水次数有关。

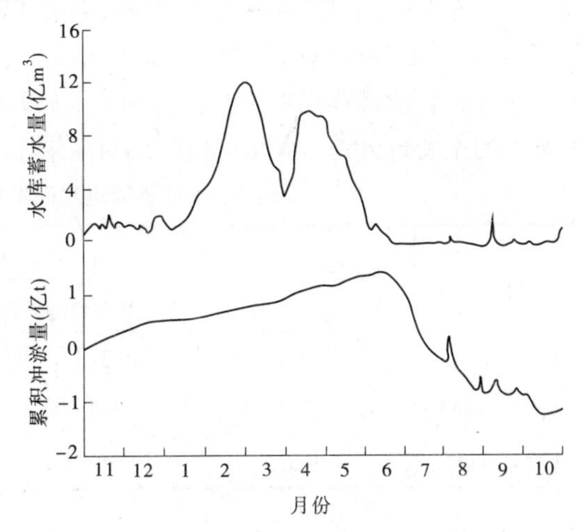

图14 典型年1983～1984年水库水沙量调节过程

表 5　年内各时段水沙量统计(1974～1990 年)

(单位:水量,亿 m^3;沙量,亿 t)

来水来沙特点	年数	全年平均		汛期平均		洪水时段平均			冲淤量	
		水量	沙量	水量	沙量	天数	水量	沙量	非汛期	汛期
枯水少沙	5	271	5.62	121	4.17	16.8	28.6	1.59	1.22	−0.79
枯水丰沙	1	333	22.13	166	0.66	17.0	53.7	16.67	1.14	0.35
中水平沙	5	358	10.57	203	9.07	41.6	103.9	6.08	1.24	−1.41
丰水少沙	6	478	9.89	298	8.18	80.3	238.6	6.97	1.27	−1.48

6.2.2　汛期利用洪水排沙并控制长时期小流量排沙

据实测资料统计,在控制运用期的洪水时段进库沙量占全年沙量平均为 53.8%,出库沙量占年沙量平均为 63.5%,较多的沙量集中于洪水期排出,不仅有利于减缓库区淤积,而且有利于下游河道输送。

水库进行滞洪运用期间,由于泄流能力不足,洪水期间滞洪淤积,洪水退落期水库泄空,流量减小而出库水流的含沙量很大。采取这种运用方式,除发生大洪水漫滩外,就整个洪水期而言,水库不会产生永久性淤积,库容可以保持,但是,在洪水退落期小流量大量排沙,下游河道主槽会发生严重淤积。1974 年以后,由于对小流量排沙进行了控制,因而在一定程度上可以减轻下游河道的淤积。当然,从统计中可以看出,受到水库调沙能力的限制,仍有一部分泥沙在流量较小时期排出。

6.2.3　对泥沙级配的调节

龙毓骞❶ 曾按不同运用时期分别统计进出库各粒径组沙量的差值,以反映各粒径组泥沙的冲淤,列于表 6。由表 6 可以看出,不同运用条件下水库对各粒径组泥沙的拦滞作用。就 $d>0.05$mm 的粗泥沙而言,蓄水运用期有 84%淤在库内,滞洪时期及控制运用期分别为 26%及 21%;对 $d>0.1$mm 的泥沙,三个时期分别为 96%、48%及 46%。可见即使水库进行蓄清排浑运用,也有一些拦粗排细的作用。钱宁曾指出,粗泥沙是形成下游河道淤积的主要成分[16],水库拦粗排细对减缓下游河道淤积是有利的。

表 6　水库不同运用时期各粒径组泥沙冲淤量　(单位:亿 t)

时段(年)	平均进库沙量	各粒径组冲淤量			
		<0.025mm	0.025～0.05mm	0.05～0.1mm	>0.1mm
1960～1964	15.2	2.8	3.7	2.7	1.7
1965～1973	17.2	−0.1	0.4	0.3	1.1
1974～1988	9.6	−0.4	−0.2	0.1	0.4

❶ 龙毓骞,黄河流域水沙变化及其对水库及下游河道影响,黄河流域水沙变化研究论文集,第二集,国际泥沙研究培训中心,1993 年。

6.2.4 改善了出库水沙搭配

经过长距离冲积河段的调整，进入水库的流量和含沙量过程一般是比较协调的，滞洪运用改变了出库水沙搭配情况，控制运用期有所改善。图 15 给出了洪水退落过程相似的两个运用年即 1966 年(滞洪期)及 1976 年(控制运用期)洪水退落期的过程线，可以看出这种差别。

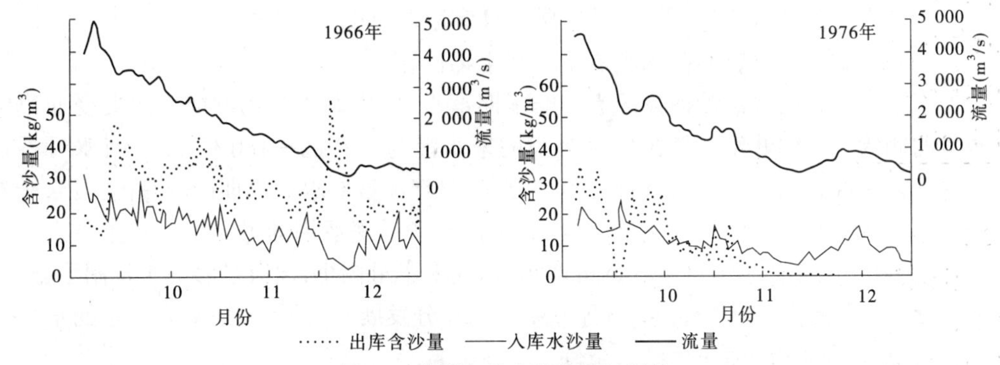

图 15 典型年洪水退落期过程线

6.2.5 调节淤积部位

前一节已经指出，非汛期淤积在库内的泥沙必须依靠汛期洪水的溯源冲刷和沿程冲刷排出水库。水库调节泥沙不仅要在数量上达到冲淤平衡，而且要通过这种联合作用使淤积在库首的泥沙得以冲刷下移。控制运用以来潼关高程的升降情况已绘于图 8。图中第一个时段，即 1974～1979 年，潼关河床上升的主要原因是非汛期蓄水位较高，高水位持续时间较长，淤积在变动回水区的泥沙未能在汛期冲刷下移所致；第三个时段，即 1986～1990 年则主要是汛期来水流量小，汛期水量尚不足 150 亿 m^3，中等以上洪水发生次数也少，洪水峰量均小，位于库首附近的河段如潼关—坫垮段已出现累积性淤积；第二个时段，即 80 年代前半期，水沙条件较有利，非汛期运用水位较低，潼关高程冲刷下降。实践证明，依靠溯源冲刷和沿程冲刷的联合作用可以在一定程度上保持并控制潼关高程以控制淤积上延。但是，其作用还在很大程度上取决于入库的水沙条件。

6.2.6 汛期发电的泥沙调节

1974～1979 年水库实行了全年低水头发电，由于水轮机叶片和底孔进口门槽磨损汽蚀严重，影响了水库的正常运用，1980～1988 年仅在非汛期进行蓄水发电。在这一期间，除进行底孔的二期改建工程外，还对磨损及汽蚀多种防护材料进行现场试验，以检验其功能。通过对运用方式的研究，认识到在汛期后半期即 8 月下旬以后的非洪水时期，入库含沙量较小，如适当调整运用水位可通过泥沙调节减小出库含沙量及其粒径，由于底孔位置较低，通过水轮机的含沙量和粒径还可进一步减小。可供泥沙调节的库容随运用水位的变化而变化，水库的作用类似于周期冲洗式沉沙池，通过这种运用可使过机含沙量减少到可以容许的限度以内以换取一定数量的发电效益。

可用 1990 年汛期的运用来说明上述调节泥沙的情况。1989～1990 年运用年度内非汛期的淤积泥沙基本上于 7～8 月洪水期间冲出水库。在 305m 高程以下约有 0.5 亿 m^3 库容可用于泥沙调节，9 月 2 日将运用水位从 302m 抬高到 305m 左右，至 9 月 14 日库区壅水范围内累计淤积约0.21亿t,与进库含沙量比较,出库含沙量减少了约10kg/m³,大于0.05mm的粗泥沙含量仅为进库的46%。此后,9月下旬又经历了两次小洪水,库区累计淤积达到近0.3亿t,10月初水库泄空冲刷,历时10天,将这部分淤积物全部冲刷出库。在整个过程中运用底孔进行调节。

6.3 水库进行泥沙调节的条件和限制

我们分析三门峡水库进行泥沙调节的条件和限制有以下几个方面。

6.3.1 非汛期有水可供调蓄,汛期有水可用于排沙

处于半干旱地区多泥沙河流的水库非汛期蓄水,可供调蓄利用的能力主要受非汛期来水量的制约。三门峡水库非汛期八个月的来水量为160亿~180亿m³。有水可蓄是实行这种运用方式的一个必要条件。另一方面,全年泥沙要求在汛期四个月内排出,排沙要求一定的水量和较大的洪水流量,这也是实行蓄清排浑运用的另一个必要条件。近几年来水量偏枯,又受上游大型水库调蓄影响,汛期来水量偏小,没有足够的水量用于排沙,大于3 000m³/s的洪水次数也少,沿程冲刷不能充分发展。可见,汛期要有一定的水量也是实行蓄清排浑运用的另一个必要条件。

6.3.2 水库地形条件应当基本上是峡谷型

三门峡水库潼关以下大部分库区,经过前期运用已形成高滩深槽;潼关以上汇流区河道宽浅,一旦淤积,不易冲刷恢复,因此水库的运用水位应尽量使回水不影响到潼关以上地区,才能达到控制淤积部位的目的,这也是三门峡水库实行蓄清排浑运用的一个制约条件。

6.3.3 必须使各级水位有足够的泄流能力及灵活操作的启闭设施

枢纽工程的泄流设施经过改建以后,水位305m时不发生滞洪作用的流量级已提高到5 000~6 000m³/s,大体上相当于下游河道在正常情况下的平滩流量;低水位295~300m的总泄量为2 250~3 360m³/s。对下游河道冲淤的分析指出,对应于最大排沙比的流量为5 000~6 000m³/s,流量大于2 500m³/s,下游河道包括下段相对窄深河段也不致发生淤积。因此,可以认为经过改建后的泄流规模大体上适应了库区和下游河道的冲淤特性,只要灵活运用,就能在一定程度上实行泥沙调节。

6.4 水库调节泥沙对下游河道的减淤作用

为了分析流域水沙变化对库区及下游河道冲淤的影响及研究水库运用,一些作者研制了适用于三门峡水库和下游河道的数学模型[1]。借助于数学模型,采用1974~1988年三门峡及潼关两站的实测资料,可计算有无水库时下游河道的冲淤量。图16是用清华大学王士强模型计算的有无三门峡水库的下游河道冲淤过程。

从图中可以看出,在计算的15年期间,多数年份有减淤作用,少数年份为增淤。如将控制运用期分为三个时段,统计各时段的平均减淤量如表7所示。

可见,三门峡水库的减淤作用主要在1985年以前,近几年还有一些增淤作用。减淤的作用主要在高村以上河段,就整个下游河道而言,多年平均减淤量约为0.49亿t。从计算结果也可以看出,如来水流量太小,水库调节泥沙能力很小,遇到不利的水沙条件,水库和下游河道均将发生淤积。

---

[1] 钱意颖等,黄河泥沙数学模型的研究和应用,"八五"攻关项目专题报告,黄委会水科院,1995年。

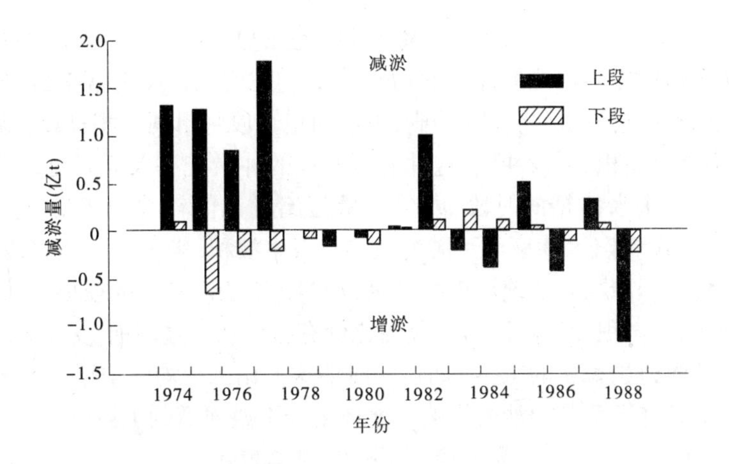

图 16　有无三门峡水库的下游河道冲淤过程

表 7　控制运用期下游各河段平均减淤情况　　(单位:亿 t)

时段(年)	下游河道总计年平均减淤量	河段年平均减淤量		
		铁谢—高村	高村—艾山	艾山—利津
1974～1979	1.00	1.22	-0.02	-0.20
1980～1985	0.03	-0.17	0.11	0.09
1986～1990	-0.54	-0.49	-0.08	0.03
合　计	0.49	0.56	0.01	-0.08

注:(+)为减淤,(-)为增淤。

7　水库修建对上、下游水环境的影响

水库蓄水初期,库区多处发生塌岸,汇流区黄河干流下段和渭河下游两岸地下水位上升,水井塌陷,盐碱化面积有所扩大。更由于淤积上延,使正常变动回水区以上河段洪水位有所抬高。改变运用方式以后,降低了运用水位,上述这些问题已经得到缓解或趋于缓和。蓄清排浑运用期,由于非汛期蓄水,或由于河势变化引起局部塌岸或塌滩,但其程度已大为减轻。由于前期淤积引起的淤积上延现象,经过多年冲积河流的自动调整已趋于稳定,运用水位降低,再加上一些工程(如排水工程、井灌)和非工程(如改种)等措施,渭河下游两岸的盐碱化程度也大为减轻。值得注意的是由于工程改建前,主槽和滩地淤高,再加上修建的生产堤,潼关以上汇流区黄河干流下段及渭河下游已出现地上河。再由于流域水沙变化,遇持续枯水年份,河道主槽萎缩,行洪能力降低,遇较大洪水,增加了防洪的负担。

水库调节水沙,进入下游河道的水沙条件发生了一些变化,下游河道也随之调整以适应这种变化。潘贤娣等曾对此进行过系统的分析[17],三个运用时期下游河道的冲淤情况如表 8 所示,表中列出了建库前的数值,由于当时实测资料较少,列出的数值仅供参考。从 30 多年来下游河道累积冲淤量的发展过程可以看出,水库初期蓄水和滞洪运用相当于下游河道约 12 年内没有累积性淤积,蓄清排浑运用非汛期下泄清水,下游河道由建库前

淤积转变为冲刷，但因流量较小，主要影响高村以上的河段。另一方面，如比较库区及下游河道上下两个河段在各时段的冲淤的相互关系，可以看出，在正常年份，如库区发生淤积，下游河道上段（高村以上）将发生冲刷，下游河道下段将出现淤积；反之，如库区发生冲刷，则下游河道上段淤积，下段冲刷，这种上下河段的冲淤交替关系正是说明冲积河流的自动调整作用。在来水偏枯的时段，或含沙量与流量比值较大的年份。如 1977、1987、1988、1990、1991 年等年份，库区和下游河道均将发生淤积；来水较丰的时段，则库区和下游河道均将出现全程冲刷。从统计情况可见，1974 年以后，来沙量较小，下游河道总的淤积速率有所减小，但淤积在下游河道下段的比例有所增加。建库前，艾山至利津河段的淤积量约占全下游河道淤积量的 12%，而这一时期这一比例平均已增至 20% 左右，可见，三门峡水库在目前条件下调节泥沙的影响主要还限于下游河道的上段。

表 8　黄河下游河道冲淤情况

时段（年·月）	年数	水沙条件		年平均冲（－）淤（＋）量（亿 t）				
		年水量（亿 m^3）	年沙量（亿 t）	总计	铁—花	花—高	高—艾	艾—利
				河段长（km）	287	198	282	78
1950～1960	10	480	17.9	2.87*				
1960.9～1964.10	4	546	5.74	－4.23	－1.49	－1.98	－0.39	－0.37
1964.10～1973.9	9	425	16.3	3.08	0.57	1.50	0.53	0.48
1973.9～1990.10	17	426	10.8	0.68	－0.01	0.26	0.29	0.14
1960.9～1990.10	平均			0.66	－0.06	0.30	0.26	0.17

注： * 系根据输沙量差除以密度 1.35g/cm^3 的估算值。

三个不同运用时期按流量级统计的水库和下游河道的冲淤量如图 17 所示。

通过水库调节，改变了进入下游河道的水沙条件，从年内水沙量的分配来说，控制运用时期非汛期下泄的总水量没有变化，但时程分配有所改变，沙量主要在汛期排往下游。由于上游大型水库的调节，非汛期进入三门峡水库和下游的水量占全年的比例有所增加，汛期有所减少。改建以前，水库削减洪峰流量的作用比较显著，改建以后，对小于 5 000～6 000m^3/s的中小洪水，水库没有或很少拦蓄，对大于 6 000m^3/s 的中等或较大洪水，水库仍将起到一些削峰滞洪作用。经过水库调节，下泄水沙的搭配情况有些变化，蓄清排浑控制运用提高了对应于最大输沙量的流量级，这一变化与下游河道平滩流量的变化是一致的。据实测资料分析，建库前下游河道的平滩流量为 5 000～7 000m^3/s，平均为 6 200m^3/s，滞洪运用期降至 2 000～4 000m^3/s，平均为 3 400m^3/s；控制运用的 1974～1985 年又恢复至 4 000～6 000m^3/s，平均为 5 040m^3/s，1986 年以后又有所降低。从宏观上分析，下游河道的输沙能力是随着平滩流量的变化而变化的，水库进行泥沙调节的一个重要目标就是要设法提高下游河道的平滩流量以减缓下游河道的淤积[1]

水库的水沙调节不仅影响到河道的冲淤演变，而且关系到水环境的变化。蓄水运用

---

[1] 钱意颖、龙毓骞等，黄河流域水沙变化及其对冲积河流自动调整的影响，见：第二届国际水科学与工程讨论会论文集，1995 年。

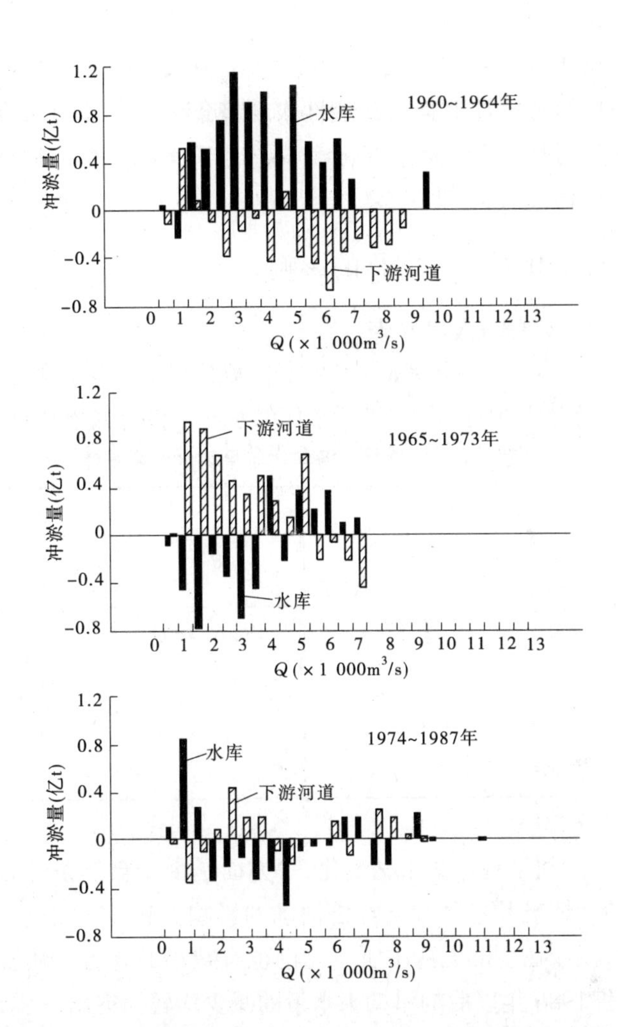

图 17　不同运用期按流量级统计的水库和下游河道的冲淤量

时期水库对下泄水温有一些调节作用，下泄中水持续时间较长也引起了高滩坍塌，控制运用期则变化较小。自 60 年代后期开始下游沿河灌溉引水量逐年增长，80 年代引水量与引沙量分别占同期来水来沙量的 17% 及 26%，灌溉引沙量已超过同期河道淤积量，每年 3～6 月份水库为春灌蓄水补充天然来水量。由于沿河大量引水，下游河道下段经常出现断流现象，断流河段长度和持续时间并有逐渐延长之势。

黄河下游河道上宽下窄，上段游荡摆动演变剧烈，实施河道整治工程的结果，缩小或限制了主流摆动幅度，过渡段的宽深比（B/H）从 60 年代中期的 420～550 缩减到 80 年代后期的 200～260，缩小了近一倍。

流域治理引起的水沙变化、三门峡水库的运用、下游沿程灌溉引水以及为防洪而修建的河道整治工程对黄河下游河道水环境演变都有一些影响，必须进行综合分析评价。相对来说，控制运用时期，三门峡水库调节能力较小，因此对水环境的影响居于次要地位。

在环境评价中曾对水库淤积物进行深层取样以探讨其组成成分和各种污染物含量以及是否会产生次生污染问题。对库区淤积物中重金属 Cu、Pb、Zn 及 Cd 的赋存形态进行了试验,试验说明泥沙除本底含砷和重金属外,还对外来的砷及重金属类物质有较强的吸附性,泥沙本底和吸附的砷及重金属在酸性水环境条件下才能解析,而黄河水属偏碱性(pH值≥7.5),氧化还原电位较稳定,不会解析造成次生污染源。泥沙的存在还能起到一定的净化水质的作用。

8 入库水沙条件变化对水库淤积的影响

8.1 入库水沙条件变化概况及其特点

黄河流域水沙变化的初步研究成果在有关文献中已有较详细的论述。表9是三门峡水库各年代水沙量统计。30余年来,进入水库的水沙条件有如下特点:

表9 三门峡水库各年代年平均水沙量统计

时段(年)	按年代统计		时段(年)	按运用情况统计	
	水量(亿 m^3)	沙量(亿 t)		水量(亿 m^3)	沙量(亿 t)
1930～1959	453	17.3	1960～1964	474	15.2
1960～1969	465	17.2	1965～1973	394	17.2
1970～1979	360	13.6	1974～1990	372	9.6
1980～1989	365	7.8			

(1)水沙量在年际间呈现一些丰枯变化,一方面是由于自然条件如降雨的差异,另一方面也是受流域治理情况及各种社会经济活动的影响。30多年来水来沙量均呈明显减小的趋势,同时,粗泥沙在全部泥沙中所占比例也有减小的趋势。从变化过程还可看出,80年代的来沙量和1986年以后的汛期来水量的减少均较为突出。

(2)由于大型水库的水量调节,沿河灌溉引水以及各种水利、水保措施的作用,水量年内分配发生了明显变化。例如上游大型水库的年内调节使汛期水量减少、非汛期水量增加,非汛期水量所占比例已由原来的40%增加到50%以上。

(3)入库干支流水沙变化的总趋势是一致的,但各河流的情况有所差异。如以50年代的水沙量作为基数,70～80年代黄河干流及渭、北洛、汾河水沙量减少的百分数如表10所示。

表10 70～80年代黄河干支流水沙量减少百分数

年 代	黄河龙门		渭河华县		北洛河洑头		汾河河津	
	水量	沙量	水量	沙量	水量	沙量	水量	沙量
70年代(%)	10	32	31	10	12	14	41	73
80年代(%)	16	62	11	35	−7	46	61	93
50年代年均值	321	11.9	85.5	4.3	6.7	0.9	17.6	0.7

(4)经干支流水库的调节,下泄的洪峰流量均有所减小,如果暴雨强度不是很大,各类

水土保持措施也都有削峰滞洪作用，因此入库洪水的洪峰流量和大于某级流量出现的机遇均有减少。

8.2 水沙变化对水库淤积及其分布的影响

入库水沙条件的变化对水库淤积将会产生影响。非汛期来水量增加，加剧了沿程河道的冲刷，在水库防凌蓄水运用期间将加重库首变动回水区的淤积；汛期水量减少，特别是大流量出现的机遇减少和小流量持续时间加长，对汛期利用洪水冲刷库首淤积十分不利，使近10年来潼关上下河段均出现累积性的淤积，潼关高程居高不下。

此外，入库水沙条件的变化还削弱了库区河道水流的输沙能力。图12所示1984～1985年渭河10断面主槽过水面积很大，平滩流量已基本上恢复到建库前水平。1986年以后，河槽萎缩，滩面以下主槽面积和平滩流量减小很多，进入90年代尤为显著，这与近几年水沙条件有很大关系。

不少同志均曾对上游龙羊峡、刘家峡等大型水库进行水量调节后对三门峡水库和下游河道冲淤影响进行分析研究，我们也曾用数学模型计算以比较有无大水库调节对库区冲淤的影响。这些分析和计算结果定量上有些差异，但定性上是完全一致的，即由于上游水库的调节，均将对三门峡水库起到减冲增淤的作用。

由于流域水沙变化对水库和下游河道的影响，在三门峡水库运用研究的总结工作中提出了水库各时期的运用指标应根据库区和下游河道的淤积状况和来水来沙情况适时进行必要调整的建议。这也从一个侧面反映了对于多泥沙河流水库，不仅在规划设计中必须考虑泥沙问题，而且在运用水库进行水沙调节时也必须注意对泥沙淤积部位的调整。

通过以上分析，可以得出以下几点主要认识：

(1)三门峡水库修建以来所取得的一条基本经验就是在规划、设计和运用的全过程中必须正确处理泥沙，工程经过改建，扩大了各级水位的泄流能力，采取了蓄清排浑控制运用方式，水库在实行水量调节的同时进行了泥沙调节，既保持了一定的可供长期使用的防洪库容，控制了淤积上延，又使下泄水沙有利于下游河道输送，起到了减缓下游河道淤积的作用，这不仅使三门峡水库能在一定程度上发挥其综合利用的效益，也为多泥沙河流水库的兴建提供了经验。

(2)水库淤积的发展与入库水沙条件有密切关系，经过多年的黄河治理和流域内各种社会经济活动，黄河流域的水沙情况正在发生变化，进行水沙调节的各时期运用水位应根据来水来沙以及库区和下游河道的淤积情况及时进行调整，以保持库区在一定时期内的冲淤平衡。

(3)对水库和下游河道进行了长期系统的测验研究，取得了大量资料，提供了深入认识水库泥沙问题的坚实基础。根据实测资料对库区河道冲淤演变、河床调整以及水流泥沙运行规律的分析研究，不仅为解决水库泥沙问题提供了依据，而且使我们的认识由感性上升为理性，促进了学科的发展。

(4)经过多年的实践，虽然已经探索了一条通过水库合理运用处理泥沙的方法，但是，黄河的泥沙问题十分复杂，水库泥沙冲淤规律也还有许多未被认识的领域，必须遵循辩证唯物论的实践→认识→再实践→再认识的指导原则，在今后的实践中继续深化我们的认识。

参 考 文 献

[1] 大坝会议论文编写小组．黄河三门峡水库的泥沙问题．见:坝工建设经验汇编．北京:水利出版社,1976

[2] 杨庆安,龙毓骞,缪凤举．黄河三门峡水利枢纽运用与研究．郑州:河南人民出版社,1996

[3] 程龙渊,等．三门峡水库淤积测量方法初步分析．见:黄河三门峡水利枢纽运用研究文集．郑州:河南人民出版社,1994

[4] 李松恒,龙毓骞．黄河下游输沙率修正方法和应用．泥沙研究,1994(3)

[5] 程龙渊,等．三门峡水库淤积初期干容重观测与应用的探讨．见:黄河三门峡水利枢纽运用研究文集．郑州:河南人民出版社,1994

[6] 熊贵枢,等．黄河下游泥沙测验误差分析．见:第二届河流泥沙国际学术讨论会论文集．北京:水利电力出版社,1983

[7] 龙毓骞,林斌文,等．输沙率测验误差的初步分析．泥沙研究,1982(2)

[8] 钱宁,等．黄河下游输沙能力自动调整机理初步研究．地理学报,1981,36(2)

[9] 杜殿勖．黄、渭、汾、北洛河粗细泥沙来源及汇流分组泥沙冲淤规律．见:黄委会水科院科学研究论文集．第四集．北京:中国环境科学出版社,1993

[10] 杜殿勖．三门峡水库不同运用期渭河及北洛河下游河道冲淤规律分析．见:黄河三门峡水利枢纽运用研究文集．郑州:河南人民出版社,1994

[11] 赵文林．渭河下游河槽调整及输沙特性.见:黄委会水科院科学研究论文集．第四集．北京:中国环境科学出版社,1993

[12] 齐璞,孙赞盈．北洛河下游河槽形成与输沙特性．地理学报,1995(2)

[13] 涂启华,何宏谋．坝区水流泥沙运动和漏斗形态分析研究．见:黄河三门峡水利枢纽运用研究文集．郑州:河南人民出版社,1993

[14] 魏永晖,胡德祥．三门峡水利枢纽底孔的破坏和修复设计．见:黄河三门峡水利枢纽运用研究文集．郑州:河南人民出版社,1993

[15] 金瑞俊,詹道经,等．三门峡水电站运行情况总结．见:黄河三门峡水利枢纽运用研究文集．郑州:河南人民出版社,1993

[16] 钱宁,等．黄河中游粗泥沙来源及其对黄河下游冲淤的影响．见:第一届河流泥沙国际学术讨论会论文集．北京:光华出版社,1980

[17] 潘贤娣,赵业安,李勇,等．三门峡水库修建后黄河下游河道演变．见:黄河三门峡水利枢纽运用研究文集．郑州:河南人民出版社,1993

输沙能力公式在黄河上的适用性

研究冲积河流的输沙能力是研究冲积河流泥沙问题的重要基础。已发表的各种输沙能力公式,就其推导过程所依据的理论而言,主要有三种类型:一是以力学和随机理论为基础推导的公式,如 Einstein 床沙质函数以及王士强等以 Einstein 公式为基础推导的公式;二是以能量损耗理论为基础推导的公式,如张瑞谨公式、Engelund and Hansen 公式、杨志达公式;三是采用因次分析方法得出的公式等。黄河系多沙河流,河床演变极其复杂,它也是一条泥沙能充分得到补给的河流,其输沙量将可迅速地调整到具有挟沙能力的准平衡条件。因此,有可能利用实测输沙资料检验各输沙公式并讨论上述三类公式在黄河上的应用问题。

1 实测资料

黄河干支流大部分水文站从 50 年代起即进行了悬移质输沙率测验。为进行验证,选用了每次测验前后同流量水位变化较小,即冲淤变化较小的 80 年代下游一些站的资料及 50 年代土城子资料,共 325 组,作为对全沙的主要的验证资料。同时,还采用了 80 年代黄河上、中游一些站的资料作为旁证。水文站实测资料都是进行悬移质输沙率测验时所收集的。作者用林斌文、梁国亭研制的全沙计算方法,根据实测悬移质资料计算全沙输沙率,并以此作为比较的基础。Nordin 在指导研究生用亚马孙河及密西西比河资料对 Englund & Hansen 公式进行验证工作时也采用了类似的方法。

20 世纪 50 年代末 60 年代初黄河中下游一些站曾用改进后的顿式取样器实测推移质。本文选用了其中级配资料较齐全的 260 组作为对推移质的主要验证资料。

2 第一类输沙能力公式的应用

王士强等继承并发展了 Einstein 全沙公式的理论,并利用实验资料对泥沙颗粒跃移运动机理及相应的参数进行了深入的研究,提出了改进后的推移质、悬移质和全沙统一的输沙能力公式。

$$i_T q_T = K_D \cdot i_b q_b [1 + 11.6 K_S \cdot u_* / u_b) \cdot (P I_1 + I_2)] \tag{1}$$

式中 $i_T q_T$、$i_b q_b$——各组泥沙单宽全沙输沙率和推移质输沙率;

K_D——考虑粗、细颗粒相互影响的系数;

K_S——反映床面附近泥沙浓度分布的系数,王士强进一步研究了 K_S 的变化规律,并建立了 K_S 与 θ 之间的关系,本文为方便计算,取平均值 $K_S = 0.81$;

u_*、u_b——摩阻流速和推移质运动速度;

P——$P = 2.3031g(30.2h/\Delta)$,$\Delta$ 为相对粗糙度。

作者:张原锋、龙毓骞、申冠卿。本文的英文稿曾在 1998 年第 7 次国际河流泥沙会议上发表。

$$I_1 = 0.216\left(\frac{A^{z-1}}{1-A^z}\right)\int_A^1\left(\frac{1-y}{y}\right)^z dy, I_1 = 0.216\left(\frac{A^{z-1}}{1-A^z}\right)\int_A^1(\frac{1-y}{y})^z \ln y dy,$$

$$A = a/h, z = \frac{\omega}{\kappa u_*}; i_b q_b = i_0 \cdot \phi \cdot D_g$$

$$\phi = 5.55(\gamma_S/\gamma)^{0.86}\theta^m \qquad D_g = D^{3/2}g^{1/2}\gamma_S((\gamma_S-\gamma)/\gamma)^{1/2}$$

$$m = 1.3 + 0.13(\gamma_S/\gamma)^{0.42}\theta^{-0.68} \qquad \theta = \frac{\gamma}{\gamma_S-\gamma}\cdot\frac{RJ}{D} \tag{2}$$

式中 a——床面层厚度；

h——水深；

i_0、i_T、i_b——床沙、全沙、推移质中各粒径组泥沙所占百分数；

κ——karman 数；

ω——泥沙沉速；

D——泥沙粒径；

R——水力半径；

J——能坡；

g——重力加速度；

γ_S、γ——泥沙和清水容重。

Einstein 在全沙公式的推导中，假定 $a=2D$，$u_b/u_*=11.6$，与实际情况不符。王士强等根据水槽试验资料建立了如下关系

$$\frac{a}{D} = 4.47\left(\frac{\gamma_S}{\gamma}\right)^{0.7}\Psi^{-m_1} \tag{3}$$

$$\frac{u_b}{u_*} = 12.7\left(\frac{\gamma_S}{\gamma}\right)^{0.17} - 3\left(\frac{\gamma_S}{\gamma}\right)^{0.3}\Psi^{0.35} \tag{4}$$

式中 $m_1 = 0.25 + 0.1\left(\frac{\gamma_S}{\gamma}\right)^{0.2}\Psi^{0.5}$；$\Psi = 1/\theta$ 。王士强对上述 a 值作了进一步修正，如以 a_0 代表由式(3)求出的 a 值，王士强建议，在一般含沙量情况下：

$$\frac{a}{a_0} = 1.6\left(\frac{H}{D_{50}}\right)^{0.3} \tag{5}$$

对于高含沙量情况，式(5)右侧应乘以 κ^2，系数应改为 10；其中 κ 为 Richardson 数的函数。因计算复杂且需要悬移质级配，本文仍按式(3)求解。

本文作者在利用王士强公式进行黄河输沙能力计算时，利用黄河下游实测资料对其中的推移质公式及反映非均匀沙输移的系数 K_D 等进行了修正。修正后的推移质公式为

$$1 - \frac{1}{\sqrt{2\pi}}\int_{-\sqrt{1.076\Psi}-3.125}^{\sqrt{1.076\Psi}-3.125} e^{-\frac{t^2}{2}}dt = \frac{5.5\phi\Psi^{0.5}}{1+5.5\phi\Psi^{0.5}} \tag{6}$$

式中 $\phi = \frac{q_b}{\gamma_S}\cdot\left(\frac{\gamma}{\gamma_S-\gamma}\right)^{0.5}\cdot\left(\frac{1}{gD^3}\right)^{0.5}$；$q_b$ 为推移质单宽输沙率。

本文采用实测资料进行验证，如以计算值与实测值之比为差值比（D_R），全部资料中约有 52% 的 D_R 值在 0.5～2.0 之间，76% 在 0.3～3.0 之间。考虑到实测推移质的不确定性，可以认为计算结果大体上能够反映黄河推移质的输移情况。

本文利用公式(1)及式(2)对黄河实测资料进行了全沙输沙率计算。计算中对系数 K_D 作了修改，建立了 K_D 与 D_m 的关系如图1所示。

图中：$D_m = f(D, u_e, \sqrt{h/D_{50}})$，$u_e = \frac{uD_{50}J}{\nu}\left(\frac{\gamma_S-\gamma}{\gamma}\right)^{1/3}$，$u$ 为平均流速；ν 为运动黏滞系数；D_{50}为床沙中值粒径。

用修正后的王士强全沙公式对黄河下游325组资料计算的结果如图2所示。本文暂且采用0.025mm粒径作为区分床沙质与冲泻质的标准。如按 D_R 值进行统计，全部资料中约有68%的点子在0.5～2.0以内，88%的点子在0.3～3.0以内，小于1.0的点子占40.9%，其中，专为研究输沙能力所收集的19组土城子资料中有84.7%的点子 D_R 值在0.5～2.0以内，100%的点子在0.3～3.0以内。若将计算的床沙质输沙率与实测的冲泻质输沙率之和作为全沙输沙率，并统计其计算结果94.2%的点子 D_R 值在0.5～2.0以内，98.5%的点子在0.3～3.0以内。图3系用80年代可明显判别冲淤的资料的计算结果。

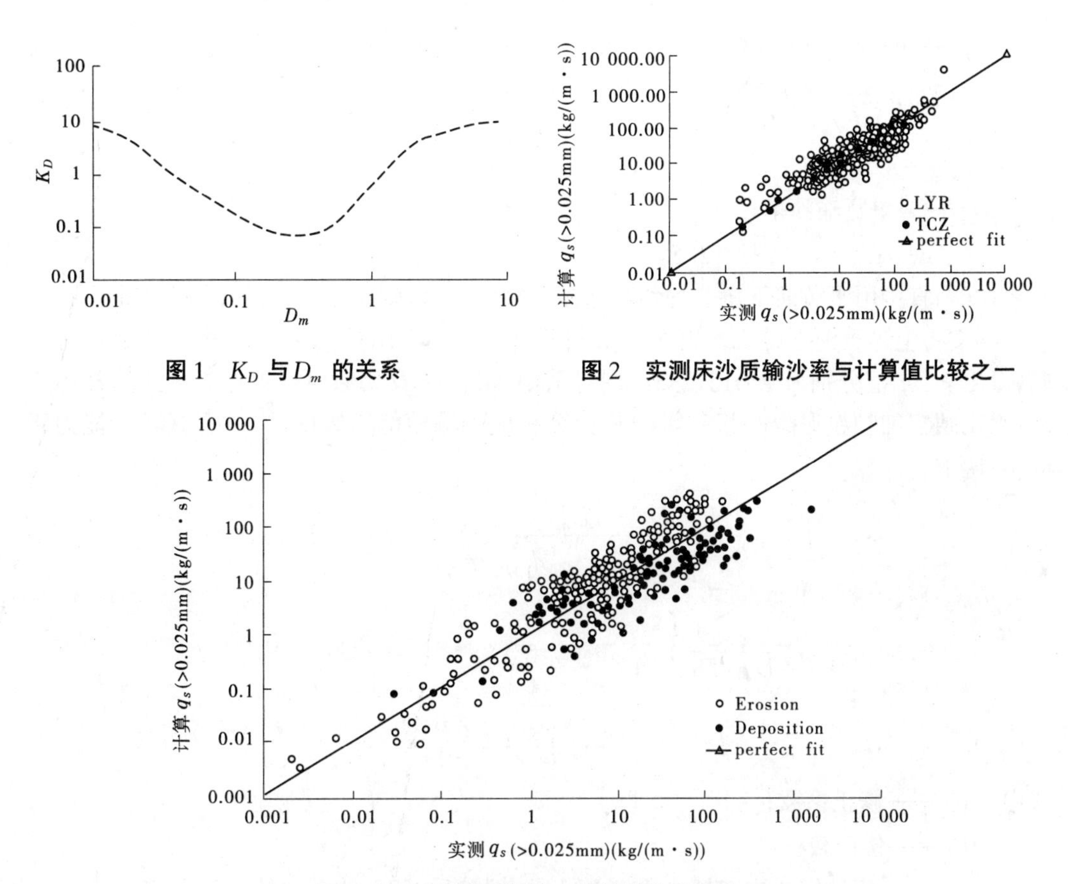

图1　K_D 与 D_m 的关系

图2　实测床沙质输沙率与计算值比较之一

图3　实测床沙质输沙率与计算值比较之二

用修正后的王士强全沙公式计算分组泥沙的结果，对大于0.025mm小于0.05mm的中等泥沙，68%的点子的 D_R 值在0.5～2.0以内，88%的点子在0.3～3.0以内；对大于0.05mm较粗泥沙，59.7%的点子在0.5～2.0以内，84.6%的点子在0.3～3.0以内。

可见，公式计算的结果可大体反映分组泥沙的输移情况。

对黄河上中游大禹渡、潼关、龙门、头道拐等站80年代部分资料的计算结果，就床沙质而言，535组资料中约有66%的点子的D_R值在0.5～2.0以内，85.2%的点子在0.3～3.0以内，小于1.0的点子为54%；就全部泥沙而言，95%点子的D_R值在0.5～2.0以内，平均值为1.1。可见，用修正后的王士强全沙公式计算黄河干流各站的输沙率能够达到一定的精度。

3 第二类的输沙能力公式应用

这类公式的推导过程及假定各不相同，但是，其实质均可用$C=f(V,\omega,h,J)$的函数形式来表示。本文将分别讨论这类公式的特点及在黄河上应用时所做的修正。

3.1 Englund and Hansen 公式

Englund and Hansen 根据能量损耗原理，建立了如下输沙关系：

$$f'\phi_e = k\theta^m \tag{7}$$

式中 f'——$f'=2gJd/u^2$；

θ——$\theta=\dfrac{\gamma hJ}{(\gamma_S-\gamma)D}$；

u——平均流速；

q_t——单宽输沙率；

k、m——$k=0.1, m=2.5$。

若将式(7)直接用于黄河下游非均匀沙床沙质输沙计算，则误差较大，如图4(a)所示。

本文将上述黄河下游325组实测资料任选一半，即163组，对该公式主变数进行回归，得出k、m值分别为0.015、2.3。同时采用 Molinas 及吴保生根据通过修正床沙组成D_{50}来反映粗细颗粒泥沙的相互影响及计算相应于输沙能力级配的方法，其输沙能力级配P_{ci}按下式计算：

$$P_{ci} = \frac{P_{bi}(D_b^{\alpha} + \zeta D_b^{\beta})}{\sum_{i=1}^{N} P_{bi}(D_{\beta}^{\alpha} + \zeta D_b^{\beta})}; \quad D_b = D_i/(K_g D_{50})$$

$$K_g = \frac{1.8}{1+(\sqrt{D_{84}/D_{16}}-1)^{1.1\sqrt{u_*/\omega_{50}}}} \cdot \alpha = -3.2\exp(-0.007h^{-2.5})$$

$$\beta = 0.2\sqrt{\frac{D_{84}}{D_{16}}}; \quad \zeta = \frac{0.06}{Fr^{3.5}}$$

式中 K_g——修正系数；

Fr——佛氏数；

D_{50}——床沙组成中扣掉小于0.025mm泥沙后，50%的泥沙较之为小的粒径。

用公式(7)及修正后的公式对黄河下游另外162组资料的计算结果如图4(b)所示。计算值与实测值关系的点群均匀分布于45°线两侧。据统计，约有64%的点子在0.5～2.0以内，88%的点子在0.3～3.0以内。

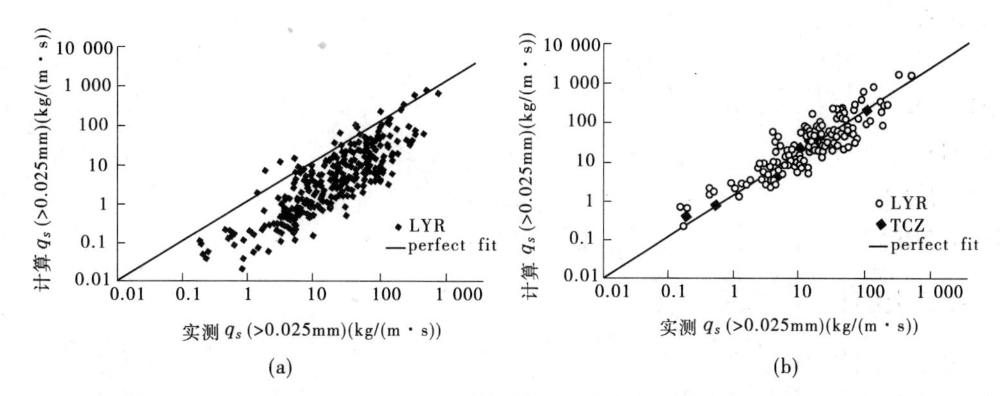

图 4　用 Englund and Hansen 公式计算黄河下游床沙质输沙率与实测值比较

3.2　杨志达公式

杨志达认为冲积河流中单位水流功率是决定含沙量的主导因素，并据此推出了其床沙质输沙能力公式：

$$\lg C_{ts}=5.165-0.153\lg\frac{\omega D}{u}-0.297\lg\frac{u_*}{\omega}+\left(1.780-0.360\lg\frac{\omega D}{v}-0.480\lg\frac{u_*}{\omega}\right)\lg\frac{uJ}{\omega}\tag{8}$$

式中：C_{ts}为床沙质含沙量，以10^{-6}计；将式(8)用于计算均匀沙计算时 ω 可根据泥沙粒径求出，而用于非均匀沙计算时，输沙能力的计算结果会因 ω 的不同计算方法而产生较大的差异。杨志达在计算实例中，用床沙质中值粒径来计算沉速。采用这种方法于黄河下游的计算结果如图 5(a)所示。若利用上述 163 组资料重新率定式(8)中的参数(其中含沙量以 kg/m^3 计)依次为 2.5、0.2、0.6、1.09、0.117、0.015；再计算上述另外 162 组资料的精度可大为提高。D_R 在 0.5～2 以内的点子由 35% 提高到 71%，D_R 在 0.3～3 以内的点子由 55% 提高到 94%，如图 5(b)所示。

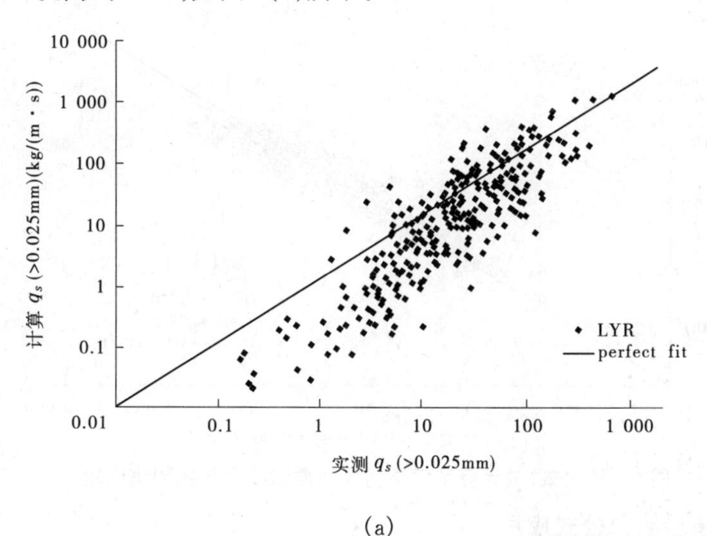

(a)

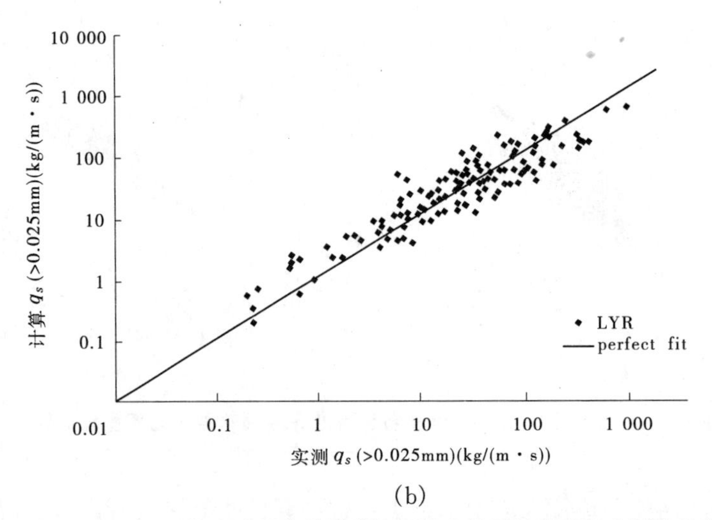

(b)

图 5 用杨志达公式计算黄河下游床沙质输沙率与实测值比较

3.3 张瑞谨公式

张瑞谨等从能量平衡的观点出发，根据黄河、长江等大量实测资料及室内实验资料建立了水流输沙能力公式，通常称之为武汉水院公式：

$$C_{*}=0.22\left(\frac{U^{3}}{gh\omega}\right)^{0.76} \tag{9}$$

式中 C_*——床沙质含沙量，kg/m^3；

ω——床沙质沉速，本文将式(5)用于黄河非均匀沙输沙能力计算时，以悬移质中床沙质平均沉速来计算 ω($\omega=[\sum(P_{is}\cdot\omega_i^{0.76})]^{1/0.76}$；

P_{is}——大于 0.025mm 的悬沙级配中第 i 组的比例。

对黄河下游 325 组资料的计算结果中有 77% 的点子 D_R 值在 0.5～2.0 以内，95% 的点子在 0.3～3.0 以内，如图 6 所示。

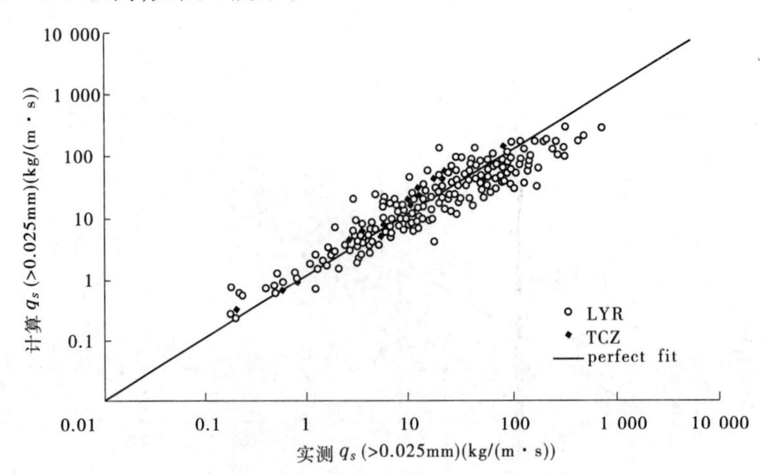

图 6 用公式(5)计算黄河下游床沙质输沙率与实测值比较

3.4 第三类的输沙能力公式应用

作者采用因次分析的方法，并考虑了黄河的输沙特点，得出如下公式：

$$C_* = 0.01\left(\frac{\gamma_m}{\gamma_S - \gamma_m}Fr\right)^{0.6}\left(\frac{u}{\omega_m}\right)^{0.66}\left(\frac{h}{D_{65}}\right)^{0.4} \tag{10}$$

式中　C_*——床沙质含沙量；

ω_m——大于0.025mm的床沙组成加权计算的沉速（$\omega = 1/[\sum(p_{ib}/\omega_i^{0.66})]^{1/0.66}$，$p_{ib}$为用大于0.025mm的床沙级配中第 i 组的比例）。

用上述325组资料对式(6)进行检验，全部组资料中约有80%的点子D_R值在0.5～2.0以内，95%的点子在0.3～3.0以内，如图7所示。

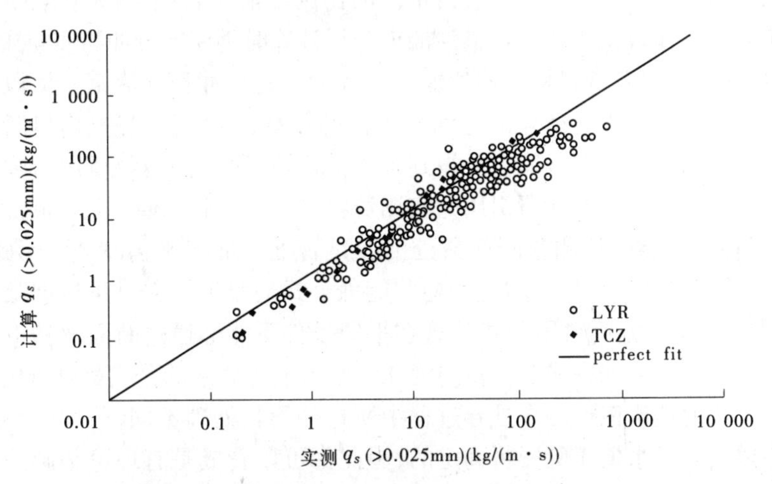

图7　用公式(6)计算黄河下游床沙质输沙率与实测值比较

将上述公式(3)、(4)、(5)、(6)用于黄河中上游535组资料，D_R在0.5～2.0以内的点子所占百分数分别为53%、64%、64%、52%。对个别水文站还有系统偏差的情况。

4　讨论

(1)各类公式对非均匀中沙粗细泥沙颗粒相互作用的考虑。除第一类公式外，其余公式均系按均匀沙的概念推导的，当用于非均匀沙计算时，应对泥沙的非均匀特性进行处理，而泥沙的非均匀特性主要表现为粗细颗粒泥沙相互作用。目前，粗细颗粒泥沙相互作用的机理尚不十分清楚。不同的输沙能力公式对这种作用的处理也不相同。第一类公式用非均匀沙系数或隐蔽系数来反映粗细泥沙的相互作用，并通过室内实验和野外资料建立了非均匀沙系数与水流强度及粒径因子之间的关系。从上述计算结果来看，修正后的王士强公式用于河床组成较粗且水流强度较弱的河段时，计算结果还有偏小的情况。在应用第二类公式时，何明民、李义天及Molinas、吴保生等均提出了根据床沙级配计算与输沙能力相应的级配的方法。Molinas及吴保生建议可通过修正泥沙沉速或粒径来反映泥沙的非均匀性，他们引用了一个与床沙分选系数和摩阻流速有关的参数k_g来修正粒径，或以此粒径来计算相应的沉速。作者想说明的是在进行河流输沙能力预测计算时，悬移质或全沙级配是未知数。在泥沙数学模型中，对小河段及小时段，可采用上站含沙量及悬沙级配来试算或近似地代替。本文提到的第三类用因次分析的方法求得的公式中的沉速则是以床沙中相应于的床沙质的那一部分级配的平均沉速来代替相应于输沙能力的沉速,或将床沙级配代替输沙能力级配,实际上这二者是不相等的。综上所述,各类公式用于黄河非均匀沙计算时,均存在一定的问题。但是,第一类公式对粗细泥沙相互作用的处理,物理概念正确,有一定的实验基础,考虑的因素较其他公式的处理全面。

(2)区分冲泻质与床沙质的问题。Einstein 和王士强全沙输沙公式都是以区分冲泻质与床沙质为前提的。当然,现用的区分冲泻质与床沙质的方法都带有一定的经验性,而且,床沙组成和水流条件的改变也使原来区分的冲泻质与床沙质发生变化。但是,在区分冲泻质与床沙质后,实际计算的通过某一断面的全沙输沙率可以达到较好的精度。本文所采用的黄河下游 325 组资料中冲泻质占全沙的比例变幅很大,平均为 0.43, 比值小于 0.5 的资料有 42%。作者认为在进行输沙能力分析计算时仍应区分冲泻质与床沙质。

(3)关于用水文站实测资料检验输沙能力公式的问题。冲积河流某一河段的输沙能力是指在河段接近冲淤平衡时能够通过河段下泄的沙量, 此时河段进、出口断面的输沙率才近于相等。黄河是一条泥沙能充分得到补给的河流,其实测资料可用于输沙能力的研究及各输沙公式的检验。本文所引用的实测资料只是某一时刻通过某一断面的水沙资料,仅从这些资料并不能反映测验断面所处河段是否处于冲淤平衡状态。因此,严格来说,本文所进行的工作不能认为是对全沙输沙能力公式的验证。它只是根据某一断面实测的河床边界条件和水流资料用公式计算在平衡条件下能够通过断面输移下泄的输沙率。已发表的一些反映输沙率或含沙量与河床及水力因子关系的公式都可以用于上述计算。由于各家公式的理论依据和在推导过程中所作的简化处理不同,公式中一些参数的系数和指数主要是利用水槽实验资料确定的,因此都可以看成是有理论基础并带有一定经验性质的公式。初步检验表明,王士强公式经适当修正后能较好地适应不同河段,而在应用经验性较强的公式时,例如本文提到的第二、三类公式, 其系数和指数须用当地实测资料重新率定,才能得到较好的计算成果。

参 考 文 献

[1] Mantz Peter A. 黄河泥沙输送资料分析. 人民黄河,1987(1)

[2] Garcia, Lilian P. Transport of Sands in Deep Rivers. Dissertation for partial filfillment for Ph D, Colorado State University, Fort Collins, CO, USA,1995

[3] 王士强,张任,惠遇甲 . New Equation of Sediment Transport Rate. Intern. Journal of Sediment Research, 1995,10(3)

[4] 王士强,陈骥,惠遇甲 . 明槽水流的非均匀沙挟沙力研究. 水利学报,1998(1)

[5] 张原锋,龙毓骞 .Einstein 推移质公式的改进研究 . 泥沙研究,1996(4)

[6] 钱宁,万兆惠 . 泥沙运动力学. 北京:科学出版社,1983

[7] Molinas A, Wu, Baosheng. Transport of Nonuniform Sediment Mixture, (personal correspondance). 1997

[8] Yang, Chih Ted. Sediment Transport——Theory and Practice. The McGraw－Hill Companies, Inc. 1997

[9] 武汉水利电力学院河流泥沙工程学教研室 . 河流泥沙工程学(上). 北京:水利电力出版社,1983

[10] 何明民,韩其为 . 挟沙能力级配及有效床沙级配的概念 . 水利学报,1989(3)

[11] 李义天 . 冲淤平衡状态下床沙级配初探. 泥沙研究,1987(1)

水库泥沙与实验研究

在我国一些河流的开发治理中泥沙问题十分突出。黄河泥沙问题更是举世瞩目。新中国成立以来,在黄河干支流已修建了小(一)型以上的水库600余座,总库容已超过了进入黄河下游的年均径流量。引黄灌溉及供水已达年径流量的50%以上。黄土高原水土保持初步治理面积为17万km^2。这些水利水保措施在防洪、防凌、水资源综合利用及减缓下游河道淤积方面发挥了作用,促进了国民经济的发展,取得了巨大的社会经济效益。

早在20世纪50年代初期,水利及有关部门,即对黄土高原的侵蚀与产沙问题组织了大规模多学科的调查勘测,同时组织了实验站、队对一些多泥沙河流的水库淤积、渠系泥沙、河道及河口河床演变,坡面径流及产沙等开展了系统的水文泥沙测验研究。就水库泥沙而言,通过对官厅水库的测验研究取得了对常年蓄水水库淤积和异重流的形成与发展的认识。以后,丹江、红山、巴家嘴、刘家峡等水库的观测研究进一步丰富和深化了这些认识,使我们对常年蓄水运用的水库泥沙问题有了较为完整的了解。对闹得海水库的研究取得了对滞洪运用水库冲淤特点和工程布局的认识。黑松林水库首创应用了蓄清排浑的运用方式。随后在不少中小型水库中形式不同程度地得到推广应用,对保持库容起到了很大的作用。一些水库结合当地情况采取多种形式清淤排沙也取得了很好的经验。对永定河、黄河、汉江下游及长江中下游进行的河床演变观测和调查研究使我们对水库修建后下游河道问题有了全面的了解。这些工作为研究河流泥沙的输移和冲淤规律提供了十分丰富的资料,也为水库工程的规划、设计和运用提供了经验。

黄河三门峡水库枢纽的修建和运用是治理黄河的一次重大实践。水库建成之初即对水库淤积、塌岸、浸没等问题开展了大规模测验研究。工程于1960年建成,初期采取蓄水运用方式,水库库容损失迅速,库周盐碱化、沼泽化面积扩大,出现了不少问题。1962年春即改为滞洪运用。浸没问题虽有所缓解,但由于泄流能力不足,淤积仍继续上延发展。因此决定对泄流设施进行改建,并于1974年开始实行蓄清排浑调节水沙的的运用方式。1974～1985年库区淤积得到缓解,既保持了长期可供使用的防洪库容30亿～60亿m^3,又起到了对下游河道每年平均减淤约0.3亿m^3的作用。1986年以后龙羊峡水库投入运用,汛期来水减少,自然气候因素和流域治理的双重影响使来水来沙条件发生了明显的变化,出现了连续多年的枯水系列。库区又发生累积性淤积,难以保持年内的冲淤平衡。

三门峡枢纽工程原规划的失误在于以淹没大量肥沃土地换取较大库容,对水土保持发展速度估计过高,以及重拦轻排忽视黄河下游的泄洪排沙能力。原规划不符合我国的国情和实际情况,在水利建设史上是一次深刻的教训。但是,改建后水库的多年运用实践取得了很多建设和运用多目标水库的经验,对多泥沙河流的开发治理有十分重要的意义。黄河小浪底工程正是继承了三门峡的经验,设计了足够的泄流规模并具备相当大的调节水沙的能力,它的建成和运用对保证黄河下游的防洪安全和水资源综合利用将起到十分

作者:龙毓骞。原文系为纪念水利学会成立60周年而作。

重要的作用。举世无双的长江三峡工程在建成后也将采取蓄清排浑调节水沙的运用方式以保持库容长期发挥作用。

根据实测资料的分析研究，总结三门峡水库40年运用实践的主要经验有以下几点：

(1)蓄清排浑运用。在黄河多泥沙河段上修建水库必须采用蓄清排浑的运用方式，并在调节水量的同时注意对泥沙进行调节。蓄清排浑的运用要有一定的水沙条件。非汛期必须有水可供调蓄，汛期必须有水可用于排沙，才能作到保持一个或几个年度内水库的冲淤平衡。1986年以后汛期水量太小，使非汛期蓄水阶段淤积的泥沙不能在洪水期全部排出水库，形成累积性淤积。不利的水沙条件也将使回水影响区以上的干支流河道发生淤积。

(2)合理防洪。水库的首要目标是防洪。改建后三门峡水库的运用方针是合理防洪，就是说，应充分利用下游河道的行洪输沙能力，水库不拦蓄下游河道能安全宣泄的洪水。这样，才能既有利于保持水库的库容，也有利于下游河道减淤。下游河道的防洪既要求水库对特大洪水及大洪水进行必要的拦蓄，又要求通过水库的调节，规顺河势，充分利用下游河道主槽行洪输沙，并适应下游宽窄河段安全泄洪流量不同的设防要求。在正常情况下，下游河道主槽的平滩流量一般为5 000～6 000m^3/s，近10余年连续枯水，平滩流量减小到约3 000m^3/s，主槽泄洪能力有所降低。这就要求水库在对大洪水进行防洪运用的同时，注意对中小洪水的调节。小浪底水库投入运用后与下游河道整治工程相配合可以使主槽的平滩流量逐步扩大恢复，就可以充分发挥河道主槽的行洪输沙作用，为合理防洪创造有利的边界条件。

(3)潼关高程与淤积上延。改建后的三门峡水库既要保持一定的长期可用库容又要控制潼关高程的上升以遏制淤积上延的发展。滞洪运用初期，坝前运用水位虽已较大幅度降低，但水库末端的潼关河床高程继续有所抬高，渭河的淤积继续上延。通过实测资料的分析研究，我们认识到这是冲积河流在前期淤积的边界条件下，随来水来沙条件而自动调整其输沙能力以适应水沙条件的一种表现。1974～1985年蓄清排浑运用期间，潼关高程的升降均在±1.0m范围内波动，渭河淤积末端也随着入流的水沙条件而上下游移动。因此可以看出，通过保持作为渭河下游局部侵蚀基面的潼关高程的稳定就可以控制淤积上延的发展。

10余年来，渭河、泾河的来水量与以往相比减少了约30%，泾河的来沙量仅减少约10%。进入渭河下游的水沙条件发生了很大变化。下游河道主槽萎缩，行洪能力大幅度减小，这也是冲积河流随来水来沙条件而进行的调整。但是，它与水库运用引起的淤积上延问题的主导原因是不同的。同一期间，黄河北干流及潼关—三门峡库区的上段都出现了累积性淤积，潼关高程上升了约1.8m。它既受到不利的水沙条件潼关以上河道沿程淤积的影响，又由于汛期水量太小，洪水很少不能通过降低坝前水位所引发的溯源冲刷与来水的沿程冲刷相结合使潼三库区上段的淤积得以冲刷恢复。从实测资料的分析可以看出，渭河下游淤积的发展既受潼关高程升降所制约，又在很大程度上受本身来水来沙条件的影响。潼关高程的升降变化一方面直接由水库运用水位所控制，另一方面也受来水来沙条件的影响。如何保持潼关高程的稳定和减缓渭河下游淤积是两个既相互关联又独立出现的问题，也是在新的水沙条件下需要进一步深入研究解决的问题。

(4)水库调节与下游河道减淤。在蓄清排浑运用的原则下,水库在调节水量的同时必须同时注意调节出库泥沙使下泄水流具有较好的水沙搭配,以适应下游河道的输沙能力,这样,才能更好地发挥水库的减淤作用。受地理条件制约,三门峡水库调节泥沙的能力有限,对下游的减淤作用主要是在下游河道的上段。小浪底水库投入运用后,有可能对下游河道的窄河段发生一些减淤作用。对实测资料分析说明,当下泄水流的含沙量与流量的比值与河道冲淤有明显的关系,例如当比值大于0.02～0.03时下游河道就会发生明显的淤积。对艾山以下的窄河段而言,下泄流量在1 000m³/s以下时表现为淤积,但绝对数量很小;流量在1 000～2 000m²/s时淤积较严重;当流量大于2 500m²/s并持续一定时间时,河道将发生冲刷。小浪底水库运用方式的研究已经吸取了这一经验,以之作为指导初期运用的一个原则。

(5)水库运用水位指标的调整。十余年来,由于自然气候条件及流域治理带来的人类活动影响,使进入库区的水沙条件发生显著的变化。通过观测研究,说明水库的运用水位指标还应根据不同年份或不同时期的来水来沙条件适时地进行必要的调整,才能保持水库的冲淤平衡。水库运用上的这种灵活性也正是多泥沙河流水库调节的一个特点。三门峡水库改建确定的汛期运用水位305m,必要时降低至300m,是适合正常的水沙条件的。但是,这一运用水位指标的调整幅度较小,还不能适应近年来水来沙的变化情况。三门峡水库的经验说明,除对大洪水进行必要的调蓄以外,在汛期也应采取平水控制洪水敞泄的方针,不仅有利于所排出泥沙在下游河道的输送,而且为汛期平水时期发电创造了条件。

在新的世纪,黄河的治理仍面临着防洪安全、水资源合理利用与改善流域生态环境等重大任务。三门峡和小浪底水库的联合运用将具有较大的调节水沙能力,可以在一定时期内缓解下游河道的淤积情势,但是流域水沙条件的变化所引起的黄河干支流冲积河段的反应又带来了不少新的泥沙问题,需要继续深入地进行实验研究,提出对策。三门峡水库通过实践—认识—再实践—再认识取得了工程改建和运用的成功经验,通过实践也大大提高了我们对水库上下游泥沙问题的认识。三门峡水库运用已届40周年,值此机会,特撰此文,以资纪念。

用全沙观点研究黄河泥沙问题

1 悬移质与推移质

黄河以多泥沙闻名于世。干支流各水文站均进行了多年的悬移质泥沙观测。原陕县站多年平均悬移质输沙量达16亿t。20世纪50年代后期及60年代初,曾在一些站进行推移质测验。张原锋用修改后的推移质公式根据部分干流站水力特性估算各站推移质量占全沙的百分比,如表1所示。

表1 各站推移质量占全沙的百分比

项目	上游	中游		下游				
	石嘴山	龙门	潼关	花园口	高村	孙口	泺口	利津
资料组数	35	106	173	82	44	36	60	57
最大值	4.20	3.05	1.69	1.91	1.29	0.87	1.00	0.97
平均值	0.88	0.70	0.36	0.57	0.43	0.40	0.31	0.32

由表1可见,在黄河干流冲积河段,推移质所占份数很小,就一个较短时段的输沙数量而言,可以忽略,但作为床沙质的一部分,它在河床演变中的作用却不可忽视。就级配而言,推移质级配与床沙相近。潼关站的部分资料统计显示,在床沙中小于0.025 mm的泥沙还不到5%,而悬沙中大约占67%;大于0.05 mm的泥沙在床沙中约占80%,但在悬沙中仅占15%左右。黄河不同河段泥沙输移的情况较为复杂,在高含沙时还会出现层流层。目前,黄河各水文站均进行悬移质输沙率或悬移质含沙量测验,而没有进行推移质测验。经整编后可计算某一时段的悬移质输沙量而不是包括推移质在内的全沙沙量(total load)。但是,在研究黄河水库泥沙冲淤问题时,必须考虑全沙沙量。在研究河道河床演变问题时,也应以包括推移质在内的床沙质为对象。水文站既没有进行推移质测验,悬移质测验也还存在一些系统误差。因此,为研究黄河水库及河道泥沙冲淤演变问题时就应考虑如何估算全部床沙质输沙率的问题。本文将对此进行讨论。

2 爱因斯坦(Einstein) 全沙输移概念

钱宁曾对Einstein输沙理论作了全面介绍。Einstein的床沙质函数(bed load function)是把床沙、推移质和悬移质结合在一起进行考虑所给出的全部床沙质输沙率计算方法。以在床面层运动的推移质为基础,取其含沙量作为悬移质垂线分布的下限,再沿垂线积分而求得悬移质输沙率,两者之和即为全部床沙质输沙率。它也反映了在一定的边界条件下一个河段的输沙能力。通过水文站断面的泥沙则是全部床沙质和冲泻质之和,就

作者:龙毓骞、张原锋。本文发表于《人民黄河》2002年第8期。

运动方式而言,也是推移质和全部悬移质泥沙之和。

钱宁曾指出,原发表的 Einstein 床沙质输沙公式存在一些不足之处。王士强等通过一些实验研究,在 Einstein 理论的基础上提出了新的输沙能力公式。张原锋对 Einstein 推移质公式作了一点改进并用黄河一些实测资料进行了检验,如图 1 所示。实测推移质资料与计算值关系虽较散乱但似无系统偏差。又选择了约 300 组前后冲淤变化较小测次的黄河下游实测悬移质输沙率资料,并用修正 Einstein 程序(MEP)计算为全部床沙质输沙率,用以检验王士强等提出的全沙输沙能力公式对黄河的适用性。检验结果如图 2 所示。图中实测及计算值均为大于 0.025mm 的床沙质泥沙,检验结果较好。在实际应用中还要加上小于 0.025mm 的冲泻质,那时计算值与实测值关系更好,如图 3 所示。

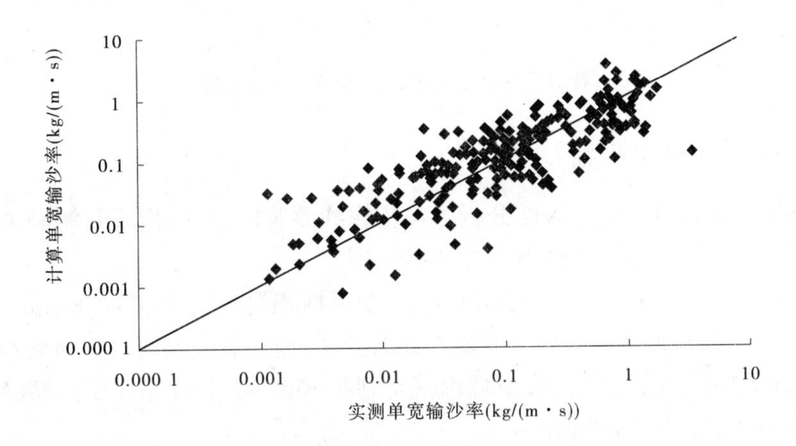

图 1　推移质输沙率公式的实测资料验证

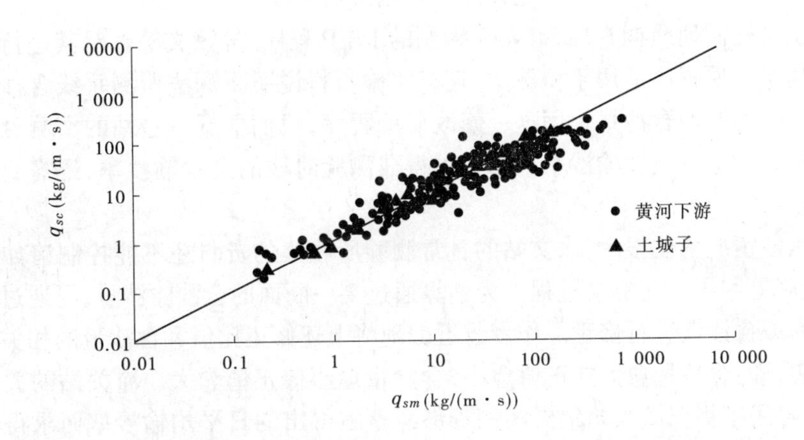

图 2　计算黄河下游大于 0.025mm 粒径的输沙率与实测值比较

水文站实测输沙率时收集有测验断面的水力因子、比降、床沙级配及水温等资料。在研究黄河泥沙输移问题时可以用上述公式计算测验时刻的全沙输沙率。但是,在进行单沙测验时没有取得这些资料,还不能用这一方法直接计算任一时刻的全沙输沙率,因此还无法求得一个时段的全沙输沙量。

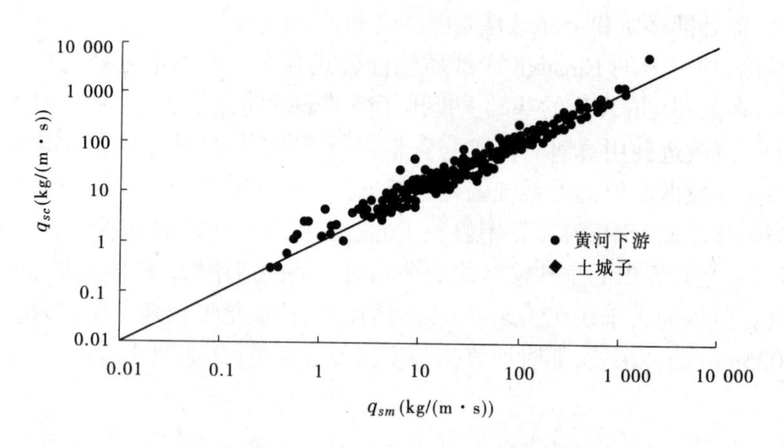

图3 黄河下游实测全沙输沙率与计算值比较

3 用MEP程序计算全沙输沙率

钱宁以Einstein输沙理论为基础分析了河流泥沙测验问题,指出现行测验方法可能存在系统误差。我们也曾用实测资料对此进行论证。

Colby等在20世纪60年代初提出了修正爱因斯坦程序(Modified Einstein Procedure, MEP)。这一程序实际上不是一种输沙能力公式,而是利用实测悬移质资料计算全沙的方法。其原理可用下式说明,式中理论值是利用Einstein公式并作了一些经验处理求得的。Einstein也曾对此作评论。

$$\text{计算全沙输沙率} = \frac{\text{理论计算全沙输沙率}}{\text{理论计算实测范围内输沙率}} \times \text{实测输沙率}$$

我们曾引进美国地质调查局Stevens编制的MEP程序,林斌文等曾对其进行修改以适应我们的情况。原程序适用于积深法,现有实验资料说明积深法所测垂线含沙量相当于五点法所测垂线平均含沙量。用这一修改后的程序,我们根据一些站的实测悬移质输沙率资料计算其相应的全沙输沙率。为了求得非测验时段的全沙输沙率,还需要找出某一简要方法。

黄河的水沙情况变化很大,水文站的日常测验所收集的资料还不能控制诸如床沙及悬沙级配、比降等因子变化的全过程。为估算通过某一断面的全沙输沙量,可通过对整编后的日输沙率或含沙量进行修正。作者曾近似地将上述修正比值和含沙量的相关关系用双曲线来代表,即:含沙量愈大修正值愈小,含沙量愈小修正值愈大。潼关站的关系示例如图4所示,可用于修正潼关站根据实测资料经整编得出的日平均输沙率而求得全沙输沙率。

各站水力及河床条件不同,修正的情况也不同。潼关站的多年资料说明修正前后的输沙量平均相差大体为2%。龙门站还要大一些,大约为4%。用这一程序不仅可计算全沙输沙率还可以同时求出全沙级配。

研究河流输沙能力时常借助于一些经验性或半经验性的公式,这些公式的研究对象一般都是床沙质。应用这些些公式前常常需要用实测资料加以检验。采用经MEP程序

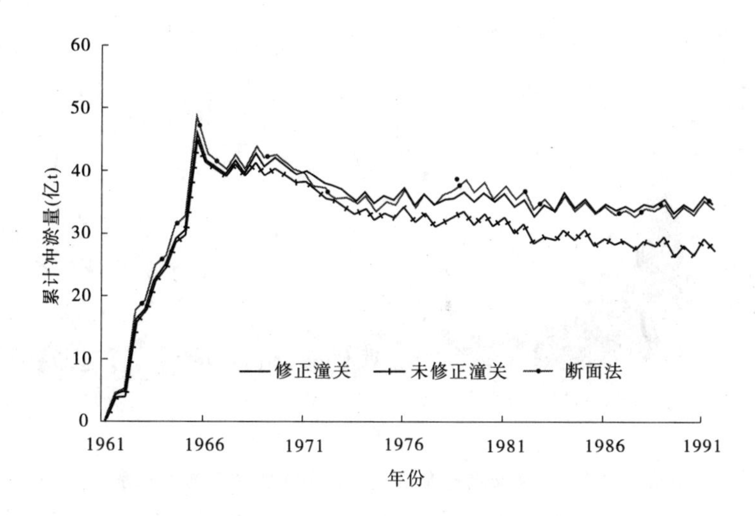

图 4　潼关至三门峡断面法冲淤量与沙量法比较图

将实测悬移质计算为全沙输沙率可以为检验输沙公式或确定其中某些参数提供较好的基础资料。

4　三门峡水库沙量平衡及冲淤变化

三门峡水库于 1960 年 9 月开始运用。表 2 列出了 1960～1990 年库区潼关至三门峡段的沙量平衡计算结果。图 5 为累计冲淤量过程，说明只有全面考虑沙量平衡各因子后,用沙量平衡计算的冲淤量才能与断面法实测数值大体符合。图表中潼关站的实测数值均系按上述方法修正的全沙输沙量。

修正后的潼关沙量和级配与三门峡实测近似于全沙沙量和级配,可计算粗细泥沙的冲淤情况(见图 6)。从图中可以看出,三门峡水库有一些拦粗排细作用,特别是在 1965～1980 年期间比较明显。如不将实测数据修正为全沙输沙量,不仅无法用沙量平衡原则计算冲淤量,而且会得出不能反映实际情况的结果。

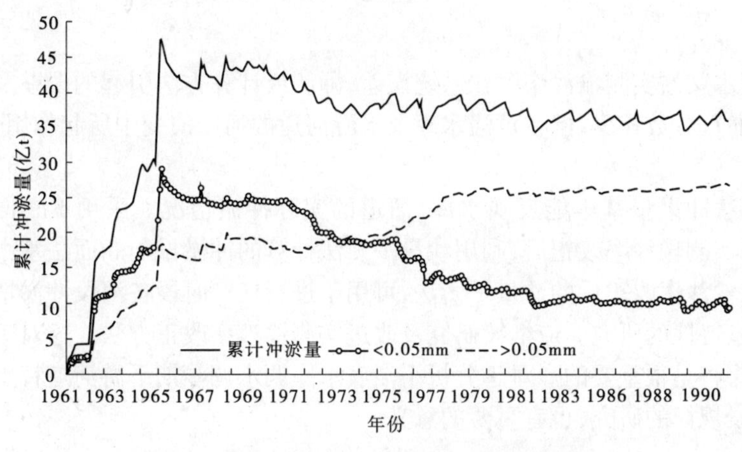

图 5　潼关至三门峡不同粒径组泥沙淤积量

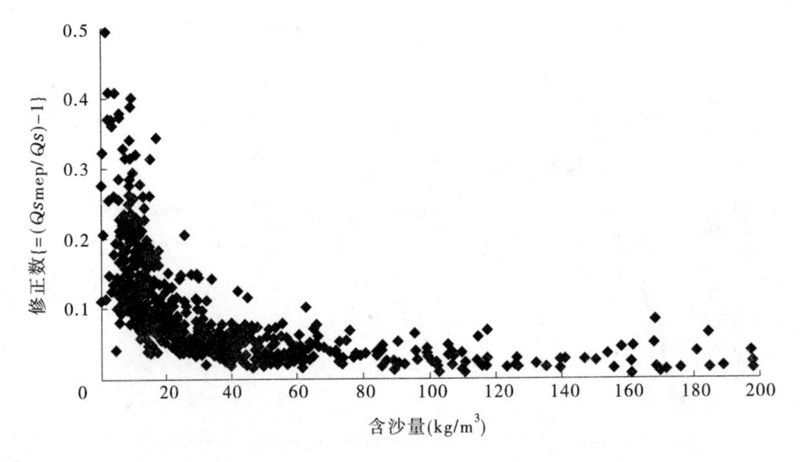

图6 潼关水文站输沙率修正系数与含沙量之间的关系

5 黄河下游河道冲淤量

黄河下游河道冲淤变化是人们十分关心的问题。我们进行的一项研究说明,根据重复实测具有一定密度的河道大断面资料求得的冲淤量能较好地反映实际情况。由于受水文站泥沙测验准确性的限制,用上下两测站输沙量差的方法(习惯上常称之为输沙率法或沙量平衡法)所得出的冲淤量往往不能反映实际冲淤情况。为研究粗细泥沙的冲淤状态,较好的方法应是沿程进行床沙取样分析。但是,这一方法的野外作业工作量比较大,特别是冲淤变化大的地方如何取得有代表性的样品也是应予重视的问题。用水文站实测泥沙级配通过沙量平衡计算分析,则只能大体了解区间河段的情况。李松恒等曾用类似前文中的方法,即修正比值和含沙量的相关关系,并以断面法实测的河段冲淤量为基础,借助灰色理论求出修正系数用于改正水文站的日输沙率。经用修正后的沙量计算的冲淤量与断面法结果基本一致。这一成果也曾被用于"八五"攻关项目,用以分析不同粒径组泥沙的冲淤情况。

6 结语

(1)黄河水文站实测输沙率存在系统误差,漏测或计算方法引起的误差及推移质虽然所占全沙量的百分数较少,但在黄河水库及下游河道的河床演变中所起作用较大,不容忽视。

(2)断面法冲淤量基本能反映水库、河道的实际冲淤情况。采用 Einstein 全沙的概念,对水文站实测输沙率改正后,利用沙量平衡法计算的冲淤量与断面法基本一致。

(3)实测输沙率改正后的沙量平衡法,可用于进行任一时段各河段冲淤情况及不同粒径组泥沙冲淤特性的研究。应继续研究及改进实测输沙率改正方法。这对于研究洪水期河道冲淤规律将是很重要的。对于分析小浪底水库调水调沙期下游河道特别是艾山以下河道泥沙冲淤规律的研究,也有重要的意义。

参 考 文 献

[1] 钱宁,万兆惠．泥沙运动力学.北京:科学出版社,1984

[2] 王士强,陈骥,惠遇甲．明槽水流的非均匀挟沙力研究．水利学报,1998(1)

[3] 张原锋,龙毓骞．Einstein 推移质公式的改进研究．泥沙研究,1997(4)

[4] 张原锋,龙毓骞,申冠卿．Adaptability of Sediment Transport Formula to the Yellow River Proc. of the 7th International Symposium on River Sedimentation, Hongkong,1998

[5] 张原锋,龙毓骞,张治平．王士强输沙能力公式在黄河上的应用研究.人民黄河,1998,20(6)

[6] 龙毓骞,林斌文,熊贵枢．输沙率测验误差的初步分析．泥沙研究,1982(2)

[7] Colby B R,Hembree C H. Computation of Total Sediment Discharge、Niobrara River near Cody, Nebraska, USGS Water Supply,1955,Paper 1357

[8] Einstein H A. River sedimentation, Handbook of Applied Hydrology. A Compendium of Water Resources Technology

[9] 龙毓骞,程龙渊,杜殿勖,等.三门峡水库泥沙问题．见:黄河泥沙．郑州:黄河水利出版社,1996

[10]龙毓骞,李松恒．Management of Sediment in the Sanmenxia Reservoir. Proc. of International Conference on Water Science, Beijing,1995

[11] 李松恒,龙毓骞．黄河下游输沙率修正方法和应用.泥沙研究,1994(3)

Range Survey of Deposition in the Lower Yellow River

1 General Description

The Yellow River, running out of the gorges below the Sanmenxia and Xiaolangdi Reservoir, flows through the vast North China alluvial plain, and finally empties itself into the Pohai Sea(Fig. 1). The upper part of the Lower Yellow River, nearly 400 km in length, is confined by levees along both bank.

The river wanders in – between with a shallow main channel and a broad flood plain. The lower part has a relatively narrow and deep main channel and less broad flood plain, confined mainly by levees on the both bank and partly by local hills on the south bank. Variation of the width of the Lower Yellow River is shown in Fig. 2.

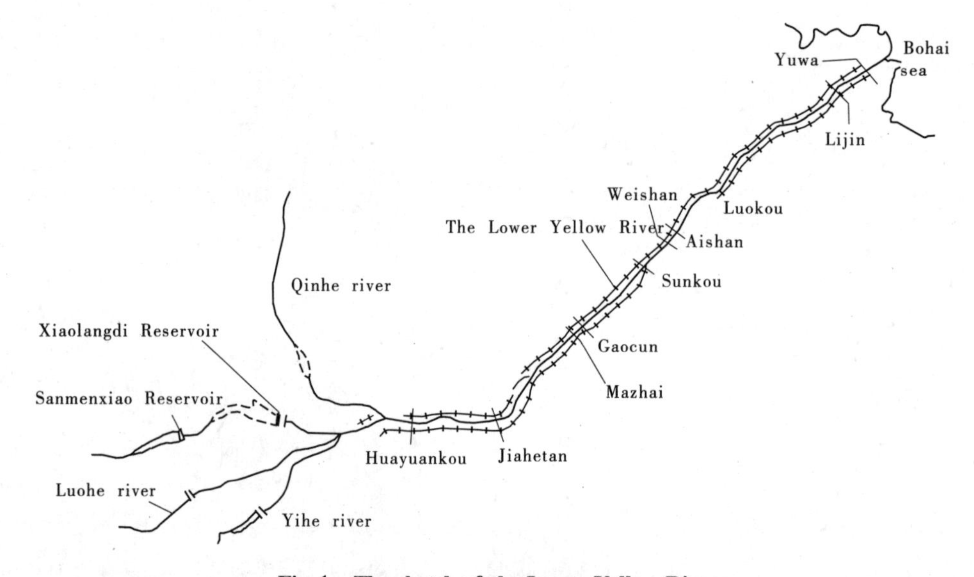

Fig. 1 The sketch of the Lower Yellow River

Prior to the construction of the Sanmenxia Reservoir, located nearly 200 km upstream, the annual surface runoff and sediment load entering the lower Yellow River amounted to 47 billion m^3 and 1.6 billion t. Under natural condition, the Lower Yellow River is a strongly aggradating river that suspended over the adjacent land by 3～5 m in general and even more in some places. Status of sedimentation including the amount and distribution of the

作者:龙毓骞、梁国亭、张原锋、申冠卿、张留柱、程龙渊。中文版载于《水文》2002 年第 4 期,内容相近文章曾用英文在《国际泥沙研究》上发表。

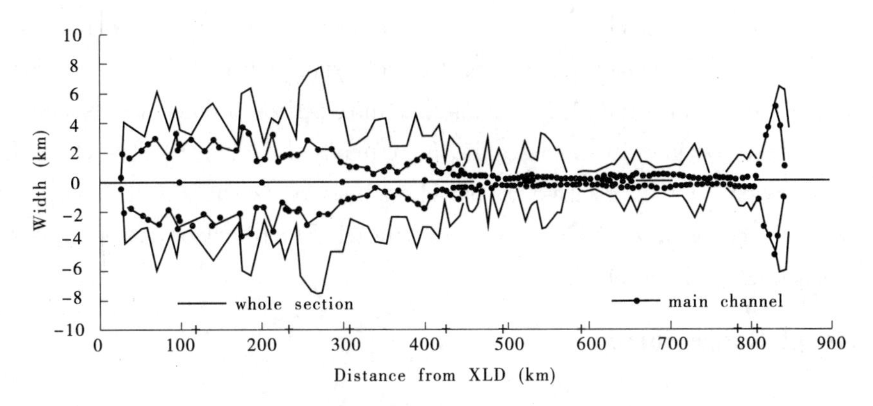

Fig. 2 Variation of width of the Lower Yellow River

deposition or erosion is of great concern to the flood defense and river regulation. Since early 1950's, repetitive cross sectional surveys on fixed ranges have been conducted twice a year, prior and after the flood season from July to October. The data, accumulated nearly 50 years, were used to evaluate the amount of sedimentation and used for planning of the river engineering works. In a project "Analysis and Assessment of the Amount of Sedimentation in the Lower Yellow River", a database of the range survey data were built up, and a software program was worked out for dealing with the vast amount of the observed data and for analysis and computation purposes.

For safeguarding against the flood hazard in the Lower Yellow River, in later 1950's, the Sanmenxia project was constructed which is a multi-purpose project mainly for flood control. It commenced its impoundment in September 1960. Due to rapid lose of its capacities by reservoir deposition and enlargement of alkalization and salinization in areas adjacent to the backwater reaches, it was decided to change its operational mode to only flood detention since March 1962. However, the outlet discharge capacity of the outlets as originally designed was insufficient and in-adequate, the backwater deposits still extended farther upstream. Reconstruction of the outlets started in 1965 and completed in 1973. A new operational policy has been adopted for the Sanmenxia Reservoir, which stores some relatively clear water in the non-flood season from November to next June and dispose the sediment in flood events of the flood season including the deposits that were accumulated during the impounding periods in the previous non-flood season. By this operational policy, the sediment release to the downstream can be controlled and regulated along with the regulation of water.

In recent years, a new multi-purpose step project, the Xiaolangdi Project, is being constructed. It commenced its operation in 2000 and will play an important role in regulation of the flow entering the Lower Yellow River in the future. Release from these reservoirs and the confluence of the two tributaries, Yihe and Luohe River, right below the project, will compose the inflow to the Lower Yellow River. In our present study, only the release from the Sanmenxia Reservoir and the outflow from two tributaries will come into play.

Due to the influence of natural climatic variations and human activities, the water and sediment runoff varied greatly. It is important to study the status of sedimentation of the lower Yellow River in response to the variation of oncoming flow during the three periods of different operational modes of the Sanmenxia Reservoir in order to foresee the future trends of the lower Yellow River after the operation of the new project. The database has provided a basis for the study of the fluvial process of the Lower Yellow River and also for the study of problems related to the flood defense, utilization of water resources and its environmental impacts.

2 Database of Range Survey

2.1 The range survey data

Number of ranges was not the same in different periods. Very few ranges were setup in early 1950's. In 1957～1967, quite a number of ranges were established in the experimental reaches in both wide and shallow wandering reach above and below Huayuankou (132 km below Xiaolangdi) and also in narrow and deep reach above and below the late Weishan project. Repetitive survey of the ranges and measurement of water and sediment flow at some localities were conducted to study the fluvial process. Besides these two experimental reaches, only few ranges were setup to monitor its changes. In 1965, a number of ranges extending over the entire lower reaches were fixed and surveyed twice a year prior to and after the flood period in an unified way. Additional surveying was made only after large flood events. The number of ranges has increased to 145 in 1998. The surveyed data were compiled and read into the database arranged in order of the position of the range and time of taking the measurement.

2.2 The software and method of computation

The program RGTOOLS developed in this research project is a program used for management of the database and also served for computation and analysis. It communicates directly with the EXCEL and suits very well with the field conditions of the Yellow River. Amount of deposition or erosion between two ranges can be computed. Hydraulic and morphological elements of any range can also be computed if needed.

The channel and the floodplain defined here in this paper are illustrated in Fig. 3. The main channel includes a deep channel and a low floodplain with a conveyance capacity of about 5 000～6 000m^3/s. The part of the cross section besides the main channel between the levees on both banks is called as the floodplain that can only be inundated during medium or large floods.

In order to compute the deposition take placed in the main channel and that on the floodplain, position of the boundary of the channel and the floodplain must be determined and input into the data management system. One of the characteristics of the lower Yellow

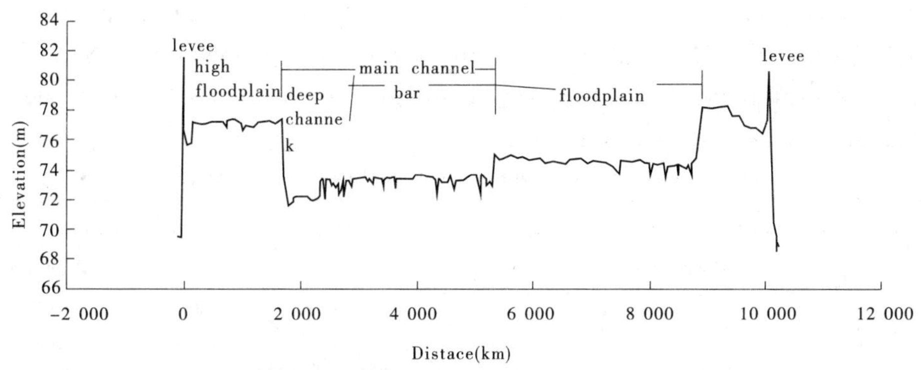

Fig. 3 Definition Sketch of the main channel and the floodplain

River is the wandering nature and frequent shifting of its main course at least in its upper part. In computation of the amount of deposition within two adjacent ranges between two measurements the position of the main channel and floodplain must be fixed. Computation must be repeated for the range, of which, the position is altered. In our study, minor changes of the position were neglected in order to reduce the work in the computation.

In our study, distances between the ranges were measured from the topographic map surveyed in 1972 and 1994. Different values of the distance were used for the main channel and the floodplain. The Xiaolangdi Dam is taken as the starting point of the distance measured along the lower river.

Volumetric method is used for computing the amount of deposition or erosion. The volume enclosed by the cross – sectional areas of two adjacent ranges underneath a datum plan is computed, and the difference of the volume between two consecutive surveys gives the amount of deposition or erosion.

In early 1950's, the amount of deposition is computed by the difference of cross – sectional areas of the two adjacent ranges multiplied by the distance between these two ranges. In some reaches where only a few surveyed ranges were available, as a supplement, difference of cross – sectional area at some specific places was estimated by the difference of water level under same discharge in a certain period. Needless to say, the results are less reliable than that computed by using the actually surveyed data with the volumetric method.

Computation of the amount of deposition or erosion covers a length of the river 805 km extending from Xiaolangdi to Yuwa, the apex of the delta at river mouth. Below Yuwa, the river shifts its course frequently. Volumetric method is used for computation in periods twice a year using the surveyed data prior and after the flood season in May – June and October – November. The survey conducted prior the flood season is more reliable because the flow is generally small and comparably stable.

3 Amount of Deposition or Erosion

Mean annual inflow entering the lower Yellow River and the total amount of deposition in the Sanmenxia reservoir and the lower Yellow River are shown in Table 1. The amount of deposition is summed up according to river reaches divided by hydrometric stations. It is also grouped by different periods which is mainly characterized by different operational modes of the Sanmenxia Reservoir as shown in Table 2.

Table 1 Mean annual inflow entering the Lower Yellow River

Periods	No. years	Operational mode SMX Reservoir	Amount of deposition		Inflow entering LYR	
			Reservoir*	LYR	Mean annual runoff	Mean annual sediment
			$10^8 m^3$	$10^8 m^3$	$10^8 m^3/a$	$10^8 t/a$
1952~1960	9	Natural	—	22.66	446	17.8
1961~1964	4	Storage	44.43	-21.20	553	6.6
1965~1973	9	flood detention	11.73	28.61	380	14.9
1974~1985	12	store clear & dispose muddy	-0.08	2.88	341	9.6
1986~1999	14		12.65	23.45	171	6.3
1952~1999	48		68.70	56.40	378	11.0

* Note: Deposition in the reservoir denotes the total amount of deposition or erosion as computed by range survey data which includes the amount of deposition within the backwater-affected reach and that take placed in the free flow reach.

The cumulative amount of deposition in reaches from Xiaolangdi to Yuwa in the year from 1952 through 1999 is 5.64 billion m^3. Below Yuwa, the cumulative amount of deposition after 1965 is 0.6 billion m^3, as computed with the surveyed data. The amount of deposition in river channels below Yuwa (not including part of the river channel on the topset and the foreset of the delta) in the period 1952 through 1964 is estimated as 0.2 billion m^3. If this amount is included, the total deposition in the lower reaches of the Yellow River from 1952 through 1999 will be 6.44 billion m^3. Two thirds of the deposition took place in the reach about 300 km in length from Huayuankou to Sunkou, which is also characterized by its wandering nature with broad and shallow channel. The amount of deposition per unit length in this reach is 10~20 m^3/m.

Table 2 Statistics of the distribution of the deposition (unit: $10^8 m^3$)

Years	reaches	XLD-HYK	HYK-GC	GC-AS	AS-YW	XLD-YW
1952~1960	Natural River	6.36	9.57	6.13	0.60	22.66
1961~1964	Impoundment in SMX	-6.46	-8.81	-2.38	-3.54	-21.20
1965~1973	Flood detention in SMX	5.28	13.60	4.99	4.74	28.61
1974~1985	Store Clear discharge muddy &sediment management in SMX-1	-3.17	11.11	4.07	0.87	2.88
1986~1999	Store Clear discharge muddy &sediment management in SMX-2	4.29	11.09	3.46	4.61	23.45
Total		6.30	26.56	16.27	7.28	56.40

Note: Deposition in a year is the amount computed between the two post-flood-season survey data.

Variation of the annual amount of deposition is shown in Fig.4. The amount of deposition or erosion in the lower Yellow River is influenced to a large degree by the oncoming water and sediment flow, or the compatibility of the water discharge and sediment. Fig.5 is a plot in which the annual inflow water and sediment discharges are used as the abscissa and the ordinate. A demarcation line may be drawn through the data points. The data points lies on the left side of this line represent the year in which the river is in deposition, while the data points lies on the right side of the line represent the year in which the river is under erosion. The line represents roughly an equilibrium state of the river, which may be expressed by an exponential equation:

$$Q_s = 0.000\ 122 Q^{1.72}$$

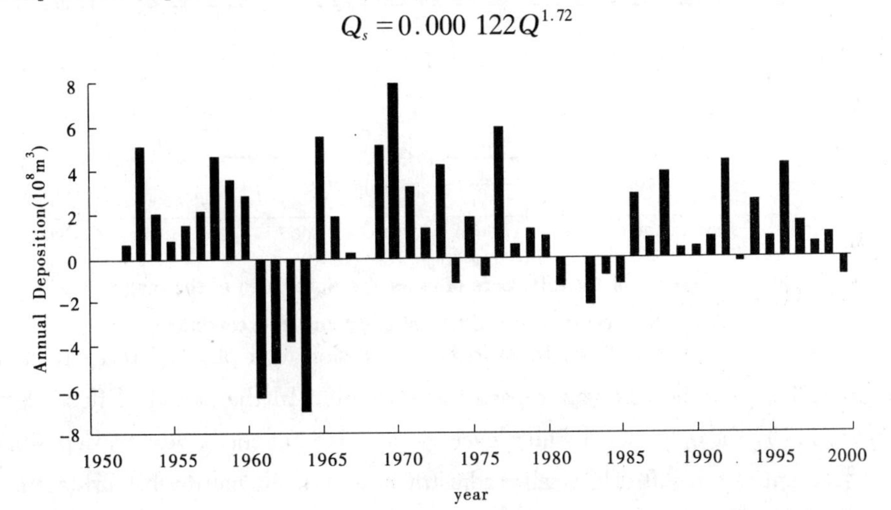

Fig.4 Variation of the annual amount of deposition in the Lower Yellow River

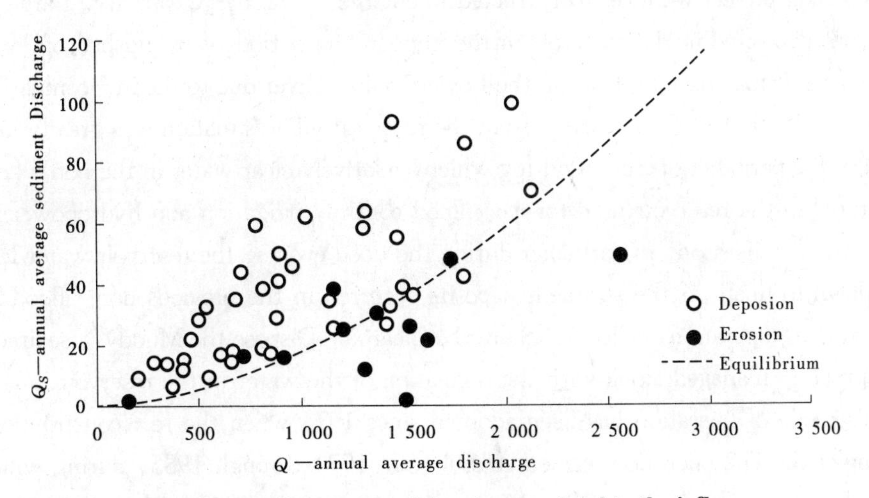

Fig.5 Equilibrium state of the river as related to the inflow

3.1 Longitudinal distribution

The computed amount of deposition or the difference of the cross – sectional area of a range between two surveys can be used to study the longitudinal distribution of the deposition. Fig. 6 shows the variation of the difference of cross – sectional area of the ranges along the river course under different oncoming flow conditions corresponding to the three periods of the operational modes adopted in the Sanmenxia Reservoir. It reflects the river response to the variation of the inflow as modified by the operation of the reservoir.

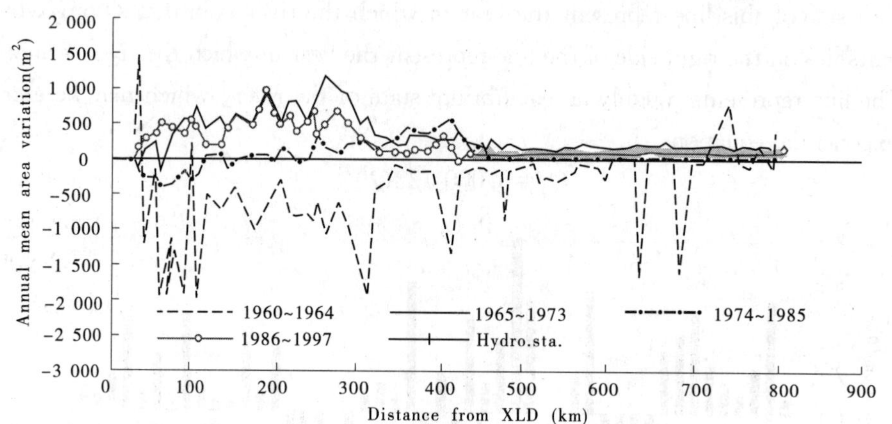

Fig. 6 Variation of the difference of cross – sectional area of the ranges along the river course under different oncoming flow conditions

In the impounding period from 1960 to 1965, erosion took place all the way along the lower Yellow River but the reservoir capacity lost rapidly. In the period of flood detention from 1965 to 1973, the operational water level was lowered but the backwater deposition still extended upstream as a result of the self – adjustment of the alluvial reaches upstream of the original backwater affected zone in the reservoir. During that period, the outlet structures of the Sanmenxia project were re – constructed to enlarge its discharge capacity. Large amount of sediment deposited in the reservoir in the impounding periods were flushed off the reservoir. Serious deposition took place in the Lower Yellow River due to the in – compatibility of the water and sediment flow released from the reservoir. The situation was greatly improved later on in the period of operation during which, relatively clear water in the non – flood season is stored in the reservoir used for ice – flood control, irrigation and hydropower generation. In the flood season, in particular during the flood events, the reservoir water level was drawn down to flush off the sediment deposits occurred in the previous non – flood season. By this mode of operation, called as "Store the Clear and Dispose the Muddy", sediment outflow is properly managed along with the regulation of the water in the reservoir.

This mode of operation has been adopted since 1974 when the re – construction work was completed. The operation was successful from 1974 through 1985, during which, inflow to the reservoir was favorable. No appreciable deposition took place in the reservoir proper and deposition in the Lower Yellow River was reduced by about 30 million m^3 in average annually as a result of study by mathematical models. However, a series of low flow took place in the period from 1986 to 2000. Except in a few years, not enough water runoff was available in the flood season to flush off all the sediment deposited in the reservoir during the non – flood season. The reservoir can not be kept in a state of equilibrium on an annual basis. In the Lower Yellow River, the transport capacity under the low flow was too small to carry the sediment load all the way through the river course. In consequence, serious deposition took place in the main channel of the lower reaches.

In the period of operation, called as "Store the Clear and Dispose the Muddy", longitudinal distribution of the deposits along the lower river is characterized by the pattern of deposition: In the non – flood season, the upper part of the lower reaches is generally under erosion while the lower part is in aggradation; In the flood season, the reverse is true. The division point is in general at Sunkou, approximately in the middle of the lower Yellow River course. Fig. 7 shows the average situation in the 1990's. As mentioned above, low flow prevails in 1990's. Needless to say, the amount of deposition or erosion in a river reach depends on the inflow conditions. In fact, this feature was more pronounced in normal years.

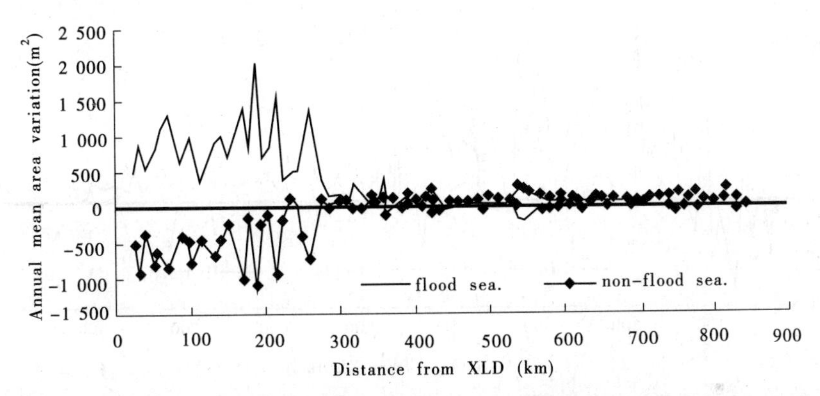

Fig. 7 Longitudinal distribution of deposition in the flood and the non – flood season

Position and elevation of the floodplain and the main channel taken from the cross section drawings can be used to study the variation of the longitudinal profile of the river as illustrated in Fig. 8. Distribution of the amount of deposition 1965～1997 in the main channel and on the floodplain is shown in Fig. 9. As far as the quantity is concerned, majority of the deposition took place in reaches between Jiehetan to Sunkou nearly 200km in length.

Difference of the elevation of the floodplain and the main channel may be computed. Here, the elevation of the floodplain at the boundary of the main channel, called as the floodplain lip, is used as an index of the floodplain, over which over – bank flow takes place, and average bottom elevation as an index for the main channel. Variation of the difference of elevation of the floodplain and the main channel in 1965 and 1997 is shown in Fig. 10. Great difference of this value can be noted for the upper and the lower part of the Lower Yellow River. After deposition in more than 30 years, the value of the elevation difference is obviously reduced. It indicates that the flood conveyance capacity of the main channel has been greatly reduced in recent years.

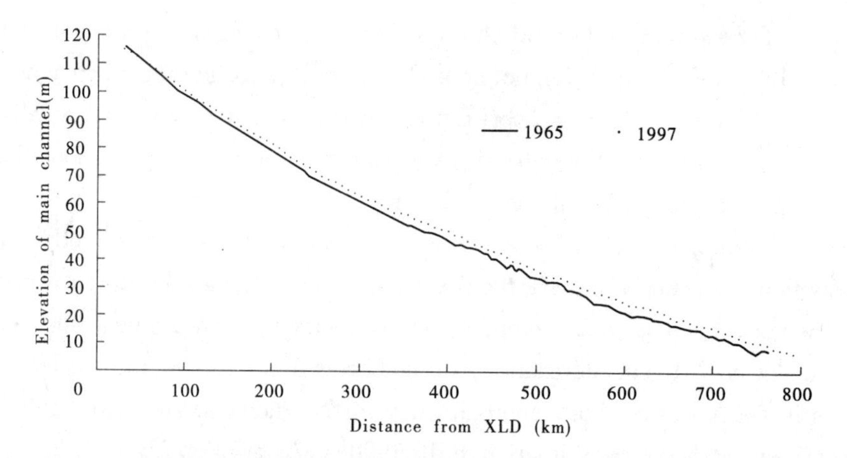

Fig. 8 Longitudinal profile of the Lower Yellow River

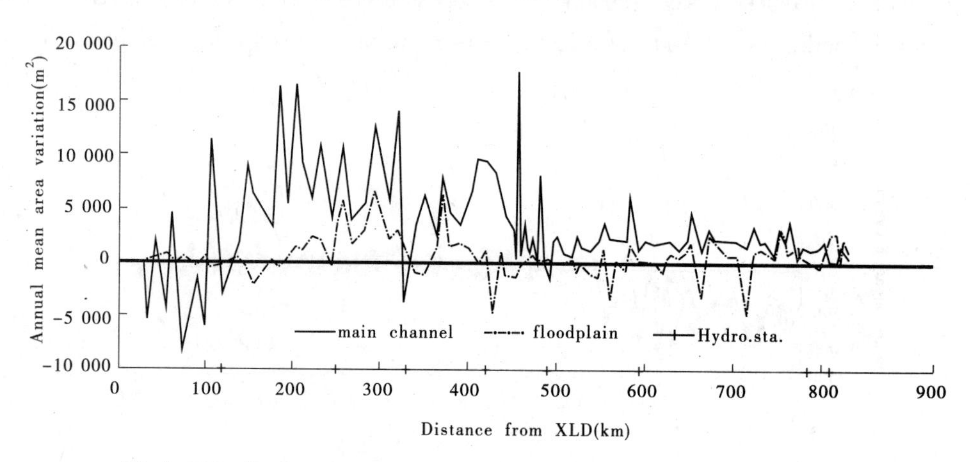

Fig. 9 Distribution of amount of deposition in main channel and on floodplain

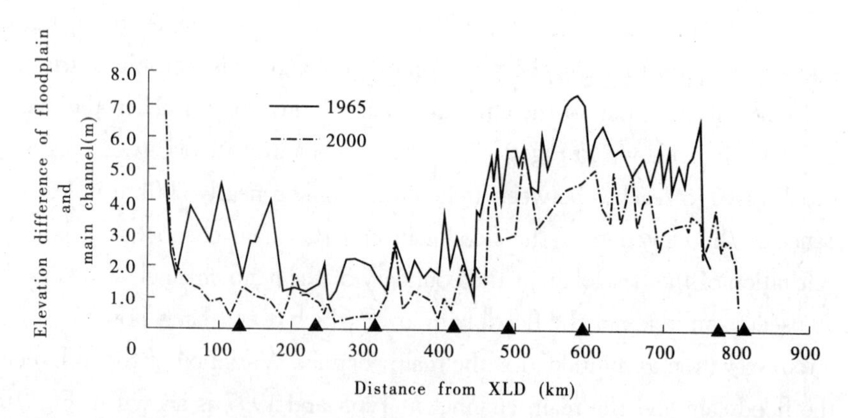

Fig. 10 Variation of difference of elevation of the floodplain and the main channel

3.2 Transverse distribution

Cross－sectional drawings of typical ranges representing the wandering and the meandering parts of the Lower Yellow River are shown in Fig. 11 and Fig. 12. Cross sections observed in different years were overlapped to show its process of development.

It can be seen that, after deposition in many years:

(1) in the wandering reach, the river is suspended over the adjacent land surface behind the levee with its main channel even higher than part of the floodplain such as the typical section of Mazhai.

(2) in the lower part of the Lower Yellow River, that is, the meandering reach, the main channel is also gradually raised up. The water level under ordinary flow will also be higher than the adjacent land surface behind the levee such as the typical section of Luokou.

(3) In the low－flow series since 1986, the annual deposition in the lower Yellow River amounts to (2.9～4.6)$\times 10^8 m^3$ in years of 1988, 1992, 1996 etc. during which, only medium floods take－placed. Due to prevailing low flow, the deep channel and the low floodplain were also heavily deposited. The main channel is in a withered state and its flood conveyance capacity is greatly reduced.

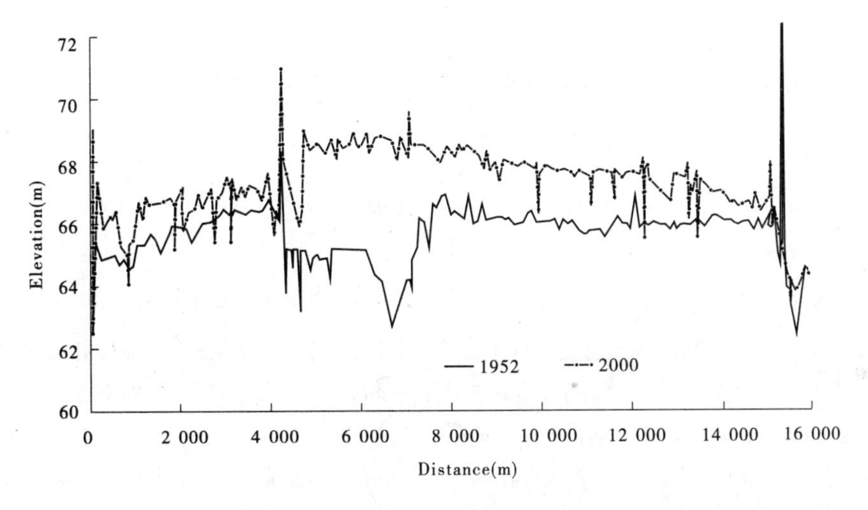

Fig. 11 Cross－sectional drawing of Mazhai in the weandering reach

Surveying data at some ranges or hydrometric stations were available even. in early 1950's, such as at Qinchang, Huayuankou, Mazhai, Gaocun, Sunkou, Aishan, Luokou and Lijin. Cumulative raise of the average bed elevation at these stations was computed and mean value for the upper and lower part of the river is taken to illustrate the process of variation. The variations are shown in Fig. 13, in which, it is seen that an average raise of the bed elevation in nearly 50 years was about 2 m for these stations.

The data collected through range survey in 1965 through 1999 are more or less complete that can be used to study the transverse distribution. Using the database the amount of deposition in the main channel and on the floodplain is computed. The boundary of the deep channel shifts frequently and its deposition could not be computed simultaneously with that in the main channel and on the floodplain. Here, the so called deep channel is defined in this study

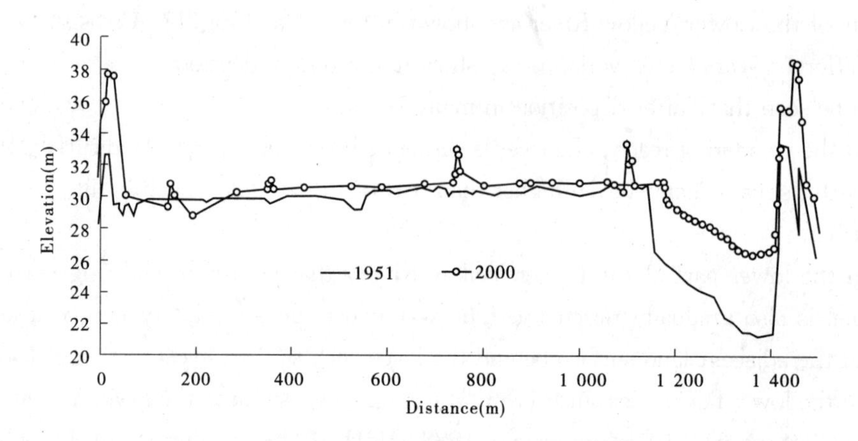

Fig. 12 Cross-sectional drawing of Luokou in the meandering reach

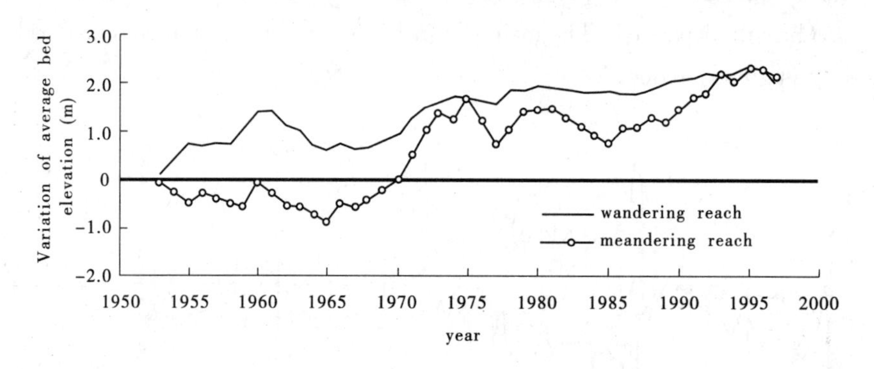

Fig. 13 Cumulative Rise of the Bed Elevation of the Main Channel in the LYR

as the part of the main channel besides the low floodplain, that conveys the low flow generally less than 2 000~3 000m^3/s. Shen studied the problem and proposed a method of computation of the deep channel described as following. In the computation, the width of the deep channel of a range is fixed but its position may be shifted according to the actual situation. The difference of the cross-sectional area of the range between two consecutive surveys is computed first and then the amount of deposition between two ranges is computed using the trapezoidal or frustum cone formula. Adopting the value of deposition of the deep channel thus computed and listed them in Table 3.

3.3 Comparison of the distribution of erosion in periods of erosion

There were two periods during which erosion took place in the whole Lower Yellow River as shown in Fig. 3. Amount of erosion as well as its distribution along the river in these two periods, i.e. 1960~1964 and 1981 to 1985, were computed by using the database and the RGTOOLS program as shown in Fig. 14. In 1960~1964, average annual runoff and sediment inflow were 51.4 billion m^3 and 6.93×10^8 t respectively. Clear water was released from the Sanmenxia Reservoir during its impounding period except the fine sediment bringing down by the density flow. Bank corruption took place in this period while the main channel was scoured. In 1981 through 1985, average annual runoff and sediment inflow were 48.5 billion m^3 and 9.74×10^8 t respectively. The water and sediment inflows were compatible to each other. Some deposition still took place on the floodplain while the main channel was scoured.

Table 3 Transverse distribution of the amount of deposition

Item	Part in the cross section	Reach				
		XLD－LJ (total)	XLD－HYK	HYK－GC	GC－AS	AS－LJ
Amount of deposition 1965～1997 ($10^8 m^3$)	Deep channel	30.4	4.2	13.6	6.7	5.7
	Low floodplain	12.1	2.3	7.9	2.1	—
	Main channel	42.5	6.5	21.5	8.8	5.7
	Floodplain	10.2	0.6	3.0	3.2	3.4
	Whole section	52.7	7.1	24.5	12.0	9.1
Percent	Deep/main cha	71.6	64.7	63.3	76.3	100.0
	Main/whole	80.6	91.1	87.7	73.3	62.5
	Deep/whole	57.7	58.9	55.5	56.0	62.5

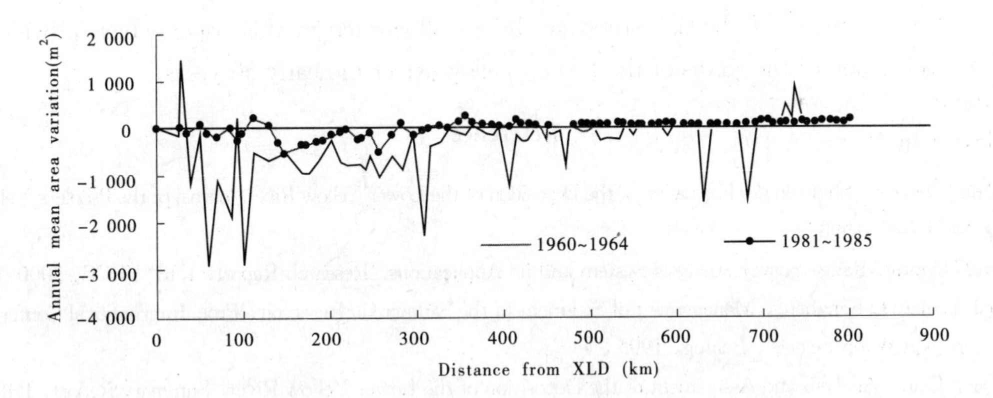

Fig. 14 Average annual erosion area of the ranges along the river

4 Reliability of Amount of Deposition Computed by Range Survey Data

Accuracy of the amount of deposition computed by range survey data depends on the density of ranges and also the amount of deposition in the studied reach. The density of existing ranges is rather low and the accuracy of computed amount of deposition would be quite limited. However, no accumulative error can be observed in the range survey. The computed cumulative amount of deposition in a longer period may still represent the actual situation and reflects same trend with the variation of water level under same discharge. By analysis of the data observed with much denser ranges in the experimental reaches, the accuracy is over 85 % for a longer reach with appropriate amount of deposition. It would still be over 70 % if the deposition between two surveys were over 0.5×10^8 m^3. The relative error would be less and less along with an increase of the amount of deposition.

5 Summary

(1) A wealth of data has been input into the database that includes not only the surveyed range data but also an abstract of the characteristic value of the ranges. The database is fundamental in the study of the fluvial process of the Lower Yellow River. The software program RGTOOLS developed in this project is a data management system and also may be served as a tool for computation and analysis. Morphological feature of the river can also be studied with the database and the implied program. The analysis of the status of deposition in the lower Yellow River for the past half a century provides basis in summarizing the experience of flood control and sediment management in the Lower Yellow River. It is also significant in promoting the study of geomorphology in sediment – laden rivers.

(2) The Lower Yellow River is a heavily aggradated river. Deposition in the Lower Yellow River amounted to 63.8×10^8 m^3 in the period of 1952～1999. The oncoming water and sediment flow varies naturally and also varies as a result of regulation of the Sanmenxia Reservoir. The pattern of deposition varies as a reflection of the river response to these variations. Characteristics of the deposition are briefly illustrated in this paper which provides some information of the status of the Lower Yellow River in nearly 50 years.

Reference

Cheng Longyuan. Study on the Evaluation of the Deposition of the Lower Yellow River. Journal of the People's Yellow River, 1998

Liang Guoting. Range Survey Analysis System and its Applications. Research Report, IHR, YRCC, 2000

Long Yuqian, Li Songheng. Management of Sediment in the Sanmenxia Reservoir. Proc. International Conference on Water Science, Beijing, 1995

Project Team. Analysis and Assessment of the Deposition of the Lower Yellow River. Summary Report, IHR – ZX – 2001 – 15 – 21, Institute of Hydraulic

Research (IHR). Yellow River Conservancy Commission (YRCC), 2001

Shen Guanqing. Computation and Analysis of the Deposition in Deep Channel of the LowerYellow River. Research Report, IHR, YRCC, 2000

Xiong Guixu, Sun Tongxian, et al. Analysis of the Error in the Transport Data and Range Survey Data of the Lower Yellow River. Proc. Second International Symposium on Fluvial Sedimentation, Water Resources Press, 1983

Yang Qingan, Long Yuqian, Miao Fengju. Operational Study of the Sanmenxia Reservoir. Henan People's Press, 1996

Zhang Liuzhu. Analysis of the Density of the Ranges used for deposition Survey. ResearchReport, Hydrological Bureau, YRCC, 2000

Zhang Yuanfeng. Transport Characteristics of the Broad and Shallow Reaches of the lowerYellow River in Erosion Periods. Research Report, IHR, YRCC, 2000

黄河下游淤积量及分布与“二级悬河”问题的探讨

我对“二级悬河”问题没做很深的研究,手上有一些资料、一些图给大家看看。图1是下游河道近50多年的冲淤变化。可以看出有两个冲刷时段,一个是1961~1964年,一个是1981~1985年,其余均为淤积。图2~图6是夹河滩至孙口河段几个断面的变化。图7是1965年和1997年下游河道主槽平均河床高程纵剖面。图8是花园口至孙口河段纵剖面。纵坐标比例尺很小,不太明显,我把河段的几个特征值标出来了,方块点就是堤河平均高程,上面的圆点线是滩唇的高程,中间的线是主槽平均河床高程。

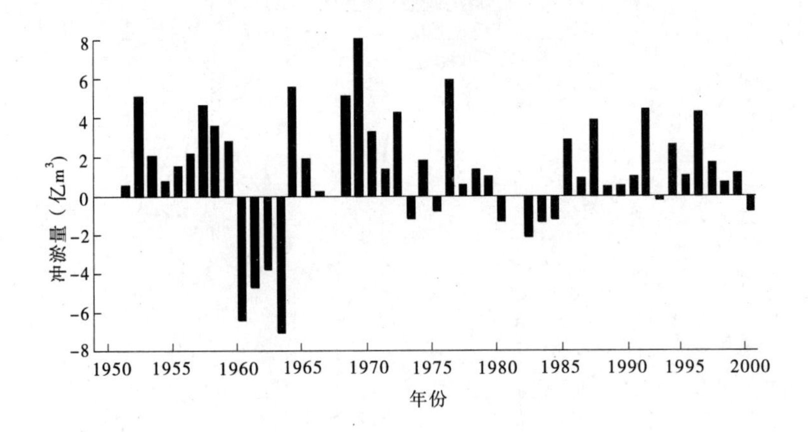

图1 黄河下游河道多年冲淤量变化

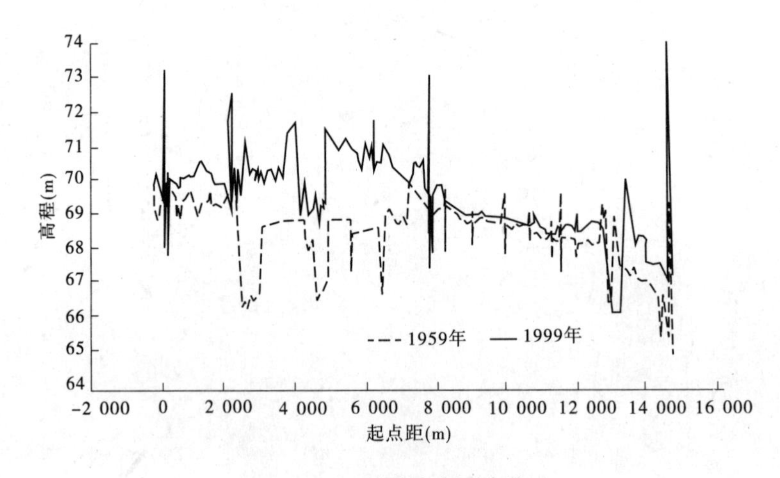

图2 油房寨断面变化

作者:龙毓骞。刊载于《黄河泥沙》(黄河水利出版社,2003)。

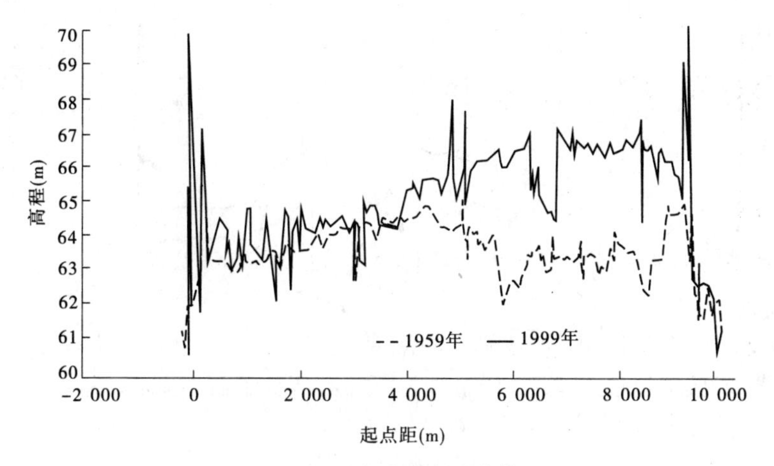

图 3　杨小寨断面变化

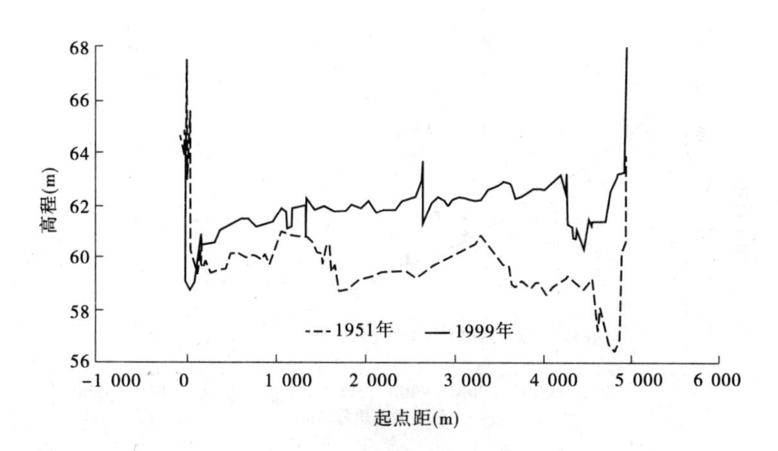

图 4　高村断面变化

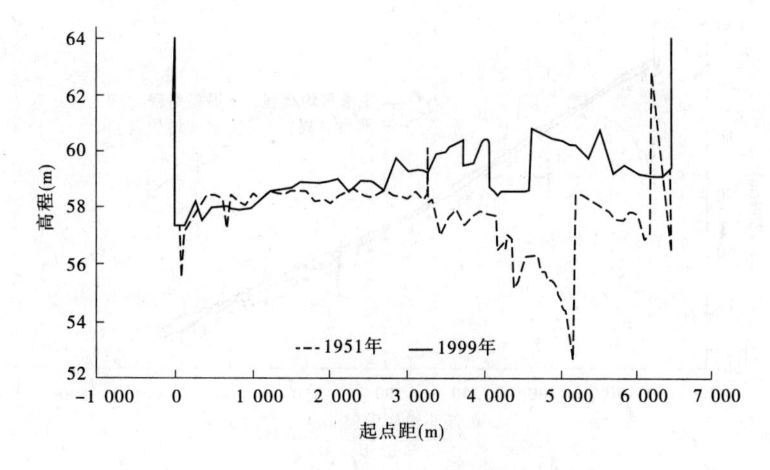

图 5　双鹤岭断面变化

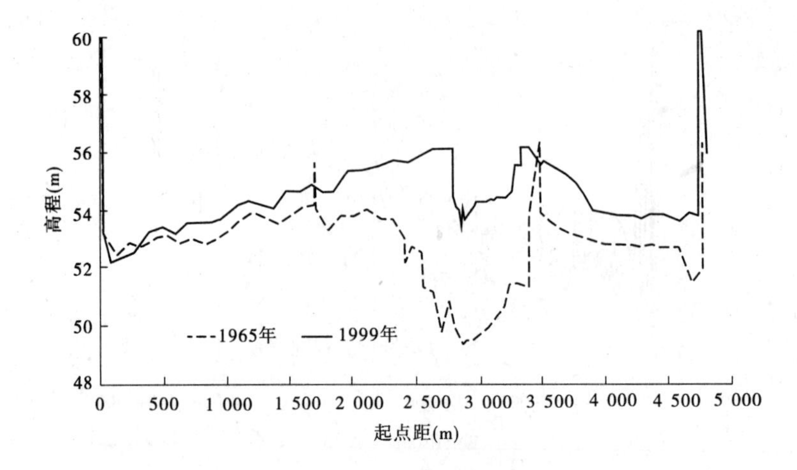

图 6　大王庄断面变化

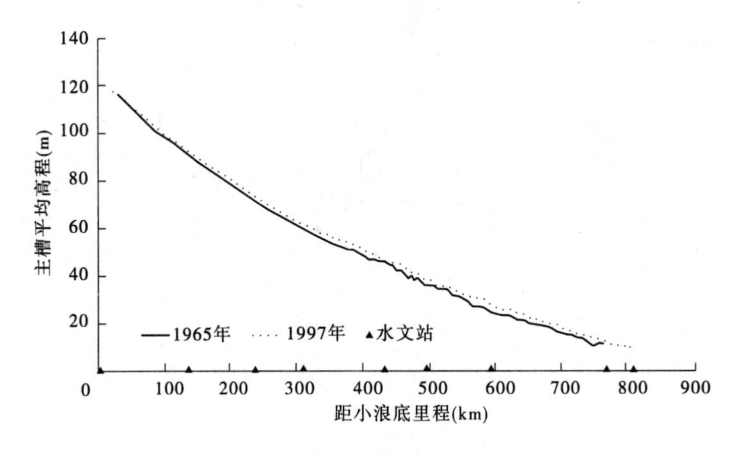

图 7　主槽河床平均高程纵剖面

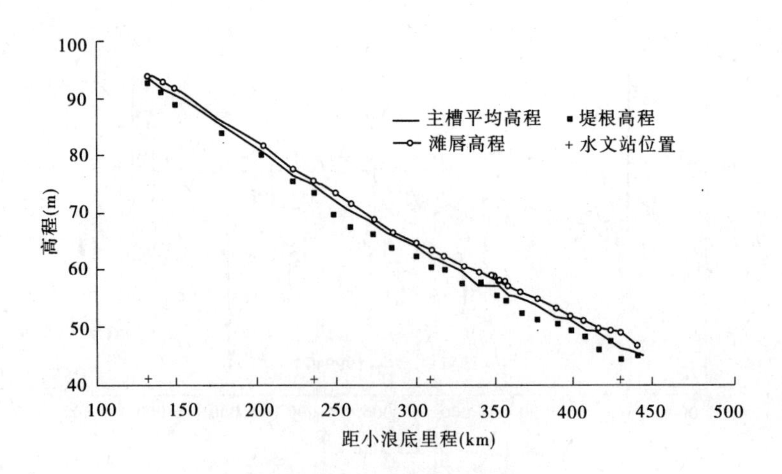

图 8　花园口—孙口河段河床纵剖面

利用这一断面资料分析，历年滩槽高差的沿程变化如图 9 所示。1965 年同 1999 年对比，全下游各河段的滩槽高差均有所减小。经过几十年淤积以后，孙口以上的河道滩槽高差在 1m 上下变化。表 1 反映了 5 个时段水库及下游河道的冲淤量。

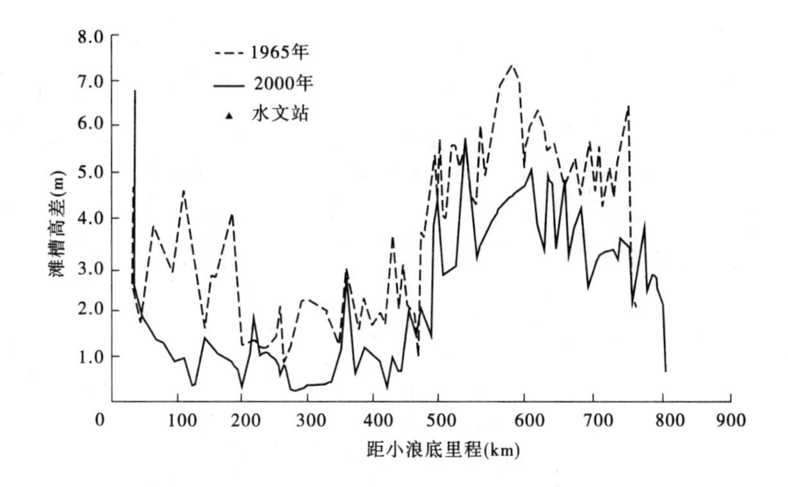

图 9　下游河道滩槽高差沿程变化

表 1　不同时段水库及下游河道淤积量及年均水沙量

时段(年)	年数	三门峡水库运用方式	淤积量		进入下游河道	
			水库*(亿 m^3)	下游河道(亿 m^3)	年均水量(亿 m^3/a)	年均沙量(亿 t/a)
1952～1960	9	自然情况		22.66	490	18.59
1961～1964	4	蓄水或滞洪	44.4	-21.20	514	6.93
1965～1973	9	滞洪	11.71	28.61	419	15.97
1974～1985	12	蓄清排浑	-0.08	2.88	431	11.19
1986～1999	14	蓄清排浑	12.65	23.45	273	7.64
1952～1999	48		68.68	56.40	401	11.98

* 水库淤积量系指三门峡水库布设的测量断面范围内的冲淤数量，包括回水影响范围内及回水影响区以上自由河段的冲淤数量，均按 1960～1999 年统计。

特别要指出的就是 1974～1985 年，年均水量 431 亿 m^3，年均沙量 11.19 亿 t，并不是太小，而下游河道淤积很少，其中，1974～1980 年淤积 8.2 亿 m^3，1981～1985 年冲刷 5.4 亿 m^3。实际上 1976、1977、1978、1982 年水都比较大，洪水发生次数也不是很少。龙羊峡水库运用以后，到 1999 年都是枯水系列，当然，1992、1996 年都发生过一些大水。所以，从夹河滩到孙口河段累计冲淤过程(见图 10)可以明显地看出，淤积的发展主要是 1965～1977 年，严格说来还有 1986 年以后。从下游河道淤积分布及其发展过程看(见图 11、图 12)，1974～1985 年，无论是总量还是沿程分布都跟其他时段有所不同。我要讲的主要是从夹河滩到孙口 200 多 km 河段的冲淤总量差不多占下游淤积量的 50%。图 13 是下游两个河段河床的平均抬高情况，可以看出平均抬高了 2m 左右。多年滩槽冲淤量及其分布见图 14。

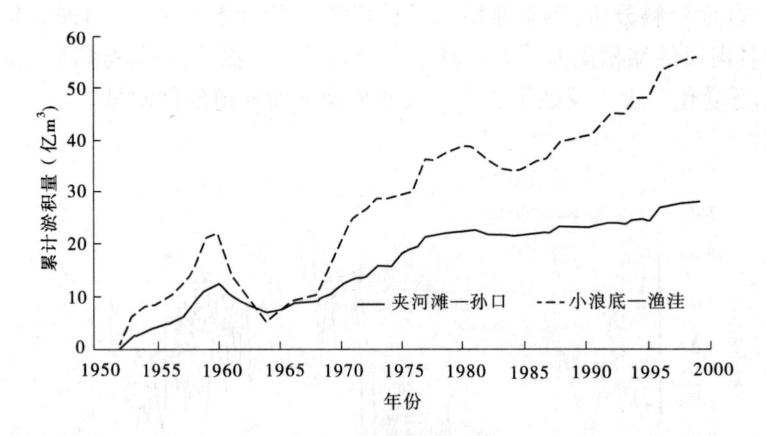

图 10　下游河道累计淤积量

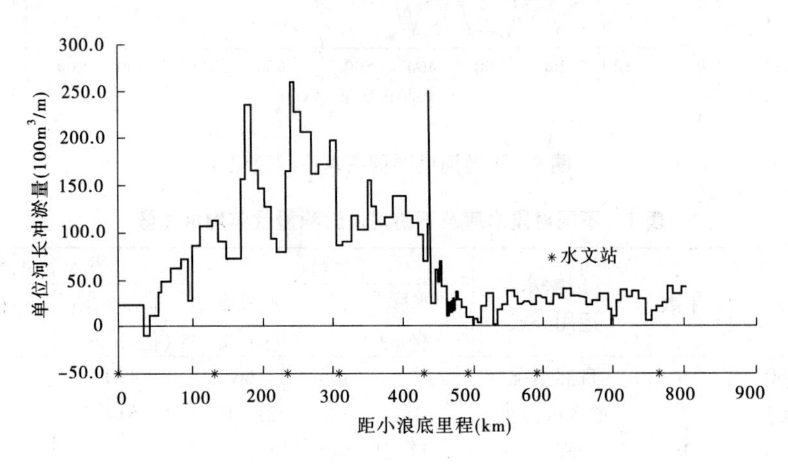

图 11　下游河道淤积量沿程分布(1952～1999 年)

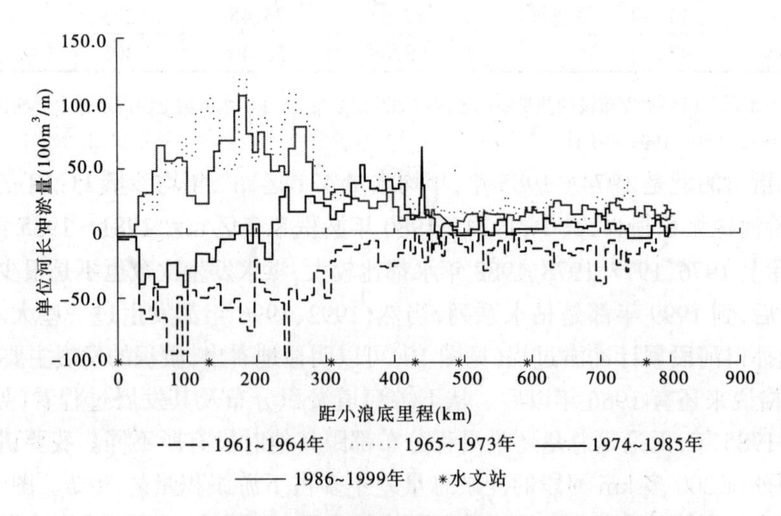

图 12　三门峡水库不同运用期下游河道冲淤沿程分布

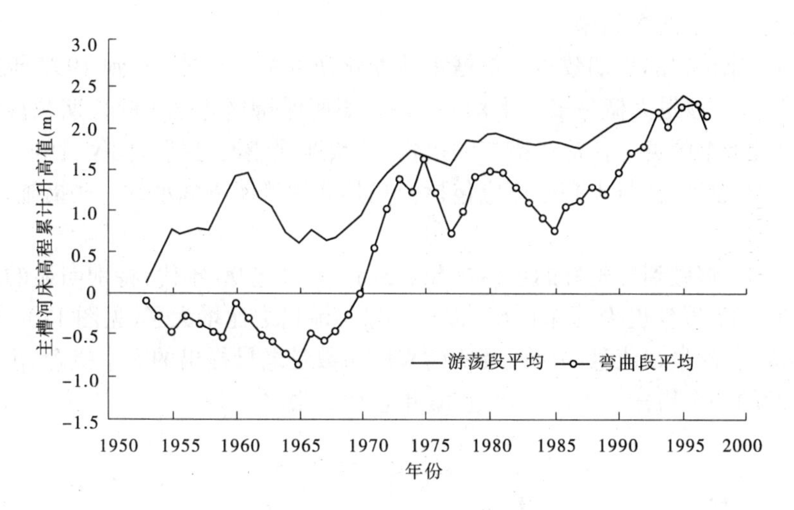

图 13　主槽河床累计升高过程

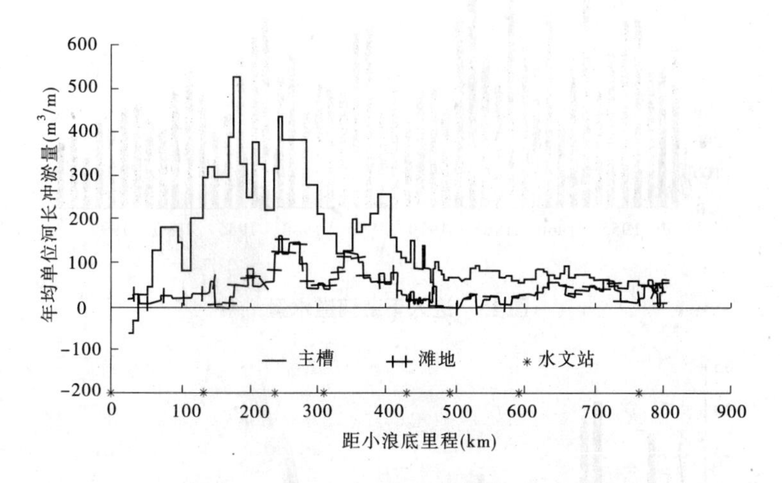

图 14　滩槽冲淤量分布

这里特别要强调的是两点。

第一点,今天讨论的主题是"二级悬河"。从资料看,它的范围是很大的,但有重点。昨天参观的河段就是重点河段。从水文站来讲就是夹河滩到孙口。具体说是东坝头到陶城铺,特别严重的河段还可再区分。我说这个意思是要有重点地治理,不可能一下子、短时间内、三五年就能把整个河段都整治好了。所以,要有重点,这个重点还要做细致的工作,要把平面图搞出来,把具体情况摆出来。

第二点,黄河水沙变化不是完全由水土保持引起的。两期基金研究的结果,水沙变化是水库拦蓄、灌溉引水引沙还有水土保持——广义的水土保持,这三个方面引起的。根据研究,也可粗略地说出这三个方面各占多少比例:水库和引水占一半,水土保持可能占一半。这个不一定很准确,仅仅是一个概念。所以,有的文件里说,水土保持使黄河年均减沙3亿t,我总是要提这个意见,不要只说水土保持,应提水利及水土保持措施。黄委的规划,下一步还要修碛口,修其他水库,就是为找出一个拦沙的途径。灌溉引沙确实有相当

数量,但是,也引出了两个问题:

第一,如何保持它的长期效益。根据水沙变化研究的一份报告,到 1997 年进入三门峡水库四个站的减沙量大概是多年平均 4 亿 t。如何保持这 4 亿 t 的长期减沙效益?我很高兴,前两天听李国英主任治黄措施的报告,把淤地坝建设已列入国家计划。但是我还希望不要只提淤地坝,在黄土高原还应包括一些其他拦沙而不减水的一些措施,包括滞洪拦沙工程。

第二,怎么能够做到比较好的水沙搭配。到了 20 世纪 90 年代,特别明显的是水量有所减少(见图 15),沙量也少(见图 16),但含沙量与流量之比增大了(见图 17)。研究泥沙的同志都知道,含沙量跟流量的比值及所谓来沙系数是老早提出的一个概念,也是粗略地衡量河道冲淤的一个指标。可以看出近 10 年它增大很多。

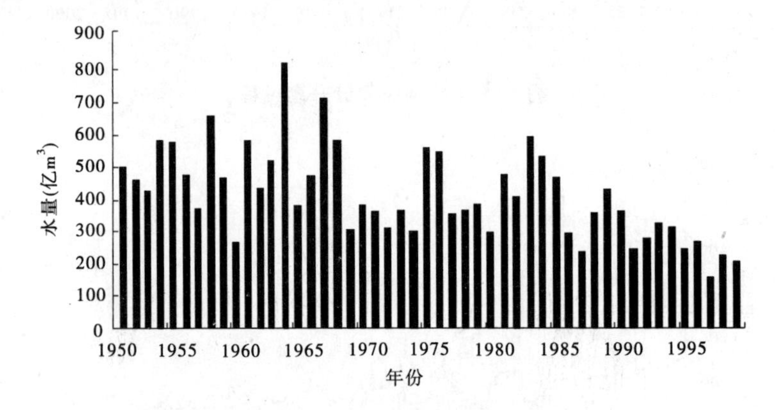

图 15 进入下游河道水量

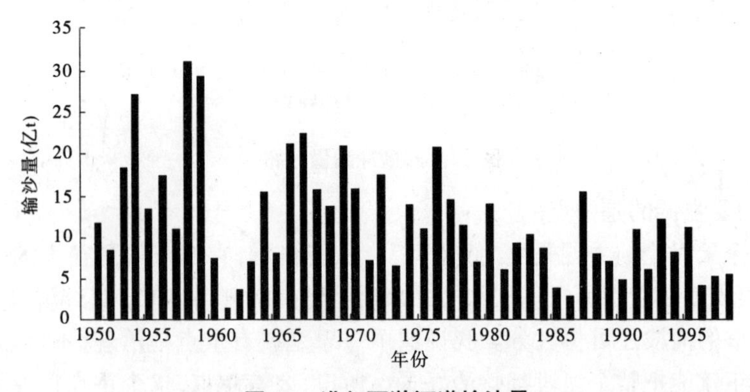

图 16 进入下游河道输沙量

把几十年进入下游河道的流量、输沙率的关系列出来,扣去了引水引沙量得出图 18。可以看出中间大体上有一个冲淤接近平衡的线,相当于 Q_s 等于 Q 平方的关系线,这个规律是基本符合河流输沙规律的。像这类图形过去赵业安、潘贤娣等早就做过,在 20 世纪 70 年代很多人发表过这类成果。但是,有的人是用含沙量、淤积量的关系,用不同的形式表示。我这里是说,我们应该积极地去探讨,到底什么样的水沙搭配对下游有利。我这个图好看不好用,要探讨什么样的水沙关系使下游不淤或者少淤。

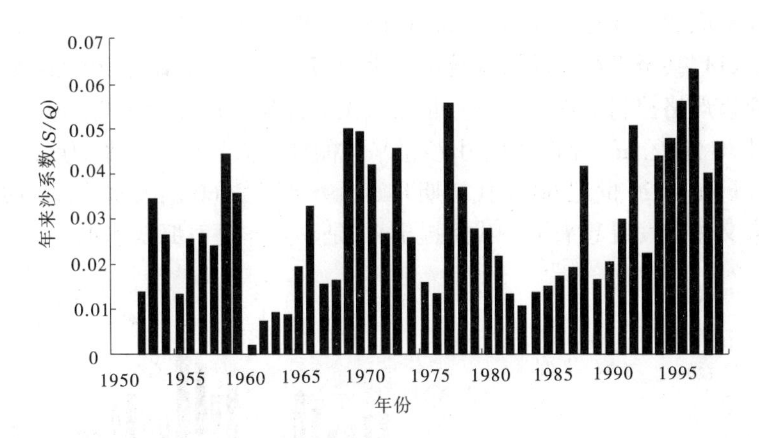

图 17　年来沙系数(含沙量与流量比值)变化

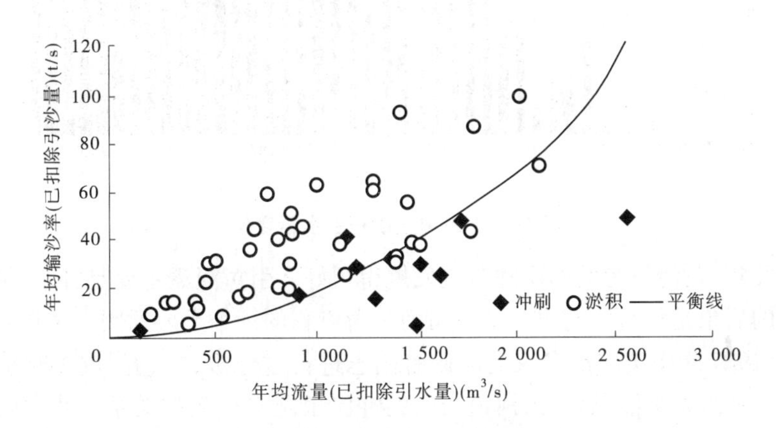

图 18　冲淤接近平衡条件的流量输沙率关系

下面重点谈的是应该研究的问题。

第一,小浪底水库调水调沙应当借鉴三门峡水库的经验。要有水可蓄,有水可以排沙。1974 年开始采用的蓄清排浑水沙调节运用方式,我认为是前几十年全国科技人员的一个创造,适用于多沙河流的情况。但是,它是有条件的,必须有水可以用于排沙。

到了 20 世纪 90 年代,来水太枯,没有水可以排沙了,所以三门峡水库就不得不降低运用水位,特别是汛期运用水位。根据分析,1974 年至 1985 年,大概年平均减淤是 3 000 万 t。我们的工作只做到 1990 年,有人分析,从 1986 年以后减淤作用较小。但是,通过运用将泥沙放到比较大的流量时排出来,还是有点减淤作用的。三门峡水库这个经验不要忽视,长江三峡水库建成后也是蓄清排浑、调水调沙,这是一个非常宝贵的经验。

第二个经验是小浪底水库 2002 年的调水调沙试验。这次调水调沙形成的人造洪峰,我认为是一个很主要的成果。假设 2002 年 8 月或 9 月份,来一场大于 5 000m^3/s 流量的洪水,由于搞人造洪峰,把主槽扩大了,扩大了过洪能力,肯定对防洪有利。我认为这两个经验都是调水调沙不同的运用,这个经验值得推广。但是,怎么推广,要很好地研究在什么水沙条件下,应该怎么去推广它。

第三,应该千方百计用各种方法来淤临、淤背、淤滩(堤河)。很多同志都发表这一方面意见，我非常同意。现在沿河有 70 多处灌溉引水，有的是直接从大堤，有的是在控导工程上面修引水口，甚至于利用灌溉系统引水来放淤。另外还要制定相应的政策。

第四，应该严格控制引水。这一点很多人没有提到。近几年平均的引水量是 80 亿～100 亿 m^3，平均 90 亿 m^3，见图 19。引沙量平均的情况大概 1 亿 t 多一点，见图 20。当初发展引黄灌溉，是从 20 世纪 60 年代初期开始，1959 年、1960 年大水灌，从 1962 年开始就停止了，后来又慢慢发展起来了。我想提出来，是不是非要引那么多水？

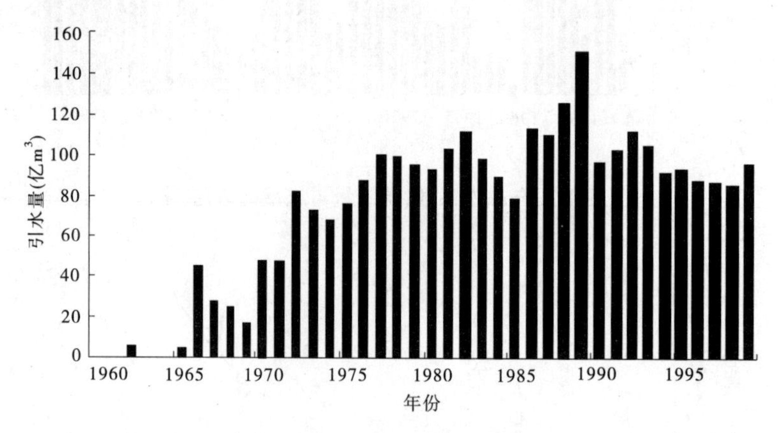

图 19　下游河道沿程引水量变化

最近这几年，黄河下游的两岸灌溉也发展得很好。引黄灌溉主要是补水，补充天然的水。而引水的后果是什么？它也是造成黄河下游淤积的一个重要原因。关于引水引沙对河道的影响，1987 年中美防洪会议的时候有同志进行过分析，“八五”攻关时也有同志进行过分析。它和来水来沙条件，跟河道当时的冲淤情况有很大的关系。我主张这个问题应该列个题目，大家好好地研究一下，能不能严格地控制引水，上游包括宁蒙河段、山西、陕西，我认为要重新研究灌溉引水的问题。

还有一个想法，就是上游水库的水电开发，过去是作为水电基地开发的，不断地修了好多水电站，不只是龙羊峡和刘家峡。现在黄委有这个责任调配水资源。我想提出来水利部能不能再赋予黄委更大的权力，重新规划一下黄河的水资源到底怎么来分配、怎么利用，包括上游的水电基地，到底应该留多少水。

最后，我想借用河海大学左东启同志写的一篇文章，其中引用古人的一句话：“以水养河，以河行水”。我觉得这个问题值得我们思考，好好地思考。我们是不是对黄河要求太多了？结果使得我们这条河也不成河了。前几年断流，就引起大家的好多讨论。我那时候作为一个泥沙工作者，开座谈会时就提出来要重视泥沙的处理，千万不要忽视泥沙问题。那时候报上谈的都是水资源，我总觉得，作为泥沙工作者来讲，还要多加一句话：“以水养河，以河行水，以水输沙”。输必要的沙，至少输 8 亿 t、10 亿 t。包括渭河，可是渭河修了很多水库，来水就大量减少了。河道枯萎到底是三门峡水库运用造成的还是过分开发造成的？像这种问题值得我们认真思考。以前只是提出一个笼统的概念，150 亿 t 输沙用水，我认为不要只提输沙用水，河道里没有一个主槽，行水也没有槽子了。所以，问题的关键是不管你怎么提，现在“二级悬河”当务之急是把河道主槽一定要千方百计地慢慢扩大，还不能一下子扩大。现在下游河道的平滩流量只有两三千流量，小浪底水库放水不要一下子放五千、六千流量，否则就会造成灾难，你还是放在两三千流量以内，逐步把主槽扩大。

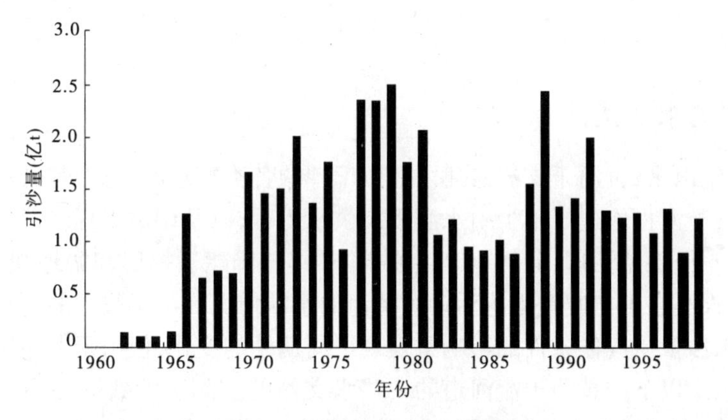

图 20　下游河道沿程引沙量变化

有的同志提出来，2002 年调水调沙效果也很好，但是应考虑到水的宝贵。反过来讲，你有没有考虑到以水养河、以河行水。2002 年 26 亿 t 水冲了这么一个槽，当然了没有来水又淤回了一些，我觉得还是划得来的。不只是做试验，我们取得了经验，而且今后只要有机会，每年还得创造汛期初期行水的条件，有了行水的条件才能输沙。

不是很系统地对这个问题做出答案，把我所掌握的资料作为一个背景反映黄河下游是怎么淤积过来的，希望能引起大家的思考。

治黄研究几个应予重视和讨论研究的问题

1　关于黄河的水沙条件

半个多世纪以来,黄河干支流修建了数以千计的各类型水库,总库容已远远超过了黄河的年径流量,沿河也修建了不少引水灌溉及供水工程,以及调水工程。黄土高原也已进行了大规模的水土保持治理,除林草等生物措施外,还修建了梯田和淤地坝,开展了引洪灌溉等。这些人类在生产实践中的活动对黄河的水沙情况产生了很大的影响。在自然条件下,河流的水沙量受气候条件的影响常表现出周期性的变化,但由于上述这些人类活动影响,龙羊峡水库以下的黄河干流河道的一些水文站的实测水沙数据已经不能确切地反映自然条件下水文情况的变化。根据实测水沙数据进行统计求出的多年均值同样不能代表自然情况下的特点。在应用这些统计数字时应该十分慎重。

黄河兰州以下两岸不受约束的冲积性河段长度达 2 100km,这些河段两岸社会经济发达,流域水沙条件的变化对河道行水输沙能力的调整及冲淤影响很大。上一个河段的调整又会影响到下一个河段水文站的水沙条件及其以下河道的调整。正常条件下黄河的来沙量大,这种调整是很迅速的。这也是黄河不同于其他河流的一个特点。我们对黄河进行观测研究,既要注意研究由于人类活动引起的水沙条件的变化,又要研究河道对这些水沙条件变化的反应,也就是河道的边界条件和输水输沙能力的变化。

基于黄河具有以上特点,可以得出以下几点值得重视研究的问题:

(1)黄河干支流水沙情况受气候及各种人类活动影响变化剧烈,因此必须建立全流域的监测体系,既有传统概念的水文站网,又要将冲积河段及水库的泥沙冲淤观测网,以及灌溉、水土保持等水沙观测纳入监测体系;既要做好站点的测验工作,还应运用新技术、新方法研究各种人类活动对水沙情态的影响;既要按照流域自然条件规划站网,还要结合行政区划及各类治理措施如水库、灌区、水土保持等的特点设立控制性站点。只有这样,才能充分发挥现场实时观测资料对全流域实行水沙调度的作用。

(2)各类水利工程、水保措施在不同降雨条件下对流域水沙条件改变所起作用还需要深入研究,才能从全流域水沙调节的观点研究有关实施节水减沙措施以及扩大减沙效益的方法。

(3)流域水沙情况不仅提供了防洪的依据以及水资源可资利用的限度,而且将塑造或改变河道的边界条件。它又将反过来影响到防洪及水资源利用。各种治理措施对河流水沙数量及过程的影响常与水沙量处于或近似于同一数量级。例如,在枯水年份黄河下游沿程引水引沙的数量有时已超过河道淤积量。这些情况不仅对治理及观测原型黄河有影响,而且在运用数学模型或实体模型研究时都应该认真考虑。

作者:龙毓骞。刊载于 2003 年 2 月 22 日《黄河报》。

(4)黄河流域水沙变化监测体系的观测研究工作十分复杂,而原型观测资料又是研究黄河的极为重要的基础资料。必须重新研究适用于各类观测体系的技术和方法,提高收集资料的准确可靠性。研制或引进适用于各类观测的仪器设备,编制各种适合黄河特点的软件,提高资料处理的能力。

(5)必须大力发展数学模型、实体模型,以便与野外观测配合,研究和预测水沙条件变化对冲积性河段的影响。

2 三门峡水库冲淤量的概念

三门峡水库修建初期,在黄河干流龙门、北洛河洑头、渭河咸阳、泾河张家山以下,干流三门峡坝址以上的河道范围内,设立了进行淤积测量的大断面。这一区间在习惯上也被称为库区。由于泥沙问题,水库运用方式经历了三次改变,运用水位也有很大变化。蓄水时期(1960 年 9 月～1962 年 3 月),回水影响常超过潼关;滞洪运用期的最初几年(1962 年 3 月～1964 年 10 月)直接回水影响有时超过潼关,以后各年(1964 年 11 月～1973 年 12 月),汛期直接回水影响均不超过潼关,但由于前期河道淤积,小北干流及渭河下游冲积河段随来水来沙进行调整。1970 年潼关高程及淤积量达到最大值。以后随改建工程的投入运用,运用水位逐步降低,潼关以下发生冲刷,但潼关以上河道仍发生淤积。经过一段时间,这种淤积上延现象才渐趋于稳定。1974 年开始进行蓄清排浑调节水沙的运用,非汛期防凌运用期间,直接回水有时在短时间内也曾影响到潼关,汛期一般均处于低水位运用,洪水期则大多处于敞泄状态,对潼关以上基本没有影响。

小浪底水库的投入运用,使三门峡水库非汛期的运用水位进一步降低。潼关高程的变化以及潼关以上原库区干支流河道的冲淤主要受来水来沙的条件所制约。因此,在表述三门峡水库的冲淤量及其时空分布时,应注意在所研究的时段内,原习惯上称为库区的范围受变动回水影响的那些河段的冲淤才主要是水库运用的结果。在其上游的河道所发生的冲淤主要反映了冲积性河道的河床形态在来水来沙条件下进行的调整。换言之,不应将测量范围内,也就是原习惯上称为库区的范围内的冲淤量一概称为三门峡水库的冲淤量而不加以必要的说明。原习惯上称为库区的范围内的冲淤量实际上包括了受水库运用影响的那部分库区或河道的冲淤量,以及变动回水影响以上属于自由河道部分的冲淤量。当然,就某一时段而言,变动回水影响的确切界限是不容易测定的,变动回水影响以上属于自由河道部分的冲淤量也还包括了由于前期淤积而引起的河床形态调整。

黄河干流潼关以下、小北干流及泾、渭、北洛等冲积性河道随着每年水沙条件的变化都会发生一些冲淤现象。这是冲积性河流的一个普遍存在的现象。就三门峡水库而言,改建工程投入运用初期,坝前水位虽已降低,在某一水沙条件下,变动回水影响范围以上的河道还会发生淤积,整体上表现为淤积上延。有时,在上游发生洪水时,滩地没有明显变化而河道主槽还会发生冲刷。这种现象我们统称之为淤积上延。它实际上是变动回水区原河道由于前期淤积、比降变小引起的冲积河道的河床调整。床沙组成、河床形态、输沙能力、主槽行洪能力等都会发生变化以适应来水来沙的情况。1964 年 11 月～1973 年 12 月水库基本上敞泄,潼关以下库区大量冲刷,原库区潼关以上的小北干流及渭河经过前期淤积,河道的平滩流量变小,淤积上延。经过调整,到 20 世纪 80 年代初河道的平滩流量已基本恢复到原来的水平。黄河下游河道在三门峡下泄清水或含沙量较小的水流下发生冲刷的前期条件下迅速回淤，河道萎缩，平滩流量变小。1974 年以后，水库实行蓄清排浑调节水沙的运用，下游河道也开始调整恢复其输水输沙能力。到 80 年代中期(1985 年)这一调整也渐趋于稳定。这些情况都可说明在黄河，由于有充分的泥沙补给，在正常的来水条件时，这种调整是很迅速的。因此，不能将库区范围内自由河道部分的冲淤量统统称之为由于运用引起的水库冲淤量。

根据不同时期水库运用水位情况可以大体上了解不同时期变动回水影响的范围，并据此较粗略地确定不同时期受水库运用影响的那部分库区及河道的冲淤量，即相应某一时期或时段的水库冲淤量。如果研究原习惯上称为库区范围内的冲淤情况，就应说明所谓的库区实际上是包括了不同时期曾受水库运用影响范围内的淤积量以及未受回水影响的自由河道部分的冲淤量。

根据实测资料分析，受前期淤积影响的淤积上延的范围渭河部分大致达到距潼关 165km，黄河北干流大致达到距潼关 85km。以上河道均属自由河道。在近几年的运用情况下，潼关以上河道也均属自由河道，其冲淤主要受水沙条件制约。非汛期潼关以下的库区也只有距坝 70～80km 的范围(太安以下)处于变动回水范围。可见在目前条件下，由于水库运用引起的冲淤变化的范围是很小的。因此，将原来所谓的库区范围所测到的冲淤量笼统地称之为三门峡水库的冲淤量是不合适的。

3 关于水库蓄清排浑调节水沙的运用原则

一般来说，河流上修建水库的主要目的是调节径流。对于多泥沙河流的水库，在调节径流的同时也会对泥沙进行调节。蓄水水库在蓄水的同时也拦蓄了泥沙；滞洪水库在滞洪的同时拦蓄泥沙，但在洪水后期将滞洪期拦蓄的泥沙排出库外，形成小流量排沙；黄河流域一些中小型水库根据入库水沙的特点采取非汛期来沙量小时蓄水、汛期将泥沙排出的运用方式，即蓄清排浑的运用方式；三门峡水库吸取了官厅、闹得海和黑松林等水库的运用经验，结合本水库的特点，在进行泄流设施改建后，创造性地采取了蓄清排浑、调节水沙的运用方式。即在调节径流的同时尽量使下泄的泥沙与水流有较好的搭配，才能较好地发挥下游河道的输沙能力，减少主河槽的淤积。黄河小浪底、长江三峡等巨型水利枢纽在规划设计中也承袭并采用了这一经验。在运用方式的研究中提出了多种调节水沙的方法。2002 年，小浪底水库成功地进行了调水调沙试验，不仅输送了近 7 000 万 t 泥沙到河口，还使下游河道的主槽全程都发生冲刷，扩大了主槽的行洪能力。

1974 年以后三门峡水库采取蓄清排浑调节水沙的运用方式，取得了一定的效益：水库保持了一定的可用于调节的库容；控制了淤积上延；对下游起到了一些减淤的作用。多年的运用经验还说明，采取蓄清排浑调节水沙的运用方式是有条件的。非汛期要有水可蓄，汛期洪水期要有水可供排沙，才能达到蓄清排浑、年内冲淤平衡、保持可用的水库库容的目的。在调节泥沙方面也取得了一些经验，认为应将非汛期的来沙于汛期中等或较大洪水时期排出水库，可以更好地发挥下游河道的输沙能力。就运用而言，年内不同时期的运用水位的限度应能根据水库前期的淤积情况及当年来水来沙情况作适当的调整等。当然，受一些条件的制约，三门峡水库的水沙调节作用是有限的。小浪底水库的投入为较大规模的水沙调节提供了可能。

在多泥沙河流上修建水库，根据实际水沙条件，采用蓄清排浑、控制运用、调节水沙的运用方式，既可保持一定的长期可用的库容，控制淤积上延，又可通过水沙调节使下泄水流具有较好的水沙搭配以减缓下游河道的淤积。这是我国水利工作者对发展我国水利事业的伟大贡献，也是一项创举。但是，我们应该认识到如何通过水沙调节，在尽量减缓水库淤积的同时，使下泄水流具有最优的水沙搭配，还是一个需要进行深入研究的课题。全流域水利工程的水沙调节，作为一个系统，更是一个需要认真思考的问题。

Features of Sedimentation in Lower Yellow River

1 Foreword

The Yellow River, running out of the gorges below the Sanmenxia and Xiaolangdi Reservoirs, flows through the vast North China alluvial plain, and finally empties itself into the Pohai Sea. The flow path is now being confined by levees along both banks except a part of the river located on the south bank. The upper part of the river wanders in - between a wide and shallow main channel with a broad floodplain. The main channel including the deep channel and bars is about 4 500 m in width and an average gradient 0.000 18 and used to have a conveyance capacity of about 5 000~6 000 m^3/s. The river runs through a transition reach nearly 150 km in length and enters into the lower part which has a relatively narrow and deep main channel with a width of about 650 m and less broad floodplain and a gradient about 0.000 1 in average.

Annual surface runoff and sediment load entering the lower Yellow River amounted to 47 billion m^3 and 1.6 billion t. Under natural condition, the Lower Yellow River is a strongly aggravating river that suspended over the adjacent land. Status of sedimentation including the amount and distribution of the deposition or erosion is of great concern to the flood defense and river regulation. The amount and distribution of the sedimentation in the lower Yellow River is evaluated from the observed range survey data by means of a software program (RGTOOLS).

For safeguarding against flood hazard in the Lower Yellow River, in later 1950′s, the Sanmenxia project was constructed and commenced its impoundment in September 1960. Due to rapid lose of its capacities by sediment deposition it was decided to change the operational mode to only flood detention since March 1962. However, the outlet discharge capacity of the outlets as originally designed was insufficient, the backwater deposits still extended farther upstream. Reconstruction of the outlets for purpose of enlarging the outlet discharge capacity started in 1965 and completed in 1973. Since then, a new operational policy has been adopted for the reservoir which stores some relatively clear water in the non - flood season from November to next June and dispose the sediment during the flood events including the deposits that were accumulated during the impounding periods in the previous non - flood season. By this operational policy, the sediment release to the downstream can be controlled and regulated along with the regulation of water. [Yang,1996]

作者:龙毓骞、梁国亭、张原锋、申冠卿。选自2003年第一届黄河国际论坛(International Yellow River Forum)论文集。

In recent years, a new multi – purpose step project, the Xiaolangdi Project, located below the Sanmenxia Dam is being constructed. It commenced its operation in 2000 and will play an important role in regulation of the flow entering the Lower Yellow River in the coming years. Release from these reservoirs in addition to the runoff from the two tributaries, Yihe and Luohe River, right below the XLD project, will compose the inflow to the Lower Yellow River.

2 Variation of the Oncoming Flow and its Impacts

Since early 1950's, thousands of reservoirs with different sizes have been constructed on the main stem and tributaries with a total capacity far exceeding the natural annual surface runoff of the Yellow River. Sediment – laden water was withdrawn for irrigation along the main river and the tributaries. Extensive soil conservation measures were also implemented on the Loess Plateau, including both engineering and reforestation measures, among which, numerous sediment – retention small dams (deposition of sediment for creating cultivable lands behind the dam) were built in the hilly and gully loess area that is known as a heavily sediment yield and coarse – sediment source area. In addition, Yellow River water was transferred for municipal uses for cities of Tianjin and Qingdao. These human activities in additional to the influence o f natural climatic variations have made great changes in the water and sediment regime of the river.

The annual water runoff and sediment load had reduced appreciably as shown in Fig. 1. Using the mean annual runoff and sediment load in the decade 1950's as a reference, average reductions of the annual runoff and sediment load in 1960 through 1996 constitute nearly 30.6% and 26.7% of the natural amounts respectively. As a whole, reduction of the annual runoff was greater than that of the sediment. Variation of the temporal distribution of the surface runoff is also noticeable. Ratio of total runoff in the flood season from July to October to that in the whole year had changed from 0.6 to nearly 0.4. Formation of floods with medium or small scales was greatly influenced. Both the peak flow and the flood volume of the medium and small floods had been reduced and the sediment concentration had increased. In addition, the inflow to the downstream reaches below the SMX dam has been greatly modified by the operation of the reservoir. [Working Group, 2002] It is important to study the status of sedimentation of the lower Yellow River in response to the variation of oncoming flow in order to foresee the future trends of the lower Yellow River after the operation of the new Xioalangdi Project.

3 Status of Sedimentation in the Lower Yellow River

3.1 Amount of deposition

Total amount of deposition in the Sanmenxia reservoir and the lower Yellow River in different periods are shown in Table 1. [Long, 2002]

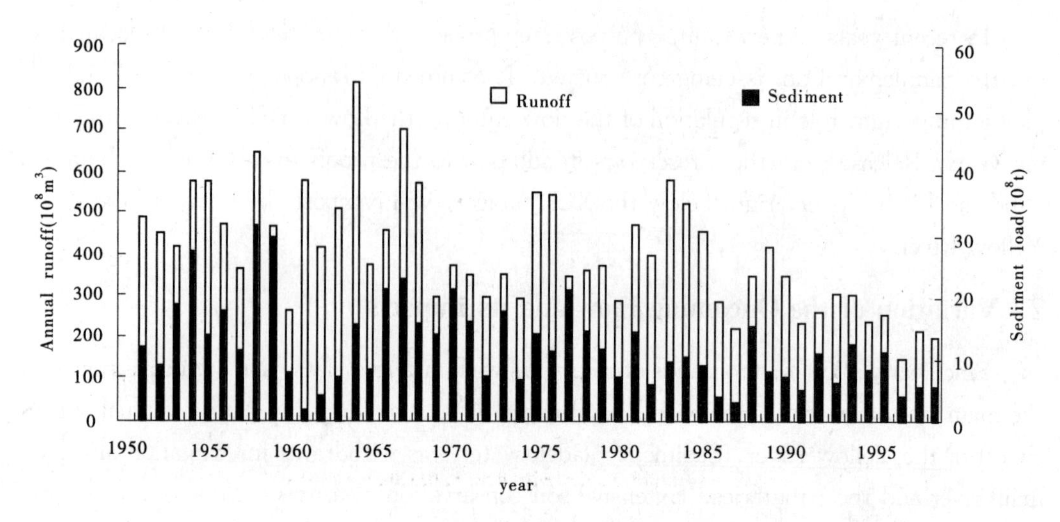

Fig. 1 Variation of the annual runoff and sediment load entering the LYR

Table 1 Mean annual inflow and Deposition in the Lower Yellow River

Periods	No. years	Operational mode SMX Reservoir	Amount of deposition		Inflow entering LYR	
			Reservoir*	LYR	Mean annual runoff	Mean annual sediment
			(10^8m^3)	(10^8m^3)	(10^8m^3/a)	(10^8t/a)
1952~1960	9	Natural	—	22.66	446	17.8
1961~1964	4	Storage	44.43	-21.20	553	6.6
1965~1973	9	Flood detention	11.73	28.61	380	14.9
1974~1985	12	Store clear	-0.08	2.88	341	9.6
1986~1999	14	&dispose muddy	-12.65	23.45	171	6.3
1952~1999	48		68.70	56.40	378	11.0

* Note: Deposition in the reservoir includes the amount of deposition within the backwater-affected reach and that take placed in the free flow reach.

The cumulative amount of deposition in the Lower Yellow River from Xiaolangdi to Yuwa from 1952 through 1999 is 5.64 billion m^3. Below Yuwa, the cumulative amount of deposition after 1965 is 0.6 billion m^3, as computed with the surveyed data. The amount of deposition in river channels below Yuwa (not including part of the river channel on the topset and the foreset of the delta) in the period 1952 through 1964 is estimated as 0.2 billion m^3. If the amount is included, the total deposition in the lower reaches of the Yellow River from 1952 through 1999 will be 6.44 billion m^3. Processes of development of the deposition in the reservoir and in the lower Yellow River are shown respectively in Fig. 2 and Fig. 3. Temporal variation of the annual deposition of the lower Yellow River is shown in Fig. 4.

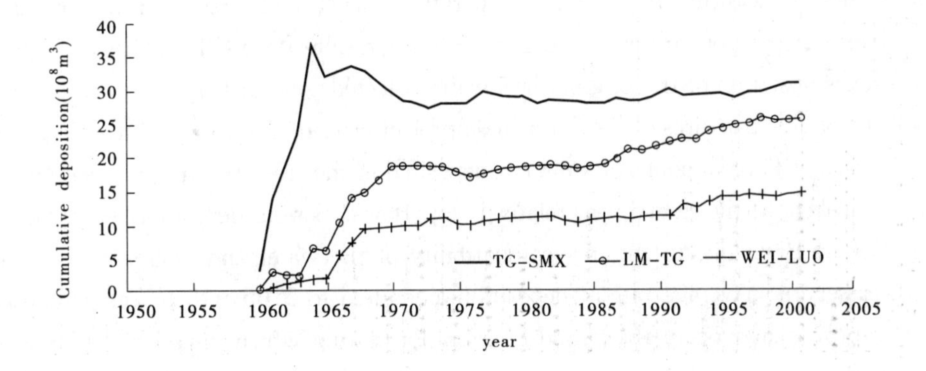

Fig. 2 Cumulative deposition in Sanmenxia Reservoir

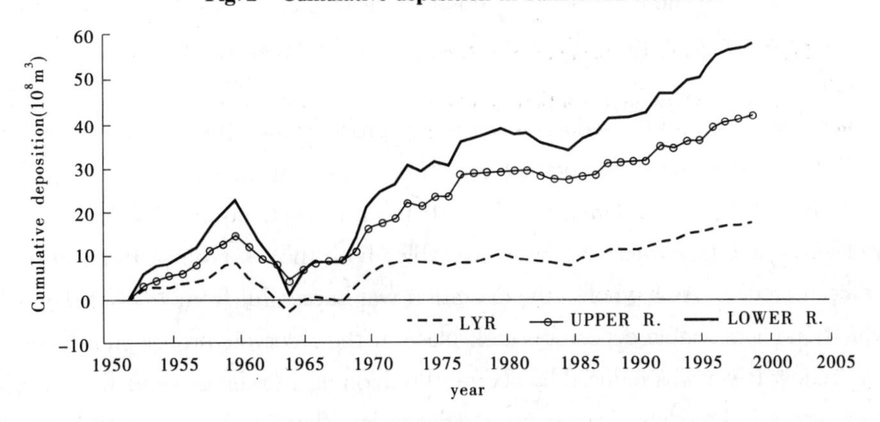

Fig. 3 Cumulative deposition in the Lower Yellow River

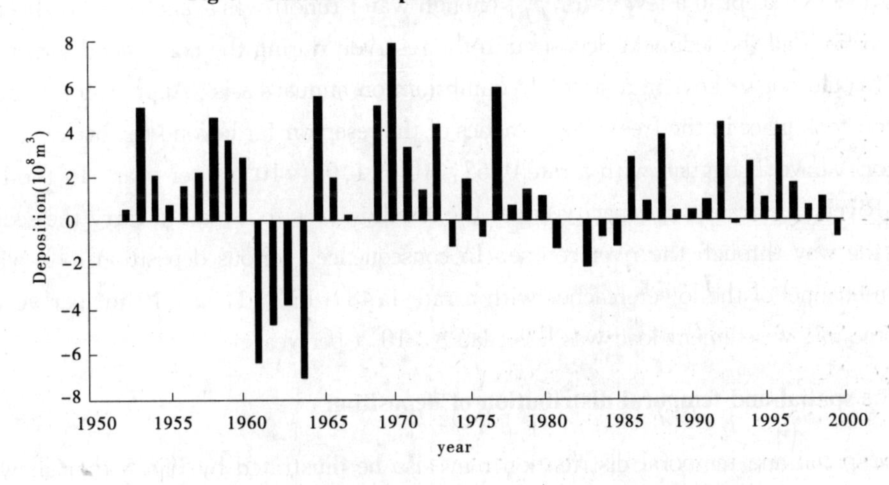

Fig. 4 Temporal Variation of the annual deposition in the Lower Yellow River

Prior to the operation of the Sanmenxia Reservoir, the lower Yellow River was in a state of aggradation at an average rate of $2.74 \times 10^8 m^3/a$ in 1950's. In the impounding period from 1961 to 1964, erosion took place all the way through the lower Yellow

River[Zhang,2000] but the reservoir capacity lost rapidly. From 1965 to 1973, the reservoir was operated only for flood detention and the operational level in the reservoir was lowered but the backwater deposition still extended upstream as a result of the self – adjustment of the alluvial reaches upstream of the original backwater affected zone in the reservoir. During this period, the outlet structures of the Sanmenxia project were re – constructed to enlarge its discharge capacity. Large amount of sediment deposited in the reservoir in the impounding periods were flushed off the reservoir at relatively low flows. Serious deposition took place in the Lower Yellow River due to the in – compatibility of the water and sediment flow released from the reservoir. Average rate of deposition amounted to $3.05 \times 10^8 m^3/a$. Situation was greatly improved later on in the period of operation during which, relatively clear water in the non – flood season is stored in the reservoir used for ice – flood control, irrigation and hydropower generation. In the flood season, in particular during the flood events, the reservoir water level was drawn down to flush off the sediment deposits occurred in the previous non – flood season.

By this mode of operation, sediment outflow is properly managed along with the regulation of the water in the reservoir. Average rate of deposition in the reservoir and in the lower river amounted to $0.15 \times 10^8 m^3/a$ and $1.52 \times 10^8 m^3/a$ respectively in periods 1974～1980. In 1981～1985, the inflow was extremely favorable, both the reservoir proper and the lower river have been eroded. As a whole, the operation was successful from 1974 through 1985, during which, no appreciable deposition took place in the reservoir proper and deposition in the Lower Yellow River was reduced by about 30 million m^3 in average annually as a result of study by mathematical models. However, a series of low flows took place in the period from 1986 to 1999. Except in a few years, not enough water runoff was available in the flood season to flush off all the sediment deposited in the reservoir during the non – flood season. The reservoir could not be kept in a state of equilibrium on annual basis. Appreciable amount of deposition took place in the free – flow reaches of the reservoir far beyond the backwater – affected zone above Tongguan with a rate $0.65 \times 10^8 \sim 1.01 \times 10^8 m^3$ per year. In the Lower Yellow River, the transport capacity under the low flow was too small to carry the sediment load all the way through the river course. In consequence, serious deposition took place in the main channel of the lower reaches with a rate $1.48 \times 10^8 \sim 1.95 \times 10^8 m^3$ per year, although the inflow sediment load was less than 8×10^8 t per year.

3.2 The spatial and temporal distribution of deposition

The spatial and temporal distribution may also be illustrated by Fig. 5 that shows the variation of the amount of deposition per unit river length under different oncoming flow conditions corresponding to the periods of the operational modes adopted in the Sanmenxia Reservoir. It reflects the river response to the variation of the inflow as modified by the operation of the reservoir.

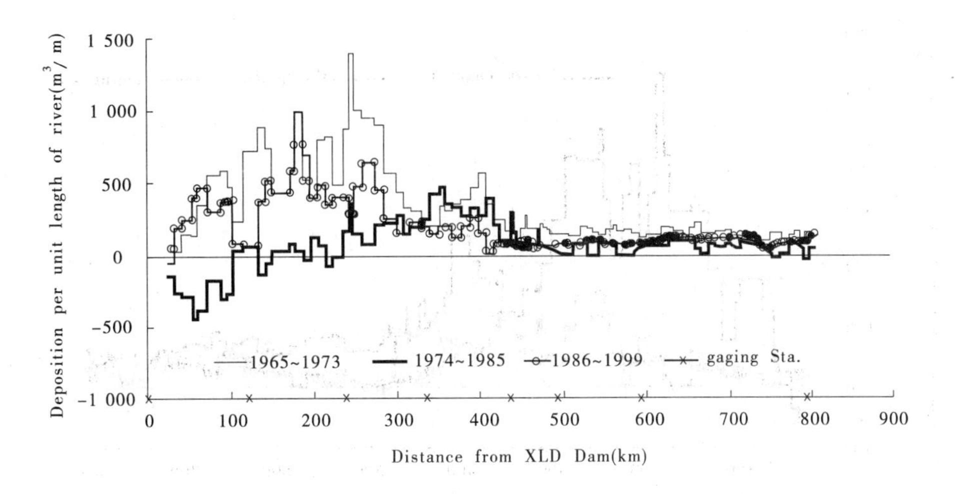

Fig. 5 Longitudinal distrobiton of deposotoion under different oncoming flows

In response to the operational policy called as "Store the Clear and Dispose the Muddy", longitudinal distribution of the deposits along the lower river is characterized by the following patterns. In the non-flood season, the upper part of the lower reaches is generally under erosion while the lower part is in aggradation; in the flood season, the reverse is true. The division point is generally at Sunkou, approximately in the middle of the lower Yellow River course, below which, the river channel is relatively deep and narrow. Fig. 6 shows the average situation in period 1974 through 1980. Needless to say, the amount of deposition or erosion in a river reach depends on the inflow conditions.

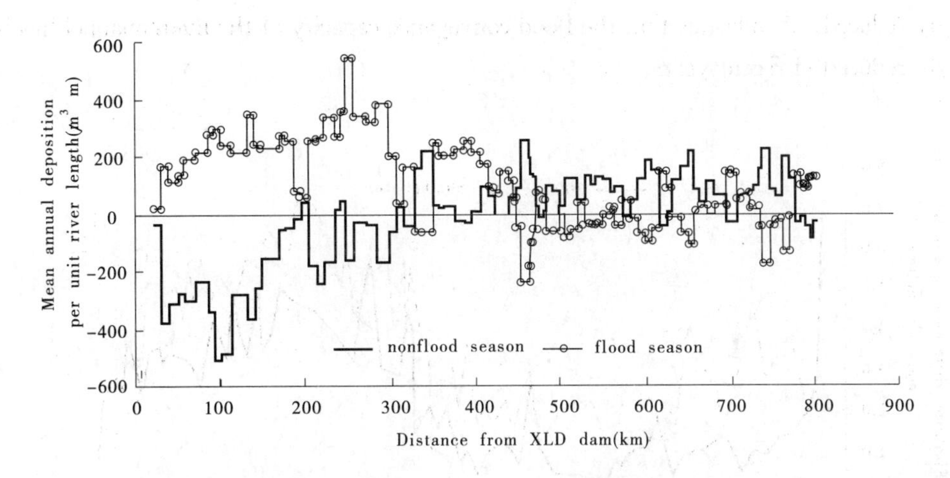

Fig. 6 Distribution of deposition in the flood and the non-flood season

In period 1965~1997, the amount of deposition in the main channel (including deep channel and bars) constitutes about 4/5 of the total and the rest is on the floodplain as shown in Fig. 7. Majority of the deposition took place in reaches between Huayuankou to Sunkou nearly 300 km in length.

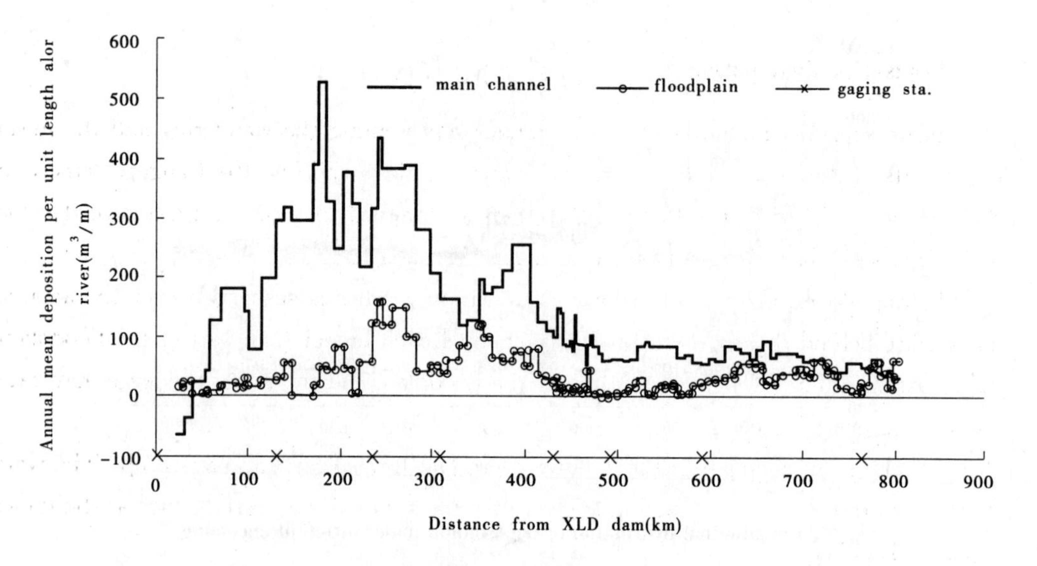

Fig. 7 Distribution of amount of deposition in main channel and on floodplain

Difference of the elevation of the floodplain and the main channel may be computed. Here, the elevation of the floodplain at the boundary of the main channel, called as the floodplain lip, is used as an index of the floodplain, over which over – bank flow takes place, and average bottom elevation is used as an index for the main channel. Variation of the difference of elevation of the floodplain and the main channel in 1965 and 1997 is shown in Fig. 8. Great difference of this value can be noted for the upper and the lower part of the Lower Yellow River. After deposition in more than 30 years, the value of the elevation difference is obviously reduced. It indicates that the flood conveyance capacity of the main channel has been greatly reduced in recent years.

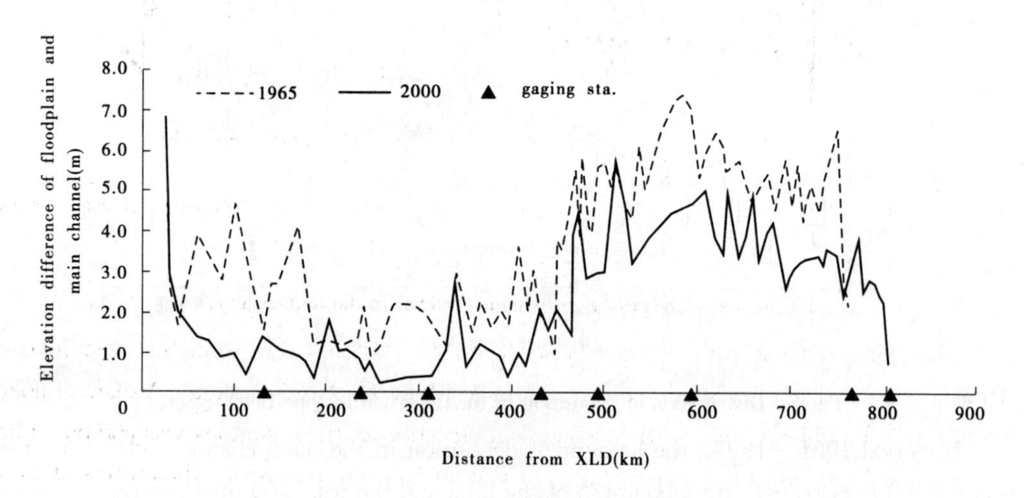

Fig. 8 Variation of difference of elevation of the floodplain and the main channel

3.3 Transverse distribution

Cross-sectional drawings of typical ranges representing the wandering and the meandering parts of the Lower Yellow River are shown in Fig. 9 and Fig. 10. Ranges, namely the cross sections, observed in different years were overlapped to show its process of development. It is seen that, after deposition in many years:

(1) Major part of the wandering and transition reaches is suspended over the adjacent land surface behind the levee with its main channel even higher than part of the floodplain. The elevation difference between the lip of the floodplain and the toe of the levee may reach as large as 2.5~3 m.

(2) The main channel in the meandering reaches is also gradually raised up. The water level under ordinary flow will also be higher than the adjacent land surface such as the typical section of Luokou.

(3) In the low-flow series since 1986, the annual deposition in the lower Yellow River amounts to $2.9\times10^8\sim4.6\times10^8 m^3$ in years of 1988, 1992, 1996 etc. during which, only medium floods take-placed. Due to prevailing low flows, the deep channel and the low floodplain were also heavily deposited. The main channel is in a withered state and its flood conveyance capacity is greatly reduced. A typical range GC is shown in Fig. 11.

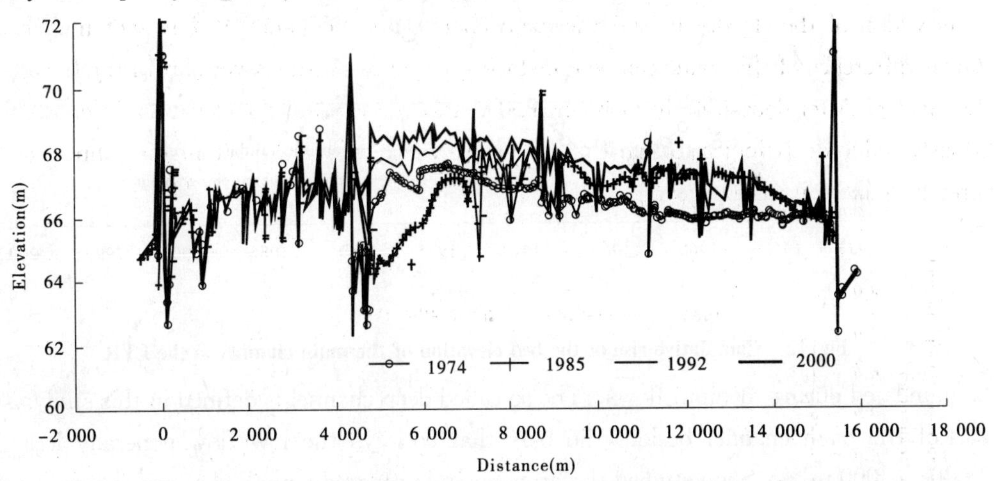

Fig. 9 Cross-sectional drawing of Mazhai in the wandering reach

Surveying data at some ranges or hydrometric stations were available even in early 1950's, such as at Qinchang, Huayuankou, Mazhai, Gaocun, Sunkou, Aishan, Luokou and Lijin. Cumulative raise of the average bed elevation at these stations was computed and mean value for the upper and lower part of the river is taken to illustrate the process of variation. The variations are shown in Fig. 12, in which, it is seen that an average raise of the bed elevation in nearly 50 years was about 2 m for these stations.

As aforementioned, the main channel is composed of a deep channel and bars that may

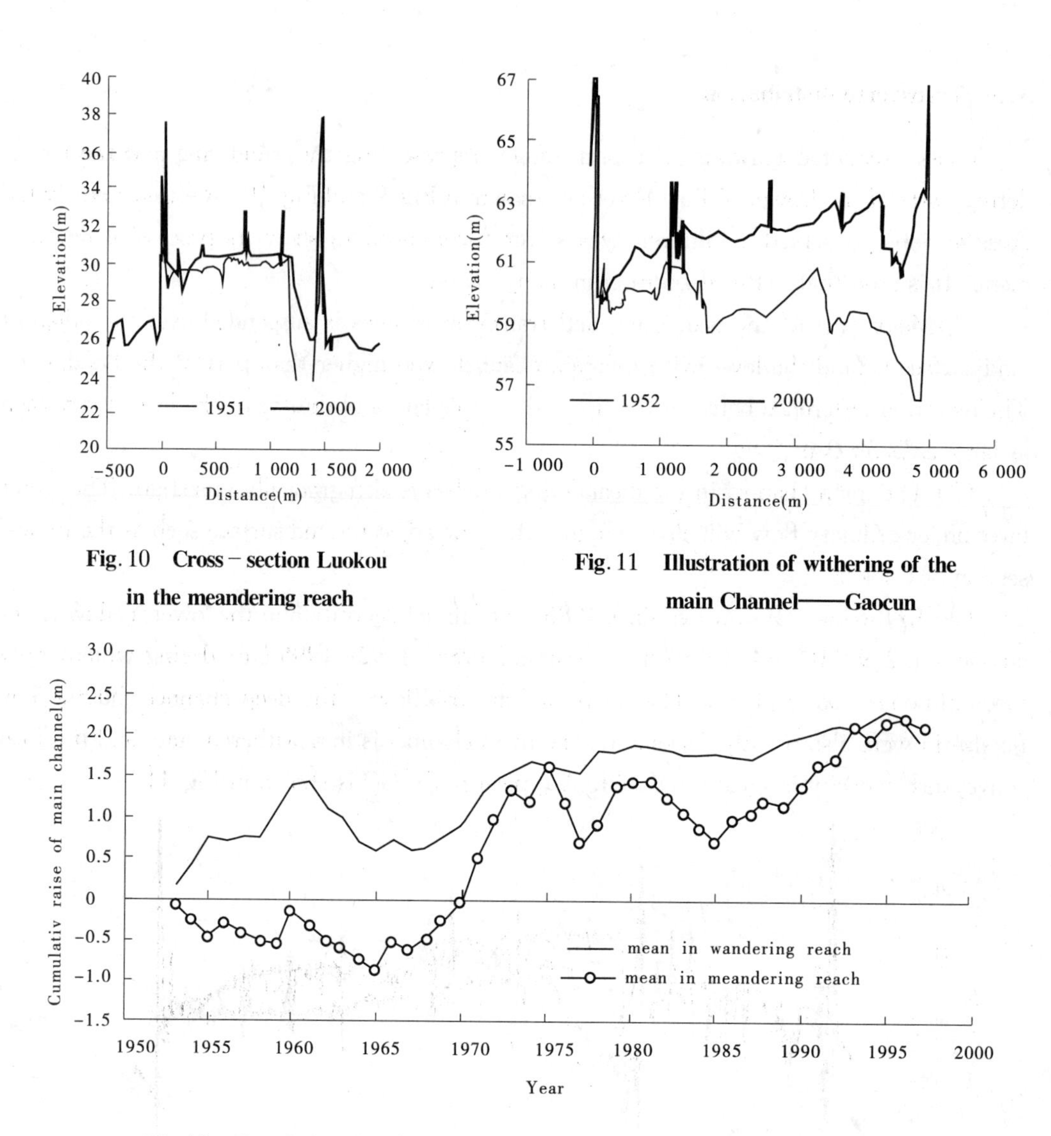

Fig. 10 Cross – section Luokou in the meandering reach

Fig. 11 Illustration of withering of the main Channel——Gaocun

Fig. 12 Cumulative rise of the bed elevation of the main channel in the LYR

be inundated during medium flows. The so called deep channel is defined in this study as the part of the main channel besides the bars that conveys the low flow generally less than 2 000～3 000 m^3/s. Shen studied the problem and proposed a method of computing the deposition in the deep channel.[Shen, 2000] In the computation, the width of the deep channel of a range is fixed but its position may be shifted according to the actual situation. The difference of the cross – sectional area of the range between two consecutive surveys is computed first and then the amount of deposition between two ranges is computed using the trapezoidal or frustum cone formula. The computed deposition of the deep channel is listed in Table 2. It is clear that the deep channel is the major part of the river in the conveyance of floods.

Table 2 Transverse distribution of the amount of deposition

Item	Part in the cross section	Reach				
		XLD－LJ (total)	XLD－HYK	HYK－GC	GC－AS	AS－LJ
Amount of deposition 1965～1997 ($10^8 m^3$)	Deep channel	30.4	4.2	13.6	6.7	5.7
	Bars	12.1	2.3	7.9	2.1	—
	Main channel	42.5	6.5	21.5	8.8	5.7
	Floodplain	10.2	0.6	3.0	3.2	3.4
	Whole section	52.7	7.1	24.5	12.0	9.1
Percent (%)	Deep/main cha	71.6	64.7	63.3	76.3	100.0
	Main/whole	80.6	91.1	87.7	73.3	62.5
	Deep/whole	57.7	58.9	55.5	56.0	62.5

4 Summarize of the Features of Deposition in the Lower Yellow River

To summarize the patterns of sedimentation of the lower Yellow River in nearly half a century, several features can be noted as follows:

(1) The amount of deposition or erosion in the lower Yellow River is influenced to a large degree by the oncoming water and sediment flow, or the compatibility of the water discharge and sediment. As shown in Fig 1, both the annual runoff and the sediment load were reduced in this period yet the reduction of sediment load is not so pronounced as the decrease in water runoff. Variation of the annual value of the index is shown in Fig. 13. Here the index of the oncoming flow is defined as the ratio of sediment concentration to the discharge (S/Q). It may also roughly relate to the amount of deposition such as shown in Fig. 14. It is noted in Table 1 in the previous section that serious deposition in the Lower Yellow River took place in three periods. Oncoming sediment load is excessive in the first period prior to the operation of the SMX reservoir. In the second period from 1965～1973, the reservoir served only for flood detention, sediment would retain in the reservoir during the rising rib of the floods and could only be flushed off during low flows. The water and sediment of the outflow are not compatible to each other. Also, in addition to the natural oncoming sediment load, a part of sediment deposits taken place in the previous period was flushed off the reservoir making the sediment load excessive. While in the third period, low flow prevailed in many years and not enough water is available to transport the sediment through the lower Yellow River. In the third period, the average index S/Q is as high as 0.042, yet the net amount of deposition is less than that in the previous two periods because the oncoming sediment load is lower than that in previous two periods.

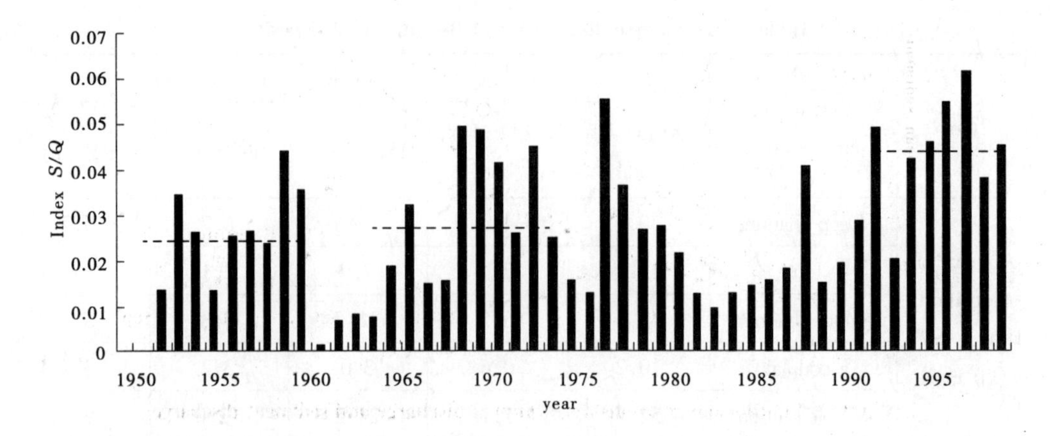

Fig. 13 Amount of deposition as related to the index of inflow in different periods

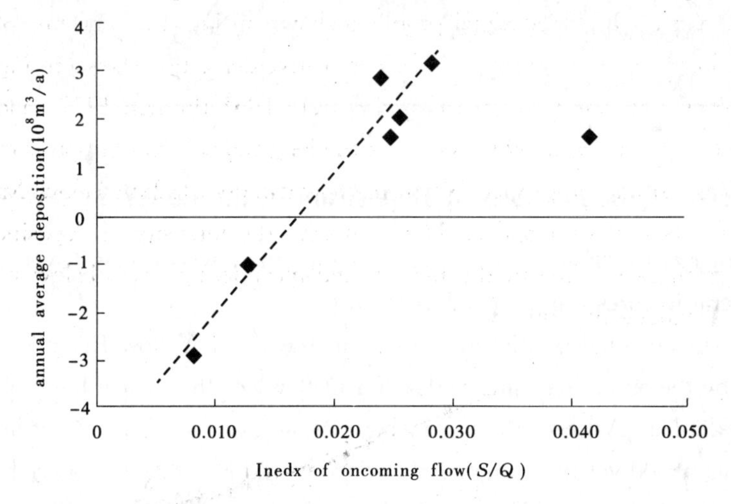

Fig. 14 Mean annual deposition versus index of oncoming flow

Fig. 15 is a plot in which the annual inflow water and sediment discharges are used as the abscissa and the ordinate. A demarcation line may be drawn through the data points. The data points lies on the left side of this line represent the year in which the river is in deposition, while the data points lies on the right side of the line represent the year in which the river is under erosion. The line represents roughly an equilibrium state of the river, which may be expressed by an exponential equation, in which Q_s is in t/s, and Q in m^3/s:

$$Q_s = 0.000\,017\,5Q^2$$

(2) Frequent shifting of the main currents is a major feature of the river in the wandering reach. By means of the river training works constructed in past years, the main current path was relatively stabilized in the narrow and meandering reaches and the range of shifting is greatly reduced in the transition reaches. The situation is also improved in the upper wandering reaches. However, the serious aggradation in the wandering and transition reach between Jiahetan and Sunkou has led to the formation of the so called secondary suspended river, which is characterized by the water level at the bank – full discharge in the main channel

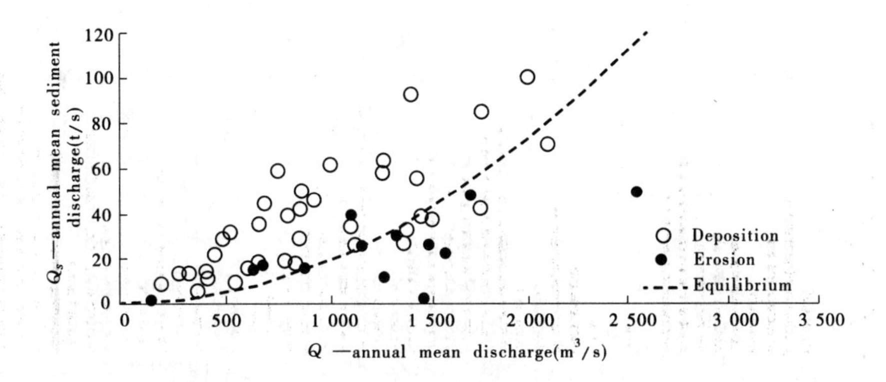

Fig. 15 Equilibrium relationship of annual discharge and sediment discharge

is even higher than the elevation of the floodplain near the toe of the levee, such as shown in the Fig. 9. A part of the longitudinal profile is shown in Fig. 16. The rate of deposition in this reach is illustrated by the process ofthe cumulative deposition shown in Fig. 3 that shows majority of deposition took place in the period from 1965 through 1977, and the rest part was formed in 1986 through 1999. As far as the longitudinal distribution is concerned, majority of the deposition took place between Huayuankou (132km below Xiaolangdi) and Sunkou (430km below Xiaolangdi). In this reach, the intensity of deposition amounts to 10～25 million m^3/km while in the narrow and meandering reach below it amounts only from 1.7～2.7 million m^3/km.

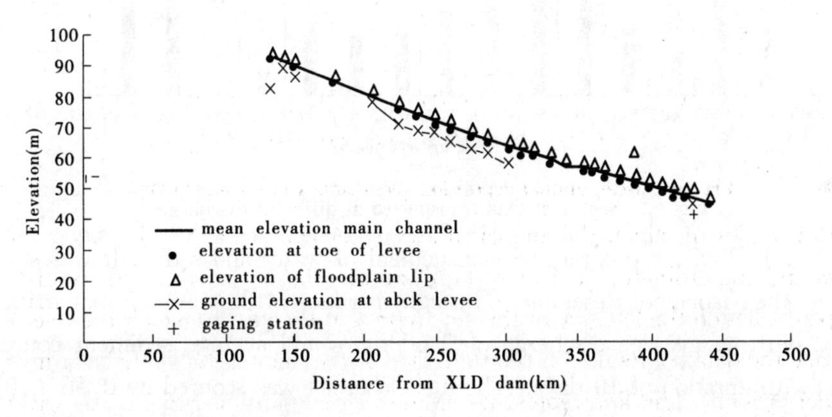

Fig. 16 Longitudinal Profile of Yellow River between Huayuankou and Sunkou

The formation of the secondary suspended river would be serious for flood defense if large flood were to take place. Because, the main current might flow over the floodplain and directly impinge on the levee or the dike system leading to the possible corruption of the earth embankment.

(3) It is known from previous studies that the operational mode of the SMX reservoir plays an important role in the reduction of aggradation of the LYR. By the new operational policy, the water and sediment in the outflow of the reservoir are made more compatible to each other. The amount of deposition in the lower Yellow River has been reduced by more

than 30 million tons annually in average from 1974 through 1985. The effect is much less in later years because not enough water was available to transport the sediment in dry years. Management of sediment in the reservoir comprises of several forms of regulation: ①sediment load in the non-flood season is flushed off the reservoir in the flood season. ② in the flood season, sediment is regulated to be disposed at large discharge during flood events; Sediment load transported in different classes of discharge at inlet station Tongguan and that released from the reservoir at Sanmenxia are compared as shown in Fig. 17. Through regulation in the reservoir, a part of sediment load carried in low discharge classes less than 2 000m^3/s were transported by discharge classes greater than 2 000m^3/s as illustrated in Fig. 17. ③size gradation is also regulated to retain some of the coarse sediment and dispose the fines, such as shown in Fig. 18. ④if there were enough runoff, artificial flood with adequate magnitude might be created to induce erosion in the lower yellow River. [Long. 1994]

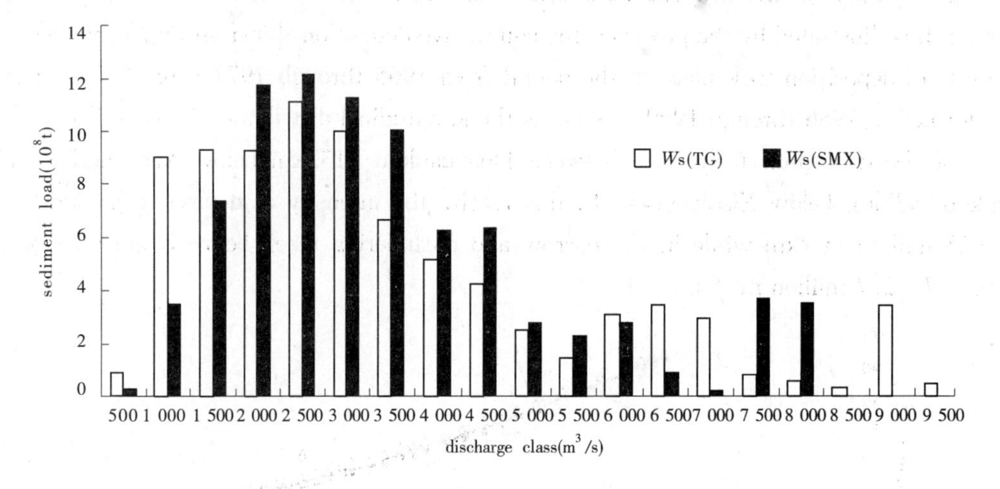

Fig. 17 Sediment load transported at different discharges

In early July 2002, a program of management of water and sediment was successfully carried out in the Xiaolangdi Reservoir. Through operation of the reservoir, an artificial flood was created with an average discharge of 2 600m^3/s and average sediment concentration 12.3kg/m^3 with duration of 10 days. The main channel was scoured by 0.56×10^8t while nearly 0.20×10^8t of sediment were silted on the floodplain. The dominant discharge in some reaches had increased by 200 to 500m^3/s. The conveyance capacity of the channel was enlarged that would be beneficial to the sediment transport.

However, in the SMX reservoir, the ability of sediment management is quite limited because the capacity available for regulation of sediment in the reservoir is not large. Nevertheless, promoting the compatibility of the water and sediment outflow by proper management of sediment in the reservoir has provided great potential in reducing the aggravation of the lower Yellow River. Situation will be greatly improved after the operation of the Xiaolangdi Reservoir in which, the available capacity used for regulation is much larger.

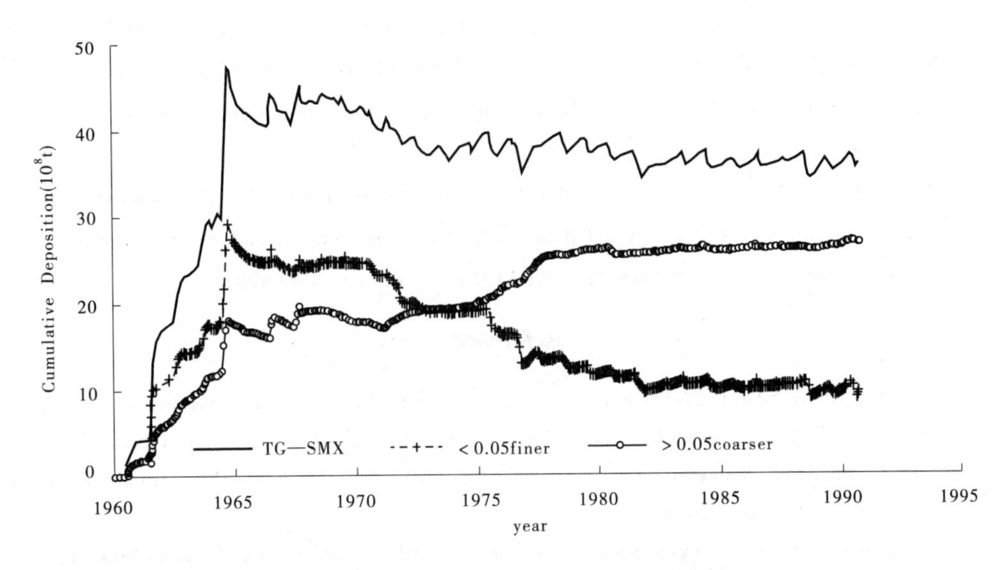

Fig. 18 Retaining the coarse sediment and disposing the fines in SMX Reservoir

(4) Sediment – laden water is withdrawn of for irrigation at more than 70 intakes along the lower river, which has promoted the agricultural production in the field adjacent to the Lower Yellow River. According to field investigation in 1980 through 1985, it amounted in average to nearly 106×10^8 m^3 of water and 1.02×10^8 t of sediment annually. Such a large amount of water withdrawn from the river had reduced the amount of water available for transporting the sediment and aggravated the deposition in the river proper by $0.2 \times 10^8 \sim 0.38 \times 10^8$ t. In years when the natural flow was quite small, excessive use of water had led to the drying – up of the river in the downstream reaches. Situation was quite serious considering the environmental and ecological impacts. At present, in order to maintain a minimized flow in the Lower Yellow River, management of the water resources in the Yellow River Basin has been put under unified planning and dispatch. It seems that great efforts should be paid to save, and also to properly control, the consumption of the water resources.

5 Concluding Remarks

(1) Analysis of the status of deposition in the lower Yellow River for the past half a century provides basis in summarizing the experience of flood control and sediment management in the Lower Yellow River. It is also significant in promoting the study of geomorphology in sediment – laden rivers.

(2) It is essential to reduce the sediment input to the Yellow River system in order to reduce the aggravation in the lower Yellow River. At same time, efforts should be made to minimize the decrease in water runoff so as to have more water for transporting the sediment

(3) Management of water and sediment through operation in the Sanmenxia and Xiaolangdi reservoirs is an important step to promote the compatibility of water and sediment

flow. It would be beneficial if the idea were adopted throughout the whole river basin.

(4) At present, to safeguard against flood hazards, It is important to maintain an adequate conveyance capacity of the main channel and adopt some measures to silt up the lower part of the floodplains.

(5) Yellow River is deficient in water resources. Excessive use of water resources should be avoided. A certain amount of river runoff should be reserved for sediment transport, ecological and environmental uses which is vital to the life of the river itself.

Reference

Long yuqian, et al. Range Survey of Deposition in the Lower Yellow River. International Journal of Sediment Research, vol. 2, International Research and Training Center of Erosion and Sedimentation, 2002

Long yuqian, Li songheng. Management of Sediment in the Sanmenxia Reservoir. Proc. International Conference on Water Science, Beijing, 1995

Liang Guoting. Range Survey Analysis System (RGTOOLS) and its Applications. Research Report, IHR, YRCC, 2000

Project Team. Analysis and Assessment of the Amount of Sedimentation in the Lower Yellow River Evaluated from Range Survey Data. Summarized Report, ZX - 2001 - 15 - 21, Institute of Hydraulic Research, yellow River Conservancy Commission (YRCC), (in Chinese) 2002

Qian yiying, Long yuqian. Variability of yellow River Runoff and sediment and its Impacts on Lower Yellow River. Research Report, KJ - 94006, Institute of Hydraulic Research, YRCC, 1994

Shen Guanqing. Computation and Analysis of the Deposition in Deep Channel of the Lower Yellow River. Research Report, IHR, YRCC, 2000

Working Group. Summarized Report on the Variability of the Water Runoff and Sediment Load of the Yellow River. Study on Variability of Runoff and Sediment of the Yellow River vol. 2, Yellow River Cinservancy Press, 2002

Yang Qingan, Long Yuqian, Miao Fengju. Operational Study of the Sanmenxia Reservoir. Henan People's Press, 1996

Zhang Yuanfeng. Transport Characteristics of the Broad and Shallow Reaches of the lower Yellow River in Erosion Periods. Research Report, IHR, YRCC, 2000

在黄河下游河道治理方略会议上的发言

1　前言

半个多世纪以来，黄河干支流修建了数以千计的各类型水库，总库容已远远超过了黄河的年径流量，沿河也修建了不少引水灌溉及供水工程，以及调水工程。黄土高原已进行了大规模的水土保持工作，开展了引洪灌溉，黄河下游加高加固了堤防，修建了河道整治工程，等等。这些生产实践产生了巨大的社会经济效益，有效地防御并减少了一般的洪水灾害，但也带来了水沙条件的较大变化。以下将对此进行讨论。近10余年内又遇到较长期的系列枯水年份，下游河道常出现断流现象，干支流河道严重淤积，主槽萎缩，行洪及输沙能力减小。黄河本来就是一条水少沙多的河流，自然条件下水沙过程不是很匹配。流域内各项人类活动引起的水沙变化，使得有的年份水沙匹配的情况更有所恶化，例如中游经常出现的高含沙量小洪水。黄河多年的水沙量过程如图1所示。如用来沙系数（S/Q）反映进入下游河道水沙匹配的情况，其变化过程见图2。

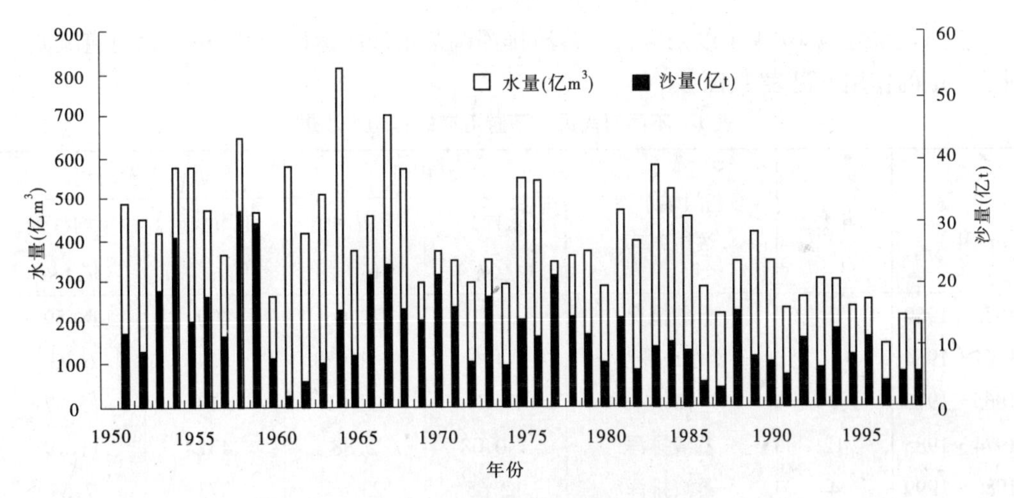

图1　黄河多年水沙量过程

多年的治理河流经验说明：一条具有健康生命的河流必须要有与流域条件相当的水量，河流的水沙过程要是基本上相互匹配的，也应有适当的行洪与输沙能力。这三个问题是相互关联的。以下将对此进行讨论。近10余年由于河道淤积、主槽萎缩（见图3），平滩流量减小很多。下游河道一些河段由5 000～6 000m^3/s减小到2 000m^3/s左右，小北干流由超过10 000m^3/s减少到4 000m^3/s左右。而且，沿程各河段的平滩流量并不一致，容易形成过洪能力特别小的瓶颈河段。下游河道经小浪底水库运用后的清水冲刷，特别是两次调水调沙人造洪峰的作用，主槽平滩流量略有恢复，但还不能适应行洪的需要。

作者：龙毓骞。节选自在2004年黄河下游河道治理方略会议上的发言。

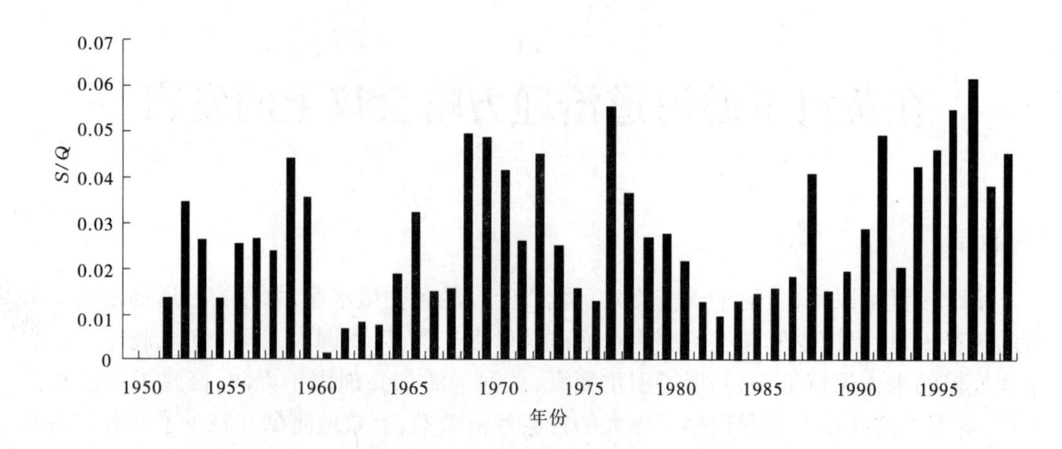

图 2　黄河下游河道来沙系数(S/Q)年际变化过程

目前的任务是尽快研究各种措施,扩大下游河道、特别是瓶颈河段主槽的行洪与输沙能力,要尽可能控制小浪底水库的淤积部位,避免有效库容的损失。同时还要研究扩大上中游一些河段的行洪与输沙能力。以下提几点看法。

2　通过水库运用进行调水调沙问题

三门峡水库自 1974 年以来实行了蓄清排浑调节水沙的运用原则,对下游河道减淤起到了一定的作用。见表 1、图 3。

表 1　不同时段进入下游河道的年均水沙量

时段(年)	年数	三门峡水库运用方式	淤积量		进入下游河道	
			水库*(亿 m³)	下游河道(亿 m³)	年均水量(亿 m³/a)	年均沙量(亿 t/a)
1952～1960	9	自然情况	—	22.66	490	18.59
1961～1964	4	蓄水或滞洪	44.4	−21.20	514	6.93
1965～1973	9	滞洪	11.71	28.61	419	15.97
1974～1985	12	蓄清排浑	−0.08	2.88	431	11.19
1986～1999	4	蓄清排浑	12.65	23.45	273	7.64
2000～2002	3	三门峡	1.93	−3.87	175	0.9
		小浪底	8.64			
1952～2002	51		79.3	52.5		

注:* 水库淤积量系指三门峡水库布设的测量断面范围内的冲淤数量,包括回水影响范围内及回水影响区以上自由河段的冲淤数量,均按 1960～1999 年统计。

在 1974～1985 年期间又可分为两个时段:1974～1980 年及 1981～1985 年;前一时段水库淤积了 1.08 亿 m³,下游河道淤积了 8.26 亿 m³,其中 26% 在主槽,其沿程分布如图 4 所示。后者来水来沙十分有利,水库冲刷了 1.16 亿 m³、下游河道冲刷了 5.38 亿 m³,全部发生在主槽。两个时段沿程分布对比如图 5 所示。

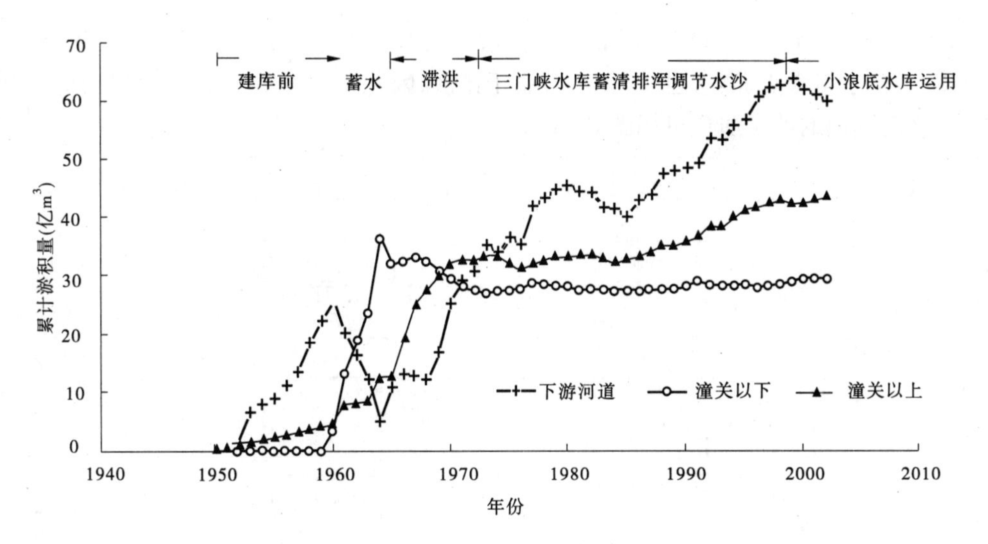

图 3　黄河不同河段累计淤积量年变化过程

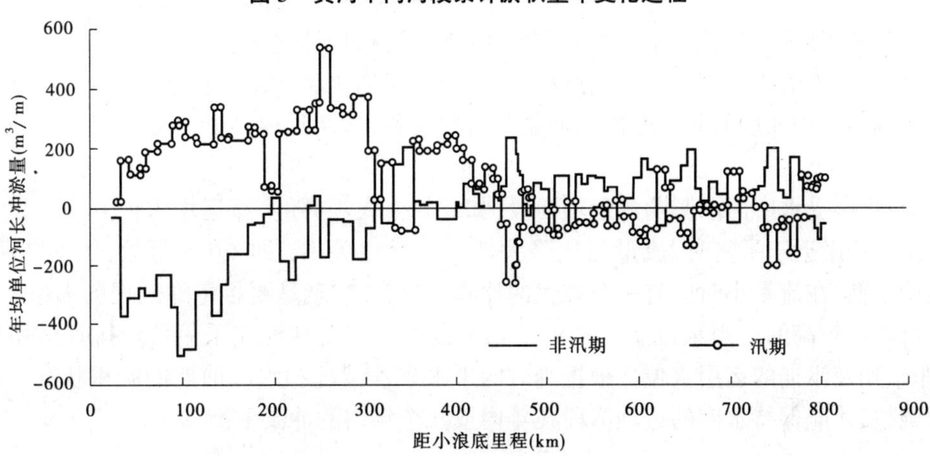

图 4　1974～1980 年下游河道沿程冲淤分布

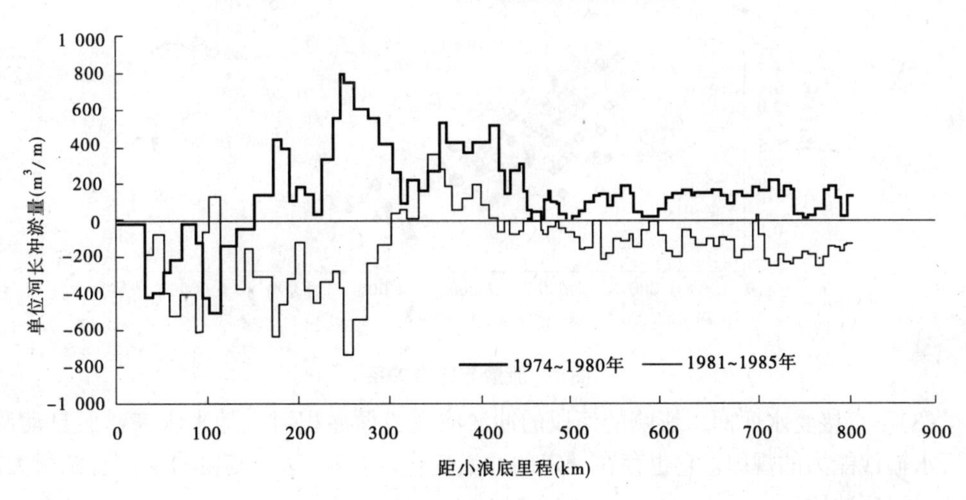

图 5　1974～1985 年小浪底以下下游河道沿程冲淤分布

1986年以后,特别是90年代枯水系列,水库调水调沙运用受到很大限制。汛期虽有水可蓄,但来水量太少、洪水也少、无水可用于排沙,因此原来采用的运用水位指标必须改变。水库范围内的冲淤演变可用图6表示。

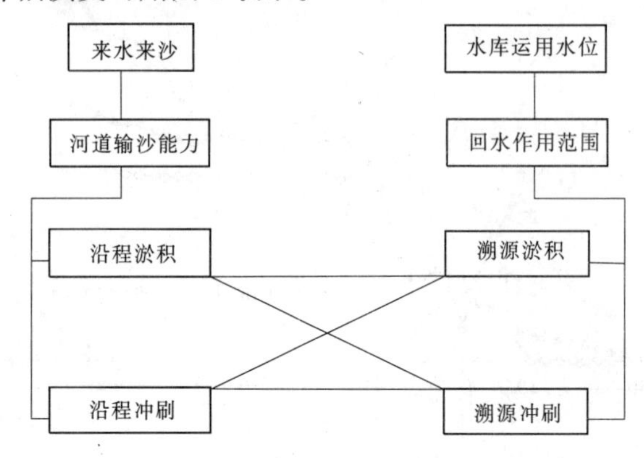

图6　水库冲淤演变图形

三门峡水库多年运用,水库内河道的冲淤演变有如下特点:

(1)采用蓄清排浑调节水沙的运用原则,受水库回水影响范围内非汛期将发生淤积。溯源冲刷与沿程冲刷的共同作用是冲刷非汛期淤积、达到年内冲淤平衡的必要和充分条件。

(2)直接受水库回水影响的近坝河段(如北村—大坝)随水库运用水位升降而发生冲淤变化。冲淤近于平衡时,流量与比降大体上呈反比关系,即 QJ = 常数,如图7所示。要维持平衡,在流量小时应有一个较大的比降。换言之,就是要尽量降低坝前水位。流量大时可以在较高的运用水位下维持河道的平衡。在多泥沙河流采用蓄清排浑运用原则时,非汛期及汛期的运用水位应根据当时的来水来沙情况和水库前期的淤积状况作出必要的调整,才能保持水库的近坝河段在年内或几个年内的冲淤平衡。

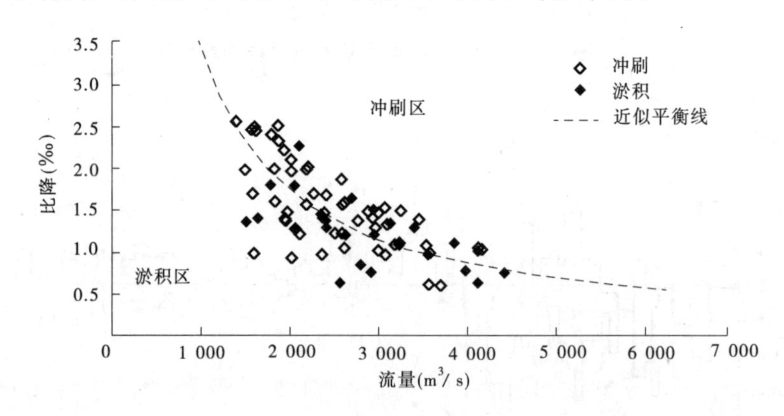

图7　流量与比降关系

(3)不直接受水库回水影响的河段的冲淤演变遵循冲积河流随来水来沙而自动调整其行水输沙能力的规律。它也存在一定的冲淤变化。有时,这一变化的幅度也是很大的,例如揭河底冲刷。

今后,小浪底水库库区的冲淤演变也将具有类似的特点。2002 年及 2003 年小浪底水库采用的调水调沙方式是在人造洪峰时对含沙量进行适当的调节,使下游河道不致发生淤积。试验的结果扩大了河道主槽的过洪能力。但是,可以推论,这种调节水沙的方式也在很大程度上受到来水及用水情况的制约。

钱宁等早在 1978 年就从黄河下游河床演变规律讨论河道治理中的调水调沙问题。从中可以看出调水调沙方式很多,应按目前下游河道的实际情况作出选择。从本文及以往的分析可以看出,通过对三门峡水库的调水调沙运用,既保持了一定的可用库容又对减少下游河道淤积起到了一些作用。小浪底水库已采用的调水调沙运用可使下游河道不淤,对扩大主槽的行洪输沙能力也是有效的。水库调水调沙运用的作用是肯定的,但它受到来水来沙条件的限制也是不容忽视的。

3 全流域水沙调节问题

在长时期枯水系列期间,不仅下游河道严重淤积,黄河中游干支流河道也发生严重的沿程淤积,主槽萎缩,如图 8、图 9 所示。行洪输沙能力大大减小,也是造成 2003 年洪灾的一个主要原因。为改善三门峡、小浪底等水库的水沙条件,从流域河道治理来看,就要求从全流域的观点来进行水沙调节。以下将就此提一点看法:

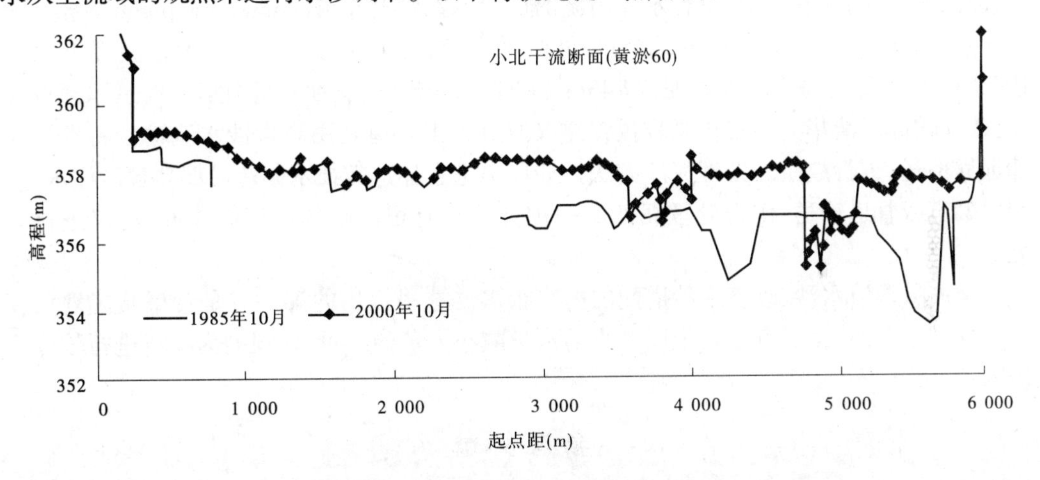

图 8　下游河道沿程淤积分布

(1)重新研究和规划全流域水资源的合理利用问题。例如龙羊峡水库投入运用后干流汛期水量所占比例就由天然情况的 60% 降为 40%左右,大大地减小了汛期可供冲刷前期淤积的能力。又例如干支流目前的灌溉引水量已超出了黄河维持自身生命的需要,我们在提出新建一些工程时还包括发展灌溉多少亩的设想。大家都提出节约用水问题,我认为还应该提出严格控制引水的问题。应从维护河流健康生命、流域生态角度,重新规划流域水资源的合理利用问题。黄河的水资源管理决不仅仅是加强统一调度问题。

1996 年我到美国参加一个有关小型水库淤积的会议,听到有一种“拆坝”(Dam Removal)的提法,并参观了一座小水电站。最近从网上看到,在美国的“拆坝”,有的是小型水库要清淤,有的是为了恢复河流的生态平衡或是为了改善河流的水环境。有的州还为

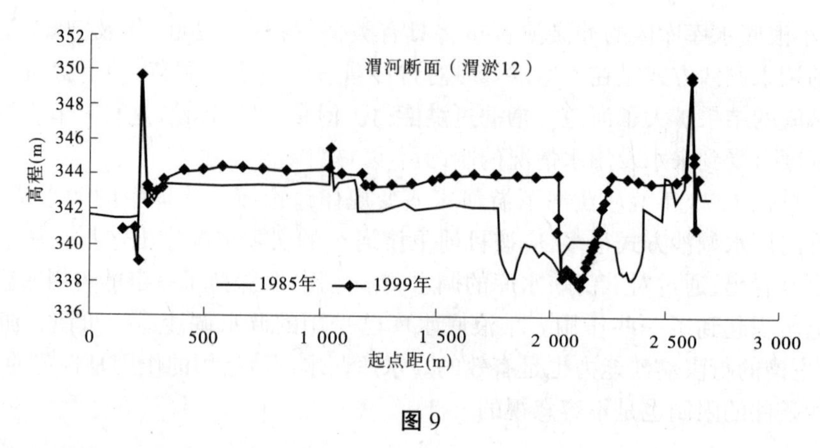

图 9

此立法。又看到一则报道：为解决水质问题，将在官厅水库入口修建水污染处理工程。对于黄河来说，干流水量较大，还不容易做到，但已说明用现代工程技术对有限的水资源的利用问题。

(2)利用高含沙水流输沙特性处理部分泥沙。这类设想早就有人提出。原来我对如何形成高含沙水流是有疑虑的。也是在1996年那次会议期间，听到介绍一种用清淤机具，即涡流泵(eddy pump)，进行水库清淤的试验。据网上介绍(www.eddypump.com)，一个6吋泵，160HP，含沙量55%，每小时可挖泥沙152m^3(Texas)。另一处经验：含沙量高达79%(重量比)，每小时处理泥沙143m^3(Wyoming州)。这种泵是根据龙卷风原理设计的，效率较高。清华大学费祥俊教授曾建议通过人工渠道利用高含沙水流输沙特性将泥沙远程输送、进行放淤的处理泥沙方法。如能引进上述这类技术制造局部高含沙浑水，并利用渠道或管道输送，作为处理泥沙的一种方法是有很广阔的应用前景的，建议进行研究。

全流域调节水沙、改善水沙搭配的内容很多。这里提出的第一点是希望从规划角度合理分配水资源，第二点是希望用最小的水量减小入黄的沙量，建议列为项目进行较深入研究。

参考文献

[1] 钱宁，张任，赵业安，等.从黄河下游河床演变规律看河道治理中调水调沙问题.地理学报，1978(1)
[2] 费祥俊.黄河水沙变化新形势下干流水库运用方式与泥沙处理的思考.见：三门峡水利枢纽四十周年学术讨论会文集，2000
[3] 王国士，龙毓骞，等.三门峡水库潼关高程变化分析报告.三门峡库区实验总站，1972
[4] 程龙渊，等.三门峡水库蓄清排浑运用以来库区冲淤演变初步分析.三门峡水文水资源局，2003
[5] 三门峡水利枢纽运用与研究项目组.三门峡水利枢纽运用与研究.郑州：黄河水利出版社，1994

Impacts of Management of Water and Sediment in the Reservoir on Sedimentation in Lower Yellow River

1 Variation of Oncoming Flow and Its Impacts

It is well known that the Lower Yellow River is a heavily aggradated river. In order to safeguard against flood hazards, it is essential to minimize the amount of deposition in the river. For purpose of flood control and reduction of aggradation in the Lower Yellow River (herein referred as LYR) Two large reservoirs, Sanmenxia(SMX) and Xiaolangdi(XLD), were built just upstream of the Lower Yellow River and commenced their operations since 1960 and 2000 respectively.

Since early 1950's, extensive exploitation works have been carried out in the whole basin. Thousands of reservoirs with different sizes having a total capacity far exceeding the natural annual surface runoff were constructed in the basin. Sediment - laden water was withdrawn from the river for irrigation. Soil conservation measures were implemented including numerous small sediment - retention dams capable of retaining sediment and creating cultivable lands behind the dam were built in the hilly and gully loess area. Great changes in water and sediment regime of the river are observed due to these human activities in additional to the influence of natural climatic variations. Using the mean annual runoff and sediment load in the decade 1950's as a reference, average reductions of the annual water runoff and sediment load in 1960 through 1996 amounted to $158 \times 10^8 m^3$ and 4.5×10^8 t that constituted nearly 30.6% and 26.7% of the natural amounts respectively.

Since the commencement of impoundment of the huge Longyangxia Reservoir in the upper Yellow River in 1986, variation of temporal distribution of surface runoff is also noticeable. Ratio of total runoff in the flood season from July to October to that in the whole year had changed from 0.6 to nearly 0.4. From 1990 to 2002, Yellow River had experienced a series of dry years. Mean annual water runoff and sediment load enteving the LYR was only $235 \times 10^8 m^3$ and 6.1×10^8 t. Frequency of medium and small floods was much lower than that in previous years and both the peak flow and the flood volume of the medium and small floods had been reduced and the sediment concentration had increased.

An index (S/Q) is used to roughly indicate the impacts of oncoming flow on the status of sedimentation in the LYR. It is found that the Lower Yellow River will be in erosion if

作者:龙毓骞、梁国亭、张原锋。选自第九届国际河流泥沙会议论文集。

the index S/Q is less than 0.015~0.020, and in deposition if it is greater than this value, as shown in Fig 1. The index herein referred is defined as the ratio of annual mean sediment concentration in kg/m^3 to annual mean discharge of the oncoming flow in m^3/s. It may also be used to represent the compatibility of the water and sediment in the oncoming flow. In 1990's, although annual sediment loads were reduced but the annual mean index had reached 0.042 and deposition still persisted with relatively smaller amount. The less the sediment load is, the less is the amount of deposition.

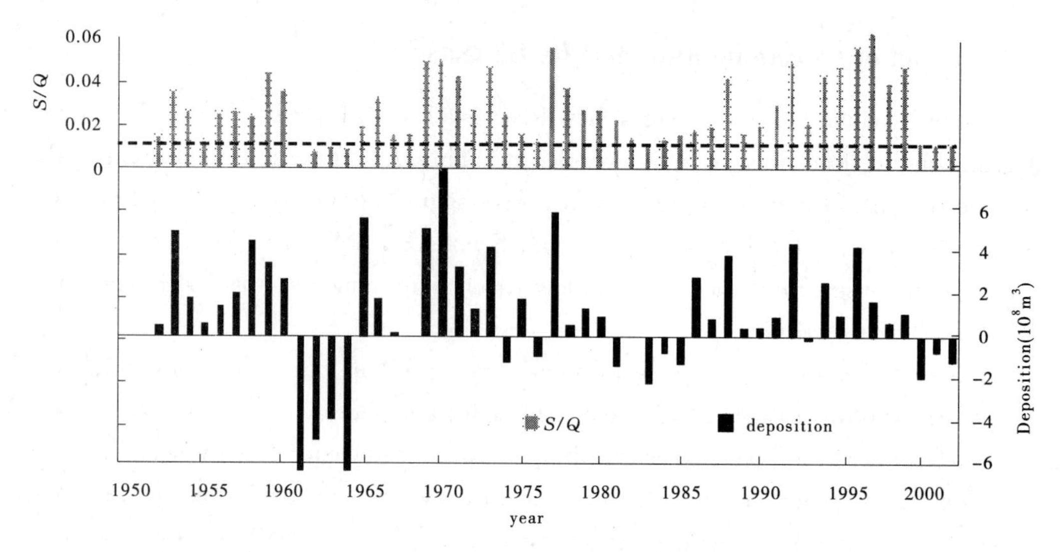

Fig. 1 Variation of S/Q and annual deposition thru years

The reduction in natural water runoff incorporated with excessive use of water along the river since 1970's had led to drying of the river in some years at downstream reaches. The situation became even worse in late 1990's. In recent years, minimum flow is to be maintained by unified dispatch of water runoff in the main stem of the Yellow River. The decrease in water runoff in the flood season and less occurrence of floods had reduced greatly the sediment transport capacity of the main channel. During sustained dry years after 1986, although the annual sediment load was greatly reduced yet the main channel of alluvial river reaches above and below the reservoir are all seriously silted up. In the wandering reach of main stem above Tongguan, bank - full discharge reduced from more than 10 000 to less than 6 000m^3/s. In the transition reach of the LYR, bank - full discharge reduced from more than 5 000m^3/s to nearly 2 000m^3/s. Decrease in the flood conveyance and sediment transport capacity of the main channel is a great threat to the flood prevention.

2 Management of Water and Sediment in the Reservoir

2.1 Deposition in the reservoir and Lower Yellow River

Deposition in SMX and XLD Reservoirs and in the LYR is shown in Table 1. Cumulative Deposition in Reservoir and in LYR is shown in Fig. 2.

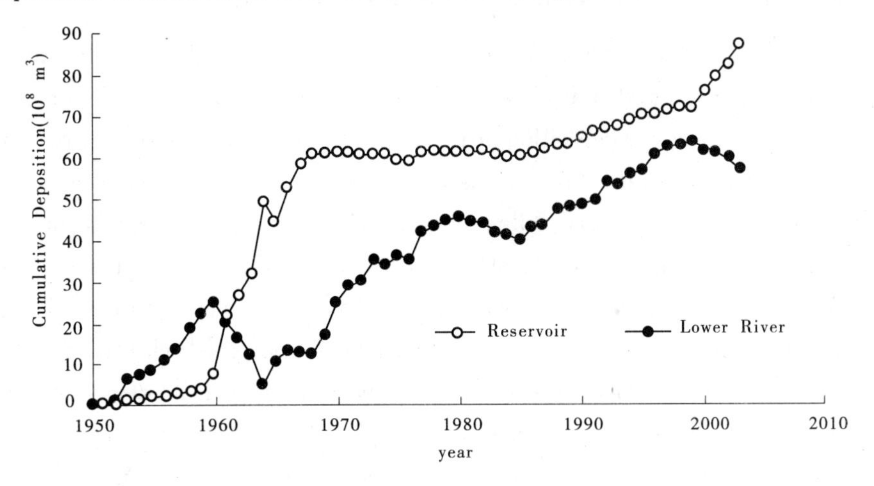

Fig. 2 Cumulative deposition in SMX reservoir and LYR

It is to be noted that the measured deposition in the SMX reservoir as cited above includes the amount of deposition within the backwater-affected zone and also that took place in the free－flow reaches beyond the backwater－affected area. The cumulative amount of deposition in the Lower Yellow River listed in Table 1 is from Xiaolangdi to Yuwa, a place near the apex of the delta in the river mouth. Below Yuwa, the cumulative amount of deposition is about 0.8 billion m^3 (not including part of the river channel on the topset and the foreset of the delta). If this amount included, the total deposition in the Lower Yellow River in nearly half a century would be about 6 billion m^3.

Table 1 Deposition in the reservoir and the Lower Yellow River

Periods	No. Years	Reservoir	Operational mode	Amount of deposition		Mean annual inflow entering LYR	
				Reservoir ($10^8 m^3$)	LYR ($10^8 m^3$)	Water ($10^8 m^3$/a)	sediment (10^8 t/a)
1951～1960	9	—	Natural	7.99*1	25.74	446	17.8
1961～1964	4	SMX	Storage & flood detention	41.43	−20.54	553	6.6
1965～1973	9	SMX	Flood detention	11.71	30.19	380	14.9
1974～1985	12	SMX	Store clear &dispose muddy	−0.08	5.21	341	9.6
1986～1999	14	SMX	Same as before	11.60	24.00	273	7.6
2000～2002	3	SMX	Same as before	1.93		175	0.9
		XLD	Storage	8.64	−3.87		
2003	1	SMX	Same as before	−1.53*2	−2.81	212	1.26
		XLD	Storage	4.88			
1951～2003	52			86.6	57.1		

*1 deposition in reservoir area estimated; *2 deposition in tributary weihe not included.

2.2 Management of water and sediment in Sanmenxia reservoir

According to the backwater effect, the river above dam may be divided into three reaches. The reach upstream from dam is directly in the backwater area. The fluvial processes are mainly in form of retrogressive deposition or retrogressive erosion, controlled by reservoir operation level. The reach far from the dam is free from any backwater effect and its fluvial processes are controlled by the adaptability of oncoming flow and transport capacity of the reach in types of deposition or erosion along river course. The reach between these two reaches is usually called as indirectly backwater - affected area, subject to the self - adjustment character of alluvial river. On basis of previous deposition, the backwater deposits may extend farther upstream, or under favorite inflow, the deposits at head of reservoir may be eroded. In periods of impoundment from 1960 through 1964, deposition in the reservoir had extended above Tongguan, the confluence point of main stem and the tributary Weihe River nearly 120 km from the dam. In the operation period 1965~1970, the operation level at the dam was lowered, yet the upstream extension of backwater deposits had reached as far as 200~220 km from dam. In June 1970, bed elevation at Tongguan (expressed as water level at $Q = 1\ 000 m^3/s$) had raised about 5 m as compared with that prior the impoundment. Until the end of 1973, through several years of self - adjustment, the conveyance capacity of the main channel in the reservoir upstream from Tongguan became stabilized. A main channel, several hundreds meters in width, was also formed on the floodplain deposits below Tongguan. Longitudinal profile of the main stem of the Yellow River above the dam in 1974 is shown in Fig.3. From the figure it can be noted that the capacity of the reservoir below the floodplain is commonly referred as the capacity used for regulation of sediment. In general, the conveyance capacity of the main channel (below the floodplain) is relatively large to accommodate ordinary floods. It is clear that if the deposits taken place at any time were kept within this volume, it could be easily flushed off the reservoir during floods.

Since 1974, completion of the reconstruction of outlets, the reservoir is operated to store the relative clear water in non - flood season and dispose the muddy during floods. Considering the different morphological features above and below Tongguan, certain storage capacity below Tongguan was used during non - flood season, that is, November to nest June, for ice - flood control and for spring irrigation in the LYR. But, the operation level was kept low enough so that Tongguan could be free from the direct backwater effect. It has been proved in practice that the deposition formed in non - flood season can be flushed off the reservoir under the cooperative action of the erosion along the river course and the retrogressive erosion during flood events. Hence, an adequate lowering of the operation level and an appropriate magnitude of flood are necessary and sufficient conditions to keep the reservoir in sedimentation balance.[SMX Expt. Station, 1972] In 1974 through 1985, the conditions are satisfied. During this period, river reaches directly or indirectly influenced by the backwater effect in

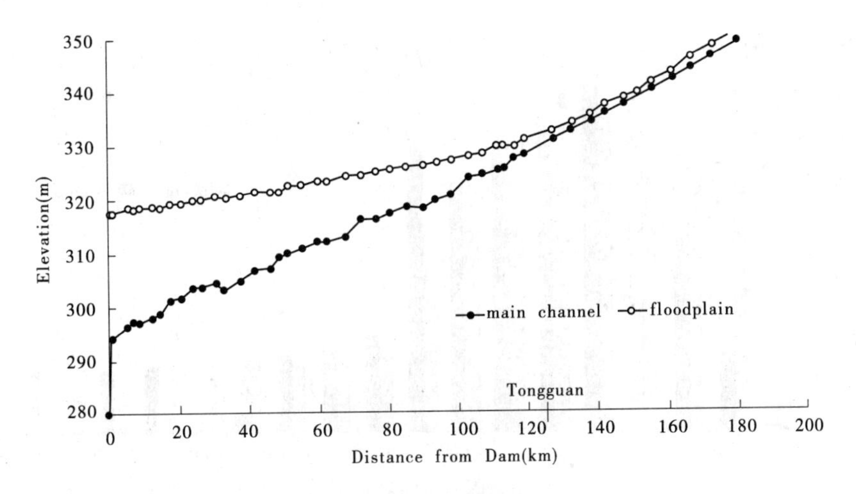

Fig. 3 Longitudinal profile of SMX reservoir (main stem)

the reservoir is in a state of alternative deposition and erosion. It is clearly shown in Fig. 3, the reservoir capacity below floodplain has provided a volume for regulation of sediment in the reservoir. As long as the temporary deposits were kept within the main channel, it could be eventually be flushed off the reservoir under appropriate operation level and favorable oncoming flow.

Through regulation of water and sediment in the SMX reservoir, the released water and sediment are made more compatible to each other[Long, 1996]. In the first place, by storing a certain amount of water in the reservoir during the non-flood season, the relatively coarser sediment in the oncoming flow would be deposited temporarily in the reservoir. Sediment load will be released from the reservoir only in the flood season. Secondly, in the flood season, the operational level is set much lower. Sediment deposits together with the oncoming sediment load would be flushed off from the reservoir during flood events. As a result, more sediment load will be released at greater discharges as shown in Fig. 4. By this type of regulation, a part of coarse sediment is retained in the reservoir and more fine particles are released. This is also beneficial to facilitate the sediment transport in the river channel and the reduction of deposition in the LYR.

In periods 1974 ~ 1980, average rate of deposition in the reservoir is only $0.15\times10^8 m^3/a$. The rate of deposition in the Lower Yellow River is $1.18\times10^8 m^3/a$ as compared with $2.57\times10^8 m^3/a$ in 1950's and $3.35\times10^8 m^3/a$ in 1965~1973. In 1981~1985, the inflow was extremely favorable, both the reservoir proper and the lower river were eroded. The rate of erosion in LYR is $1.08\times10^8 m^3/a$. As a whole, the operation was successful from 1974 through 1985, during which, no appreciable deposition took place in the reservoir proper as well as in reaches beyond the previous backwateraffected zone, and deposition in the Lower Yellow River was reduced by about 30 million m^3 in average annually as a result of study by mathematical models.[project team, 1995]

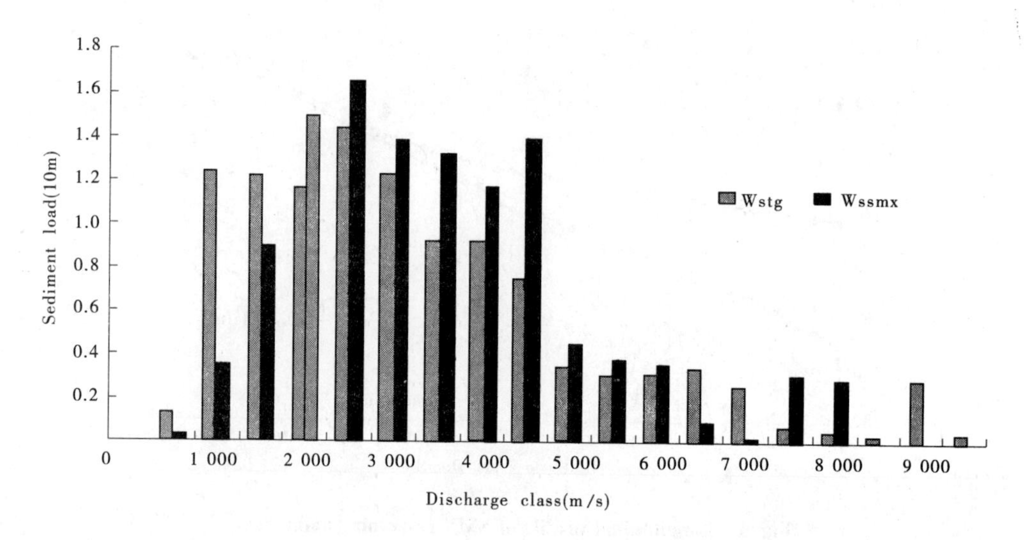

Fig. 4 Sediment load transported at inflow and outlet stations in different Q class

However, in some years during periods of sustained dry years from 1986 to 2002, the inflow condition was not satisfied in the flood season to flush off the deposits taken place in the previous non – flood season, although the operation water level was further lowered. Cumulative deposition took place again in the reservoir area below Tongguan and also in reaches above Tongguan that are free from backwater effects. A raise of bed elevation at Tongguan was also noted as shown in Fig. 5.

Previous study indicated that in the reach near dam, an equilibrium state of sedimentation exists at the product $Q \cdot J$ equals constant. [Long, 1995] Hence, in order to keep the reach free from cumulative deposition the operation level, representing the water surface slope, should be made lower in order to have a greater slope in case the discharge is small or the operation level maybe set higher under large discharges.

It can be seen from Fig. 2 that during sustained low flow series of years from 1986 through 1999, both the reservoir and Lower Yellow river were heavily deposited. It amounted to $0.83 \times 10^8 m^3/a$ in the reservoir and $1.71 \times 10^8 m^3/a$ in the LYR respectively. From 2000 to 2002, low flows prevailed in the whole Yellow River. Until late 2003, a number of medium floods took place in the middle basin, in particular the Weihe River basin. Erosion took place in the SMX reservoir and the LYR. Also, Tongguan elevation was lowered by 0.88m.

One of the major purpose of constructing the SMX project besides the flood control is the reduction of deposition in the Lower Yellow River and also the control of excessive upstream extension of backwater deposits in the tributary Weihe river. Hence it is important and necessary to keep the variation of Tongguan elevation within certain limits. However, the prevailing low flow either in the main stem or in the tributary was beyond the control by reservoir operation. In order to minimize the deposition in the reservoir, the operation level

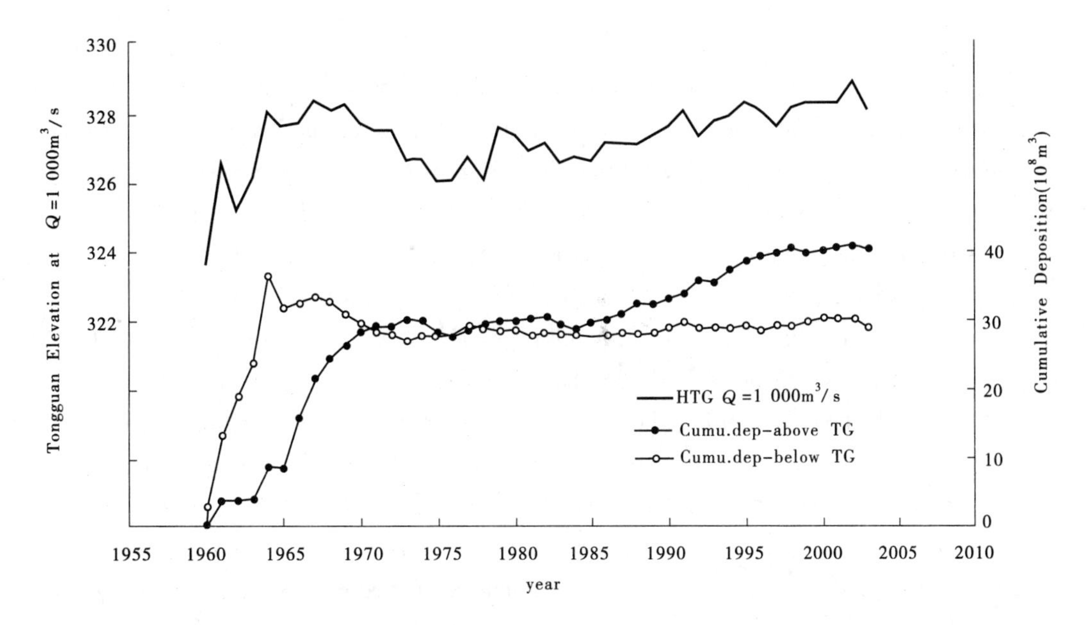

Fig. 5 Variation of Tongguan elevation and cumulative deposition in reservoir

in the SMXhas to be further lowered during the sustained low flow years.

Mathematic models have been used to study the variation of Tongguan elevation as well as the status of sedimentation in the SMX reservoir under different operation levels and different inflow conditions. Referring to the status in 2001, the result of study indicates that the Tongguan elevation could be lowered by 0.6 m to 1.0 m for low and medium inflow series if the operation level in the non-flood season were kept below 315～318m in non-flood season and kept lower than 300～305m in flood season. Also, during flood events, all the outlet structures are supposed to be opened without control so that the operation level may be further lowered. This conclusion of study is successively verified by field observation in 2003.

It is known from operational experience of the SMX reservoir in past four decades, that by proper management of water and sediment in the reservoir under appropriate inflow conditions, a certain usable capacity maybe kept in the reservoir for later use, and the rate of aggradation in the LYR maybe reduced. However, the ability of regulation in the SMX reservoir is quite limited. Generally speaking, not enough water is available to be used for improving the compatibility of water and sediment in the released flow in some years, in particular, during sustained low flow series of years.

2.3 Management of water and sediment in XLD reservoir

XLD reservoir commenced its operation in 2000. According to original design, major task of the project is to control large floods that can't be safely conveyed through the lower river and to reduce the rate of aggradation in the LYR. It has a total capacity of 126×10^8

m^3, in which, a dead storage of $76 \times 10^8 m^3$ is reserved for retention of sediment. A number of outlet structures arranged at different elevations can be used in operation for regulation of water and sediment. Water and sediment released from the reservoir can be made more compatible to each other so as to facilitate the sediment transport in the lower reaches and to reduce the rate of aggradation of the LYR. Since the completion of XLD project, the river had experienced extremely dry years in 2000 through 2002 and slightly more in 2003. Deposition in the reservoir amounted to $13.52 \times 10^8 m^3$ and erosion in LYR $6.67 \times 10^8 m^3$.

It is to be noted that due to the prevailing low flows, the amount of erosion under the clear water released from the reservoir in the initial four years was quite small as compared with that in early 1960's. During the dry years from 1986 to 1999, main channel of LYR was seriously silted up. The flood conveyance and sediment transport capacity was greatly reduced. Lip of floodplain is even higher than the bed elevation at the levee toe forming a secondary suspended river. A typical cross section in the wandering reach of LYR is shown in Fig. 6. For sake of flood control it is necessary to enlarge the conveyance capacity of the main channel of the river.

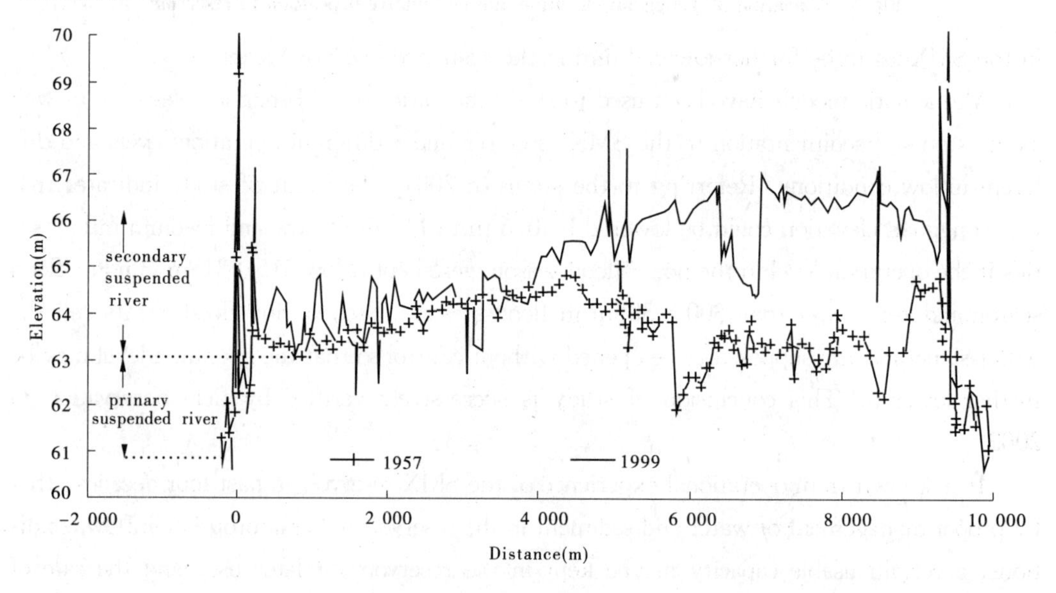

Fig. 6 Typical cross section in the wandering reach of Lower Yellow River

According to the original design, in the initial years of operation, the XLD reservoir is supposed to be operated in impoundment. No sediment could be released from the reservoir except that contained in turbidity density currents during flood events. For purpose of enlarging the conveyance capacity of the river and to erode the main channel, another type of management of water and sediment flow was conducted in the XLD reservoir. By storing enough water in the reservoir, artificial floods may be created and released from the reservoir, the sediment concentration in the released flow is controlled to be compatible to the released flow so as to prevent the deposition to be taken place in the lower river. In early July in 2002, such a flood with an average discharge 2 740m^3/s, sediment concentration 12.2 kg/m^3, lasting 11 days was created by regulation of released flow from reservoir. As a result, with nearly 26×10^{8}m^3 of water, the main channel in the LYR was eroded by nearly 1.06×10^{8}m^3. In August 2003, another experiment was carried out. Through corporative regulation of water and sediment in XLD, SMX and other two reservoirs on tributaries, an artificial flood was created with a peak flow 2 390m^3/s and sediment concentration 31kg/m^3 at Huayuankou lasting for 12 days. For the main channel, flood conveyance was increased by 200~400m^3/s. Sediment of 1.21×10^8 tons was transported onto the sea, among which, 0.74×10^8 tons was disposed from the reservoir and the rest is eroded from the riverbed. It is proved in practice that the experience of operation conducted in these years was a valuable achievement.[Li,2004]

Nowadays, there are still many people living on the floodplain of the LYR. It is another pertinent point to be considered in the reservoir operation. Hence, in order to minimize the inundation loss, the maximum flood flow to be released from the reservoir is restricted by the conveyance capacity of the main channel in the LYR. Another limitation is the amount of water available to be used for creating the artificial flood. Certain amount of water has to be reserved for the supplementary irrigation along the river course besides that for transporting the sediment. It is also a problem of great concern and still under extensive study as how to operate the reservoir for purpose of reducing the rate of deposition both in the reservoir and also in the lower Yellow River.

3 Concluding Remarks

It is obvious that reduction of the sediment input to the Yellow River system is a fundamental way of reducing the aggradation in the LYR. But, in the utilization of water resources, consumption of water should be minimized. It is known from analysis in previous sections, sedimentation in up and downstream of the reservoir are not only related to the oncoming sediment load but also closely related to the compatibility of water and sediment conditions of the inflow. In late flood season in 2003, a number of medium floods took place in tributary Weihe River and the main stem, a large portion of floodplain in Weihe River and part of floodplain in the LYR were inundated. The situation might be avoided if the conveyance of the main channel were greater.

Main channel of both the main stem and tributaries is the major passage of floodwater and sediment load. Through regulation of water and sediment in the SMX reservoir, the water and sediment in the released flow was made more compatible to each other to facilitate the transport in the downstream channels. Proper management of water and sediment in the reservoir operation is an effective way of improving the compatibility of the water and sediment. Experience of operation obtained in the SMX reservoir tells us that the guideline of operation by storing the clear in non-flood season and dispose the muddy in the flood season would be advantageous only if there were enough water and appropriate flood discharge to flush off the deposits taken place in the previous period. Certain amount of base flow and also part of the water in form of floods is also indispensable to maintain the main channel in the lower reaches free from excessive aggradation. In near future, it is expected that the XLD reservoir, with a relatively large reservoir capacity, may undertake the task of eroding the main channel and to increase gradually the conveyance capacity of the Lower Yellow River. However, proper management of water and sediment on basis of whole basin has to be considered. Excessive use of water resources should be strictly put under control. Measures for saving the use of water should be extensively adopted. Unified planning of utilization of water resources and treatment of sediment must be done in concordance. Certain amount of water and an adequate discharge must be made available to maintain the conveyance and transport capacity of the main channel both in the upstream reaches in the SMX reservoir and in the Lower Yellow River. Only with an adequate main channel, ordinary floods may be safely passed and sediment load may be transported free from deposition.

Reference

Li, G. Y. Regulation of Water and Sediment on basis of Large-scale Corporative Dispatch. Yellow River News (Feb 3 2004 in Chinese), 2004

Long, Y. Q., Li, S. H. Management of sediment in Sanmenxia Reservoir Proc. 2nd International Symposium on Water Science and Engineering, International Research and Training Center on Erosion and Sedimentation (IRTCES), Beijing, 1995

Long, Y. Q., Cheng, L. Y., Du, D. S., Miao, F. J. Sedimentation Problems of the Sanmenxia Reservoir in Yellow River. in Yellow River Sediment edited by Zhao, W. L., (in Chinese) Yellow River Water Conservancy Press, 1996

Project Team. Fluvial Process in SMX reservoir and LYR in: Operational Studies of the Sanmenxia Project on the Yellow River edited by Yang, Q. A., Long, Y. Q. et al, (in Chinese) Henan People Press, 1995

SMX Reservoir Experiment Station. Analysis of the Variation of Tongguan Bed Elevation in SMX Reservoir, Research Report SMX reservoir. Experiment Station, 1972

Xu, M. Q., Qian, Y. Y. Summarized Report of Variability of Water and Sediment of the Yellow River and its Impacts in: Studies of the Variability of Water and Sediment of Yellow River edited by Wang, G. et al, IRTCES, (in Chinese) Yellow River Water Conservancy Press, 2002

三门峡水库冲淤演变、潼关高程及水库运用

1 前言

本文回顾了1960年以来三门峡水库的冲淤演变，重点分析了1986年以来三门峡水库非汛期运用及库区冲淤演变对潼关高程的影响。1986年以来流域来水来沙条件发生了很大的变化，主要反映在由于龙羊峡等大水库投入运用使汛期水量减小、沿河灌溉用水增加及从1990年开始的多年持续的枯水系列等方面。在这一段时期内黄河小北干流及黄河下游河道均出现主槽萎缩并发生累积性淤积，1990年以后渭河、北洛河下游也出现类似现象。进入水库的水沙条件和水库库区的冲淤演变对潼关高程的影响也是一个需要深入分析的问题。本文对此作了一些初步探讨，并提出了水库运用水位应及时调整以适应不同的来水来沙条件。

2 三门峡水库的冲淤演变及潼关高程的变化

三门峡水库于1960年9月15日开始蓄水运用。为监测水库的淤积发展，设立了若干大断面，每年汛期前后进行重复测量。测量范围逐步扩大，目前已包括干流龙门、汾河河津、北洛河洑头、渭河咸阳、泾河张家山等水文站以下的范围，这一范围习惯上称之为库区。库区冲淤量是指测量范围内的实测冲淤量，既包括水库回水影响范围内的冲淤量，也包括不受回水影响的自由河段的冲淤量。

按水库回水作用的影响大小，三门峡水库大坝上游河道可分为三个区段。紧邻坝址的区段是直接受回水影响的河段，它的冲淤演变主要表现为受控于运用水位的溯源淤积或溯源冲刷。远离坝址的区段是完全不受水库回水影响的自由河道河段，依据来水来沙与河段输沙能力的对比和适应情况将发生沿程淤积或沿程冲刷。在这两者之间的区段，通常称之为间接回水影响的河段。它的冲淤演变是受前期冲淤影响，冲积河流自动调整其边界条件是该河段的输水输沙能力能适应来水来沙的一种表现。在这一河段内如前期发生溯源淤积，河床比降变小，淤积将继续向上游延伸，称之为淤积上延。或者，在有利的来水来沙条件下，这部分库首的淤积将会发生冲刷。这样，库首淤积末端的位置将会发生上延及下挫的变化。三门峡水库建成后曾经历几个运用时段，各时段水库运用水位的变幅很大，因此各河段在不同时期受水库回水作用影响也不相同。

在对水库的泄流设施进行改建以前，水库实行蓄水及初期滞洪运用，除少数年份外，由于泄流能力不足，滞洪运用水位均较高。改建后的泄流设施投入运用后，坝前运用水位虽已降低，潼关河段已脱离了水库回水影响，但库首冲积河道不断自我调整，淤积仍继续上延，黄河小北干流曾达距潼关约80km的59断面。渭河下游淤积发展曾达距潼关约

作者：龙毓骞、缪风举。选自2005年研究报告。

156km的临潼(渭26)断面。随坝前水位逐步降低、潼关以下库区发生大量冲刷,形成了高滩深槽的断面形态,从纵向看,形成了一个主槽宽约数百米的锲形空间。这就是可以用于调节泥沙的库容。在这一期间,潼关以上北干流及渭河河道的行洪输沙能力经过淤积和调整均已得到一定程度的恢复。1974年开始,水库实行蓄清排浑水沙调节运用,非汛期适量蓄水,汛期降低水位排沙。除少数年份非汛期防凌运用期间回水影响曾达潼关以外,非汛期其余时间均控制使回水作用不致影响潼关。三门峡水库运用原则是要保持一定的可用于防洪及兴利的库容,通过水沙调节改善下泄的水沙搭配,并控制潼关高程以控制淤积上延。从概念上来说,在保持潼关高程基本稳定的情况下,非汛期在潼关以下库区这一空间形成的淤积,通过来水与运用的配合,最终将能被冲刷出库。但是,实际运用过程表明,有些年份非汛期的一些时段运用水位偏高,淤积部位偏上,当年来水较小时,需要两年甚至几个年份才能将这一前期淤积冲刷出库。这一点已在蓄清排浑水沙调节运用以来的多年实践中得到证实。

3 不同时段的运用水位和运用方式

非汛期运用过程一般从前一年11月起算,前一年12月至当年3月为防凌运用期,3月下旬至4月上旬之间多发生桃汛,以后直至6月中旬为春灌期。历年非汛期的运用水位变化如图1及图2所示。

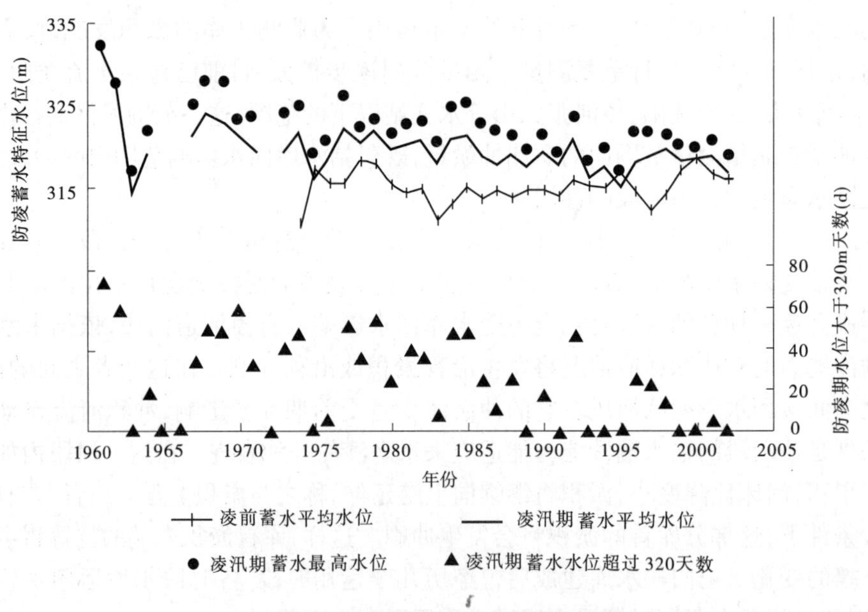

图1 防凌期各特征水位变化过程

从图1和图2可以看出:

(1)水库投入运用后即开始发挥防凌作用。1960年9月~1962年2月蓄水运用,最高水位曾达332.58m,直接回水影响已远远超过距大坝约120km的潼关。1962年3月改为滞洪运用,1963年最高水位仅略高于317m。但是由于泄流能力不足,遇来水较丰的1964年,滞洪运用水位仍较高。汛期平均坝前水位达320.2m。

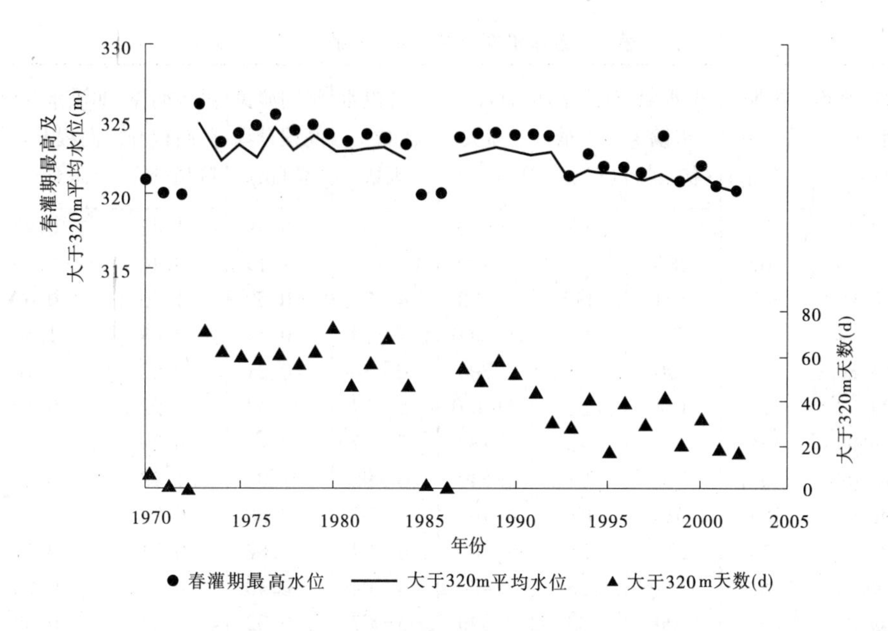

图2 春灌期各特征水位变化过程

(2)1965～1966年未进行防凌运用。1967～1985年期间,每年防凌最高水位在321～327.9m之间变化,平均为323.5m。1968年及1969年最高水位曾达327m以上。1975年以后开始在凌汛前期适量蓄水。1986年以后,除1992年外防凌最高水位及防凌期蓄水水位超过320m的历时均有降低趋势。

(3)1973年开始实行春灌蓄水,除1985年及1986年两年春灌最高蓄水位未超过320m外,1992年以前春灌期最高水位均在324m上下变化,水位超过320m历时在40～70d。1993年以后除1998年外,春灌期最高水位均低于322m,平均水位及水位超过320m历时均有所降低。

非汛期运用的回水影响与运用水位及河床纵横向形态有关。在正常运用情况下,影响到各主要断面的坝前运用水位(见表1)。

表1 开始影响各断面的运用水位

断面	潼关(断面41)	坫垮(断面36)	大禹渡(断面30)	北村(断面22)
距坝里程(km)	113～125	94～105	68～76	42～45
开始影响的运用水位(m)	323.5～324.5	320～321	315～316	307～308

汛期的运用是直接影响水库库区冲淤的一个要素。各年汛期有关水位、水量统计见表2。历年汛期运用水位的变化过程见图3。可以看出,只有1961年(蓄水期)及1964年(滞洪期但泄流能力不足)汛期水位超过320m天数分别为65d及73d,其余年份汛期均未超过320m。1967年以后随改建的泄流工程投入运用,水位逐步降低。1970年以后汛期水位超过315m的只有4年,而每年最多仅7d。

表 2　各年汛期有关水位、水量

年份	洪水期平均坝前水位（m）	汛期总水量（亿 m^3）	洪水期水量（亿 m^3）	非洪水期水量（亿 m^3）	Q_{max} 潼关（m^3/s）	统计洪水次数－天数	汛期潼关高程升降值（m）	洪水期潼关高程升降值（m）	非洪水期潼关高程升降值（m）
1974	304.04	122	55	67	7 040	5－37	－0.49	－1.42	0.93
1975	305.58	302	286	16	5 910	8－118	－1.19	－0.46	－0.73
1976	307.99	319	204	115	9 220	4－72	－0.59	－1.26	0.67
1977	306.54	167	74	93	15 400	4－29	－0.58	－2.08	1.50
1978	305.80	223	190	33	7 300	6－88	－0.21	－0.03	－0.18
1979	304.72	217	134	83	11 100	5－74	－0.14	－0.02	－0.12
1980	300.09	134	88	46	3 180	7－57	－0.44	－0.29	－0.15
1981	305.09	338	300	38	6 540	6－98	－1.01	－1.22	0.21
1982	303.66	184	76	108	4 760	4－65	－0.38	0.03	－0.41
1983	304.66	314	276	38	6 200	6－97	－0.82	－0.71	－0.11
1984	304.44	282	244	38	6 430	6－94	－0.43	－0.37	－0.06
1985	303.80	233	200	33	5 540	5－87	－0.32	－0.24	－0.08
1986	302.23	134	57	77	4 620	3－28	0.10	－0.11	0.21
1987	303.95	75	23	52	5 450	2－20	－0.14	0.04	－0.18
1988	302.28	187	107	80	8 260	6－47	－0.29	－0.24	－0.05
1989	304.27	205	59	146	7 280	4－69	－0.26	－0.72	0.46
1990	299.51	140	52	88	4 430	5－29	－0.15	－0.02	－0.13
1991	301.16	61	19	42	3 310	3－25	－0.12	0.17	－0.29
1992	302.08	131	89	42	4 040	6－53	－1.10	－1.11	0.01
1993	301.27	140	82	58	4 440	3－48	0.00	－0.24	0.24
1994	303.18	133	54	79	7 360	4－29	－0.26	－0.34	0.08
1995	301.96	114	48	66	4 180	5－50	0.16	0.09	0.07
1996	301.71	128	50	78	7 500	5－48	－0.35	－0.37	0.02
1997	301.94	56	10	45	4 700	1－10	－0.35	－1.76	1.41
1998	303.23	86	39	47	6 300	2－24	－0.12	－0.41	0.29
1999	301.93	97	25	72	2 950	2－24	－0.31	－0.29	－0.02
2000	305.04	73	22	51	2 290	3－20	－0.15	－0.27	0.12
2001	303.47	61	23	38	2 780	2－21	－0.33	－0.97	0.64
2002	303.95	70	36	34	2 180	4－35	0.06	0.53	－0.47
2003		156	115	41	4 430	5－58	－0.71	－1.53	0.82

4　水库的冲淤演变及潼关高程

冲积河流河床演变，就是河床的输水输沙能力与来水来沙不相适应这一矛盾对立统一斗争的结果。冲积河流具有自动调整的能力，在一定的来水来沙条件下，河床要调整它的断面形态和坡降，力求使输水输沙能力和来水来沙相适应。这是冲积河流的一个带普遍意义的规律。水库库区河道的冲淤演变以及潼关高程的升降也应服从这一普遍规律。

潼关位于黄河、渭河及北洛河汇流区的下端，距大坝约120km。汇流区十分宽阔。汇

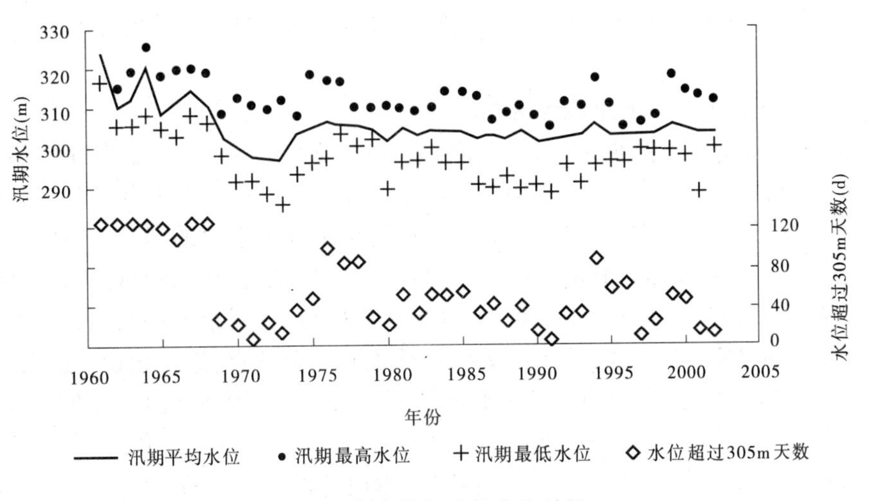

图 3 汛期各特征水位变化过程

流区小北干流河谷宽度超过 13km,而游荡性的主河槽仅宽 3～4km,纵比降约为 0.03%。汇流区渭河部分的主河槽仅宽 400～500m,纵比降约为 0.015%,也具有广阔的洪水滩地。潼关河段河谷宽度约 1 200m,主河槽仅宽 800m,纵比降约为 0.02%。潼关以下黄河流经一段河谷宽 2～3km 的过渡区进入峡谷区。由于潼关地理位置的特殊性,它的冲淤还会受到上下游河道冲淤及河势演变的影响。由于黄河来水来沙的特点,潼关在库区地理位置的特点和水库区使用等,潼关的升降变化具有一定的特殊性。

我们曾对 1972 年以前潼关高程的演变进行较系统的分析,并从图形入手找出每次变化的成因。以后又多次对不同运用期库区及潼关高程的冲淤演变进行过分析(缪风举,2004)。我们认为,水库范围内的冲淤演变可用图 4 表示,潼关河段是水库库区的一个部分,它的演变也可以用这一图形来表达。

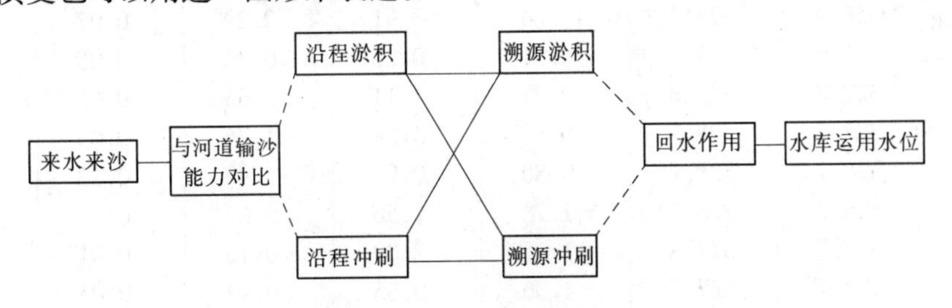

图 4 水库冲淤演变图形

通过实测资料分析,说明潼关断面同一流量下水位的升降,主要决定于河床高程的升降,同流量下水位也在一定程度上反映了河道主槽的输水输沙能力。此处用不同时间潼关断面水位流量关系 $Q=1\ 000m^3/s$ 时的水位来反映在流量较稳定时潼关高程的变化。经分析,它和潼关上下断面间长约 3km 的河段(断面 40～汇 1)的冲淤变化的趋势也是完全相应的。因此,用潼关 $Q=1\ 000m^3/s$ 时的水位变化反映在流量较稳定时潼关高程的变化有一定的代表性。当然,洪水期非恒定流由于附加比降引起的涨冲落淤现象还不能仅用流量较稳定时同流量水位这一指标来表达。潼关高程的变化与多种因素有关,焦恩泽曾对潼关高程的演变进行较系统的分析(焦恩泽,2004)。本文主要是分析水库运用水位及上下游河道冲淤演变对潼关高程的影响。以下将按时段顺序讨论水库冲淤与潼关高程演变的关系。

4.1 1960～1973 年蓄水及滞洪运用时段

1960 年以来潼关高程的变化及库区各河段的冲淤过程见表 3。潼关高程及库区各河段累计冲淤过程如图 5 所示。图中用每年汛末的潼关高程来反映其年变化。如前所述，各个河段的冲淤量是根据前后两次大断面测量的结果计算求得的，其中包括了不受水库影响的自由河段的冲淤量。1960 年 9 月～1962 年 3 月潼关河段基本处于直接回水影响范围。淤积的发展主要受运用水位控制。1962 年 3 月改为滞洪运用初期，遇到多水丰沙的 1964 年，汛期最高水位达到 325m 以上，库区淤积十分严重，累计淤积量最大。潼关高程也由建库前的 323.5m 上升到 1964 年汛末的 328.07m。1965～1873 年期间，库区淤积上延，潼关河段一方面在前期淤积上进行调整，潼关高程仍在上升，1970 年汛前达到 328.6m，较建库前上升了约 5m。另一方面，随着改建的泄流工程投入运用，库区运用水位逐步降低，库区发生冲刷，潼关高程也随之降低，1973 年汛后降低到 326.6m。这一段时间潼关河段基本处于变动回水影响，它的变化主要是由于受前期淤积影响，冲积性河道进行剧烈的自我调整。这一段时间，水沙条件及受泄流能力制约的运用水位对潼关河段的冲淤均起到决定性的作用。

表 3　潼关高程的变化及库区各河段中的冲淤过程

年份	潼关高程(m)		年冲淤量(亿 m^3)				
	汛期前	汛期后	潼关以下	小北干流	渭河	北洛河	全库区
1960	323.5	324.4	3.35	0.54	0.01	0.04	3.94
1961	325.5	325.8	10.26	2.64	0.70	0.08	13.68
1962	325.9	325.2	5.58	−0.54	0.40	0.09	5.53
1963	325.3	326.1	4.69	−0.04	0.22	0.19	5.06
1964	326.0	328.1	12.64	3.91	0.29	0.07	16.92
1965	327.8	327.7	−4.51	−0.23	0.23	0.05	−4.46
1966	327.8	327.8	0.77	4.11	2.65	0.65	8.19
1967	327.7	328.4	0.82	3.54	1.76	0.06	6.18
1968	328.7	328.1	−0.80	0.93	1.99	0.13	2.24
1969	328.7	328.3	−1.78	1.56	0.62	−0.17	0.22
1970	328.5	327.8	−1.25	2.09	−0.13	0.01	0.72
1971	327.7	327.5	−1.36	0.35	0.44	−0.05	−0.62
1972	327.4	327.5	−0.43	−0.20	−0.01	0.03	−0.60
1973	328.1	326.6	−0.82	−0.04	1.00	−0.02	0.12
1974	327.2	326.7	0.75	−0.25	0.08	0.06	0.63
1975	327.2	326.0	−0.14	−0.70	−1.16	0.16	−1.85
1976	326.7	326.1	0.30	−0.60	0.04	−0.07	−0.34
1977	327.4	326.8	1.49	0.39	0.71	−0.02	2.57
1978	327.3	327.1	−0.45	0.58	0.15	0.00	0.28
1979	327.8	327.6	−0.50	0.23	0.26	−0.02	−0.03
1980	327.8	327.4	0.18	−0.03	−0.14	0.10	0.11
1981	328.0	326.9	−0.90	0.25	0.15	−0.01	−0.52

续表 3

年份	潼关高程(m)		年冲淤量(亿 m^3)				
	汛期前	汛期后	潼关以下	小北干流	渭河	北洛河	全库区
1982	327.4	327.1	0.37	0.13	0.27	−0.02	0.75
1983	327.4	326.6	−0.06	−0.32	−0.70	−0.11	−1.19
1984	327.2	326.8	−0.16	−0.34	−0.38	−0.01	−0.89
1985	327.0	326.6	−0.28	0.43	0.35	0.05	0.55
1986	327.1	327.2	0.11	0.25	0.15	0.05	0.56
1987	327.3	327.2	0.50	0.64	0.18	0.08	1.40
1988	327.4	327.1	−0.35	1.67	−0.03	−0.18	1.12
1989	327.6	327.4	0.09	−0.46	0.24	0.04	−0.10
1990	327.8	327.6	0.74	0.58	0.22	0.03	1.58
1991	328.0	327.9	0.91	0.78	0.00	−0.01	1.68
1992	328.4	327.3	−0.93	0.51	1.16	0.37	1.12
1993	327.8	327.8	0.28	−0.15	−0.34	−0.04	−0.25
1994	328.0	327.7	−0.17	1.05	0.78	0.08	1.75
1995	328.1	328.3	0.37	0.54	0.76	0.06	1.73
1996	328.4	328.1	−0.86	0.46	0.08	−0.04	−0.36
1997	328.4	328.1	0.70	0.25	0.20	0.08	1.24
1998	328.4	328.3	0.09	0.89	−0.26	0.04	0.76
1999	328.4	328.1	0.50	−0.53	−0.28	0.05	−0.25
2000	328.5	328.3	0.61	−0.11	0.29	0.10	0.90
2001	328.6	328.2	−0.09	0.31	0.16	0.16	0.54
2002	328.7	328.8	0.03	0.29	0.22	0.01	0.55
2003	328.7	327.9	−1.38	−0.27	−0.17	−0.12	−1.94
小计			28.90	25.15	13.13	2.03	69.21

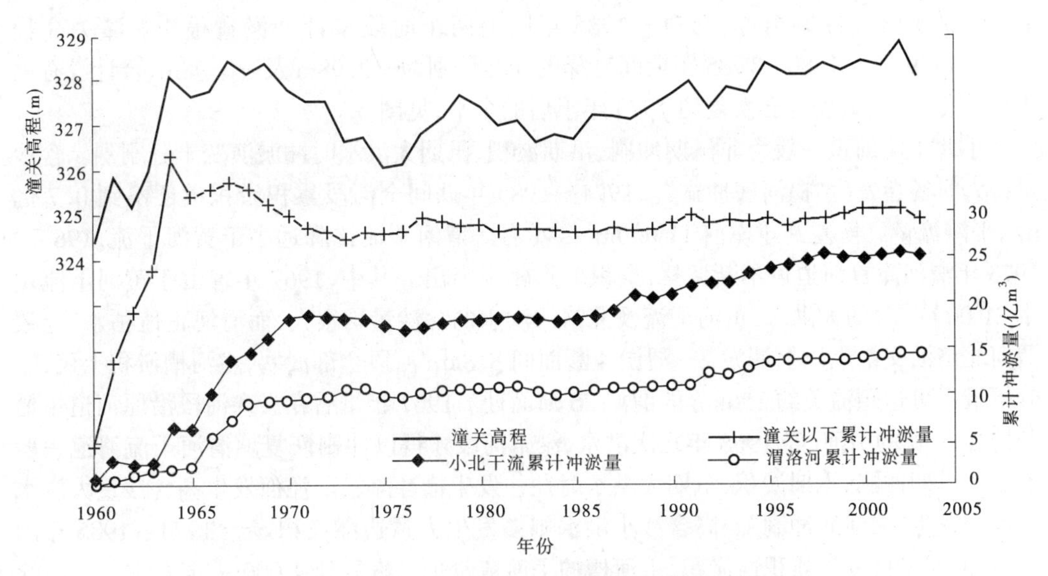

图 5　三门峡水库库区累计冲淤量过程及潼关高程变化

4.2　1974～1985 年蓄清排浑水沙调节运用时段

1973 年底改建的泄流工程完工，1974 年水库开始实行蓄清排浑控制运用。每年非汛期适量蓄水，汛期降低水位排沙，库区河道每年年内都会经历一个冲淤过程。一般情况下，潼关以下则经历一个非汛期淤积和汛期冲刷的过程。它的演变也是河床的输水输沙能力与来水来沙互相适应的过程。非汛期一般要经历防凌前期蓄水、防凌运用、桃汛运用、春灌蓄水运用、降低水位等几个运用阶段。它的淤积过程起始于水库壅水引起的溯源淤积，纵向呈三角洲形。随着桃汛期水位降低，这一淤积体有一个自上而下的迁移过程。春灌蓄水期淤积体进一步发展、延伸。并且，由于淤积影响与来水来沙条件不相适应，将发生自下而上的比降调整，即淤积上延。春灌期来沙较多，运用水位的高低及高水位的持续时间对非汛期淤积体部位起到了决定性的作用。汛期冲刷的过程则是水库水位大幅度降低导致的溯源冲刷和洪水的沿程冲刷。前者提供了使前期淤积得以冲走的必要条件，而有较大的流量和水量的沿程冲刷则是使前期淤积得以冲出水库的充分条件。三门峡水库运用经验说明，只有既具备必要条件还要有充分条件，两者结合，才能使水库保持年内冲淤平衡。潼关高程的变化与潼关上下较长河段的冲淤演变基本上是同步的。因此，这也是使潼关高程在经历非汛期上升后得以降低恢复的条件(三门峡水库实验总站，1972)。

三门峡水库蓄清排浑水沙调节运用以来，每年非汛期淤积、汛期冲刷，年内冲淤量变幅为－0.5 亿～2 亿 m^3。有的年份当年可以达到冲淤平衡，但有时要经过几个年份才能恢复。按水沙条件和运用情况多年的变化可分为几个较小时段：1974～1979 年非汛期春灌运用水位偏高，淤积部位偏上，导致有的年份非汛期的淤积当年未能冲走，其中 1977 年汛期，小北干流上段发生剧烈的揭河底冲刷，下段大量淤积，潼关以下库区在汛期也出现累积性淤积，用同流量水位表达的潼关高程也有较大的抬高。1980～1985 年降低了运用水位，控制非汛期的淤积部位在距大坝约 80km 的 31 断面以下。这一时段内来水较丰而来沙较少，水沙条件十分有利。潼关以上库区主槽没有累积性淤积，潼关以下主槽内前期累积性淤积已被冲刷出库，1974～1985 年以上两个时段累计冲淤量很小。潼关高程 1974～1979 年及 1980～1985 年期间升降的变化分别为＋0.98m 及－0.98m，合计没有累积性变化，潼关高程也已恢复到 1973 年汛后的水平，见图 5。

小北干流河道一般为非汛期冲刷、汛期淤积、汛期大洪水时冲淤演变十分剧烈。含沙量特大时还会发生“揭河底冲刷”。1974～1985 年期间全河段累积淤积量还不到 0.7 亿 m^3，平滩流量已恢复到建库前 11 000m^3/s 左右。渭河干流比降远小于黄河干流，1965～1973 年渭河库首河道也不断调整，淤积上延较为突出。其中，1967 年曾由于黄河干流发生 21 000m^3/s 的大洪水，黄河干流及北洛河洪水的含沙量均很大，而渭河正值枯水，导致渭河北洛河交汇点以上渭淤 2～渭淤 4 断面间 8.8km 河段全部淤塞，主河槽淤积上延，据分析最远可达距潼关约 156km 的渭淤 26 断面处。1967 年汛后在淤塞河段沿原河道主槽开挖 27m 宽的引河，经 1968 年几次洪水，淤塞河段才得以冲刷恢复。渭河干流河道一般也是非汛期冲刷、汛期淤积，汛期大洪水时往往发生槽冲滩淤。泾河发生高含沙量大洪水时也会发生“揭河底冲刷”。高含沙小洪水则多发生大量边滩淤积。经 1974～1985 年的调整，渭河未再发生累积性淤积，主河槽的平滩流量也已恢复到 4 000m^3/s 左右。三门峡水库潼关以上小北干流和渭河的这种冲淤演变，实质上是冲积性河道通过河床冲淤调整其形态及输沙能力，以适应来水来沙条件变化的一种表现。经多年调整，到1985年，潼关以上的干支流河道也已趋于稳定，适应了一般的来水来沙条件。

4.3 1986～2003年蓄清排浑水沙调节运用时段

1986年以后潼关以上干支流河段均已脱离回水影响，但70、80年代以来，水沙条件发生了较明显变化，各种人类活动使进入三门峡水库的水沙量有所减少。1986年汛末龙羊峡水库投入运用后汛期下泄水量减少，汛期水量占全年的比例由原来的60%减少到42%～46%。1990年以后又遭遇枯水系列，特别是1990～2002年尤为明显。这一时段内，高含沙量小洪水还不断发生，来水的水沙搭配较正常情况更为不利。从潼关站年均含沙量与流量的比值 S/Q 来看，无论干支流，这一时段的 S/Q 数值均远较正常情况为大，见图6。按时段统计的潼关站实测的沙量也逐步减少，年均仅约7.1亿t。在这一时期内，三门峡库区潼关以下仅略有累积性淤积，潼关以上小北干流、渭河、北洛河及黄河下游这几个冲积河段均出现了严重的累积性淤积。淤积体沿程分布上大下小，有的河段滩淤槽冲，具有明显的沿程淤积特点。主槽萎缩，平滩流量大幅减小。小北干流的平滩流量减小到2 600m^3/s，渭河华县的平滩流量减小到690m^3/s左右，下游部分河段的平滩流量减小到不足2 000m^3/s。

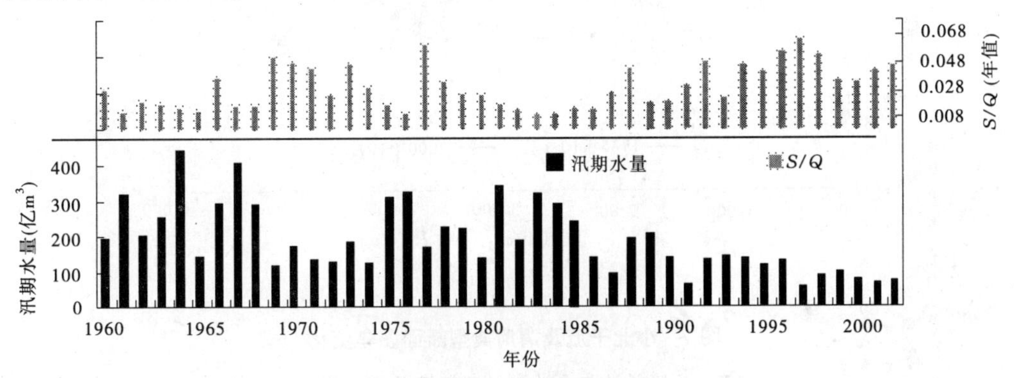

图6 潼关年水沙量及变化过程

这一段时间内，库区干支流河道所遇到的水沙条件各不相同，各河段的冲淤情况也有差异。小北干流多淤积，18年中有8年全程淤积量超过0.5亿m^3，1988、1991、1994、1998年等年均超过0.7亿m^3。1992、1994、1995年三年渭河的全程淤积量也均超过0.7亿m^3，而1994年来水情况与1967年近似（干流龙门及北洛河大水而渭河水小），河道淤积十分严重。图7用典型断面的变化说明河道淤积的情况。

林秀芝等曾对1974～2003年134次洪水潼关高程的变化进行分析（林秀芝等，2004）。本文作者利用这一资料进行了统计，如表4所示。在目前的运用方式下，非汛期潼关高程的上升主要依靠汛期洪水期冲刷恢复。汛期平水期多数年份潼关高程都是淤积抬高的。

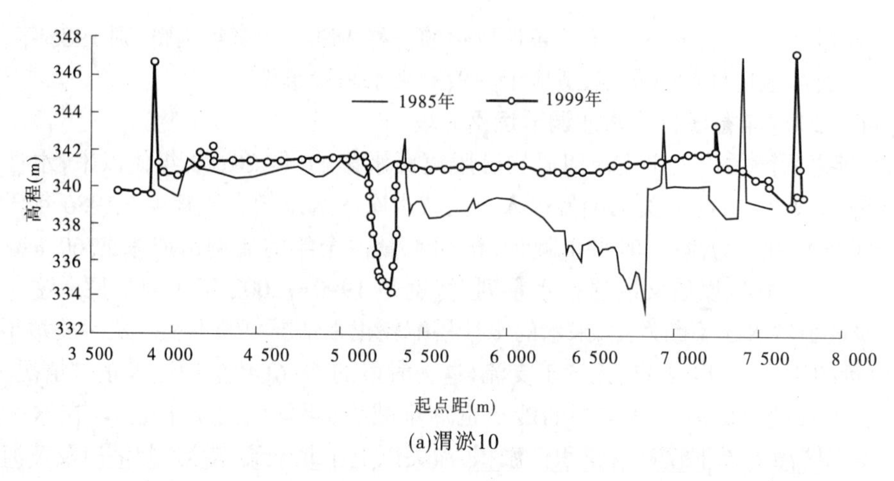

(a)渭淤10

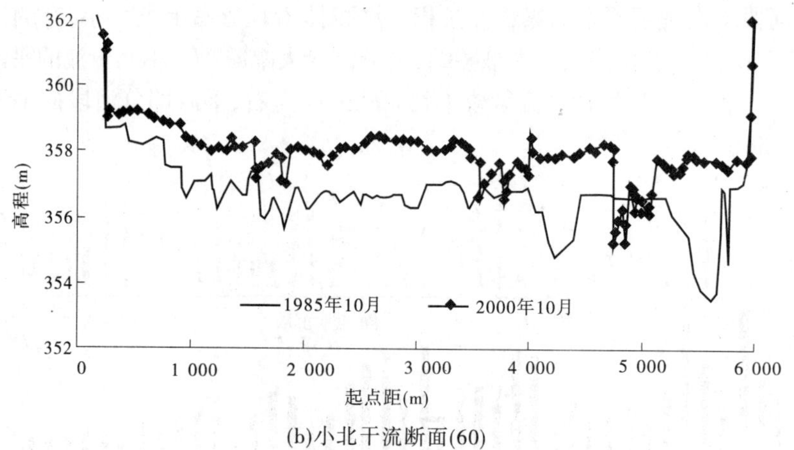

(b)小北干流断面(60)

图7 小北干流及渭河典型断面多年变化

表4 潼关站年水沙量及汛期潼关高程变化

时段(年)	1974～1979	1980～1985	1986～1992	1993～1997	1998～2002	2003
年数	6	6	7	5	5	1
按时段内年平均潼关高程升降值(m)						
非汛期	0.61	0.40	0.37	0.31	0.21	-0.13
汛期	-0.45	-0.57	-0.28	-0.16	0.06	-0.71
汛期洪水期	-0.87	-0.47	-0.29	-0.52	-0.18	-1.53
汛期平水期	0.42	-0.10	0.02	0.36	0.12	0.82
水量(亿 m^3)						
汛期	225	247	133	114	78	156
汛期洪水量	174	203	74	58	31	115
汛期平水期	51	44	59	56	47	41
非汛期	162	168	157	136	108	80

5 水库区淤积的纵向分布

用每年两次实测大断面资料可绘出每年非汛期及汛期两个时段各断面间冲淤量的沿程分布，有助于说明在这些年份潼关以下非汛期的淤积是否影响到潼关。从历年的分布图并综合以上各节的分析可以看出：

(1)1992 年以前的各年春灌期蓄水位偏高，非汛期淤积体末端均已达潼关或已超过潼关，而 1993 年以后除 1998 年以外，春灌期最高蓄水位未超过 323 m，且高水位持续时间较短，非汛期的淤积均未影响到潼关。

(2)1986 年以后潼关以上干支流均出现大量淤积，所发生的冲淤现象主要是沿程冲刷或沿程淤积。例如淤积较多的年份：小北干流 1988、1994 年等年，渭河 1994 年等。1977 年小北干流的揭河底冲刷、上冲下淤，是一个突出的例子。从以往的分析可知，非汛期防凌或春灌期运用水位较高，超过潼关后，对渭河的影响最远可达距潼关约 31 km 的陈村(渭 6 断面)附近。

(3)潼关以上干流河道沿程淤积的发展已明显地影响到潼关。图 8 是以 1995 年为例说明库区干流的冲淤沿程分布，可以看出潼关以上的沿程淤积性质。

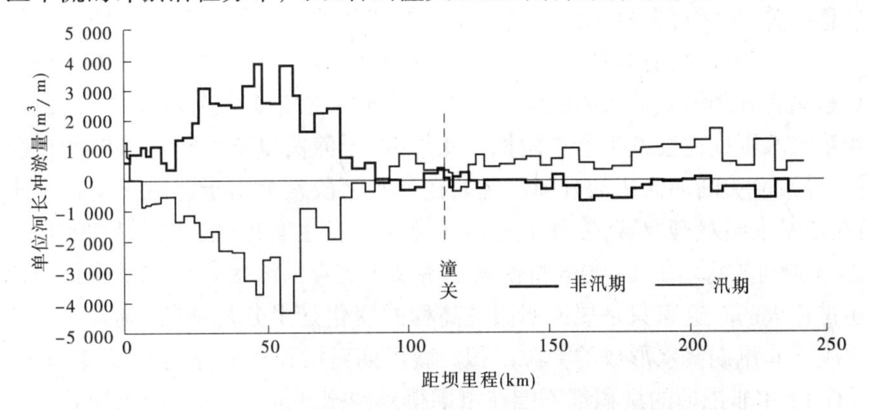

图 8 1995 年冲淤量沿程分布

程龙渊等曾分析 1994～1995 年汛期几次洪水渭河华县等站同流量水位的变化(渭河各站 $Q=200m^3/s$，潼关 $Q=1\ 000m^3/s$)。表 5 引用了他们的成果(程龙渊等，2004)。从表中可以看出，不同的洪水及其遭遇对渭河的影响不同。第二次是渭河高含沙量小洪水；第三次和第六次是黄河干流大水倒灌渭河，渭河流量小但含沙量高；第五次是北洛河大水及黄河干流中等洪水顶托渭河。这一时段渭河的严重淤积主要是这四次洪水形成的，汛期前后两测次间的临潼以下淤积量达 0.85 亿 m^3。它的范围主要是渭南—华阴。

2003 年渭河发生多次秋汛洪水，其冲淤沿程分布如图 9 所示。洪水漫滩的结果，滩地淤积主槽冲刷的河道演变特点十分显著。汛期前后两测次间主槽冲刷 1.01 亿 m^3，滩地淤积 0.84 亿 m^3(侯素珍，2004)。从分析可知，1986 年以后小北干流和渭河的冲淤都是属于沿程冲淤性质，它的发展主要取决于来水来沙条件。

表 5　1994～1995 年汛期几次洪水渭河华县等站同流量水位的变化

时段（年·月·日）	潼关站		华县站		洑头站		潼关	同流量水位差			
	Q_m	S_m	Q_m	S_m	Q_m	S_m	Q_m	潼关	华阴	陈村	华县
	(m^3/s)	(kg/m^3)	(m^3/s)	(kg/m^3)	(m^3/s)	(kg/m^3)	(m^3/s)	(m)			
1994.7.6～7.10	4 780	115	2000	765	695	1 030	4 890	-0.50	-1.16	0	-0.40
1994.7.27～7.30	1 460	73	1 010	802			1 930	0.30	1.08	1.15	0
1994.8.6～8.10	10 600	401	643	649			7 360	0	0.34	1.60	0.80
1994.8.12～8.15	5 460	378	1 450	782	2 160	655	4 310	0	-0.62	0	0
1994.9.1～9.4	4 020	316	59.1		6 280	805	3 700	0	0.45	1.10	1.00
1995.8.6～8.10	3910	346	94.6	716	189		3 980	0	1.00	1.05	0.80
小计								-0.20	1.09	4.90	2.20

潼关河段是三门峡水库库区一个组成部分，潼关高程的升降演变与上下游库区的冲淤演变息息相关，是无可置疑的。但是由于它的特殊地理位置及各个不同时段的运用情况不同，潼关高程的演变有其特殊性。当不受回水影响时，来水来沙条件和当时的河床边界条件是影响它升降演变的主要因素。汛期洪水时一般是会发生冲刷的，但遇到流量小的高含沙量洪水则往往会发生严重淤积。此外，由于潼关以下河道河势的变化会引起河长的变化，导致潼关断面河床的升降。例如在一些河段常会由于河道摆动在小水时形成曲流，而在流量大时裁弯取直，使其上游的河道长度发生变化（钱意颖等，2001）。设河床坡度为 2‰，则河长每增加 1 000m 将使其上游某固定点河床抬高 0.2m，由此可以看出它的影响还是很大的。这里只是想说明潼关高程的变化是十分复杂的，潼关河床的升降并不完全取决于非汛期蓄水形成的溯源淤积。就汛期对淤积体的冲刷而言，1986 年以后的 18 年中，有 12 年非汛期的淤积都不能在汛期得到冲刷恢复，这些年份汛期总水量都小于 150 亿 m^3，洪水水量还不到 85 亿 m^3，有的年份洪水次数少，洪峰流量也小，不具备由降低水位形成溯源冲刷和洪水的沿程冲刷互相结合的必要和充分的条件，使非汛期淤积能得到冲刷并使潼关高程得以恢复。

6　潼关高程演变小结

潼关高程的演变虽十分复杂，但不同时期都有一个或几个因素起主导作用。蓄水运用以及滞洪运用初期，受泄流能力制约运用水位是控制库区冲淤及潼关高程的主导因素。1965～1973 年泄流设施改建过程中运用水位逐步降低，库区冲积性河道不断进行自动调整以适应来水来沙情况。潼关高程也经历了上升和逐步降低的过程。总体来说，在 1973 年以前水库运用水位对潼关高程的演变起到了主导作用。

1974～1985 年水库实行蓄清排浑、调节水沙的运用方式，库区河道继续进行自动调整。这一时段前期非汛期运用水位偏高，淤积体均已发展到潼关河段，潼关高程上升近 1m。1980 年以后时段降低了春灌期运用水位及桃汛起调水位，且来水量较丰，潼关高程

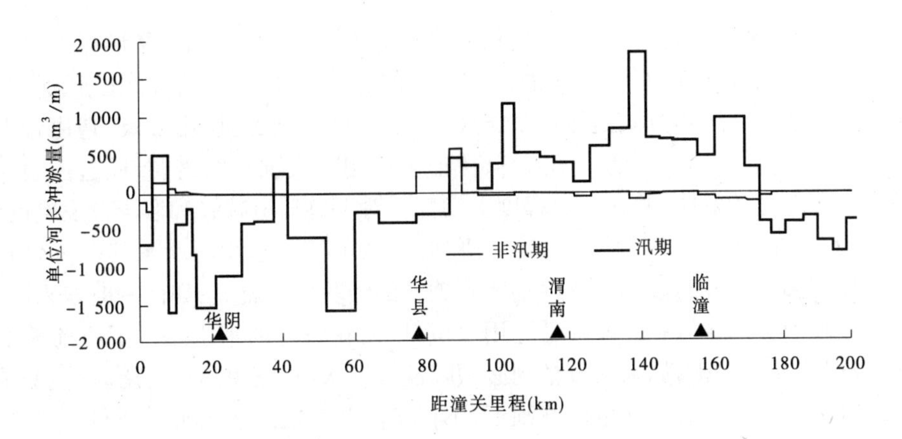

图 9　2003 年渭河下游淤积沿程分布

降低了近 1m。1974～1985 年潼关以上及以下河道没有出现显著的累积性淤积的情况。三门峡水库运用经验说明,非汛期运用水位及高水位持续时间对淤积体部位起决定性作用;汛期冲刷过程则是水库水位大幅度降低导致的溯源冲刷和洪水的沿程冲刷,前者提供了使前期淤积得以冲走的必要条件,而有较大的流量和水量的沿程冲刷则是使前期淤积得以冲出水库的充分条件。只有既具备必要条件还要有充分条件,两者结合,才能使水库保持年内冲淤平衡,并使潼关高程保持稳定。随每年非汛期淤积的情况以及水沙条件的变化,潼关高程的变幅可达±0.8m。

1986 以后进入水库的水沙条件发生了较大变化。龙羊峡水库运用,汛期水量开始减少,1990 年以后又遇多年持续的枯水系列,洪水流量及洪量均小,库区潼关以上干支流和下游河道均发生累积性淤积。遇大水年份,如 1992、1996 年潼关高程虽仍能冲刷下降,但其余时段潼关高程则处于累积升高趋势。1986～1991 年非汛期春灌期运用水位仍偏高,潼关处于非汛期淤积体末端附近。由于汛期水量及洪水流量均小,溯源冲刷和洪水的沿程冲刷不能互相配合,潼关以下除 1988 年略有冲刷外,其余各年均有累积性淤积。1992 年以后春灌期运用水位进一步降低,运用水位的回水作用及非汛期淤积不再影响潼关。但是,由于枯水系列水量太小,小北干流沿程淤积发展,并向下游延伸,已开始影响到潼关,形成潼关高程继续上升并居高不下的态势。显然,水量太小是这一时段潼关高程演变的主导因素。

7　关于水库蓄清排浑调节水沙的运用

1974 年以后三门峡水库吸取了黑松林等水库的运用经验,结合本水库的特点,在进行泄流设施改建后,创造性地采取了蓄清排浑调节水沙的运用方式。即在调节径流的同时尽量使下泄的泥沙与水流有较好的搭配,以较好地发挥下游河道的输沙能力,减少主河槽的淤积。但是,多年的运用经验还说明,采取蓄清排浑调节水沙的运用方式是有条件的。非汛期要有水可蓄、汛期洪水期要有水可供排沙,才能达到一年或几年内冲淤平衡、保持水库的可用库容的目的。

水库来水来沙在年内分布的特点和前期淤积在库区形成的高滩低槽的河床地貌条件,以及改建的泄流规模使水库实行蓄清排浑调水调沙运用具备了可能和必要的条件。

但是，库区的特殊地理位置，例如潼关高程升降对其上游冲淤的影响，又形成了对这种运用方式的一种制约因素，限制了水库的调节泥沙的能力。40余年的实践已经证明，三门峡水库采取蓄清排浑运用方式是在当时条件下唯一可以采取的运用方式，它适合多泥沙黄河的水沙特点，保持了一定的可用库容，保证了控制较大洪水的需要，通过控制潼关高程而控制淤积上延的发展，并在一定程度上发挥了对下游河道减淤和灌溉及发电的效益。90年代初期，我们曾参加三门峡水库运用研究，总结了一些运用经验。其中有一条是运用水位与库区冲淤及各时段水沙条件的相互关系的经验。这就是：如前一时段来沙较多、运用水位较高则必须在后一时段降低运用水位，以便在较好的来水条件下将前期淤积冲刷出库，以保持冲淤平衡；如来水较枯则必须降低运用水位，缩短高水位历时，使非汛期淤积得以冲刷出库。在蓄清排浑运用原则下，不仅年内各时段的运用水位，而且年际的运用水位必须根据来水来沙情况和水库上下游的冲淤情况予以必要的调整。这也是多泥沙河流水库运用与一般少沙河流水库运用不同的一个鲜明特点（三门峡运用研究，1994）。

一般来说，河流上修建水库的主要目的是调节径流。对于多泥沙河流的水库，在调节径流的同时也会对泥沙进行调节。作者曾指出三门峡水库在调节泥沙方面的作用主要是保持了水库的可用库容并改善了出库水流的水沙搭配，使之较适应下游河道的输沙特性。90年代初期进行的三门峡水库运用研究，主要使用了1990年以前的实测资料，曾对非汛期的运用提出了一些建议，指出运用的关键是控制淤积部位，尽量减轻蓄水对潼关高程的影响；凌前最高蓄水位控制在315m左右；防凌期结合下游沿河冬季引水，一般年份控制最高水位322m；凌情严重年份仍可适当提高；桃汛起调水位应控制在315m左右；春灌蓄水位一般不超过322m等。对汛期的运用，提出了7～8月控制运用水位300m，在洪水时期如有必要可降低到300m以下，并根据库区前期淤积冲刷情况确定汛期后期运用水位（三门峡运用研究，1994）。运用研究中也吸收了汛期发电课题提出的以北村水位为控制，汛期运用采用平水控制洪水排沙的方式（胡一三等，2000）。回顾这些建议，我们认为，当时所总结提出的一些运用原则是正确的，但所建议的具体水位指标则应作一些修改。

应该说，三门峡水库1974年以来的运用是在逐步改善的。但是，原来采用的非汛期运用水位偏高，还不能适应1986年以后水沙条件的变化。水量太小，很多年份非汛期的淤积当年不能被冲走。同时，潼关以上小北干流沿程淤积的向下延伸也已影响到潼关高程的演变。在来水条件没有显著改善时，进一步降低非汛期运用水位应使非汛期淤积不致影响潼关，同时也应进一步降低汛期洪水时的运用水位使当年非汛期淤积得以冲走。通过运用只能控制由于运用水位抬高引起的溯源淤积及其上延，并不能限制潼关以上干支流沿程淤积的发展。要更好地控制潼关高程，还必须考虑进行水库上游流域的水沙调节。

当然，三门峡水库的水沙调节作用是有限的。小浪底水库建成后，三门峡水库在实施水沙调节过程中应如何进一步考虑对上下游河道的影响；上游大型水库水量调节及灌溉引水对三门峡水库水沙量调节和进入下游河道水沙条件的关系；三门峡与小浪底水库联合调度运用的方案等都是需要进行深入研究的问题。三门峡枢纽工程的改建实践为在像黄河这样多泥沙河流上修建水库、发挥综合利用效益取得了经验，也极大地提高了我们对黄河的认识。今后还必须遵循实践—认识—再实践的思想，继续进行黄河的研究。

参考文献

[1] 杨庆安,龙毓骞,缪凤举.三门峡水利枢纽运用与研究.郑州:河南人民出版社,1994
[2] 焦恩泽.黄河水库泥沙.郑州:黄河水利出版社,2004

附录1　作者简介

龙毓骞，男，1923年7月出生。原籍湖南攸县。1944年原中央大学土木工程系毕业。1947～1949年留学美国并获依阿华大学硕士学位，后又在加利福尼亚大学师从汉斯·爱因斯坦教授学习河流泥沙。1949年底回国，参加官厅水库工程建设，并从事水库水文泥沙实验研究。1966年调黄河水利委员会，先后在三门峡水库实验总站、黄委水文处、黄委水科所工作，1983～1985年任黄委总工程师。1989年退休，退休后继续进行一些科研工作。

在官厅水库工作期间，作者曾组织和参与了水库泥沙淤积和异重流的测验研究，收集了大量系统的实测资料，这些工作有助于更深入地认识多泥沙河流修建水库所引起的泥沙问题。同时还开展了水库水面蒸发、水温、汛情、波浪及塌岸等水库水文实验研究工作。其中有些项目是与有关学校和科研单位协作，并用自行研制的仪器设备完成的。

调入黄委后，作者曾参与了三门峡水库泥沙问题、黄河流域水沙变化、全沙输沙能力及下游河道冲淤量分析评价、光电颗分仪的研制等研究工作。在研究过程中还组织编制了黄河上一些水文站实测输沙资料数据库、三门峡运用研究有关资料数据库及下游河道断面资料数据库。其中光电法泥沙颗粒分析及光电颗分仪研制项目获水利部1980年度优秀水利科学技术研究成果二等奖，黄河下游河道冲淤量分析评价获河南省2005年度科技进步三等奖。这些科研成果是几个单位合作完成的，本书作者都是研究项目的主要负责人。

20世纪80年代作者曾担任世界气象组织报告员，编写了《河流泥沙测量方法手册》，并由世界气象组织出版。还曾担任水利部水文司中美地表水科技合作协定附件四泥沙项目的中方负责人，推动该项目取得了一些卓有成效的成果，如悬移质及推移质采样器的比测、新型推移质采样器的研制等。作者还应邀在美国联邦政府机构泥沙会议上介绍有关我国泥沙测验的情况，并制成录像带在会上播放，受到好评。通过中美地表水科技合作协定附件四泥沙项目的交流，增进了相互了解。据美方项目负责人介绍，在执行该项目之初只是想到美方应提供什么技术给中方，但在执行项目时感到中国也有很多先进的技术可供他们使用，执行项目可以相互学习，对双方都有利。

作者曾担任水利部水文局泥沙测验研究工作组组长。工作组的设立促进了这一领域的技术交流与协作，并审查了新修订的有关泥沙测验的规范，泥沙颗粒分析国际上多承袭土壤分析方法，对大于0.062 5mm(或0.05mm)的砂、砾石等采用筛分法，小于这一粒径的粉土和黏土均采用以沉降粒径为基础的吸管法等主要方法。1960年中国采用了粒径计法作为分析这类细粒径泥沙的方法，但粒径计法测得的级配有系统偏粗的现象。作者和其他几个单位协作研制成光电颗分仪，经过大量比测实验，经水利部水文司批准，于1980年开始采用光电法代替粒径计法，这种以吸管法为比测基础并有翔实的理论基础的方法，大大改善了传统颗分方法的劳动强度，能较迅速地提供可靠的分析成果，并与历史资料保持一致。该方法已被纳入国家泥沙颗粒分析的规范。

20世纪八九十年代作者曾多次进行国际交流。除参与中美地表水科技合作协定附件四工作和多次访问美国以外，还多次参加国际水文科学协会组织的有关泥沙问题的讨论会，以及参加国际泥沙中心组织的国际河流泥沙讨论会。作者曾应美国垦务局邀请做有关黄河治理及泥沙问题报告，巴西电力公司曾组织短期学习班邀请作者主讲有关中国泥沙测验研究问题。作者还曾多次在国际泥沙中心组织的短期学习班讲授有关水库泥沙测验研究及环境影响等问题。总计提供国际交流的论文36篇，其目录见本书附录2。这些国际交流活动有助于国际同行了解黄河的现状以及中国河流和水库泥沙测验研究情况。

作者曾担任第三届、第四届中国水利学会理事，第五届中国水利学会名誉理事，国际水文科学协会会员。

1979年作者被国务院授予“全国劳动模范”称号，1984年被水利电力部授予“特等劳动模范”称号，1985年被全国总工会授予“全国优秀科技工作者”称号并获得“五一劳动奖章”。

附录 2 参加国际交流的论文目录

1980 Sediment Problems in the Sanmenxia Reservoir (三门峡水库泥沙问题的研究). Proc. 1st International Symposium on River Sedimentation, IRTCES, Beijing (张启舜, 龙毓骞)

1980 Size Analysis by Photo - sedimentation Method (消光法用于河流泥沙颗粒分析). Proc. 1st International Symposium on River Sedimentation, IRTCES, Beijing (卢永生,徐友仁,龙毓骞)

1980 General Report - theme E: Laboratory and Field Measuring Techniques and Model Tests of Sediment Transport(总报告:泥沙测试技术与模型试验). Proc. 1st International Symposium on River Sedimentation, IRTCES, Beijing (龙毓骞,陈怀汲)

1981 Yellow River Floods and its Effects(黄河洪水及其影响). Symposium on Hurricane and Floods: Effects on Human Settlements, Nov. Lapaz, Mexico (龙毓骞,王国安,程秀文)

1981 Sediment Regulation Problems in the Sanmenxia Reservoir(三门峡水库泥沙调节问题). Water Supply and Management, UK, vol.5 (龙毓骞,张启舜)

1981 Sediment Measurement in the Yellow River(黄河的泥沙测验). Proc. of the Florence Symposium IAHS pub. no. 133, Florence (龙毓骞,熊贵枢)

1982 Preliminary Analysis of the Error in Measurement of Sediment Discharge(输沙率测验误差的初步分析). Presented at Annex 4 Meeting of the Protocol of the Cooperative Study of Surface Water with US Geological Survey (龙毓骞,林斌文,熊贵枢)

1984 Yellow River Flood and Sediment Problems(黄河洪水与泥沙问题). Presented at China - Japan Bilateral Seminar on River Hydraulics and Engineering Experiences, Tokyo(龙毓骞)

1985 Improvement of Flood Control and Flood Forecasting of Lower Yellow River(改善黄河下游防洪及洪水预报). Presented at Sicily, Italy, Meeting of World Laboratory (龙毓骞)

1985 Multi - purpose Development of Sanmenxia Reservoir and Regulation of Water and Sediment(三门峡水库综合利用与水沙调节). 2nd International Workshop on Alluvial River Problems, Roorkee University, India (丁六逸,龙毓骞)

1985 Effects of Reservoir Operation on Sedimentation in Reservoirs and Downstream River Reaches(水库运用对水库及下游河道的影响). 2nd International Workshop on Alluvial River Problems, Roorkee University, India(龙毓骞, 钱意颖)

1985 Measuring Techniques of Reservoir Sedimentation(水库淤积测验技术). Lecture Notes, Short Training Course Sponsored by IRTCES at Tsinghua University (龙毓骞, 钱意颖)

1986 Monitoring of Environmental Impacts in Upstream and Downstream of a Reservoir (水库上下游环境监测). Lecture Notes, IRTCES, Short Training Course Held at Hehai University (龙毓骞)

1986 Erosion, Sediment Transport and Deposition in the Yellow River Basin(黄河流域侵蚀、泥沙输送与沉积). International Journal of Sediment Research, International Research and Training Center on Erosion and Sedimentation (IRTCES), Beijing vol. 1 (龙毓骞, 钱宁)

1986 Effectiveness of Measures Taken in the Upper and Middle Watersheds in the Reduction of Deposition of the Lower Yellow River(黄河上中游流域各种措施对下游河道减淤的作用),Presented at Federal Interagency Sedimentation Conference at Las Vegas(龙毓骞)

1987 Brief Account of the Yellow River(黄河简介). Presented at China - USA Bilateral Workshop on Flood Control Problems of the Lower Yellow River, Zhengzhou, Cosponsored by Research Institute of Geography, China Academy of Science(龙毓骞)

1988 Variation of Bed Material of the Lower Yellow River(黄河下游床沙组成的变化). Proc. Federal Interagency Sedimentation Conference, Las Vegas, USA (龙毓骞, 林斌文, 梁国亭)

1988 A Study of the Total Load Transport in the Yellow River(黄河全沙输送的研究). Proc. of the Porto Alegre Symposium, IAHS publ. no. 174,Brazil (林斌文,龙毓骞)

1988 River Response to Modification of Flow in the Lower Yellow River(黄河下游河道对水沙变化的反应). Invited Lecture Note, US Bureau of Reclamation, Denver (龙毓骞)

1989 Inter - comparison of Collapsible Bag Suspended Sediment Samplers(中美皮囊采样器比测). Proc. Forth International Symposium on River Sedimentation, Beijing (龙毓骞, Carl Nordin)

1989 Comparison of Some Methods for Particle Size Analysis of Suspended Sediment Samples(中美悬移质泥沙颗分方法比较). Proc. Forth International Symposium on River Sedimentation, Beijing(龙毓骞, Bill Emmett, Richard Janda)

1989 Manual on Operational Methods for the Measurement of Sediment Transport(河流泥沙测验方法手册). Operational Hydrology Report no. 29, WMO report no. 686, World Meteorological Organization. Revised in April 2000 (修订本合并为两章) (龙毓骞)

1990 Importance of Sediment Measurement in Water Resources Development(河流泥沙测验在水资源开发中的重要性(附我国泥沙测验仪器设备简介录像)). WMO Workshop Beijing(龙毓骞)

1990 A Brief Review of the Progress in Sediment Measuring Techniques in China(中国泥沙测验技术进展简介). Workshop Sponsored by International Research and Training Center (IRTCES) Bangkok, Thailand (龙毓骞)

1992 Design and Operation of Sediment Transport Measurement Programs in a River Basin: The Chinese Experience(在一个流域内泥沙测验计划及实施:中国经验). IAHS Internstional . Symposium on Sediment Monitoring Programs, Oslo Norway (龙毓骞)

1994 Sediment Measurement in the Yellow River(黄河泥沙测验). International Workshop at Bangladesh (龙毓骞)

1994 Variability of Sediment Load and its Impacts on the Yellow River(来沙量变化对河流的影响). International Symposium on Variability of Sediment Load, IAHS, Canberra, Australia (龙毓骞, 钱意颖,熊贵枢,徐明权)

1995 Management of Sediment in the Sanmenxia Reservoir(三门峡水库的泥沙调节). Proc. of the second Symposium on Advances in Hydro - science and Engineering, vol. 2. Beijing(龙毓骞, 李松恒)

1995 Variation of Water and Sediment Runoff of the Yellow River and self - adjustment of the Alluvial River Reaches(黄河水沙变化及冲积河流自动调整). Proc. of second Symposium on Advance in Hydro - science and Engineering, vol. 2. Beijing (龙毓骞, 钱意颖, 付崇进)

1995 Reservoir Sedimentation Data Collection Programs in China (中国水库泥沙测验计划). International Workshop on Reservoir Sedimentation (Sponsored by Federal Energy Regulatory Commission of USA at San Francisco) (龙毓骞)

1996 Lecture Notes on Measurement of Fluvial Sediment(河流泥沙测验). Invited Lecture Notes presented at Rio de Janeiro, Brazil (龙毓骞)

1996 Sedimentation in the Sanmenxia Reservoir ——A Case Study on Reservoir Sedimentation(水库泥沙问题实例——三门峡水库). Reservoir Sedimentation Conference at Ft Collins Colorado, USA (龙毓骞)

1998 Adaptability of Sediment Transport Formula to the Yellow River(输沙公式对黄河下游的适用性). Proc. of seventh International Symposium on River Sedimentation. Hongkong(张原锋,龙毓骞, 申冠卿)

2002 Range Survey of Deposition in the Lower Yellow River(黄河下游断面资料数据库及冲淤分布的初步分析). International Journal of Sediment Research, vol. 2, IRTCES (龙毓骞,梁国亭,张原锋,申冠卿,张留柱,程龙渊)

2003 Features of Sedimentation of the Lower Yellow River(黄河下游淤积特点及黄河减淤问题),2003 黄河国际论坛. Yellow River Conservancy Commission, 郑州 (龙毓骞)

2004 Impact of Management of Water and Sediment in Reservoir on the Sedimentation in Lower Yellow River(水库水沙调节对下游河道的影响). Proc. Ninth International Symposium on River Sedimentation,宜昌 (龙毓骞,梁国亭,张原锋)